D1144753

HOWARD SPRING · GELIEBTE SÖHNE

HOWARD SPRING

GELIEBTE SÖHNE

ROMAN

1956

IM BERTELSMANN LESERING

Titel der englischen Originalausgabe: "O ABSALOM!"
Deutsch von Hans Thomas

Lizenzausgabe für den Bertelsmann Lesering mit Genehmigung des Claassen Verlages, Hamburg. Copyright by Claassen & Coverts GmbH, Hamburg. Einband G. Ulrich. Gesamtherstellung Mohn & Co GmbH Gütersloh.
Printed in Germany

ERSTES BUCH

I

Bei Moscrops holte ich die Wäsche gern ab. Auch meine Mutter wusch am liebsten für Moscrops. Frau Moscrop legte nämlich immer eine Stange gelber Seife mit zur Wäsche. Daran dachte sonst niemand.

Moscrops Laden lag an einer Ecke, mit der Vorderseite nach der Hauptstraße. Um hinten nach der Backstube zu kommen, mußte man die Seitenstraße hinuntergehen. An jenem Abend sah das Schaufenster besonders bunt aus. Gelber Nebel wogte durch die Straßen. Es war ein paar Tage vor Weihnachten. Papierlaternen mit brennenden Kerzen, länglich wie eine Ziehharmonika oder kugelförmig, verstärkten das Licht der beiden Gasflammen, die für gewöhnlich das Schaufenster erhellten. Ein langes Messingrohr lief am Fenster entlang, aus dem ein halbes Dutzend Gasbrenner hervorsprossen, aber angezündet wurde stets nur einer an jedem Ende. Moscrops mußten wohl mit dem Pfennig rechnen wie wir alle in Hulme; aber das fiel mir damals noch nicht auf.

Moscrops Laden war eine Oase von Helligkeit in der schmutzigen Gegend, wo Jungen und Mädchen herumlungerten und sich trafen. Und an jenem Abend, da in jedem Kuchen ein Stechpalmenzweig steckte und bunte Papierketten von einem Lampion zum anderen baumelten, da an einer Schnur, die wie von Rauhreif funkelte, „Fröhliche Weihnachten“ in einzeln aufgereihten Silberbuchstaben zu lesen stand, nahm sich Moscrops Schaufenster so zauberhaft aus, wie es sich ein Kind nur wünschen konnte. Da gab es knusperbraun gebackene Brote, Kuchenbrötchen, aus denen Korinthen quollen, weihnachtliche Plumpuddings in festlicher Aufmachung und hohe Gläser mit Keks und Bonbons.

Als ich die Tür aufstieß, schlug die tonlose Glocke an, eigentlich mehr ein Klick als ein Klingeln, und drinnen war ich; die rauhe Nacht blieb draußen, und ich stand im warmen, nahrhaften Dunst des Ladens. Hinten aus der guten Stube kam Frau Moscrop, breit, rund und knusprig wie ihre Brote. „Ach, die Wäsche!“ sagte sie. „Ich bin noch nicht ganz fertig damit. Geh noch mal in die Backstube und unterhalt dich mit meinem Mann!“

Ich ging die Seitenstraße hinunter und öffnete die Tür zur Backstube. Da war es schön! Viel schöner noch als im Laden, wärmer und noch aufregender. Zwei Holztische füllten sie der Länge nach aus, glatt wie Seide. Der alte Moscrop schlurfte in Pantoffeln umher, ohne Rock und Weste, die Hemdsärmel aufgekrempelt und eine lange weiße Schürze um den Bauch; er sah aus, als wäre er hier zur Welt gekommen. Sein Gesicht war käsig, quabbelig wie Teig und sein ganzer Körper mit feinem weißem Mehlflaum bedeckt. Die Tür des großen Backofens stand offen. Ich konnte weit in seinen Schlund sehen. Reihen und Reihen von Broten lagen darin, einige in Blechformen, andere im eigenen braunen Krustenpanzer. Herr Moscrop hatte einen Brotschieber mit einem ganz langen Stiel. Damit konnte er bis hinten in den Backofen kommen. Er schob das Blatt unter die Brotlaibe, zog einen nach dem anderen heraus und legte sie auf einen der langen Holztische. Einige waren für Herrn Moscrops Laden und zum Austragen bestimmt, andere waren für Kunden gebacken worden, die sich zu Hause ihren eigenen Teig angerührt hatten. Leute mit Phantasie hatten ihre Anfangsbuchstaben draufgeritzt, andere wieder schrieben ihren Namen auf ein Stück Papier und steckten es mit einem abgebrochenen Streichholz seitlich in den Laib. Diese Zettel wurden dann braun und knusprig und zerfielen, sowie man sie anrührte.

Ab und zu blinzelte Herr Moscrop zu mir herüber. Aber er sagte kein Wort, bevor nicht alle Brote auf den Tischen lagen. Dann holte er eine lange Marmeladenrolle heran, nahm ein Messer, schnitt ein Stück ab und schob es mir hin. Heiser, als wenn er am Mehl erstickte, sagte er: „Da hast du 'n Sechserstück!"

Dieser Ritus stand fest. Die Wäsche lag nie bereit. Ich wurde jedesmal in die Backstube geschickt, und jedesmal schenkte mir Herr Moscrop ein Sechserstück. Dann ging ich wieder in den Laden.

Jetzt aber blieb mir das Herz stehen. Draußen vor dem Fenster standen zwei Jungen. Ich wußte, die stehen auch noch da, wenn ich herauskomme. Ja, da standen sie! Ich schleppte mein Riesenbündel fort, die Wochenwäsche der Familie Moscrop, die in ein Bettlaken gepackt und an den vier Zipfeln zusammengeknüpft war. Den Knoten hielt ich mit beiden Händen umklammert. Nur wenn ich mich weit vornüberbeugte, konnte ich die Last auf dem Rücken tragen. Ich war zwölf Jahre alt, hundemager und schwächlich und hatte große Angst vor den beiden Jungen, die ich hinter mir wußte. Jetzt setzten sie sich in Trab und kamen an mir vorbei, einer hinter dem anderen. Beide stupsten mich im Vorbeilaufen mit der Schulter an, so daß ich ins Stolpern kam. Dann verschwanden sie vorn im Nebel. Sie würden bestimmt an der nächsten Ecke auf mich warten. Ich nahm den Nebel zu Hilfe, schlug einen Haken und verzog mich in eine Seitenstraße. Ich konnte auch auf einem Umweg nach Hause kommen. Sie suchten laut hinter mir her. Ich hörte bereits die Worte, mit denen sie immer über mich herfielen: „Schmutzige Wäsche müßt ihr waschen!" Es war eine leiernde Melodie, mit einer aufreizenden Betonung auf „schmutzig" und „müßt". Ich hörte es damals bis in den Schlaf. Es verfolgte mich überall.

Jetzt waren sie mir auf der Spur. Sie hatten meine kümmerliche List durchschaut. Blitzschnell bog ich nach rechts ab, eine dunkle Gasse hinunter zwischen zwei Reihen Hintertüren. Das war eine Dummheit, denn es war eine Sackgasse. Ich hörte ihr Geschrei durch den Nebel und betete, daß sie vorüberlaufen möchten. Aber sie taten es nicht. Vorsichtig pirschten sie sich heran und fanden mich zitternd, beide Hände um den Wäscheknoten gekrallt und das Bündel auf dem Rücken. Ich weiß nicht, warum sie hinter mir her waren. Vielleicht nur, weil sie jung und gedankenlos waren und ich hilflos, weiter wird es nichts gewesen sein. Sie rissen das Bündel auf, warfen seinen Inhalt auf die schmutzige Straße, trampelten wie die Irren darauf herum, grölten ihr Lied und stießen mich schließlich in die traurige Bescherung hinein. Dann rissen sie mir die Mütze vom Kopf und liefen vor Lachen johlend davon.

Oh, wie ich diese Wäscherei haßte! Sie beherrschte das Leben in unserem Haus in der Shelleystraße. Schon am Fenster kündigte sie sich an: „Hier wird gewaschen und gemangelt." Im engen Flur machte sie sich bemerkbar. Es roch dort immer nach Dampf und Seifenlauge. Sie beherrschte die Küche, in der ewig nasse Wäsche auf der Leine hing, von der Decke herab und auf den Trockengestellen um den Herd herum, und wo der Plättdunst das ganze Leben zu begleiten schien. Vor allem aber hauste sie in der Waschküche, wo der Kessel über einem Feuer stand und wo meine Mutter, immer müde, Wäsche kochte und sie auf dem Waschbrett rubbelte und sie spülte und sie mangelte.

Was war das für ein Ort, das kleine dunkle Haus mit zwei Zimmern oben und zwei Zimmern unten und dazu noch die Waschküche! Ich weiß bis zum heutigen Tage nicht, wo wir eigentlich alle geschlafen haben, obwohl hin und wieder einer wegstarb und uns Platz machte.

Ich war der Jüngste im Hause, der Lausejunge, der Quälgeist; zu klein, als daß die anderen etwas hätten mit mir anfangen können bei der Arbeit wie beim Spiel. Sie waren froh, wenn sie mich los waren, und denke ich daran zurück, wie wir lebten, so mache ich ihnen keinen Vorwurf daraus. Trotzdem habe ich es damals gespürt. Wenn die Haustür hinter mir zufiel, hörte ich förmlich, wie sie erleichtert aufatmeten. Das warf mich auf mich selbst zurück.

Im Sommer konnten sie mich am häufigsten loswerden. Wir hatten einen kleinen Handel mit Kräuterbier, wie ein Plakat am Fenster neben dem, das unsere Wäscherei und Mangel anpries, verkündete. Ich wurde oft zum Kräutersammeln fortgeschickt. Ein Butterbrot und eine Flasche Wasser wurden in einen großen Korb gepackt, und man erwartete von mir, daß ich, so verproviantiert, den Haushalt für den längsten Teil des Tages von meiner Gegenwart befreite. Ich tat es gern.

Ich war froh, der schwarzen Festung Hulme zu entrinnen und südwärts auf die Palatinallee zu kommen, die damals noch nicht vom Lärm der Straßenbahn erfüllt war wie heute. Den blauen Himmel über mir, den weißen Staub der Straße unter meinen Füßen, stapfte ich dahin, benommen von dem Glanz einer Welt, die unvorstellbaren Reichtum ausstrahlte. Aus all den großen Häusern, die von Fallowfield über Withingstone bis nach Didsbury an der Palatinallee lagen, kamen die Baumwollkönige, um nach Manchester hineinzufahren. Viktorias, Zweispänner und Chaisen, Kutscher mit Handschuhen und Kokarden am Hut, Lakaien, Herren zu Pferde, all das zog zwischen Weißdorn und Kirschbäumen, Goldregen, Flieder und Kastanienblüten die lachende Straße entlang. Hin und wieder kam auch eine Dame vorübergefahren, in die Kissen zurückgelehnt und den Sonnenschirm über dem Kopf, um in den Läden am St.-Anna-Platz oder in der Marktstraße ihre Einkäufe zu machen, eine Dame, die mich in ihrem großen Hut und Falbelumhang mit den halbgeschlossenen, unerhört anmaßenden Augen derart einschüchterte, daß ich mir nicht vorstellen konnte, wie sich wohl ihr Leben abspielen mochte.

Und dann konnte ich die Häuser selbst betrachten und anstaunen: große Würfel mit Stuckfassaden, jedes stolz auf eigenem Grund und Boden, mit Treibhäusern, gleich winzigen Kopien des Kristallpalastes, mit Stallungen, Remisen und Wirtschaftsgebäuden, in denen sich die vier Zimmer unseres Hauses in der Shelleystraße hoffnungslos verkrümelt hätten.

Shelleystraße! Was hatte sich der Erbauer dabei gedacht, als er dieser freudlosen und schmutzigen Zeile von Backsteinkerkern einen solchen Namen gab! Byronstraße, Keatsstraße, Southeystraße und manche andere mit wohlklingendem Namen, aber ohne jede Poesie in der Wirklichkeit, gingen noch von der düsteren Hauptstraße ab, von der auch wir abzweigten. Damals waren alle diese Namen nur Namen für mich, und wenn ich an den Palästen der Reichen vorüberging, durchzuckte mich nichts bei dem Worte „Shelleystraße", nichts als Bitterkeit und Neid.

So jung ich auch war, ich haßte das ganze Drum und Dran meines Lebens. Ich haßte das Austragen der Wäschebündel, ich haßte das Drehen der Mangel, und am meisten haßte ich das enge Aufeinanderkleben, in dem wir uns Tag und Nacht aneinander rieben, bis wir bissig und knurrig wurden, da keiner je allein sein konnte. So kam es, daß ich beim Anblick der vornehmen, reichen Häuser an der Palatinallee darauf brannte, reich zu werden wie die Leute, die darin wohnten. Ich träumte von einem großen Zimmer, in dem ich allein sein würde, von einem Haus voller Dienstboten, die nur dazu da wären, niemanden an mich heranzulassen, und von einem Park, der mich vor der Berührung und dem Umgang mit Menschen bewahrte.

Ich ging mit tausend Freuden hinaus, Brennesseln, Löwenzahn und die paar anderen Kräuter zu suchen, aus denen wir unser Bier brauten, weil ich dabei allein sein konnte. Damals brauchte man nicht so lange, um zu den Blumenwiesen, den Weidenhecken und den Kuckucksblumen zu kommen, nicht einmal vom Zentrum von Manchester aus. Ich brauchte auch nicht lange dazu, mein Butterbrot zu essen, meine Wasserflasche auszutrinken und den Korb mit Kräutern zu füllen. Dann war nichts mehr zu tun, und ich konnte herumstreifen, stundenlang unter einer Hecke liegen, den Schwalben zusehen, wie sie durch den blauen Himmel schossen, und dem Traum nachhängen, den ich immer träumte: reich zu werden.

Heute kommt es mir unwahrscheinlich vor, daß ich

damals noch kein Buch gelesen hatte. Ich konnte nicht lesen. Ich konnte auch nicht schreiben. Hätte ich lesen können, so hätte ich zweifellos viele Geschichten gekannt von Jungen, wie ich einer war, die Baumwollmagnaten und dies und jenes geworden waren und deren erster Gedanke gewesen war, ihren alten Eltern ein bequemes Leben zu schaffen und dem Elend ihrer Geschwister abzuhelfen. Mir war nicht bewußt, daß die Moral, wie sie in den Büchern steht, so etwas von mir erwartete. Meine Träume waren roh und ungebrochen und kreisten nur um mich selbst. Da gab es niemanden sonst, und gerade so war es mir recht. Ich ganz allein wollte es gut haben und vor den Anforderungen und Beschwerden des Lebens gesichert sein.

Daß eine Reihe übelriechender Kasernen den viel zu hohen Namen Straße und obendrein noch Shelleystraße trug, gab meinem Leben dann eine Wendung. In der hübschen ländlichen Gegend, wohin ich eines Tages auf Kräutersuche gegangen war, stand – und steht noch heute – eine alte niedrige Kirche aus rotem Sandstein mitten in ihrem Friedhof. Von einer Böschung sieht man herab auf die flachen Sumpfwiesen, durch die sich der Mersey windet und schlängelt. Es ist noch immer ein hübsches Fleckchen Erde. Damals aber war es ein Paradies, weil die Stadt noch etliche Meilen davon entfernt lag. Hier und dort sah man ein nettes Haus, sonst nichts als hohe Bäume und Wiesen, auf denen das Vieh weidete.

Ich saß auf dem Friedhof, neben mir den vollen Korb, den Rücken an einen halbverfallenen grauen Grabstein gelehnt, und hatte nichts zu tun, als den stillen Tag an mir vorüberziehen zu lassen, bis es Zeit würde, nach Hause zu gehen. Der alte Mann, der damals in mein Leben trat, hieß Oliver – Ehrwürden Eustace Oliver.

Ehrwürdig genug kam er mir vor, als er dort langsam durch das Gras zwischen den Gräbern schritt. Das lange weiße Haar reichte ihm fast bis auf die Schulter, sein Rock war schwarz und streng, und der Zeigefinger der einen Hand steckte zwischen den Seiten eines Buches.

Ich sprang auf die Füße, denn ich hatte das Gefühl, daß diesem Mann, der sicherlich der Pfarrer war, der Kirchhof gehöre und ich gut daran täte, mich davonzumachen. Ich griff gerade nach meinem Korb, als mich Herr Oliver ungewöhnlich sanft an der Schulter faßte und mich auf meinen Platz zurückdrückte. Dann setzte er sich auch ins

Gras und lächelte mir dabei zu. „Nicht weglaufen", sagte er, „dies ist Gottes Acker."

Als ich Herrn Oliver allmählich besser kannte, fand ich, daß er voll von solchen Sprüchen steckte – heute würden wir sie wohl Phrasen nennen –, aber er meinte es so, wie er es sagte, und er war ein guter Mann. Ich weiß nicht mehr, worüber wir an diesem Nachmittag sprachen. Ich weiß nur noch, daß er mich fragte, wie ich heiße, und ich sagte: „William Essex." Er fragte mich: „Wie alt bist du, William?" Und ich sagte: „Zwölf." Er fragte mich, wo ich wohne, und ich sagte: „Shelleystraße." Dann lächelte er wieder und zeigte mir das Buch, das er in der Hand hielt, und sagte: „Ich gehe auch oft in der Shelleystraße spazieren."

Ich wußte nicht, was er meinte, und sagte: „Ich habe Sie dort nie gesehen." Er antwortete geduldig: „Nein, nicht so! Ich meine nur, ich lese Shelley. Dieses Buch, siehst du – das sind Shelleys Gedichte."

Er hielt mir das Buch hin, und ich sagte: „Ich kann nicht lesen!" Darauf antwortete er: „Gut, dann lese ich vor."

Es war ein seltsamer Nachmittag. Er endete herrlich, denn Herr Oliver nahm mich mit zur Küchentür des Pfarrhauses und sagte mit seinem immer gleichen Kinderlächeln zu der Köchin: „Mary, weide meine Lämmer!" Mary fütterte mich mit Tee und Butterbrot und Himbeermarmelade und Kuchen.

Es waren nicht so sehr die salbungsvollen Reden des Herrn Oliver, sondern eher die Hoffnung auf die Himbeermarmelade, die mich in jenem Sommer öfter auf den Friedhof trieb. Manchmal erschien Herr Oliver und manchmal nicht. Auch wenn er erschien, wurde das Lamm nicht jedesmal geweidet. Aber die Weide erfolgte doch häufig genug, um die Fortsetzung des Experimentes zu rechtfertigen. Das Ende vom Lied war, daß aus meiner Begehrlichkeit und seiner nachsichtigen Gutherzigkeit eine so nette Beziehung zwischen uns entstand, daß er mir eine Stellung anbot. Der Lohn war lächerlich gering, aber ich hatte mein Auskommen, und Herr Oliver sagte, er würde mich lesen und schreiben lehren.

Er hielt sein Wort. Drei Jahre lang war ich glücklich. Zu tun gab es reichlich. Jeder, der im Pfarrhaus angestellt war, stellte mich an. Der Köchin half ich in der Küche Feuer anmachen und Messer putzen mit zu Staub verriebenem Putzstein. Ich scheuerte Tische und drehte den Braten am Spieß. Ich half dem alten Mann, der das Pferd des Herrn Oliver versorgte und den Garten pflegte, säuberte den Stall, fuhr Mist auf den Dunghaufen, jätete das Unkraut an den Wegkanten und harkte den Kies. Ab und zu putzte ich auch das Pferd, das ebenso alt und grau und sanftmütig war wie Herr Oliver selbst. Ich half dem Küster die Kirche sauberhalten, und im ersten Eifer, mich nützlich zu machen, machte ich mich sogar an die Grabsteine und kratzte mit einem Nagel das Moos aus den Inschriften. Aber das wollte Herr Oliver nicht. Er untersagte es mir freundlich und murmelte etwas von ehrwürdigen Runen.

Für meinen Unterricht gab es bei Herrn Oliver keinen festen Stundenplan. Zu keiner Tageszeit war ich davor sicher, daß er auf mich zukam, mich aus der Arbeit herausriß und in seinem Studierzimmer über die Schulbücher setzte. Am schönsten waren die Winterabende, wenn die Petroleumlampen in der braunen Stube mit den vielen vergilbten Büchern brannten und das Feuer im Kamin knisterte und Funken sprühte. Das Fenster ging auf die Felder hinaus. Kein Laut störte uns, höchstens ab und zu ein Eulenschrei. Herr Oliver saß in seinem Lehnstuhl am Feuer, er hatte bequeme Pantoffeln an und rauchte eine lange Tonpfeife. Ich saß aufrecht am Tisch, auf dem eine rote Decke mit einer Franse aus kleinen Wollbällchen lag, und schrieb oder las aus meinem Buch vor.

Das eine habe ich Herrn Oliver zu verdanken: sobald ich überhaupt lesen konnte – und dazu habe ich es tatsächlich sehr schnell gebracht –, gab er mir gediegene Sachen zu lesen. Wir fingen mit dem Alten Testament an; wir lasen etwas Burton und Browne und einige von Burkes Reden – sonderbar genug für einen Jungen, aber ich bekam dabei früh das Gefühl von Rhythmus und Gehalt, einen Geschmack, der späterhin für leichtere Kost nicht mehr zu haben war.

Damals war ich mir dessen nicht bewußt, aber ich hatte Glück, wie es von einer Million kaum einen einmal trifft: ich hatte einen ungewöhnlich klugen Lehrer mit ebenso ungewöhnlicher Lehrbefähigung gefunden, den ich drei Jahre lang ganz allein für mich haben durfte. Irgendeine Grille hatte ihn dazu geführt: er war Junggeselle und vermutlich einsam. Aber nachdem er die Aufgabe einmal übernommen hatte, führte er sie gründlich durch. Er schrieb eine schöne Handschrift, und ich tue es auch bis auf den heutigen Tag. Er gab mir einen Begriff von Geographie, kein Ortsname durfte vorkommen, der nicht auf dem Globus aufgesucht wurde. Er gab mir eine Ahnung von Geschichte und erzählte mir von den Männern und Ereignissen, die Zeitungen füllten.

Aber was mehr ist: ich hatte reichlich zu essen, ich hatte Platz, und ich hatte Ruhe. Ich schlief auf dem Stallboden, aber das war nicht so schlimm. Es war ein geräumiger Boden mit einem Fenster auf die Felder. Wenn im Sommer die Flußnebel stiegen, tauchte das Vieh so tief darin unter, daß ich zuweilen nur die gewölbten Rücken sah. Sie trieben wie gekenterte Boote kieloben auf einem schimmernden See. Im Winter war es recht behaglich auf dem Boden. Ich hatte drei Wolldecken auf meinem Strohlager, und vor allem: ich war allein dort oben! Die vielen angeblichen Freuden des Familienlebens war ich los, und ich wurde in jeder Beziehung glücklicher, gesünder und vernünftiger.

Ich arbeitete tüchtig. Vor sieben Uhr morgens fegte ich den Stall, und mit allen meinen Pflichten und Unterrichtsstunden hatte ich bis zehn Uhr abends keinen freien Augenblick. Ich erhielt zehn Pfund jährlich. Schamlose Ausbeutung eines Jungen durch einen gewissenlosen Geistlichen? Unsinn! Was ich Eustace Oliver schulde, kann ich niemals gutmachen.

Gegen Schluß des ersten Jahres gab er mir meine zehn Pfund. Für einen Jungen von dreizehn Jahren, der nie mehr als einen Schilling auf einmal in der Hand gehabt hatte, war das eine ungeheure Summe – so ungeheuer, daß ich die Verantwortung für so viel bares Geld nicht auf mich nehmen mochte. Ich konnte nichts damit anfangen. Natürlich hätte ich es meinen Eltern geben können, aber darauf kam ich gar nicht. Ich sah sie nur selten – im Laufe der Jahre immer seltener – und hatte den Wunsch, sie womöglich noch weniger zu sehen.

Kleidung brauchte ich nicht. Dafür sorgte Herr Oliver, obwohl das bei meiner Anstellung nicht abgemacht war. Reichlich zu essen bekam ich auch und hatte ein Dach über dem Kopf. Vielleicht hätte ich damals anfangen sollen, Bücher zu kaufen, aber auch dazu fehlte die Veranlassung. Ich konnte ja, was ich nur wollte, in Herrn Olivers großer Bibliothek lesen.

„Paß auf", setzte mir Herr Oliver auseinander, „wenn du hundert Pfund zu fünf Prozent ausleihst, dann besitzt du am Ende des Jahres deine hundert und noch fünf dazu. Da du aber nur zehn hast, ein Zehntel von hundert, bekommst du auch nur ein Zehntel von den fünfen, das sind zehn Schillinge. Und das ist immerhin schon etwas, William, denn die zehn Pfund plus zehn Schilling kommen dann zu deinen nächsten zehn Pfund dazu, und dann hast du zwanzig Pfund und zehn Schilling und bekommst für die ganze Summe fünf Prozent."

Das war meine erste Lektion in Mathematik und Finanzwissenschaft. Ich fand sie sehr gut und ordentlich.

Am Samstagabend hatte ich niemals Unterricht bei Herrn Oliver, die Samstagabende waren für Herrn George Summerway reserviert. George Summerway wohnte in einem von den schönen Häusern mit Stuckfassade, die um die Kirche und das Pfarrhaus verstreut herumlagen. Er war ein Junggeselle wie Herr Oliver, aber soweit ich sehen konnte, war das auch alles, was sie miteinander gemein hatten. Summerway war ein Riese, breitschultrig, mit einem mächtigen schwarzen Krauskopf und blühendem Gesicht, aus dem sein bellender Lancashire-Dialekt schrecklich hervordröhnte. Er war immer von überwältigender Eleganz und hatte eine Vorliebe für enge Hosen, geblümte Westen und einen weißen Kastorhut. Man sah ihn fast täglich zur Stadt fahren, er führte großspurig die Zügel, während sein Kutscher ziemlich kümmerlich neben ihm im Dogcart saß.

Solange ich bei Herrn Oliver wohnte, aßen er und George Summerway an den Samstagen abwechselnd beieinander zu Abend. An einem solchen Abend im Winter – ich war bereits zweieinhalb Jahre bei Herrn Oliver im Dienst – ließ er mich ins Eßzimmer kommen. Die Überreste eines Festmahles standen noch umher. George Summerway rekelte sich mit einem Ellbogen über den Tisch, er hatte den Stuhl zurückgeschoben und die Beine zum Feuer gespreizt. In der andern Hand drehte er ein Glas Portwein.

„So, das da ist also der Junge, wie?" bellte er los, als ich schüchtern in der Tür stand. Sein Gesicht war rot, und das krause schwarze Haar hing ihm in die Stirn. „Sieht mir reichlich spillrig aus!"

„Der ist kräftig genug", sagte Herr Oliver ruhig. „Ich habe mit Herrn Summerway über deine Zukunft gesprochen, William."

„Hast du Lust zum Baumwollgeschäft, Junge?"

Ich fürchte, ich habe keinen guten Eindruck gemacht. Ich stotterte und wurde rot. Das war mir zu plötzlich gekommen.

„Wir haben ihn überrumpelt, George“, sagte Herr Oliver freundlich. „Ich will den Plan mit ihm besprechen.“

„Ja, und paß auf, daß er's Maul auftun lernt!“ brüllte Summerway und goß seinen Portwein hinunter. „In der Baumwollbranche darf man nicht auf den Mund gefallen sein. Für stumme Pinsel ist da kein Platz. Und daß mir der Junge rechnen lernt! Lern rechnen, Junge, dann werden wir weitersehen!“

Das war im Augenblick alles, aber Herr Oliver brachte es über sich, mir in den kommenden Monaten bis in den Frühling hinein das Rechnen beizubringen. Ich fühlte, daß es durchaus nicht nach seinem Geschmack war. Oft geriet seine Hand unversehens an irgendeinen Lieblingsband, als wollte er es für dieses Mal mit dem Pensum bewenden lassen, um zu Dingen überzugehen, die ihm näherstanden. Aber dann legte er das Buch wieder mit einem Seufzer hin und nahm ein Blatt Pro-Patria-Papier mit Kontolinien zur Hand.

Eines Abends im Mai hatten wir uns bis neun Uhr mit Rechenaufgaben beschäftigt. Es war ein schöner Tag gewesen, und plötzlich warf Herr Oliver die Arbeit hin, als würde er ungeduldig. „Das ist alles für heute, William“, sagte er und ging ans Fenster. Er sah über die Weiden am Fluß in das letzte Abendrot, das noch am Himmel hing, dann legte er nach seiner Gewohnheit sein tiefstes Gefühl in eine abgedroschene Redensart. „Im Westen leuchtet nun der goldene Abend“, sagte er vor sich hin. „Gute Nacht, William.“

„Gute Nacht, Herr Pfarrer“, sagte ich.

Am nächsten Morgen fand man Herrn Oliver tot im Bett auf.

2

Herr Oliver starb an einem Mittwoch. Zum nächsten Montag hatte mich Herr Summerway auf sein Kontor in der Mosleystraße bestellt. Ich mochte nicht nach Hause gehen, aber es blieb mir nichts anderes übrig. Und so ging ich. Vor sechs Monaten war ich zuletzt dagewesen, seitdem hatte sich viel verändert. Sie klebten nicht mehr so eng aufeinander. Mein Vater war verschwunden, er war eines Morgens einfach weggegangen und nicht wiedergekommen. Er ist nie zurückgekehrt. Er blieb verschwunden, geheimnisvoll und für immer. Mein älterer Bruder hatte geheiratet und wohnte jetzt mit seiner Frau und meiner Mutter in unserem Haus. Nur die drei. Mein anderer Bruder war bei den Soldaten. Eine von meinen Schwestern arbeitete und wohnte in einem Kurzwarengeschäft in der Stadt; eine andere war irgendwo Alleinmädchen. Über die dritte konnte ich nichts in Erfahrung bringen. „Wer viel fragt, bekommt viel Antwort", sagte meine Mutter düster, und ich bin bis zum heutigen Tag nicht dahintergekommen, was aus meiner dritten Schwester geworden ist.

Mein Bruder war fünfundzwanzig Jahre und arbeitete als Kesselschmied. Er freute sich nicht gerade, als ich kam, und ich kann es ihm nicht verdenken. Ich sah seine Frau zum erstenmal, sie war ein dunkles, mürrisches Geschöpf und erwartete ihr erstes Kind. Sie hatten mir gegenüber keinerlei Verpflichtung und empfanden mich im Hause nur als Last. Die Zeit, die ich zu Hause verbrachte, war ich todunglücklich, und als ich am Montag früh zu George Summerways Kontor ging, entschloß ich mich, es zu machen wie die anderen und wortlos wegzubleiben.

Das tat ich auch. Ich war fünfzehn Jahre alt und nach drei Jahren frischer Luft und reichlicher Kost gut im Schuß, dünn wie eine Latte, schwarz wie die Nacht und verflucht melancholisch nach dem plötzlichen Untergang meiner Welt. Ich hatte dreißig Pfund in der Tasche, dazu ein paar Schillinge – meine sorgsam ausgerechneten fünf Prozent – und etliche Kleider in einem Handkoffer.

George Summerways Kontor enttäuschte mich. Ich hatte erwartet, eine so glanzvolle Persönlichkeit würde ihre Geschäfte in ebenso glanzvoller äußerer Umgebung führen. Sein Zimmer war auch ganz geräumig, aber alles übrige war so unfreundlich und schmutzig, wie ich es nie für möglich gehalten hätte.

„Melde dich bei Herrn O'Riorden", hatte Summerway zu mir gesagt, und als ich an diesem Morgen aus der klaren Mailuft hereintrat, saß Herr O'Riorden vor mir an einem völlig verstaubten Pult, in einem kleinen verstaubten Zimmer, das von einem verstaubten Fensterchen mehr verdunkelt als erhellt wurde. Auch Herr O'Riorden war klein und verstaubt. Als er aufstand, merkte ich, daß ich damals schon größer war als er. Größer als anderthalb Meter kann er kaum gewesen sein. Er war kahl wie ein Ei, und seine Haut war stumpf und gelb wie Pergament, von der Glatze über die Ohren bis herab zum Kinn. Er trug einen korrekten schwarzen Anzug, der blank und abgetragen aussah, und

Papiermanschetten über den Ärmeln. Sein Zylinder hing hinter der Tür an einem Haken. Er sah mich über die Ränder seiner Stahlbrille an und sagte: „Du bist also Essex? So jung und blühend. Der liebe Gott sei dir gnädig!“ Er schüttelte seinen Kopf, als erfülle ihn mein Anblick mit unerträglicher Bekümmernis.

Als er sich an mir satt gesehen hatte, holte er eine Schnupftabaksdose aus der Westentasche, zog eine tüchtige Prise von dem braunen Pulver hoch und sagte: „Du arbeitest draußen im Vorraum. Ich will dich den Herren Angestellten vorstellen, wenn sie zu erscheinen geruhen, die Taugenichtse, die Teufelsbraten. Tu einfach, was sie dir sagen. Ah, Herr Sloper, Sie haben sich entschlossen, uns mit Ihrer Gegenwart zu beehren?“

Nach so viel Jahren fällt es mir schwer, mich an die Gesichter der Herren Sloper, Sykes und Sayers, der drei Angestellten, zu erinnern, wahrscheinlich, weil sie überhaupt kein Gesicht hatten. Sie selbst nannten sich die drei S, und Herr O'Riorden nannte sie die drei Esel. Ich entsinne mich dreier geistloser frischer Burschen, die die wüstesten Geschichten über ihre nächtlichen Heldentaten zum besten gaben, ihre klaren Augen und harmlosen Gesichter straften aber die Märchen ausschweifender Üppigkeit Lügen, die sie mir und Herrn O'Riorden auftischten.

O'Riorden hatte ein aufreibendes Dasein, er war der Puffer zwischen den drei Eseln und Herrn Summerway. Er selbst nannte sich Privatsekretär, in Wirklichkeit war er wohl nur ein überarbeiteter Korrespondent, der unzählige Briefe in einer eigenen Kurzschrift aufnahm und sie emsig in ein Kopierbuch übertrug. Damals gab es in einem Kontor wie dem von Herrn Summerway noch kein Telefon und keine Schreibmaschine, und für die oft trüben Spätnachmittage hatten wir nur offene Gasbrenner als Beleuchtung, die in kleinen Drahtkäfigen kläglich vor sich hin summten.

Ich verbrachte einen nutzlosen und unglücklichen Morgen. Es stellte sich bald heraus, daß George Summerway, der in dem Ruf stand, in seinem ganzen Leben noch kein gutes Werk getan zu haben, in Gedanken an seinen alten Freund Oliver mit mir eine Ausnahme machte. Im Kontor war weder Platz noch Arbeit für mich. Ich sollte fünfzehn Schilling die Woche bekommen und sah keine Möglichkeit, sie zu verdienen. Die drei Esel aber hatten einen Heidenspaß an mir, endlich war jemand da, den sie herumkommandieren konnten, der Tintenfässer säuberte, Pulte abstaubte und Botengänge für sie machte. Zur Essenszeit wurde Sayers unternehmend. Er schickte mich zum Milchmann und trug mir auf, ihm ein achtel Liter Kakadumilch zu holen. Als der abgedroschene Scherz bei mir nicht verfing, ließen sie mich in Ruhe, und ich hatte nunmehr nichts anderes zu tun, als meine Zeit in der schäbigen Stube totzuschlagen.

Schlag ein Uhr kam O'Riorden aus seinem Kontor in unser Zimmer, die drei S knallten triumphierend ihre schweren Kontobücher zu, und vier Stühle wurden nach geheiligtem Ritus an den Kamin geschoben, obwohl kein Feuer darin brannte. Sykes zauberte vier Tassen aus einem Schrank hervor, und Sayers gab mir zwei Groschen und eine große Kanne und trug mir auf, von einer benachbarten Speisewirtschaft Tee zu holen. Es war ein kleiner Raum, einige Stufen unterhalb der Straßenhöhe; er stank nach Dampf, Schweiß und billigem Essen.

Als ich wieder zurückkam, hatten O'Riorden und die drei S ihre Butterbrote ausgepackt und schon mit dem Essen begonnen, und Sloper fragte: „Nun, meine Herren, was steht heute zur Debatte?"

„Das Weib ist das A und O des Daseins", sagte Sayers, „und wenn unser Mitsklave William Essex uns die Becher gefüllt hat, eröffne ich die Sitzung mit der Bitte, anzustoßen auf:

Die Maid mit den blauesten Augen,
Dem schwärzesten Haar und dem weißesten Leib..."

„William", sagte Herr O'Riorden und sah mich betreten über seine Brille hinweg an, „hast du dir kein Frühstück mitgebracht?"

„Nein, Herr O'Riorden", sagte ich.

„Dann komm lieber mit."

Herr O'Riorden setzte sich den Zylinder auf, nahm mich beim Arm und zog mich unter den ironischen Zurufen der drei S aus dem Zimmer.

„Bravo, O'Riorden!" grölte Sayers und schmetterte seine Tasse auf einen Stuhl. „Ein Hoch dem Retter von Williams Jugend und Unschuld!"

Wir gingen in die stinkige kleine Wirtschaft, aus der ich eben den Tee geholt hatte. Herr O'Riorden war nicht der einzige im Zylinder dort; Zylinder hatten damals noch nichts mit dem Einkommen zu tun. Herr O'Riorden packte seine belegten Brote auf den Tisch aus, der mit brüchigem Wachstuch bedeckt war, und bestellte Tee für uns beide und Butterbrote für mich.

„Kümmere dich nicht um die drei", sagte er. „Die tun sich nur dicke. Das ist alles blauer Dunst. Sie sind die reinsten Unschuldslämmer, weiß der Teufel!"

Ich bedankte mich, daß er mich mitgenommen hatte, und da er mir gerade bei Laune zu sein schien, platzte ich auf einmal mit der Wahrheit heraus und erzählte ihm von meiner Verlassenheit, von dem Leben, das ich in den letzten drei Jahren geführt hatte, und von meinem Entschluß, nicht wieder nach Hause zu gehen.

„Das ist eine dumme Sache", sagte er, sah mich mitleidig an und nahm eine Prise, „wenn man mit dem eigenen Fleisch und Blut nicht gut steht. Das ist das Schlimmste, das einem passieren kann, und nur ein Narr versucht es einzurenken. Herr Summerway hat mir schon einiges von dir erzählt, aber nicht, daß du kein Dach überm Kopf hast."

„Ich könnte ja im Kontor schlafen", sagte ich, „bis ich irgendwo ein Zimmer finde."

„Ach, Blödsinn. Was meinst du dazu, wenn du jetzt mit mir nach Hause kämst? Ich bin allein mit meiner Frau und Dermot. Früher war Fergus auch noch da. Aber Fergus ist fort nach Amerika zu meinem Bruder, dem es etwas besser geht als mir. Da kannst du Fergus' Bett haben. Du mußt aber mit Dermot zusammen schlafen. Er ist siebzehn."

Ich dankte Herrn O'Riorden glühend dafür, daß er mich von der quälenden Angst befreite, die mir den ganzen Tag dunkel zugesetzt hatte. Aber er winkte mit einer Handbewegung ab, und die wäßrigen Äuglein in seinem gelben Gesicht blickten nachdenklich nach innen. „Komisch, wie's bei uns gekommen ist", sagte er. „Da war ich, und da war Conal – das ist mein Bruder in Amerika –, und keiner von uns hatte einen roten Heller. Und er geht nach Amerika, um Polizist zu werden, und ich nach England, um einmal ein reicher Mann zu sein. Alle Bildung, die hatte ich, und er nichts als ein paar große Füße, so groß, daß man Grabsteine hätte draus machen können. Und jetzt ist er's, der in Geld schwimmt und mehr Läden hat als ich Haare auf dem Kopf, und ich nehme statt dessen den Laufjungen mit nach Hause, damit er mit ein paar Groschen zur Miete beisteuert. Jaja, so ist das. Na komm, wir wollen sehen, was die drei jungen Höllenhunde machen."

Fünf Jahre wohnte ich bei O'Riordens, und es waren fünf sehr glückliche Jahre. Ancoats sah nicht besser aus als Hulme, aber für mich war es in jeder Beziehung besser. Vom ersten Augenblick an, als ich über ihre Schwelle trat, fühlte ich mich bei O'Riordens zu Hause. Von vornherein trafen wir uns auf einer vernünftigen wirtschaftlichen Basis, die meine Stellung im Haus bestimmte, so daß ich mich nicht als Eindringling zu fühlen brauchte. Für meinen Anteil am Zimmer und meine Beköstigung hatte ich zwölfeinhalb Schilling die Woche zu zahlen, und Frau O'Riorden war eine von den Hausfrauen, die damit auskamen und doch noch etwas übrigbehielten. Sie stammte aus Lancashire und hatte in einer Spinnerei gearbeitet, damals aber hatte sie es nicht mehr nötig. Sie besaß den Lancashireschen Hausfrauenstolz, und Gibraltarstraße 26 blitzte von der geweißten Haustreppe bis zu den Messingknöpfen an dem Bett in dem Zimmer, das ich mit Dermot teilen sollte.

Diese Sauberkeit hatte es mir sofort angetan. Mein Vaterhaus war dunkel und schmutzig gewesen; Herrn Olivers Haus verlor trotz verblichener Pracht niemals seine Düsterkeit, aber in Frau O'Riordens Haus blitzte alles so, daß es eine Lust war. Spiegel und Geschirr, der Stahl am Kaminvorsatz und die Geräte darin, Bilderrahmen, Kommoden, Linoleum, alles blinkte. Es war ein Vergnügen, ihr zuzusehen, wenn sie sich mit Scheuersand und saurem Schweiß über den Holztisch in der Küche hermachte, als wollte sie auch dieser stumpfen Platte früher oder später einmal ein Lächeln entlocken.

Die große Güte, mit der ich aufgenommen wurde, steht mir noch klar vor der Seele. Keine Frage fiel. Man nahm zur Kenntnis, daß da ein Junge stand, den Vater mit nach Haus gebracht hatte, weil er irgendwo ein Heim brauchte, und ein Heim sollte er haben. Ich wurde in das Zimmer mit den beiden Betten hinaufgeführt, eins davon hatte Fergus gehört, und das sollte nun meins sein; das andere war Dermots. Dann ging ich in den Waschraum, wo sich Herr O'Riorden, der Rock, Weste und Kragen abgelegt hatte, schon aus Leibeskräften hinter den Ohren seifte. Ich tat dasselbe. Dann ging ich wieder in die Küche, die zugleich Wohnzimmer war. Herr O'Riorden hatte die Weste wieder angezogen, den Kragen aber nicht. Er trug bestickte Pantoffeln, eine alte Jacke und ein Hauskäppchen mit herunterhängender Troddel. Es war ein anderer, behaglicherer, völlig neuer Herr O'Riorden. Zu Hause fühlte er sich sichtlich am glücklichsten und war sich dessen auch bewußt.

Das Feuer brannte hell. Frau O'Riorden hatte eine Lampe angezündet und stellte sie auf den Tisch, wo schon für mich mit gedeckt war. Herr O'Riorden stand vorm Feuer auf dem dicken Flickenteppich und wärmte sich behaglich den Hintern. Er drehte einer Fotografie der Königin Viktoria den Rücken, die mit Krone, blauer Schärpe, Hosenbandorden und verdrießlichen Runzeln auf der fleischigen Stirn in einem blitzblanken Rahmen hing. Frau O'Riorden, die einen ebenso umfangreichen Busen hatte wie die Königin, aber offenbar viel munterer und zutunlicher war, machte sich zwischen Feuer und Tisch zu schaffen.

Wir warteten auf Dermot, und er kam auch bald. Er war ein schmächtiger, ziemlich blasser, rothaariger Junge, der weder seinem Vater noch seiner Mutter ähnelte. Er hatte helle graue Augen und lange, schlaksige Arme, die an den Handgelenken mit einem feinen goldenen Flaum bedeckt waren. Die Brauen standen auf der Stirn wie kleine Flügelchen, die sich gerade wie zum Fluge öffnen. Als er mich, den Fremden, sah, hoben sie sich noch höher, und es sah aus, als wollten sie überrascht und aufgeregt davonfliegen. Er nahm mich ebenso freundlich auf wie seine Mutter. Dermot hatte etwas ungemein Liebenswürdiges an sich, das sich hinter großer Schüchternheit verbarg. Ich vergesse nie, wie er den ersten Abend so dastand und am liebsten vor dem Unerwarteten davongelaufen wäre; seine gute Erziehung aber hinderte ihn daran, und er war sehr nett zu mir. Er arbeitete bei einem Möbeltischler, und als er mir die Hand gab, sah ich, daß die Härchen auf seinen Handgelenken ganz fein mit Sägemehl bepudert waren.

Wir aßen Hammelfleisch, nach Lancashire-Art mit Kartoffeln zusammengekocht, danach Äpfel im Schlafrock,und danach bekamen wir alle eine Tasse starken, heißen Tee. Es war ein solides Abendessen, so wie man es in Lancashire liebt; ich habe inzwischen die Leckereien der berühmtesten Restaurants kennengelernt, aber ich weiß nicht, was ich dem vorziehen würde.

Abgewaschen wurde gemeinsam. Ich brachte das Geschirr in den Abwaschraum. Herr O'Riorden wusch ab, Frau O'Riorden trocknete, und Dermot räumte weg. Das weiße Tischtuch wurde vom Küchentisch abgenommen und statt seiner ein rotes aufgelegt. Dann nahm Herr O'Riorden ein Buch aus einem Bücherschrank. Er setzte sich an die eine

Seite des Herdes, Frau O'Riorden mit ihrem Stopfkorb an die andere. „So, Mutter", sagte Herr O'Riorden, „wir hatten beim Tod des kleinen Nell aufgehört." Damit fing er an vorzulesen.

Mit Herrn Oliver hatte ich keine Romane gelesen. Ich hatte überhaupt noch nie einen Roman gelesen oder vorlesen hören und erfuhr auch an diesem Abend von Dickens nur wenig. Dermot machte mir ein Zeichen. Ich folgte ihm in den Abwaschraum, und er schloß die Küchentür. „Wir wollen sie allein lassen", sagte er. „Das ist ihnen lieber. Komm mal mit . . ."

Wir stolperten über den dunklen Weg, der den winzigen Garten in zwei Hälften teilte. Am Ende sagte Dermot: „Bleib stehen, ich hole Licht." Eine Tür klinkte, ein Zündholz flammte auf, und ich trat in einen kleinen Schuppen, der an die hintere Mauer des Gartens angebaut war. „Hier hause ich", sagte Dermot. „Wie findest du es?"

Beim Licht einer Laterne, die von der Decke herabhing, sah ich mich um. Eine Hobelbank füllte den Schuppen fast ganz aus. Man konnte gerade noch um sie herumgehen. Überall lagen Sägespäne und Sägemehl umher, und es roch wunderbar nach Holz. Da gab es Hämmer, Hobel, Stemmeisen, Hohlmeißel, Sägen, da stand ein Leimtopf und ein kleiner Petroleumkocher, auf dem er heiß gemacht wurde. „Es ist ja gar kein Schraubenzieher da", sagte ich.

„Schrauben benutze ich überhaupt nicht", antwortete Dermot mit einem Lächeln. „Das wäre eine Schmach für eine so schöne Arbeit wie diese hier!"

Zärtlich strich er mit der Hand über ein Stück, das er auf der Hobelbank hatte. Es war ein Schrank mit Bücherborden zu beiden Seiten, die Tür war noch nicht drin. Sie lag daneben, mit groben Bleistiftzeichnungen bekritzelt. Hier und dort hatte der Hohlmeißel die Zeichnung schon angebissen, so daß sie Gestalt gewann. „Für Vaters alten Dickens", sagte Dermot. „Wenn ich so weitermache, wird es bis Weihnachten kaum fertig. Keine Zeit. Ich sollte meine ganze freie Zeit darauf verwenden."

Er hantierte in der engen Werkstatt herum, das Lampenlicht fiel auf seine vorstehenden Backenknochen und seine eigenwilligen, auffliegenden Augenbrauen. Liebevoll strich er mit der Hand über die Bretter, die gegen die Wand gelehnt waren. „Eiche, Esche, Nußbaum, Teakholz." Er sprach wie Herr Oliver, wenn er ein Gedicht vorlas. Plötzlich fragte er: „Was hältst du von William Morris?"

Ich hatte noch nichts von William Morris gehört und sagte ihm das. Da leuchtete die Glut des Bekenners in Dermots grauen Augen auf, und ich machte mich darauf gefaßt, falls ich lange mit ihm zusammen leben sollte, noch mancherlei von William Morris zu hören. Aber es war bezeichnend für Dermot, daß er ein einziges Mal wie eine Rakete aufflammte und sein Feuer versprühte und danach William Morris höchstens noch beiläufig erwähnte. An jenem Abend aber, während er mit den Füßen in den Sägespänen herumfuhr, die Schneiden seiner Werkzeuge prüfte, mit der Hand über die Bretter strich und mit dem Hohlmeißel ein bißchen an der Zeichnung auf seiner Schranktür herumbastelte, predigte er leidenschaftlich und beredt das Evangelium von William Morris. Schönheit in jedem Heim, jedes Möbelstück anmutig und zweckmäßig, jeder Handwerker ein Künstler, im Vollgefühl seines Könnens und hingegeben an sein Material, das war der Kehrreim des Lobgesanges, den Dermot damals anstimmte. Er hat ihn nie wieder gesungen. Ich aber habe ihn nicht vergessen, und ich habe nie an der Freude gezweifelt, die er in seinem kleinen Schuppen fand, und an der Leidenschaft, die er den Dingen einhauchen konnte, die ihm lagen.

Übrigens trug seine Leidenschaft Früchte. Ich muß hier etwas vorgreifen und berichten, daß sich in den fünf Jahren, die ich bei O'Riordens wohnte, die Einrichtung des Hauses unter Dermots Händen verwandelte. Er machte den Bücherschrank für seinen Vater fertig. Darauf erschienen nach und nach ein eichener Speisetisch für die Küche mit wulstigen, prunkvoll geschnitzten Beinen, dazu passende Stühle, mit Leder gepolstert. Er sparte sich das vom Munde ab. Und in Herrn und Frau O'Riordens Schlafzimmer stand eines Tages ein gotisches Bett von solcher Pracht, daß Frau O'Riorden erklärte, sie habe Angst, darin zu schlafen: es erinnere sie zu sehr an das Bett, in dem Heinrich VIII. alle seine Frauen ermordet habe. Das waren aber nur die größten Wellen der handwerklichen Hochflut, die Dermot über Gibraltarstraße 26 hereinbrechen ließ.

An jenem ersten Abend wurde ich auch noch Zeuge einer anderen Leidenschaft in Dermots Leben. Herr und Frau O'Riorden waren schon schlafen gegangen, als wir aus der Werkstatt zurückkamen. Sie gingen immer früh zu Bett. Dermot nahm einen Leuchter und stieg vor mir die Treppe hinauf in unser Zimmer. Er war ungewöhnlich leise in seinen Bewegungen. Auf einmal stand die Tür offen, ohne daß ich seine Hand am Drücker gehört hatte, und wir waren im Zimmer. Er stellte den Leuchter auf die Kommode und fing sofort an, sich auszuziehen. Ich sah mich in der fremden Stube um, sie war gemütlich bei aller Kargheit. Das Kerzenlicht fiel auf einen geschnitzten Rahmen, der an der Wand hing. Sicher hatte Dermot ihn geschnitzt. Eine Harfe mit gerissenen Saiten war darauf zu sehen, dazu Kleeblätter, die um einen Galgen herumstanden. Eine merkwürdig rührende Arbeit. Eingerahmt war ein Stück Pergament, auf dem in roter verzierter Schrift drei Namen standen. Ich las sie laut: „Allen, Larkin, O'Brien."

Dermot war schon im Bett. „Schon von denen gehört?" fragte er. Ich sah mich um, er saß im Bett, und seine Augen schillerten grünlich im Kerzenschein.

„Nein", sagte ich.

„Du wirst eines Tages von ihnen hören. Das waren die Märtyrer von Manchester. Gott strafe England. Mach das Licht aus."

3

Von den fünf Jahren in Ancoats will ich nicht viel berichten. Sie waren glücklich, ich sagte es schon. Und sie waren auch einträglich. Sie kreisen in meinem Geist um die Küche der O'Riordens, besonders an Winterabenden. Das knisternde Feuer, das rote Tischtuch, die Lampe, die von der Decke herabhing, die schweren Vorhänge vor den Fenstern und der dicke Flickenteppich auf dem Boden: alle diese Dinge haben sich meinem Herzen eingeprägt als Erscheinungsformen eines Lebens, das gediegen, ohne Ehrgeiz und gut war. Es dauerte nicht lange, da wechselte ich mich mit Herrn O'Riorden in der Dickens-Lektüre ab. An den meisten Abenden verschwand Dermot unbemerkt, und das Knistern des Feuers, die klappernden Stricknadeln von Frau O'Riorden und das feierliche Ticken der Uhr waren die einzige Begleitmusik auf unserer Reise mit Magwich die Themse hinunter oder bei unserer atemlosen Anteilnahme an jener wilden Sturmflut, die Steerforth an den Strand von Yarmouth zu Füßen David Copperfields warf. Wir waren meist noch völlig versunken, wenn Dermot gegen zehn Uhr aus seinem Schuppen zurückkam, sich mit seinen langen Händen das Sägemehl aus der Jacke klopfte, die Augenbrauen hochzog und ein wenig spöttisch fragte: „Noch immer dabei? Warum lernst du nicht was Richtiges?"

Er war sehr dafür, „was Richtiges“ anzufangen, der gute Dermot, und während unserer langen Sonntagsspaziergänge, die wir uns allmählich angewöhnten, träumte er davon, daß seine Arbeit einmal so „richtig“ und erfolgreich würde, daß er einen schönen Ausstellungsraum im Herzen von Manchester haben und jeder, der etwas davon verstünde, seine Betten, Stühle und Tische nur bei ihm bestellen würde.

Das waren Tage! Wir zogen durch die grüne Ebene des Cheshirelandes oder auf die dunklen Hochmoore mit ihren Geröllnarben und Rinnen. Eine kurze Fahrt mit der Eisenbahn bis zu irgendeiner Station in Derbyshire, an der wir den Zug verließen. Dann lagen wir auf der purpurnen Heide unter dem blauen Himmel und hörten das Wasser rieseln, und Dermot unterbrach die Stille, um England zu verdammen und ellenlang von Cuculain und der Schwarzen Rosalinde und Davitt und Wolfe Tone zu schwafeln.

„Du bist zu spät auf die Welt gekommen, Dermot“, sagte der alte O’Riorden, wenn es einmal zu Hause einen solchen Ausbruch gab. „Irland spukt dir nur deshalb im Kopfe herum, weil du es nie gesehen hast. Es ist ein stinkendes, kleines Hungerländchen, und ich bin froh, daß ich ’raus bin.“

Dermot gab keine Antwort drauf, aber in seinen hellen Augen funkelten die grünen Flecken, wie an den Abenden, an denen er aus irgendeiner irischen Geheimversammlung spät nach Hause kam, die blassen Backen gerötet und die Fäuste geballt, daß die Knöchel weiß unter der Haut hervortraten. Wenn die alten Leute zu Bett gegangen und ich noch allein auf war, erzählte er zwar nichts von dem, was er dort erlebt hatte, aber er schwärmte von dem alten Irland, dem Land der Heiligen und Gelehrten und, was ihm noch mehr bedeutete, dem Land der Handwerker und der Künstler, die in Silber, Gold und Edelsteinen arbeiteten. „Sollte ich je einen Sohn haben“, sagte er eines Abends, „so weihe ich ihn Irland.“

Ich gewöhnte mir allmählich an, noch aufzubleiben und weiterzulesen, wenn Herr und Frau O’Riorden zu Bett gegangen waren, so gab ich ihm reichlich Gelegenheit, mit seinen Predigten über mich herzufallen. Die kleine Küchenbibliothek enthielt die sämtlichen Werke von Dickens und Thackeray, von George Eliot und den Brontës, eine Reihe Bände mit dem Titel „Große englische Dichter“ und Shakespeares Dramen, an die ich mich mit Herrn Oliver nie herangewagt hatte. Ich las sie von Anfang bis zu Ende durch wie ein heruntergekommener Trinker, der nur um des Trinkens willen trinkt und dem es gleich ist, ob es Wein ist oder Satz. Aber es gab kaum etwas auf O'Riordens Bücherborden, das man als Bodensatz hätte bezeichnen können.

Es waren fünf gute, glückliche Jahre, und ich verbrachte sie keineswegs in Herrn Summerways Diensten. Ich hatte sofort begriffen, daß ich dort meine Zeit vergeudete. Ich wollte doch reich werden. Und wie konnte ich in einer Stellung auf Reichtümer hoffen, wo der junge, kerngesunde Sayers die nächsthöhere Stufe innehatte und dort allem Anschein nach für ein halbes Jahrhundert gut aufgehoben war?

Im Verlauf dieser fünf Jahre habe ich noch in zwei anderen Baumwollhäusern gearbeitet, ferner bei einem Transportmakler, in einem Tuchgeschäft und in einer Versicherungsgesellschaft, aber nirgends sah ich eine Chance für einen schnellen und merkbaren Aufstieg, wie er mir vorschwebte. Außerdem juckte mich das Verlangen immer mehr, nicht nur reich, sondern obendrein noch berühmt zu werden, und da ich soviel las, konnte es nicht ausbleiben, daß ich mir die Schriftstellerei als das Tor zum Ruhm vorstellte.

Ich war siebzehn Jahre alt, als ich mich an einem Winterabend im kalten Schlafzimmer in der Gibraltarstraße 26 vor die eiskalte Marmorplatte des Waschtisches an Stelle eines Schreibtisches setzte und anfing, einen Roman zu schreiben. Er war überreich an großartigen Ausblicken, und wenn ich mich recht entsinne, enthielt er alle Begebenheiten von Dickens' „David Copperfield" oder Thackerays „The Newcomes" in sich.

Dieser Abend verdient besondere Beachtung, denn damals begann eine langwierige und zähe Arbeit, und außerdem begegnete ich zum erstenmal Sheila Nolan. Ich machte gerade die Erfahrung, daß all die glänzenden Ideen in meinem Kopf wie Schatten zurückwichen, sobald ich ernsthaft auf sie zuging. Sie wollten sich nicht festhalten lassen. Es war ein unfruchtbarer, beschämender Abend. Um neun Uhr kam Frau O'Riorden unten an die Treppe und rief zu mir herauf: „Komm doch herunter, Bill, du frierst ja da oben ein. Hier ist Tee für dich!"

Ich zerriß die paar kümmerlichen Zeilen, die ich hingekritzelt hatte, und ging hinunter. O'Riorden stellte die „Geschichte zweier Städte" zurück in den hübschen

Bücherschrank, den Dermot gezimmert hatte, und sagte: „So geht es Irland auch mal. Paßt auf, was ich sage. Aber, zum Teufel, meine Heimat ist, wo es mir gut geht und wo ich in Frieden leben kann. Es ist Zeit, daß Dermot kommt."

Da kam Dermot herein und brachte Sheila Nolan mit. Dermot war damals neunzehn, sehr groß, jedes Haar an ihm war fuchsrot, sein Gesicht aber blaß. Sheila Nolan war ein dunkles, schmächtiges Ding. Schwarzes welliges Haar umrahmte ihr olivenfarbenes Gesicht mit dem feuchten roten Mund, und ihre Augen funkelten dunkel wie Brombeeren.

Sie war sehr schüchtern diesen Abend, die kleine Sheila, und sie schlüpfte neben Dermot herein, als wüßte sie nicht recht, ob sie willkommen sei. Daran aber hätte sie nicht zu zweifeln brauchen. Ich bin in meinem ganzen Leben niemandem mehr begegnet, der die Menschen mit so viel Herzlichkeit aufnahm wie der alte O'Riorden und seine Frau. Sie sahen natürlich sofort, was los war; zu fragen ist da ja auch meist nicht viel; und sie schlossen das Mädchen ins Herz. Wir saßen alle um den Tisch herum und tranken Tee, und Sheila und Dermot waren erregt. Wenn Dermot sonst aus einer irischen Versammlung nach Hause kam, kochte er nur innerlich vor Erregung, denn von seinen Heiligen und Märtyrern wollte man in der Gibraltarstraße nicht viel wissen. Heute abend aber hatte er Sheila. Er kannte sie wohl schon lange von den Versammlungen. „Sie sollten ihn reden hören, Frau O'Riorden", platzte sie begeistert heraus und verschlang Dermot mit den Augen. „Wissen Sie denn, was für einen Redner Sie zum Sohn haben?"

„Hier bekommen wir kein Sterbenswort aus ihm heraus", sagte der alte O'Riorden, „aber so ein Mundwerk ist schon vorgekommen bei uns. Hätte mein Vater für seine Redekunst einen Groschen den Meter bekommen, wir hätten die ganze Grafschaft Cork aufkaufen können."

„Die Rednergabe hat eine Generation überschlagen", sagte Dermot, der auch im Spaß nicht oft über seinen Vater herzog. „Vater ist ein Abtrünniger, schon beinahe ein Engländer."

Es war ein bitterer Beigeschmack in den Worten, als fühle sich Dermot plötzlich anderswo gebunden. Vom Fundament seines bisherigen Lebens und Fühlens hatte sich das erste Sandkorn gelöst. Ich glaube, O'Riorden merkte es, aber er sagte nichts.

Dermot brachte Sheila bis an die Haustür, um ihr gute Nacht zu sagen. Auf dem Flur brannte eine Lampe. Von meinem Platz aus konnte ich die beiden sehen, weil die Tür offen war. Sie zankten sich ein bißchen. Dermot sagte laut, so daß wir es alle hörten: „Gott strafe England!" Ich sah, wie er mit seinen mageren, nervösen Händen ihre Schulter packte und sie zusammenpreßte. „Sag es", flüsterte er und schüttelte sie, und in seinen Augen funkelte die Leidenschaft.

„Gott strafe England, sag es!"

„Gott segne Irland!" sagte Sheila mit ihrer klaren Stimme.

„So ist's besser, mein Herz", rief Frau O'Riorden, „so ist's besser! Komm recht bald wieder!"

„Sag es!" Ich las die Worte mehr auf Dermots Lippen, als daß ich sie hörte, und sah, wie Sheila den Kopf schüttelte. Die ganze Zeit, in der ich sie kannte, habe ich sie nie England oder sonst jemand oder etwas verdammen hören. Sie war ein Prachtkerl, Dermots Frau. Im nächsten Jahr heirateten sie.

4

Dermot zog fort, und ich fühlte mich nicht mehr so glücklich in Ancoats. Er fehlte mir; sein eindringliches Geflüster im Schlafzimmer, die weiten Wanderungen über Land, die Stunden, in denen ich faul in seiner Werkstatt herumlungerte und mir die Holzspäne durch die Finger zog, während er hobelte, schnitzte und zusammenfügte und mit jedem Tag der Meisterschaft näherkam, die schließlich seine Möbel berühmt gemacht hat. Es ging aufwärts mit Dermot. Er war kein Angestellter mehr. Er hatte jetzt einen richtigen kleinen Laden in Deansgate, einer Hauptstraße Manchesters, in dem er seine Möbel ausstellte. Sheila kümmerte sich um das Geschäft. Dermot kam täglich in den Schuppen im väterlichen Garten und arbeitete dort. Sie hatten zwei Zimmer in der Nähe der Gibraltarstraße. Der Anfang war bescheiden und nicht dazu angetan, sollte man meinen, mich neidisch zu machen. Aber ich kannte Dermot. Er war jetzt auf dem richtigen Wege, zu erreichen, was er sich vorgenommen hatte. Auch ich hatte mein Ziel. Aber die vollgekritzelten Hefte waren längst nicht so befriedigend wie Dermots Stühle, Tische und Anrichten. Und ich wollte Geld. Daß mir meine Schreiberei je viel einbringen würde, glaubte ich nicht, aber Geld mußte ich haben. Von jener Zeit an, wo ich mich als Kind an den Häusern der Reichen nicht satt sehen konnte, hatte sich das Verlangen nach Geld tiefer und tiefer in mich eingefressen. So wie ich die Sache ansah, brauchte man zum Geldverdienen kein Genie zu sein. Nur eine Idee mußte man haben. Plötzlich fiel einem etwas ein – etwas, worauf sich Millionen von Menschen stürzen mußten, sobald sie es nur gewahr wurden –, worauf aber bisher noch niemand gekommen war. Ich lief umher und zerbrach mir den Kopf, um mir etwas auszudenken. Aber das Grübeln half nichts. Es mußte einem von selbst einfallen. Es lag irgendwo auf der Straße, man mußte es nur sehen und aufheben.

Damals verkehrte noch ein Pferdeomnibus zwischen Manchester und Blidsbury. An den Sonnabendnachmittagen fuhr ich öfter mit diesem Vehikel zum „Alten Hahn", trank ein Glas Bier und ging über die Palatinallee nach Manchester zurück. Auf diesem Weg dachte ich dann über das Unbefriedigende meiner Lage nach. Dabei kam mir einmal ein Trauerzug entgegen. Es war im Winter nach Dermots Hochzeit. Der Tag war kalt und trübe, und als ich mit entblößtem Kopf stehenblieb wie die anderen Leute, tropfte es mir von den kahlen Ästen auf den Scheitel. Es war ein armseliges Begräbnis: ein Leichenwagen mit einem einzigen kleinen Blumenkranz auf dem Sarg und eine einsame Droschke dahinter. Die glatten schwarzen Pferde sahen viel zu prächtig aus vor der Leiche, die offensichtlich keinerlei Aufhebens verdiente. Da sah ich das Gesicht meines Bruders am Wagenfenster und wußte, daß sie meine Mutter zu Grabe trugen. Drei Frauen in Schwarz saßen bei ihm. Ihre Gesichter waren durch den dichten Krepp nicht zu erkennen, aber ich nahm an, daß es meine Schwägerin und zwei meiner Schwestern waren. Die eine hielt ein kleines Mädchen auf dem Schoß, das neugierig aus dem Fenster schaute.

Ich stand unter den triefenden Bäumen und sah dem kläglichen kleinen Zug nach, bis er sich im Grau des Winternachmittages verlor. Dann ging ich weiter und dachte mit einer merkwürdig unbeteiligten Trauer an die arme Frau, die so lange und so schwer gearbeitet hatte und nun mit diesem schäbigen Pomp abgefunden und eilig von der Bühne abgeführt wurde. Ich sah den Blick voll müder Verzweiflung wieder, mit dem sie auf die verdreckte und beschmutzte Wäsche starrte, die ich an jenem Abend, als mir die Jungen das Bündel in den Straßenschlamm traten, von Moscrops heimgebracht hatte. Ich sah sie das zischende, heiße Eisen benetzen und an ihrer groben Schürze abwischen und sich mit müdem Rücken über das Plättbrett beugen und ab und zu innehalten, um sich die dünnen grauen Haarsträhnen aus der Stirn zu streichen.

Bei der Allerheiligenkirche in Hulme bog ich nach links ab, weil ich plötzlich das Verlangen hatte, einen Blick auf das Haus in der Shelleystraße zu werfen, das ich seit jenem Morgen vor Jahren, an dem ich bei Summerway zu arbeiten begann, nicht wiedergesehen hatte. Der Winterabend brach herein. Vor mir lag die lange Hauptstraße, grau und trostlos. Byronstraße . . . Southeystraße . . . Shelleystraße . . . ich war da und blickte die kurze, nichtssagende Sackgasse hinunter. Vordergärten gab es nicht. Eine kurze Reihe nackter Wände, von Türen und Fenstern durchbrochen, reckte sich unvermittelt aus dem Pflaster empor. Die hinterste Straßenlaterne brannte bereits trübe, die mittlere wurde gerade angezündet. Sie stand vor dem Haus, das ich so genau gekannt hatte, und als ich hinschaute, öffnete sich die Tür, und ein Mann und eine Frau kamen heraus. Die Frau trug ein Kind auf dem Arm. Als sie auf mich zukamen, sagte ich: „Entschuldigen Sie, wohnen Essex' noch in Nummer 28?"

„Essex?" fragte der Mann. „Essex? Nie gehört. Ich wohne seit zwei Jahren hier."

Nie gehört! Seit ihrer Heirat hatte meine Mutter in diesem Haus gewohnt, und nun wußte man bereits nichts mehr von ihr. Ich hatte das Haus gehaßt und mich so lange ganz bewußt darum herumgedrückt, aber das Gefühl, daß keine bekannte Seele mehr darin wohnte, daß meine Mutter tot war, daß ich meine Brüder und Schwestern ganz aus meinem Gesichtskreis verloren hatte, legte sich doch schwer wie Blei aufs Herz. Dermots Heirat wird wohl auch dazu beigetragen haben. Ich fühlte mich unsäglich einsam und traurig.

Dann ging ich weiter. Fast unbewußt liefen meine Füße den gewohnten Weg, und plötzlich stand ich vor der hellen Oase meiner Kindheit: im gelben Lichtschein von Moscrops Laden. Der Ort war mir immer vertraut gewesen, und getrieben von dem Bedürfnis nach einem Menschen, öffnete ich die Tür. Die Glocke machte ihr altes, unverändertes „Klick", der warme vertraute Geruch von frischem Brot und Gewürzkuchen stieg mir in die Nase. Aber die gute rundliche Frau Moscrop stand nicht hinter dem Ladentisch. Statt ihrer war da ein Mädchen, das ich nicht kannte. Ein unansehnliches, altmodisch gekleidetes Geschöpf, das auch dadurch nicht hübscher wurde, daß es vor Angst zitterte.

Der Grund ihrer Angst stand diesseits des Ladentisches. Der Mann erkannte mich nicht, aber ich erkannte ihn sofort. Es war einer meiner Peiniger von früher, der eine von den beiden, die mich vor acht Jahren verfolgt und meine Wäsche in den Dreck getrampelt hatten. Die ganze Szene stieg wieder auf in mir; ich kostete wieder die ganze Herzensangst der Demütigung aus und sah das müde Gesicht meiner Mutter noch müder werden, als ich ihr die schmutzige Bescherung nach Hause brachte. Dann dachte ich an den traurigen und armseligen Leichenzug, der eben erst an mir vorüberzog, an den langen grauen Weg, der so jämmerlich endete. Ich konnte den Mann vor mir kaum mehr sehen, denn das Blut schoß mir in den Kopf, und rote Kreise wirbelten mir vor den Augen.

Der junge Mann merkte das alles nicht. Grob brüllte er auf das zitternde Mädchen hinter dem Ladentisch ein: „Sag dem verfluchten Moscrop, daß er seinen Gaul in Zukunft selber fahren soll, verstanden? Wenn man dieses kurzatmige, durchgescheuerte Schindluder überhaupt noch einen Gaul nennen kann, verstanden?“

Die Worte fielen wie Keulenschläge auf das Mädchen nieder. Sie hielt sich die Ohren zu und war nahe am Heulen.

„Du bist mir die Richtige“, ging es weiter, „fein und fromm dazu, das hab’ ich gern! Es paßt dir nicht, wenn ich so fluche, was? Mir aber hängt diese verfluchte Brotaustragerei zum Halse ’raus! Sag das deinem Alten. Zum Montag hau’ ich ab! So, und jetzt krieg’ ich noch ein schönes Stück Kuchen zum Abschied, he?“

Er lehnte sich über den Ladentisch und langte nach einem schönen Dundeekuchen. Das Mädchen griff gleichzeitig zu, und der Kuchen zerbröckelte ihnen zwischen den Händen. Der Mann holte mit dem Arm aus – in dem Augenblick kam alles, was mich quälte, in wilder Wut in mir hoch. Ich hatte noch niemals im Zorn einen Menschen geschlagen, und was jetzt geschah, erfolgte mehr instinktiv als bewußt. Ich legte die ganze Wucht meines Körpers in meine Faust und traf ihn unters Kinn. Mit einem Grunzen knickte er zusammen und rührte sich nicht. In einer Ecke des Ladens lag ein leerer Mehlsack. Ich zog ihn dem Kerl über den Kopf, stopfte den Kuchen nach und zerrte ihn, ohne mich um das leise vor sich hin weinende Mädchen zu kümmern, hinaus auf die Straße. Da stand noch Moscrops Handkarren. Ich packte den Kerl auf den Karren und fuhr ihn fast im Laufschritt in die dunkle Gasse, die damals Schauplatz meiner Demütigung gewesen war. Dort riß ich ihn vom Wagen, schleifte ihn in den Torweg und nahm ihm den Sack ab. Er stöhnte, war aber noch nicht ganz bei sich. Ich fühlte förmlich, wie mir die Wut siedend heiß von den zitternden Armen aufwärts in den Kopf stieg. Rock, Weste, Hose und jeden Fetzen, den er anhatte, zog ich ihm vom Leibe. Dann stieß ich den nackten Körper mit den Füßen in den Schmutz des Torweges und stampfte das Zeug in den Dreck. Meine Wut ließ nach, und ich sah mir den Mann an. Er setzte sich auf, da kam es noch einmal über mich. Ich holte den zerbröckelten Kuchen aus dem Sack, preßte den Kerl wieder zu Boden und stopfte ihm eine Handvoll Kuchen nach der anderen in den Mund, bis er würgte und spuckte. Dann hob ich den Sack auf, warf ihn auf den Karren und lief davon. So ließ ich den ganzen Ekel und Widerwillen, den ich vor mir selbst empfand, an einem anderen aus – alles: daß meine Mutter tot war, daß mir ihr Leichenwagen das Herz schwer machte und daß ich plötzlich wußte, ich war seit acht Jahren ein Schwein gewesen.

Als ich wieder zurückkam, saß der alte Moscrop in einem Armstuhl mitten im Laden. Das Mädchen war noch hinter dem Ladentisch und las jetzt. Auf den ersten Blick sah ich, daß sie eine Bibel in der Hand hatte. Der alte Moscrop hatte sich verändert. Dick war er immer gewesen, jetzt aber war er unförmig. Wie ein Buddha quoll er über seinen Sessel. Die Augen sahen kaum unter den schweren Lidern hervor, und alles an ihm hing schlaff herunter. Die Tränensäcke unter den Augen schimmerten blau, die Backen hingen wie die eines Jagdhundes, und der wabblige Bauch ruhte auf den Knien. Er hatte die Arme auf die Seitenlehnen gestützt, und die Hände baumelten vorn wie gebrochene Flossen.

Er regte sich nicht, als ich in den Laden trat. Nur die Augenlider hoben sich ein wenig, und seine Stimme keuchte und pfiff wie aus einem Gewirr von Dampfröhren: „Nanu, ist das nicht William? William Essex?“

Schon die paar Worte erschöpften ihn offenbar. Sein

mächtiger Brustkasten hob sich, und er schnappte nach Luft; die Flossen hingen hilflos über die Armlehnen herab. Das Mädchen klappte ein Brett im Ladentisch hoch, kam heraus und kniete neben ihm nieder. Jetzt erkannte ich sie. Es war Nellie Moscrop, das scheue, häßliche kleine Ding, das manchmal neugierig aus der guten Stube in den Laden gelinst hatte, stets den Finger im Mund. Ich hatte sie auch manchmal in der Backstube getroffen, aber immer war sie plötzlich fort. Wenn ein Fremder kam, entwischte sie wie ein Kaninchen ins Loch. Das fiel jedoch nicht weiter auf. Sie war so belanglos, ein Nichts. Als sie jetzt hinter dem Ladentisch hervorkam, sah ich, daß sie sich eigentlich gar nicht verändert hatte, nur größer war sie geworden, linkischer und womöglich noch scheuer. Sie hatte einen watschelnden Gang, und mit ihren großen Plattfüßen erinnerte sie mich an eine Kuh, die durch hohes Gras watet. Aber sie lächelte mir schüchtern zu und sagte: „Vielen Dank auch, daß Sie mir geholfen haben!" Dann wandte sie sich zu ihrem Vater: „Das ist der junge Mann, von dem ich dir erzählte." Der alte Moscrop hob von neuem die Lider. Etwas wie Dank schimmerte aus seinen Augen, und die Flossen schienen mir zuwedeln zu wollen.

„Geh lieber ins Wohnzimmer, Vater", sagte Nellie, „ich zünde dir ein Räucherkerzchen an."

Moscrop brachte es fertig, den einen Arm zu heben und mich heranzuwinken. „Unterfassen, William", keuchte er. Ich faßte ihn an der einen Seite und Nellie an der anderen. Wir stellten ihn langsam auf die Füße, und auf uns beide gestützt, blieb er einen Augenblick stehen ohne Form und Gestalt und sehr schwer. Dann gingen wir langsam und schlurfend durch den aufgeklappten Ladentisch, wo Moscrop für sich selbst aufkommen mußte, weil er nur mit Mühe durch die enge Öffnung hindurchkonnte, und weiter durch die Spitzengardine ins Wohnzimmer und über den Teppich zum roten Plüschsessel am Kamin.

Ich war früher niemals in Moscrops guter Stube gewesen. Das erste, was ich sah, war ein Bild von der netten kleinen Frau Moscrop. Es hing in schwerem Eichenrahmen über dem Kamin, eine vergrößerte Fotografie, wie man sie nicht aufhängt, solange der Betreffende noch am Leben ist. Ich wußte sofort, daß Nellie Moscrop ihre Mutter verloren hatte wie ich.

Wir setzten den alten Moscrop in seinen Lehnstuhl. Nellie schob ihm ein Kissen in den Nacken, er war still und erschöpft. Aus einer Schachtel auf dem Kamin nahm sie ein Räucherkerzchen, stellte es auf eine Untertasse und zündete es an. Ein schwerer Rauch zog durch das Zimmer, Moscrops große Nasenlöcher blähten sich, während er ihn einatmete.

„Ich fürchte, hier ist es jetzt nicht sehr angenehm für Sie", sagte Nellie Moscrop, „und ich schicke Sie nur ungern weg, nachdem Sie mir so nett geholfen haben ... Aber vielleicht kommen Sie zum Abendbrot wieder. Wir essen gegen neun. Dann ist der Laden zu, und Vater wird es hoffentlich besser gehen."

Ich erwiderte, daß ich doch nur wenig für sie habe tun können und daß ich ihr nicht noch weiter lästig fallen wolle. Ich wäre auch gegangen und niemals wiedergekommen, wenn nicht der alte Moscrop ein schreckliches, aber tapferes Lächeln zuwege gebracht und dazu mühsam die Worte hervorgestoßen hätte: „Doch ... komm wieder, William, komm und hol dir 'n Sechserstück."

Mir fiel seine freundliche Art von früher wieder ein – „Da hast du 'n Sechserstück ..." –, ich erwiderte sein Lächeln und versprach, zum Abendbrot zu kommen.

Es war gut so. Ich habe mich niemals viel um die Gefühle anderer Leute geschert, aber die hoffnungslose Einsamkeit Nellies und des alten Moscrop berührten mich doch. Sie waren selig, daß sie auch einmal Besuch hatten, und machten große Umstände um mich. Der Rauch der Räucherkerzen – ich lernte ihn bald nur allzugut kennen! – war verflogen. Moscrop keuchte zwar noch, aber er konnte sich doch verständlich machen. Ich sah, daß Nellie sich umgezogen hatte; anscheinend hatte sie auch ihr Haar besonders gut gebürstet. Aber selbst das nutzte der Armen nicht viel. Sie blieb unansehnlich, und ihre schreckliche Unterwürfigkeit bedrückte mich vom ersten Augenblick an.

Es war ein nettes Zimmer. Das Feuer brannte hell und spiegelte sich in dem blankpolierten Mahagoni. Links und rechts von Frau Moscrops Fotografie leuchtete eine Gasflamme in einer Glaskugel. Ein schwerer Mahagonischrank barg viele Bücher, meist religiösen Inhalts: eine ganze Reihe von Bibelerläuterungen, Romane mit religiösem Einschlag, „Des Pilgers Weg", Foxes „Buch der Märtyrer", das Leben Christi und das Leben Pauli sogar in mehreren Ausgaben. Dabei wirkte der Raum sehr gemütlich. Moscrops waren in Hulme immer zu den „besseren Leuten" gerechnet worden, und ich fand das in allem, was ich um mich herum sah, bestätigt. Als ich den Alten erst näher kannte, sprach er mir gern einen Gesangbuchvers vor:

„Gediegenen Trost im Leben
Kann Religion dir geben,
Gediegenen Trost zum Sterben
Kannst du in ihr erwerben."

Nach einiger Beobachtung überzeugte ich mich, daß Moscrop sein ganzes Leben auf tröstliche Gediegenheit gestellt hatte, und er hätte wohl nicht viel für eine Religion übrig gehabt, die ihm in der Sterbestunde nur Trost und nicht auch Gediegenheit geben könnte.

An jenem Abend ward uns gediegener Trost zuteil. Nellie breitete ein schönes weißes Tafeltuch auf den Tisch und stellte einen überladenen Silberaufsatz in die Mitte. Kleine Vasen mit Papierblumen stachen daraus hervor, und darüber thronten drei allegorische Figuren, die auf ihren ausgebreiteten Flügeln eine gewichtige Schale mit Äpfeln und Apfelsinen trugen. Porzellan und Besteck waren vom Besten. Der silberne Teekessel siedete auf einem Spiritusflämmchen, und das Essen war ebenso gut wie das Drum und Dran von fast schon plumpem Übermaß. Moscrop sprach das Tischgebet und bestand dann darauf, die Geschichte von dem einzigen Schlag, den ich in meinem Leben geführt hatte, noch einmal zu hören. „Ich war so erschrocken . . . so entsetzlich erschrocken!" sagte Nellie immer wieder. „Aber Herr Essex hatte anscheinend überhaupt keine Angst." Ob ich wollte oder nicht, ich hatte fraglos auf Nellie Moscrop Eindruck gemacht.

„Wo bist du mit ihm abgeblieben, William?" fragte der alte Mann.

„Oh, ich habe ihn ein paar Straßen weitergeschleppt und dann liegenlassen", antwortete ich. Wie konnte ich Moscrops sagen, daß ich das alles nicht um Nellies willen, sondern nur aus persönlicher Wut getan hatte? Und wie sollte ich vor dem Mädchen erzählen, daß ich den Mann nackt ausgezogen und im Dreck gewälzt hatte? Ein Blick auf sie, und ich wußte, daß sie bei einer solchen Geschichte kreischend aus dem Zimmer stürzen würde.

Ein Blick auf sie . . . Jetzt kann ich diesen Blick auf sie werfen und Nellie so sehen, wie sie an jenem Abend war, so stolz und tüchtig als Hausfrau. Ihr ganzes Kleid war aus schwarzem Atlas, der bei jeder Bewegung matronenhaft rauschte. Er bedeckte ihre Arme bis zu den Handgelenken und reichte ihr dicht bis an den Ansatz des festen, reizlosen Halses, wo eine schwere Kamee ihn als argwöhnische Torhüterin verschloß. Vorn saß das Kleid straff, hinten bauschte es sich ein wenig, wenn sie ging, und verbarg ihre plumpen Füße. Sie trug eine dünne goldene Kette um den Hals, und die kleine Uhr, die daran hing, steckte in ihrem Gürtel. Ihr Haar war von einem unbestimmten Braun, bar jeder Anmut, in der Mitte glatt gescheitelt und im Nacken zu einem „Dutt" zusammengedreht. Sie war kurzsichtig, trug aber keine Brille und sah einen daher beim Sprechen aus ihren gutmütigen, nicht sehr klugen Augen immer angstvoll und mit einem kleinen Stirnrunzeln an. Trotzdem wirkte ihr Gesicht angenehm durch die Gutherzigkeit und Sanftmut, die daraus sprach. Ihr fehlte aber alles, was einen Mann veranlaßt, eine Frau zum zweitenmal anzusehen. Damals war sie einundzwanzig, etwa ein Jahr älter als ich.

„Ein Lump, der Ackroyd", sagte der alte Moscrop, „einen Monat hat er nun den Brotwagen gefahren und die halbe Kundschaft dabei vergessen, und meistens ist er betrunken nach Hause gekommen. Wenn er nicht von selber weggeblieben wäre, hätte ich ihn 'rausgeworfen. Ja . . . aber was wird nun Montag?"

Er murmelte „Im Namen Jesu, Amen!" über den Tisch und schlurfte zu seinem Sessel. „Aber was wird nun Montag?" fragte er noch einmal mit sorgenvollem Gesicht. „Jetzt ist keiner zum Brotfahren da."

Nellie band sich eine bunte Kattunschürze um, räumte das Geschirr ab und trug es in den Abwaschraum. Ich wollte ihr helfen, aber sie sagte: „Nein, bleiben Sie sitzen und unterhalten Sie sich mit Vater. Es kommt nicht häufig vor, daß er jemand hat, mit dem er sprechen kann."

So unterhielten wir uns also, und offensichtlich machte es dem Alten Freude, seine kleinen Sorgen vor mir auszubreiten. Seine Frau war seit zwei Jahren tot. Er selbst war sehr krank und konnte nur noch die Oberaufsicht führen. In der Backstube arbeitete ein Bäcker. „Es kostet alles viel Geld", keuchte er, „aber Nellie macht sich sehr gut im Haus. Du brauchst doch keine Hilfe, Nellie, nicht?" fragte er mit erhobener Stimme. „Nein, ich werde sehr gut allein fertig", rief sie unter Tassengeklapper zurück. Sein Gesicht verklärte sich erleichtert, als hätte er befürchtet, sie könne eine bezahlte Hilfskraft verlangen. Mir ging langsam auf, daß der alte Moscrop auf seine gediegene Wohlhabenheit stets bedacht sein würde, und nur die Erinnerung an seine Sechserstücke bewahrte mich vor dem Verdacht, daß er geizig sei.

„Und dann ist noch der Mann da, der das Brot austrägt", sagte er. „Das kostet auch noch Geld. Und nun ist Montag überhaupt keiner da. Was treibst du denn, William? Was hast du in all den Jahren gemacht?"

Ich erzählte ihm so viel, wie ich für richtig hielt. Er sah mich verschmitzt an. „Du hast wohl nichts Festes. Du suchst doch nach was, nicht?" fragte er.

„Ja, Herr Moscrop", erwiderte ich, „wenn Sie unter etwas Festem eine Beschäftigung verstehen, in der ich es mein Leben lang aushielte, so habe ich in der Tat noch nichts gefunden. Bis jetzt habe ich hier und da ziemlich sinnlos herumgearbeitet, und es hat mir noch nirgends gefallen. Meine jetzige Stelle gebe ich auf, sobald ich etwas finde, was mir besser zusagt."

„Was meinst du dazu, wenn du Montag das Brot austrägst?" fragte er.

Die Frage kam mir so überraschend, daß ich laut auflachte. Die Vorstellung, als nächste Stufe zum großen Reichtum mit einem Brotwagen herumzufahren, war unerhört komisch. Mitten in mein schallendes Gelächter kam Nellie aus der Aufwaschküche und trocknete sich die Hände in einem Tuch. Sie sah mich vorwurfsvoll an: „Es war meine Idee", sagte sie, „ich habe Vater drauf gebracht. Sie müßten natürlich hier wohnen." Dann entfloh sie wieder, als hätte sie etwas Ungehöriges gesagt.

„Ja, hier wohnen", bekräftigte der alte Moscrop und patschte mit seinen Flossen auf einen Stuhl. „Wir kennen uns, William, und wir können uns trauen."

Und plötzlich spürte ich, daß der alte Mann und das Mädchen zutiefst wünschten, es möge so werden. Sie waren einsam und hilflos. Der Hieb, den ich dem Kerl vor ein paar Stunden versetzte, hatte mich als Helden bei ihnen eingeführt. Ich war sicher sehr gut bei ihnen angeschrieben. Irgend etwas ließ mich ahnen, daß es für mich vorteilhaft sei, und instinktiv griff ich zu. „Verzeihen Sie, daß ich gelacht habe, Herr Moscrop", sagte ich, „es kam mir nur so komisch vor, erst jemand zu verdreschen und dann noch seine Stellung zu kriegen. Ich würde ganz gern zu Ihnen kommen. Von der Arbeit verstehe ich gar nichts. Aber, wie gesagt, ich würde ganz gern zu Ihnen kommen."

5

So wurde ich mit der tröstlichen Gediegenheit des Moscropschen Haushaltes gründlich vertraut. Es ist nun alles schon so lange her, und ich weiß nicht einmal mehr, welche von meinen vielen lächerlichen Tätigkeiten ich aufgab, um die Stellung beim Bäcker anzutreten. Was es auch war – um Formalitäten kümmerte ich mich nicht. Ich ging an jenem Montag einfach nicht mehr hin, und damit war es erledigt. Es tat mir leid, von den O'Riordens fortzuziehen, aber auch daran ließ sich nichts ändern. Ich nahm mir eine Droschke, packte meine Kleidungsstücke und meine Bücher hinein, mein einziges Eigentum, außer den fünfzig Pfund, die ich auf der Bank liegen hatte, und ließ mich auf den sonntäglich verödeten Straßen von Manchester gehörig durchschütteln. Auf dem ganzen Weg von Ancoats nach Hulme gab es nicht einen Baum oder Strauch. Verrußte Häuser, geschlossene Läden, zuweilen der melancholische Klang einer Kirchenglocke und eine triefendnasse Luft, wenn es auch im Augenblick nicht regnete. Ich saß auf dem feuchten Rücksitz meiner muffigen Droschke und hatte meinen besten Anzug an, aus biederem, dickem, häßlichem Zeug, über der Weste trug ich eine goldene Uhrkette mit irgendeiner bedeutungslosen Medaille, um den Hals einen Kragen, der wie eine niedrige weiße Schutzwand senkrecht in die Höhe stand, auf dem Kopf einen steifen Hut. Ich hörte den Hufschlag des müden Pferdes und suchte mir einzureden, dies sei nun das Vorspiel zu großen Abenteuern.

In meiner Kindheit war mir Moscrops Schaufenster wie eine Oase erschienen, genauso erging es mir jetzt mit Moscrops Haus. Von außen sah es weiß Gott nicht einladend aus. Es lag an einer Ecke. Die Fenster gingen auf zwei gleichermaßen armselige Straßen. Es war größer als alle anderen Häuser ringsum, das war alles. Als ich aber den Kutscher bezahlt hatte und das altersschwache Gefährt im trübseligen Dämmer des Nachmittags verschwinden sah, versank die Welt außerhalb der Mauern des Moscropschen Hauses für mich.

Der Tee war fertig. Nellie forderte mich auf, meine Sachen im Flur abzulegen und gleich zum Essen hereinzukommen. Als sie dann das Geschirr abgeräumt hatte, sagte sie, sie wolle mir mein Zimmer zeigen. „Hörst du, William", sagte Moscrop und hob das eine Lid von dem zugeklappten Auge, „dein Zimmer, sagte sie, nicht dein Schlafzimmer. Sie hat da oben alles auf den Kopf gestellt und mit den Möbeln herumgeschoben und wer weiß was noch."

Nellie wurde rot und führte mich hinauf. Ich folgte mit dem Handkoffer in der einen Hand und einer Büchertasche in der anderen. Am Ende eines kurzen, gewachsten Flurs lag mein Zimmer. Unter einem Schlafzimmer hatte ich mir bisher immer etwas Kaltes, Unbehagliches vorgestellt, dem man am besten dadurch entging, daß man so schnell wie möglich ins Bett sprang. Blieb man aber auf, wie ich es Abend für Abend in der Gibraltarstraße getan hatte, so behielt man den Mantel an und deckte sich die Knie mit einer Steppdecke zu. Ich war darauf gefaßt, etwas ähnlich Spartanisches und Eisiges vorzufinden, als Nellie Moscrop die Tür am Ende des Flurs öffnete. Aber zu meiner hellen Überraschung war das erste, was ich sah, der Widerschein des Kaminfeuers, der auf den geschlossenen Vorhängen tanzte.

„Das ist doch . . .!" fing ich an. Aber Nellie schob mich hastig ins Zimmer und schloß die Tür. „Vater weiß nichts davon", flüsterte sie aufgeregt. Da stand sie, den Feuerschein im Gesicht und ein wenig betreten, als hätte sie ein Wagnis ohnegleichen vollbracht.

„Meinen Sie, es war unrecht von mir?" fragte sie. Heftig atmend stand sie an die Kommode gelehnt, die Hände hinter sich um die Holzknäufe verschränkt.

„Unrecht?" fragte ich. „Im Gegenteil, ich finde es einfach großartig. Mein Leben lang habe ich noch kein Kaminfeuer im Schlafzimmer gehabt."

„Ich auch nicht", sagte sie, „ich meine, war es wohl unrecht von mir, es Vater zu verheimlichen?" Sie stolperte über ihre nächsten Worte.

„Ich wollte, daß Sie sich wohl fühlen. Sie haben es verdient."

Jetzt wußte ich, daß ihre Backen nicht nur vom Widerschein der Flammen rot waren. „Recht vielen Dank", sagte ich, „es war ein feiner Gedanke . . . Nellie."

Sie sagte: „Oh!" und dann: „Ich muß jetzt gehen" und machte, daß sie fortkam.

Das Zimmer war ziemlich groß und viereckig, ein so schönes hatte ich noch nie gehabt. Der Tür gegenüber lag das Fenster mit Vorhängen an schweren Holzringen, das Bett stand dazwischen. Reichlich ein Meter vom Fußende des Bettes war der Kamin. Zu beiden Seiten sprang die

Wand etwas zurück. Dort stand an der einen Seite dei Kommode, an der anderen ein Tisch, aber so, daß man die Wand nicht anzusehen brauchte, wenn man dran saß; man hatte die Wand zur Linken. Über den Tisch hinweg blickte man auf den Kamin. Die Gaslampe war genau über dem Tisch an der Wand angebracht. Das alles war offenbar nicht zufällig, sondern es war sorgsam ausgedacht. Sonst stand nur noch ein Rohrstuhl mit vielen Kissen im Zimmer.

Ich steckte das Gas an, sah mich um und beglückwünschte mich dazu, daß ich am Abend vorher meinem Instinkt gefolgt war. Dies war das gemütlichste möblierte Zimmer, das ich je gesehen hatte. Es blieb nur abzuwarten, wieviel Zeit ich darin zubringen würde. Meine schriftstellerischen Hoffnungen regten sich. Zweifellos war die Aussicht aus dem Fenster im Sommer reichlich bedrückend, aber jetzt, wo Hulme ausgesperrt war, wollte ich es mir in meinen vier Wänden schon gemütlich machen! Ich machte sofort große Pläne. Ich wollte mir selbst Kohlen halten und jeden Abend Feuer machen. Der Zentner kostete einen Schilling. Und ein Zentner mußte lange reichen, wenn man nur abends heizte. Ich wollte selber heizen und selber den Kamin säubern. Nellies Gutmütigkeit wollte ich dafür nicht ausnutzen.

Glücklich und hoffnungsfroh packte ich mein bißchen Kleidung aus, stellte meine Bücher auf die Kommode, setzte mich einen Augenblick in den Rohrstuhl und fühlte mich stolz als Besitzer. Dann legte ich Schreibunterlage und Feder auf den Tisch. Jawohl, jetzt sah es zünftig aus! Ich drehte das Gas ab, und bevor ich aus dem Zimmer ging, trat ich noch einmal ans Fenster und hob den Vorhang. Verdrossen und trostlos lag die Hulmer Straße vor mir mit ihren paar trüben Laternen in der Winternacht. Hier bot einem die Außenwelt nichts, man mußte sich eine eigene, innere Welt schaffen, das war gewiß! Mit diesem einen Zimmer aber sollte mir das schon gelingen, nahm ich mir vor. Als ich hinunterkam, hatte Nellie bereits abgewaschen, das Feuer geschürt und den alten Moscrop behaglich in seinen Stuhl daneben gesetzt. Ein Tischchen stand rechts vom Sessel, darauf lag, das „Leben Christi" von Farrar und obenauf die zusammengeklappte Brille. Offenbar hatte es sich Moscrop für den Abend bequem gemacht. Er hob flüchtig die Lider, als ich ins Zimmer trat. „Na?" fragte er.

„Sie sind zu gütig gegen mich, Herr Moscrop“, sagte ich, „und ich werde mich hier sehr behaglich fühlen.“

„Das freut mich“, sagte er. „Siehst du, William, ich brauche eine Vertrauensperson. Seitdem ich mich selbst nicht mehr viel rühren kann, helfen wir uns so durch. Das geht nicht so weiter. Nellie und ich haben oft miteinander darüber gesprochen und uns gewünscht, jemand zu finden, der bei uns wohnt und nach dem Rechten sieht. Aber wo gibt es so was? Und nun bist du hereingeschneit. Ich denke, wir werden klarkommen.“

„Gewiß“, sagte ich, „Sie haben mir das Zimmer so gemütlich eingerichtet, daß ich dort sicher hängenbleiben werde.“

„Das ist alles Nellies Werk. Nun mußt du ihr aber auch einen Gefallen tun. Geh doch heute mit ihr zur Abendandacht. Du hast doch nichts anderes vor?“

Nellie kam gerade herein. Sie war zum Ausgehen angezogen und hatte Bibel und Gesangbuch unter dem Arm. „Mir fehlt es sehr“, sagte der alte Moscrop, „ich kann nicht mehr wie früher regelmäßig ins Gotteshaus. Zuweilen im Sommer. Aber an solchen Winterabenden, das geht nicht.“ Er klopfte sich auf die keuchende Brust. „Und schließlich“, sagte er, „wir sind hier in Hulme. Ich habe nicht gern, daß Nellie von der Abendandacht allein nach Hause geht.“

Ich war bestürzt. Mein Leben lang hatte ich noch keiner Abendandacht beigewohnt. Bei Herrn Oliver war ich jeden Sonntag zweimal zur Kirche gegangen. Seitdem jedoch hatte es für mich keinerlei Gottesdienst mehr gegeben. Am liebsten wäre ich mit irgendeiner Ausrede herausgeplatzt, aber Nellie stand da, als gäbe es überhaupt keinen Zweifel an meiner Zusage. Und das machte mich weich.

„Gut“, sagte ich, „ich gehe hinauf und hole meinen Mantel.“

Als ich herunterkam, hatte der Alte die Brille aufgesetzt und das Buch aufgeschlagen. Nellie legte ihm eine Schachtel Zündhölzer auf den Tisch und daneben ein Räucherkerzchen auf einer Untertasse. „Nur für den Notfall“, sagte sie. „Du darfst dir nicht einreden, daß du sie nötig hast!“

Dann machte ich mich mit Nellie auf den Weg zur Methodistenkapelle. Weit war es nicht, aber der Weg war scheußlich. Die Nacht war rauh, die feuchte Kälte drang einem bis auf die Knochen. Wir schwiegen beide. Ich hatte die Hände in die Manteltaschen gestopft und schlich dahin, Nellie watschelte linkisch, wie es ihre Art war, neben mir und wärmte sich die ihren in einem Astrachanmuff.

Die Oddy-Road-Kapelle war ein großes, verrußtes Gebäude, aber sie hatte den Vorzug, weit und breit der einzige wirklich erleuchtete Platz zu sein. Sie dampfte förmlich Helligkeit und Behagen aus. Im Vorraum stand ein Mann mit berufsmäßigem Lächeln. Er schüttelte Nellie die Hand und erkundigte sich nach ihrem Vater. Auch mir gab er die Hand und verwirrte mich mit seinem Lächeln. Dann öffnete er eine Tür, die über und über mit rotem Fries und runden Messingnägeln beschlagen war, und wir traten in die Kapelle. Es war ein kreuzförmiges Gebäude. Drei lange Schiffe führten auf das Querschiff zu, in dessen Mitte die weiße steinerne Kanzel stand. Hinter der Kanzel hatte der Chor seine Plätze in drei aufsteigenden Reihen, darüber war die Orgel. Vor der Kanzel stand in einem halbkreisförmigen, mit einem Teppich ausgelegten Raum ein Abendmahlstisch. Er war von einem Gitter eingeschlossen, vor dem sich eine mit dicken roten Kissen bedeckte Stufe befand.

Mit Entsetzen merkte ich, daß meine Stiefel knarrten, als ich Nellie auf der Kokosmatte in das Kirchenschiff folgte. An jeder Wand der Kapelle brannten Gasflammen in weißen Kugeln, und von der Decke hingen zwei große Ringleuchter mit Gasflämmchen herab. Ich hörte, wie das Gas leise summte, bis die Orgel gedämpft aufstöhnte und durch das Gebäude schauerte.

Der Kirchenstuhl der Familie Moscrop lag ganz vorn im Querschiff rechts von der Kanzel. Er war rot ausgeschlagen, mit roten Betschemeln und einem Streifen rotem Fries auf dem Sitz. Nellie kniete auf einem der Schemel nieder und senkte den Kopf über die Hände. Ich tat das gleiche, obwohl ich eigentlich nichts zu beten hatte. Ich wartete, bis Nellie sich hinsetzte, und setzte mich auch. Sie öffnete ein Schränkchen vorn am Stuhl und gab mir ein Gesangbuch und eine Bibel. Ich legte die Bücher vor mich auf das Bord und sah mich zum erstenmal vorsichtig um. Der Moscropsche Betstuhl lag für mein Gefühl wie auf dem Präsentierteller, direkt vor der Nase des Geistlichen und angestarrt vom Chor, der gegenüberliegenden Empore und den ganzen vorderen Bänken. Die Kapelle füllte sich. Auf der Empore wimmelte es von unruhigen Kindern.

Unten kamen die Familien zu Dutzenden herein, fast alle Männer mit einem Zylinder in der Hand und Glacéhandschuhen, alle Frauen Musterbilder von städtischer Eleganz in ihren Pelzen und Federhüten. Sie knieten nieder, die Gesangbuchseiten raschelten leise, und darüber brummte ohne Unterlaß die Orgel, beschwichtigend und wohltuend.

Gleich rechts von meinem Platz führte eine Tür in die Sakristei. Ein kahlköpfiger Kirchendiener im Gehrock kam heraus, stieg die Stufen zur Kanzel hinauf und legte einige Blätter auf die Bibel, und gleichzeitig kam oben der Chor herein, Männer und Frauen, alte und junge. Als sie sich gesetzt hatten, verstummte die Orgel, und in der Kapelle wurde es still. Wieder wurde das Mückensummen des Gases hörbar, und ich spürte – wie künftig noch oft – die allgemeine Erwartung, die in der Oddy-Road-Kapelle jedesmal durch die Gemeinde ging, wenn Ehrwürden Samuel Pascoe predigen sollte.

Er kam durch die Sakristeitür, die ein Kirchendiener für ihn aufhielt, und stieg die Stufen zur Kanzel hinan, ein Mann Anfang der Dreißiger, in feierlichem geistlichem Schwarz, geschmeidig wie ein Windhund, mit hagerem Gesicht, aber von athletischer Kraft und Gewandtheit; man sah das auf den ersten Blick. Sein hellbraunes Haar war kurz geschoren. Er verrichtete ein stummes Gebet und ließ dann seine dunklen, durchdringenden Augen gelassen über die Gemeinde schweifen, die jetzt den Raum gefüllt hatte. Dann gab er den Gesang des Abends bekannt und las die erste Strophe vor. Mir gefiel die Art, wie er las, mit einer sonoren Stimme, die den Versen dichterischen Klang verlieh:

„O Herr des Seins, Du thronst in Himmelsferne,
Die Sonne preist Dich und der Glanz der Sterne,
O Herz und Seele jeder Himmelsbahn,
Du willst Dich liebevollen Herzen nahn."

Der Gesang hatte eine schöne Melodie, und die Leute sangen gern. Der Organist verstand sein Handwerk, auch der Chor und ebenso die Gemeinde. Ich selber singe nicht, aber ich brauche nur in eine singende Menschenmenge zu geraten, dann mache ich mit. Das tat ich auch an jenem Abend, und neben mir sang Nellie. Sie hatte eine hübsche Stimme, einen klaren Sopran, nicht sehr kräftig, aber ungewöhnlich rein.

Dann sprach der Geistliche ein Gebet, worauf wir sangen:

„Oh, daß ich tausend Zungen hätte ..."

Das singt sich in der Gemeinde sogar noch besser als das erste. Es war, als könnte die Kapelle die Fülle des Gesanges, der zur Decke emporstieg, kaum fassen.

Aber ich will den Gottesdienst hier nicht in allen seinen Einzelheiten schildern. Ich erzähle lieber gleich, wie ich zusammenfuhr, als Herr Pascoe seinen Text vorlas. Heute weiß ich nichts mehr davon, denn inzwischen ist manches Jahr vergangen, seit ich zuletzt eine Kirche oder eine Kapelle betreten habe. Aber damals war es ein großer Augenblick, als die pièce de résistance des Gottesdienstes aufgetischt werden sollte. Ich sehe das Bild noch vor mir: alle saßen sie bequem in ihre Kirchenstühle gelehnt, die Bibel in der Hand, bereit, die Stelle aufzuschlagen, sobald sie von der Kanzel angegeben wurde, und sich davon zu überzeugen, daß die Worte, die der Geistliche auslegen wollte, tatsächlich an der bezeichneten Stelle standen. Nellie hielt, wie die anderen, ihr Buch in den Glacéhandschuhen, als Herr Pascoe plötzlich drei Worte in die allgemeine Stille hineinwarf: „Er machte Sommer."

Es klang, als ließe er drei Kieselsteine ins Wasser fallen, so klar und deutlich kam jedes Wort heraus. „Er machte Sommer!" Rings um uns lag die Steinwüste von Hulme, trostlos, wie „die heimgesuchten Städte der Ebene", und über Hulme weinte der rußige Winter, und der Text lautete: „Er machte Sommer!"

Es war eine einfache Predigt über das Thema der Vergeltung. Hier war Hulme. Hier war Winter. Dennoch – ER machte Sommer. Auf die Nacht folgt der Tag. Auf den Winter folgt der Sommer. Auf Hulme folgt der Himmel. Ich erinnere mich, daß er Spenser zitierte:

„Bringt kurzes Leid, wenn du's auf dich genommen,
Nicht langes Ausruhn dir im stillen Grab?
Nach Müh' ist Schlummer, Hafen nach dem Sturm,
Nach Fehden Friede, Tod nach Leben hoch willkommen."

Dann zitierte er die Bibelworte: „Es war aber an der Stätte, da er gekreuziget ward, ein Garten", und wies darauf hin, daß nur Johannes, der geliebte Jünger, das überliefert hat, vielleicht weil nur Johannes wissen mochte, daß in der Todesnot ein Garten helfen und lindern kann. Ich fand den Gedanken damals wunderschön und bin noch immer derselben Ansicht.

Ich weiß nicht, wie die Predigt heute auf mich wirken würde. Jedenfalls bin ich nicht so töricht, die Worte zu trennen von dem Mann, der sie sagte, und von der Art, wie er sie sagte, und von dem Augenblick, in dem sie gesagt wurden. Ich weiß nur, daß sie damals tiefen Eindruck auf mich machten. Ehrwürden Samuel Pascoe konnte einem das, was er sagte, sichtbar machen, und in der erstickenden Hitze, die in der Kapelle herrschte, wanderte mein Geist hinaus auf die grünen Felder von Cheshire und in die herben Weiten von Derbyshire und sah, wie die Sommersonne auf das saftige Gras herniederfiel und sich in den Tümpeln der kleinen Moorgewässer spiegelte.

Der Geistliche ließ es damals Sommer in meinem Herzen werden, und als wir den Schlußgesang anstimmten:

„Was Aug' und Ohr entzücket,
Was Herz und Geist erfreut,
Geeint uns nun erquicket
In ew'ger Herrlichkeit",

fühlte ich mich stark und erhoben. Ich sah nichts mehr um mich herum und ging zwischen Zylindern und nickenden Federhüten in den Vorraum hinaus.

6

Ich will nun nicht etwa berichten, daß mein Wesen seit jenem Abend eine innere Wandlung erfahren hätte. Nichts dergleichen. Die Bedeutung dieses Abends lag vielmehr darin, daß es der erste Schritt zu meiner Heirat mit Nellie Moscrop war. Der Besuch der Andacht hatte in jenen Tagen etwas Warmes, zu Herzen Gehendes an sich, das mich ansprach. Ich gewöhnte mich daran, Nellie zu begleiten, und aus der Gewohnheit wurde dann die Ehe. Vorher aber sollte sich noch viel ereignen.

Als erstes mußte ich am Morgen nach jener Sonntagsandacht meine Runde für das Brotaustragen kennenlernen. Vorn auf dem Bock des Brotwagens war Platz für zwei. In einem weiten Mantel mit einem fast viereckigen Filzhut, einen Wollschal vielfach um den Hals geschlungen und an den Händen ein Paar Wollhandschuhe, so wurde der alte Moscrop zu mir auf den Bock gehoben, und wir fuhren los. Er wollte mitfahren, bis ich die Kundschaft im Kopf hatte, und da sein riesiger Körper über drei Viertel des Sitzes herübersackte und mir nur ein etwas halsbrecherisches Fleckchen halb über dem Rade übrigließ, betete ich, es möge nicht lange dauern.

Es dauerte auch nicht lange. In ein paar Tagen hatte ich alles begriffen, was ich von dieser stumpfsinnigen Arbeit wissen mußte. Vom Donnerstag an fuhr ich die Runde allein. Der Brotwagen stand vor der Backstube. Der alte Mann, der nachts backte, half mir beim Aufladen. Es war ein bitterkalter Tag. Die feuchten Nebel hatten sich verzogen, und über Nacht war plötzlich ein scharfer Frost, wie ich ihn seit Jahren nicht erlebt hatte, über die Stadt hereingebrochen und hielt sie in den Krallen. Der alte Gaul wartete geduldig mit gesenktem Kopf und schnob weiße Wölkchen auf den hartgefrorenen Boden, und als ich die Doppeltüren hinten am Wagen zugeschlagen hatte, freute ich mich keineswegs auf die Tagesarbeit. Ich mußte steif frieren dort oben auf meinem Bock, da gab's keine Rettung. Ich stand da und schlug die Arme über der Brust zusammen, da kam Nellie vom Laden um die Ecke, den ganzen Arm voll warmer Sachen. Sie sah mich mit ihrem kurzsichtigen Stirnrunzeln an und sagte: „Sie frieren ja jetzt schon. Ziehen Sie das da an. Seit Jahren haben wir keinen solchen Tag gehabt."

Sie hielt mir den Mantel ihres Vaters hin, den ich sicher bequem über meinen hätte ziehen können. Trotzdem hatte ich keine Lust dazu. „Und was soll Herr Moscrop machen?" fragte ich.

„Da seien Sie unbesorgt", antwortete Nellie, „an einem solchen Tag rührt er sich nicht aus dem Haus. Nun machen Sie schon."

Sie schüttelte den Kopf und lächelte mich ein wenig vorwurfsvoll an. Ich steckte die Arme recht ungnädig in den Mantel, den sie mir hinhielt. Dann stellte sie sich auf die Zehenspitzen, denn sie war eine kleine Person, wickelte mich um und um in ein Halstuch, das so lang wie das des Alten war, und gab mir dicke wollene Handschuhe. Ich hatte nur ein Paar lächerliche Glacéhandschuhe, so wie sie die Lehrlinge am Sonntag zu tragen pflegen. Als ich auf den Sitz geklettert war, fühlte ich mich wie eines der

Wäschebündel, die ich als Kind durch die Straßen geschleppt hatte. Ich sagte das Nellie, und so unbedeutend die Bemerkung war, es war, wenn ich jetzt rückblicke, eines der wenigen Worte, die ich über die bloße Förmlichkeit hinaus jemals zu ihr gesprochen habe. Das leichte Stirnrunzeln verschwand zwischen ihren Brauen, und ein Lächeln brach hervor, so rein und strahlend, daß ich mir nicht erklären konnte, wie ein so alltäglicher Vergleich ein Gesicht derart fröhlich machen konnte. Dann tippte ich dem Gaul leicht mit der Peitsche an die Seite, und wir rumpelten auf unseren Eisenreifen davon, die den trockenen, beißenden Straßenstaub aufwirbelten.

Es dauerte nicht lange, und mein Atem gefror mir in dem wollenen Schal vor meinem Mund, aber Hände und Körper blieben warm. Die Füße fühlten sich freilich an, als wären sie von eisigen Fesseln umklammert. Ich dachte an alles mögliche, während wir durch die Straßen zuckelten und vor den Häusern hielten. Frauen mit einem Tuch um den Kopf kamen vor die Tür und klapperten vor Kälte mit den Zähnen, in anderen Häusern wieder stand die Tür offen, und man sah am Ende des Flurs in eine Küche, aus der der ganze Glanz der Hausfrauentüchtigkeit von Lancashire leuchtete und, der Jahreszeit entsprechend, in die fürchterliche Kälte hinausglühte. Ich dachte über das regellose Durcheinander all der verschiedenen Leben nach, die ich Tag für Tag flüchtig streifte: das Mädchen im Morgenrock, das allem Anschein nach geradeswegs aus dem Bett kam und mit seinem frechen Lächeln zugleich lockte und abstieß; die schmutzige und grauhaarige alte Frau, die ich einmal verstohlen hinten um das Haus des Mädchens hatte huschen sehen, so wie die Küchenschaben über den Boden der Backstube liefen, wenn das Gas plötzlich aufleuchtete; der Mann mit dem bleichen, abgespannten Gesicht und dem schwarz und rot karierten Halstuch, der so sauber rasiert, so schauerlich ehrbar und so verhungert aussah und dabei so höflich und furchtsam lächelte. Ich wußte schon, daß er dem alten Moscrop fünfzehn Schillinge schuldete. Und da war die winzige kleine Person in Weiß, vom Kopf bis zur Zehe, mit weißen Bändern im Haar und weißen Seidenschuhen an den Füßen, die sich von ihrem Brot jedesmal ein Stück abbrach, sobald es ihr ausgehändigt wurde, den Brocken in den Mund steckte und sagte: „Solches tut zu Meinem Gedächtnis. Ich bin die Braut Christi." Und da waren zahllose Menschen, grau und farblos, die am Rande des Hungers dahinlebten, und zahllose andere, zufriedene und glückliche Spießer, die keine Furcht hatten vor der Steinwüste von Hulme.

Ich fuhr auf und ab durch die engen Straßen und sah, wie die unzähligen grauen Rauchfahnen über den Häusern in das klare, eisige Blau dieses Wintertages aufstiegen. Und allmählich packte mich der Zauber dieser vielen Leben: dies alles vor meinen Augen waren Geschichten ohne Ende, die gestaltet werden konnten, Stoff um Stoff für alle jene Bücher, die ich seit so langer Zeit hatte schreiben wollen und vergeblich zu schreiben versucht hatte. Ich dachte mit verächtlichem Lachen an jene aufgeblasene und verlogene Romantik, mit der ich mich im Schlafzimmer bei O'Riordens abgequält hatte, an den hohen Flug meiner Phantasie in Gesellschaftsschichten und Lebensverhältnisse, von denen ich keine Ahnung hatte. Hier, in diesen engen Häusern, lebten meine Menschen. Das war mein eigen Fleisch und Blut, aufgewachsen wie ich; und die Ungeduld packte mich, wieder bei Moscrops zu sein, in meinem Zimmer zu sitzen und mich an eine Arbeit zu machen, die etwas taugte.

Ich hatte bisher noch keinen Abend in meinem Zimmer verbracht. Viermal war ich bis spätabends mit Moscrops zusammen gewesen, einmal mit Nellie in der Kapelle, und drei Abende hatte ich mich mit dem alten Mann höflich, aber mühsam unterhalten. An einem dieser Abende hatte er wieder einen Asthmaanfall gehabt und über einer brennenden Räucherkerze zitternd nach Atem gerungen, eine traurige Fleischmasse. Ich hatte Nellie gebeten, mir einen Zentner Kohlen zu bestellen. Sie hatte es getan, und ich wußte, daß das Feuer in meinem Zimmer aufgeschichtet und der Kohlenkorb voll war.

Zweimal täglich mußte ich Brot fahren, morgens und nachmittags, und ich war sehr froh, wenn ich am Ende der zweiten Runde den Wagen unterstellte und das Pferd in den Stall brachte. Es wurde immer kälter. Die Sonne war um vier untergegangen, rot wie eine Kupferscheibe war sie im violetten Dunst versunken; jetzt war der Himmel mit glitzernden Sternen übersät, und eine stille, tödliche Kälte lag über den Häusern.

Ich lief schnurstracks in mein Zimmer und zündete mir mein Feuer an. Im Waschraum wusch ich mich noch rasch und ging hinunter zum gemeinsamen Abendessen. Daran hatte Moscrop eine unglaubliche Freude. Er schwatzte gern, und jede Kleinigkeit, die ich ihm von der Tagesarbeit berichten konnte, beglückte ihn. Er versicherte mir wieder und wieder, wie froh er sei, den Mann, der seine rechte Hand sei, bei sich im Haus zu haben, und ich meinerseits fragte ihn so vorsichtig wie möglich nach den näheren Einzelheiten seines Geschäfts aus, mit der Begründung, daß ich ihm, abgesehen vom Brotaustragen, sicherlich noch auf mancherlei Art behilflich sein könne. Ich war nicht gesonnen, bei Moscrops immer Brotkutscher zu bleiben.

Als das Abendbrotgeschirr abgeräumt war, stellte Nellie das Tischchen mit Buch und Brille neben den großen Lehnsessel; das war ein sicheres Zeichen dafür, daß sie ausgehen wollte.

„Möchtest du Nellie heute abend nicht begleiten?" fragte Moscrop.

Ich sah sie fragend an, und sie sagte erklärend: „Ich gehe zur Klassenversammlung."

„Klassenversammlung? Was für eine Klasse?"

„Die erste, mein Junge – die Klasse der Erlösten des Herrn!" sagte der Alte andächtig. Nellie erläuterte es prosaischer: „Sehen Sie, jedes Vollmitglied der Methodistenkirche gehört einer sogenannten Klasse an. Jede Kapelle hat eine Anzahl Klassen, und jede hat ihren eigenen Leiter. Wir kommen einmal in der Woche zusammen, beten, singen ein paar Lieder und legen unser Bekenntnis ab."

„Ach so! Aber ich gehöre der Methodistenkirche ja gar nicht an."

„Wenn Sie sich aber einer Klasse anschließen, so werden Sie Mitglied."

„Ich möchte lieber nicht – noch nicht."

Sie machte ein enttäuschtes Gesicht, und ich hielt es für besser, ihr zu erklären, warum ich nicht wollte. „Sehen Sie, ich wollte eigentlich heute abend arbeiten. Ich habe schon Feuer gemacht."

„Feuer?" Der Alte horchte auf, und ich beschloß, das ein für allemal klarzustellen. „Ja", sagte ich, „ich hoffe, Sie haben nichts dagegen, Herr Moscrop. Ich bezahle mir meine Kohlen selbst. Ich möchte gern abends arbeiten."

„Du arbeitest? Natürlich darfst du arbeiten", knurrte er, „wer hält dich denn davon ab? Aber kannst du denn nicht hier arbeiten? Ist es dir hier nicht gemütlich genug?"

„Das wohl", sagte ich, „aber es ist eine mehr persönliche Arbeit, und dabei möchte ich lieber allein sein."

„Persönlich. Was? Ich denke, du lernst! Ich bin sehr dafür, daß ein junger Mann weiterlernt. Ich habe auch mancherlei gelernt, als ich jung war, und ich möchte wohl wissen, wie es jetzt mit mir stünde, wenn ich es nicht getan hätte." Seine Finger auf den Stuhllehnen zitterten. Dann setzte er die Brille auf die Nase und nahm sein Buch. „Also lauf", klang es bärbeißig, „aber sehr merkwürdig ist es doch."

Ich hielt es für besser, beizeiten damit herauszurücken. „Ich schreibe", platzte ich heraus. „Sehen Sie, ich versuche ein Buch zu schreiben."

„Dean Farrar" plumpste dem alten Mann auf den Schoß. Sein eines Augenlid fuhr in die Höhe. „Ein Buch? Was für ein Buch?" rief er.

Jetzt schwitzte ich vor Verlegenheit. „Ach, ich weiß nicht", sagte ich, „so etwas wie einen Roman, denke ich."

Da fiel mein Blick auf Nellies Gesicht. Es flammte vor Erregung. Sie starrte mich an, als wäre ich gerade eben zum Hofdichter gekrönt worden. „Wunderbar", sagte sie, „ein Buch!" Im Nu war sie am Bücherschrank, zog ein Buch heraus und gab es mir. Es war „Jane Eyre". „Das ist kaum zehn Minuten von hier entstanden!" rief sie aufgeregt. „Haben Sie das gewußt?"

„Nein."

„Aber es ist wahr. Charlotte Brontë hatte ihren Vater hier nach Manchester zu einem Augenspezialisten gebracht, und in einer Nebenstraße der Oxfordstraße haben sie gewohnt. Und während ihres Aufenthaltes hier hat sie ‚Jane Eyre' angefangen. Wäre es nicht wundervoll, wenn Ihr Buch ebenso schön würde?"

„Das schon."

„Und dann Frau Gaskell."

„Ja."

„Und die Frau, die den ‚Manchester-Mann' geschrieben hat. Ich vergesse immer, wie sie heißt."

„Frau Banks."

„Richtig! Frau Linnaeus Banks. In Manchester schreiben wohl nur Frauen Romane."

„Ja. Es wird Zeit, daß ein Mann auftaucht."

„Vielleicht sind Sie der Mann!"

„Der bin ich auch."

So lebendig hatte ich sie noch nie gesehen, aber bei meiner anmaßenden Bemerkung legte sich ihre Erregung doch etwas. Sie nahm ihren Muff auf. „Ich will dafür beten", sagte sie. Und sie meinte es ganz aufrichtig.

Da sagte der alte Moscrop: „Aber was soll denn aus der Bäckerei werden, wenn ich nicht mehr da bin?", und damit war nun also die Katze aus dem Sack. Alles, was er in den letzten Tagen in seinem schweren Kopf gewälzt hatte, kam auf einmal ans Licht. Nellie errötete und ging schnell fort.

Das Feuer in meinem Zimmer war zu warmer Glut zusammengesunken. Ich steckte das Gas gar nicht erst an, sondern zog die Vorhänge zurück und sah auf die Straße. Die Lampen schimmerten nicht mehr trübe. Sie brannten klar und unbewegt in dem klirrenden Frost, und über den Dächern funkelten die Sterne. Da lag die Straße schmutzig und bedeutungslos wie Millionen von Straßen in Birmingham und Newcastle, Liverpool, Leeds und London, ein kleines, erstarrtes Rinnsal in der Wüste der Stadt. Keine Menschenseele war zu sehen, kein Schritt zu hören. Jeder hatte sich vor der bitteren Kälte verkrochen wie die Tiere im Walde, wenn die Welt verschneit ist.

Dann steckte ich das Gas doch an und setzte mich vor mein Blatt Papier, um sie herauszulocken aus ihren engen Häusern und in ein Leben voll Bedeutsamkeit und Schönheit zu stellen.

Ich hörte Nellie nach Hause kommen; ich hörte sie und ihren Vater zu Bett gehen; und noch immer standen die paar hingekritzelten dürftigen Worte tot auf dem Papier. Mißmutig lehnte ich mich zurück und sah plötzlich eine Spinne – das winzige Tierchen, das wir Glücksspinne nennen – auf dem Blatt erscheinen und flink zu der oberen Kante des Schreibblocks laufen. Sie stockte einen Augenblick und spähte über den Abgrund. Ich sah ihr atemlos zu und sagte mir: Wenn sie umkehrt und über die Seite zurückläuft, hat das Buch Erfolg. – Sie besann sich, stürzte sich in den Abgrund und rannte quer über den Tisch. „Verflucht!" Ich fuhr hoch. „Verflucht noch mal! Und nun soll es erst recht ein Erfolg werden!" Dann zerriß ich alles, was ich geschrieben hatte, warf es ins Feuer und ging zu Bett.

7

Am äußersten Punkt meiner Brottour kam ich bis zu dem wohlhabenden Vorort Withington. Als ich eines Tages im darauffolgenden Oktober eine Straße in Withington hinunterfuhr, wurde ich plötzlich bei Namen gerufen. „He, Bill!" Dermot O'Riorden lehnte aus einem Schlafzimmerfenster. Ich hielt, und gleich darauf kam Dermot den kurzen Gartenpfad heruntergelaufen. Er sah jünger und zufriedener aus und außerdem wohlhabend. „Ich gratuliere“, sagte er, „hast du die scheußliche Federfuchserei glücklich an den Nagel gehängt? Ein Bäcker ist doch ein Handwerker.“

„Ich bin kein Bäcker“, antwortete ich, „ich bin Brotkutscher.“

„Einerlei. Ein Brotkutscher ist in jeder anständigen Gemeinde ein ganzes Schock Börsenmakler wert. Hast du einen Augenblick Zeit? Fahr die Karre hier herein.“

Es war ein solides viereckiges Haus mit einer anständigen Haustür, einem Erkerfenster zu jeder Seite und drei flachen Fenstern im ersten Stock. Seitwärts führte eine Pforte zu einer kleinen Wagenremise. Ich fuhr den Wagen hinein, band die Zügel an einem Ring in der Mauer fest und ging mit Dermot zur Haustür.

„Du siehst wohlhabend aus“, sagte ich. „Ist das dein Haus?“

Seine aufgescheuchten Augenbrauen flogen auf, und seine hellen Augen lachten. „Wohlhabend schon“, sagte er, „aber nicht ganz so wohlhabend, wie es aussieht – was du wissen würdest, wenn du dir die Mühe machtest, uns hin und wieder zu besuchen.“

Den Vorwurf hatte ich verdient. Ich hatte einen trägen Winter und einen faulen Sommer hinter mir: Sonntags abends Kapelle, donnerstags Klassenversammlung, viel zuwenig Abende im eigenen Zimmer, viel zu viele dagegen über dem Dame- und Mühlebrett beim alten Moscrop. Mühle war sein Lieblingsspiel. Es war seit jenem längst vergangenen Tag, an dem ich Eustace Oliver begegnete, die nutzloseste Spanne Zeit, die ich verbracht hatte. Nicht einmal die einzigen Freunde, die ich besaß, hatte ich besucht, Dermot, seine Frau und seine Eltern.

„Nein“, sagte Dermot, „mein Haus ist es nicht. Dies ist ein Auftrag – der größte, den ich bis jetzt gehabt habe.“

Ich sah mich um. „Hübsch ist es.“

„Hübsch! Mehr weißt du von dem Werk des besten Möbelzeichners in Manchester nicht zu sagen? Fabelhaft ist es.“

Mit der ihm eigenen zärtlichen Handbewegung strich er über die Täfelung der kleinen, viereckigen Halle. „Du hast recht“, gab ich zu, „es ist wirklich fabelhaft.“

„Und alles kommt nur daher, daß ich meine Sachen in dem kleinen Schaufenster in der Deansgate ausstelle. Der Kerl, der dieses Haus kürzlich gekauft hat, kam vorbei, sah die Möbel und ging mir ins Netz. Er hat mir hier freie

Hand gelassen bis zu fünfhundert Pfund. Da bleibt ein Happen übrig für mich."

Stolz führte mich Dermot durchs Haus und zeigte mir, daß er sowohl Einrichtung wie Ausstattung besorgt hatte. „Fällt dir nicht etwas Besonderes dabei auf?" fragte er, als wir durch alle Zimmer gegangen waren.

„Es ist sauber, hell, luftig."

„Einfach, das ist es! Ich schneide alle Locken ab, bis ich auf den Schädel selbst komme. Meine Arbeit ist ebenso gediegen wie alles, was Morris je gemacht hat, aber ich lasse ein gut Teil der Verzierung weg. Sieh dir diesen Tisch an."

Wir standen im Eßzimmer, und der Tisch war wirklich sehr schön. „Besinnst du dich noch auf den Tisch, den ich für meine Mutter gemacht habe?" fragte Dermot. „Die mächtigen, weit ausladenden Beine? Jetzt schaudert's mich bei ihrem Anblick. Siehst du den Unterschied? Dies hier ist einfach ein Tisch: fest und ehrlich. Jedes Stück daran dient nur der Proportion. Und glaube mir, er ist vollkommen."

Soweit ich sehen konnte, war er vollkommen. „Da drüben habe ich den scheußlichsten Kamin weggenommen, der mir je vorgekommen ist", sagte Dermot, „und dafür den schlichten Rahmen aus Kacheln eingesetzt. Die Wände werden weiß. Ich wollte nur, es gäbe ein reineres Licht als Gas. Aber das werden wir auch kriegen, schon bald. Ich komme mit meinen Sachen etwas zu früh. Übrigens suche ich nach einer neuen Bezeichnung für mich. Ich bin nicht mehr einfach ein Kunsttischler. Es muß von vornherein zum Ausdruck kommen, daß ich die Gesamteinrichtung übernehme und sie schön mache. Sieh mal, ich denke über meinen neuen Laden nach. Ich brauche mehr Platz für mich. ‚Kunstmöbeltischler und Innendekorateur', was meinst du dazu?"

Heute ist das etwas Selbstverständliches. Jeder ist heute Innendekorateur. Dermot O'Riorden aber war der erste, von dem ich den Ausdruck hörte – der erste auch, den ich auf Einfachheit und reine Proportionen statt auf protzigen Überfluß hinarbeiten sah.

„Hallo, ist da jemand?" klang es von der Halle her, und Sheila trat mit einem Korb in der Hand ins Zimmer. „Das Frühstück für den Meister", sagte sie. Mit einem Satz war der Meister bei ihr und nahm sie in die Arme. Sie sah sehr wohl und glücklich aus, die schwarzen Augen tanzten in dem dunklen Gesichtchen.

Sie gab mir die Hand und lud mich ein, mit ihnen zu frühstücken. „Es reicht für drei", sagte sie. „Ich gebe mir Mühe, dem mageren Spatz da etwas Fett anzufüttern."

Aber meine Zeit war längst abgelaufen. Nur mußte ich ihr noch schnell meine Überraschung ausdrücken, daß sie den Laden im Stich lassen könne. „Du weißt ja noch lange nicht alles", sagte Dermot. „Du solltest mit deinen Freunden in Fühlung bleiben. Seitdem ich solche Aufträge außer dem Haus auszuführen habe wie hier, beschäftige ich eine Hilfe im Laden. Allerdings ist dies hier der erste. Und Sheila hat jetzt ein eigenes Haus – nicht wahr, du?" Und er umarmte sie zärtlich.

„Du mußt uns mal besuchen, Bill", sagte Sheila. „Kannst du morgen abend?"

Dermot gab mir die Adresse, und ich sagte zu. Dann ging ich, während Sheila das Frühstück auf dem schönen Tisch auspackte. Als ich das Pferd in die Straße hinauslenkte, rief ich durch das offene Fenster: „Vielleicht bringe ich eine Freundin mit."

Warum hatte ich das nur gesagt? Ich bog rechts in die Wilmslowallee ein und fuhr nach Hulme zurück, und die ganze Zeit überlegte ich mir: wie bin ich nur darauf gekommen, Nellie Moscrop mit zu Dermot und Sheila zu nehmen. Einfach deshalb, mußte ich mir sagen, weil sie mir zur täglichen Gewohnheit geworden war. Seit fast einem Jahr war das allmählich gekommen. Abendandacht und Klassenversammlung, ein bis zwei Vorträge die Woche in Oddy Road und ein paar Gemeindegottesdienste. Einmal war ich aufgefordert worden, einen Vortrag über die Romane von Charles Dickens zu halten. Es war ein guter Vortrag. Ich besitze ihn noch. Kürzlich habe ich ihn wieder einmal durchgelesen und schäme mich seiner auch heute nicht. Ich habe ihn aufbewahrt, weil er die erste literarische Arbeit war, mit der ich wirklich fertig geworden bin. Alles andere blieb unfertig. Sowohl Nellie – in ihrer schüchternen Art – wie der alte Moscrop – in seiner unverblümten Sachlichkeit über dem Mühlebrett – fragten von Zeit zu Zeit nach dem Roman. Mir stieg dabei das Blut zu Kopf. Es war mir in der Seele zuwider, nach dem ausgefragt zu werden, woran ich gerade schrieb, besonders, wenn es nicht recht vorankommen wollte; immerhin gelang es mir stets, höflich zu antworten.

„Höfliche Antworten" erschöpften überhaupt meine Beziehung zu Nellie. Gleichzeitig konnte mir jedoch nicht verborgen bleiben, wie sie ohne Unterlaß um mich war und mich unter ihre Fittiche nahm – um so mehr, als ihr Vater immer wieder darauf hinwies.

„Du kochst nicht wie früher, Nellie“, sagte er eines Abends, als wir alle bei Tisch saßen.

Das arme Ding war ganz außer sich. Sie war die geborene Hausfrau, und die Bemerkung traf sie an der empfindlichsten Stelle. Die Falten zwischen den Brauen vertieften sich, ratlos und stumm blickte sie zuerst auf den Alten und dann auf das vorzügliche Essen auf dem Tisch. Der alte Moscrop, der mir gegenübersaß, zog lässig das eine Lid in die Höhe und zwinkerte mir ganz langsam damit zu: „Ich wollte nur sagen, du kochst besser als früher, wo du nur deinen armen alten Vater zu bedenken hattest. Füttere die Bestie – wie? –, wenn ich mal ein Sprichwort sagen darf –, füttere die Bestie.“

Nellies Verwirrung wurde nur noch größer. Sie wußte nicht, was sie sagen sollte. Dazu war auch nichts zu sagen. Es war mir selber aufgefallen, wie sie allmählich immer mehr Aufmerksamkeit auf die Küche verwandte.

Nicht nur das. Sie hielt mein Zimmer peinlich sauber. Mein metallenes Schreibzeug und mein Tintenfaß waren immer blank geputzt. Sobald der Kamin gebrannt hatte, reinigte sie ihn und legte neue Feuerung auf, obwohl ich mich dagegen verwahrt und ihr ausdrücklich gesagt hatte, das sei nicht ihres Amtes. Sie bestand darauf, daß ich mich wärmer als sonst anziehe, wenn es sehr kalt war, und als ich einmal meine Reserveschuhe suchte, hatte sie sie wegen eines kleinen Loches zum Schuster geschickt.

Wenn wir zusammen ausgingen, sprach sie wenig, doch ich spürte, wie glücklich ihr ums Herz war. Streifte ich sie zufällig einmal, so merkte ich, wie sie bis ins Innerste zusammenzuckte. An dem Abend, als ich den Dickens-Vortrag hielt, hörte sie mir mit leuchtenden Augen zu, als wäre ich ein Premierminister, der einen handfesten Entwurf zur Sicherung der nationalen Wohlfahrt vorlegt, und als ein völlig abwegiger Schafskopf anregte, ob Fräulein Moscrop nicht vielleicht das Dankesvotum beantragen wollte, stand sie auf, zitterte, setzte sich wieder hin und schüttelte den Kopf.

Alles in allem konnte kein Zweifel darüber sein, daß Nellie in mich verliebt war. Es schmeichelte nicht einmal meinem Selbstgefühl, daß ich dieses Wunder so mühelos vollbracht hatte. Man konnte kaum weniger von einem

Mitmenschen begeistert sein als ich von Nellie. Und doch stellten die Worte, die ich Dermot zugerufen hatte, alles auf eine andere Grundlage. Bisher waren wir nur dann zusammen ausgegangen, wenn sie mich dazu aufgefordert hatte. Jetzt ging die Einladung zum erstenmal von mir aus. Die Worte waren mir fast unbewußt über die Lippen gekommen. Mir fiel die Frage des alten Moscrop ein: „Was soll aus der Bäckerei werden, wenn ich einmal nicht mehr bin?" War es vielleicht das? Die Bäckerei hatte gewiß nichts Großartiges an sich, bot aber doch eine gewisse Sicherheit. Man war dort sein eigener Herr und konnte sich in aller Ruhe mit anderen Dingen befassen, die einem vielleicht näherlagen. Dieser plötzliche Einblick in mein Inneres bestürzte mich nicht weiter. Ich verschloß nur geschwind die Augen davor und fuhr nach Hause.

Am nächsten Morgen lag schon etwas Herbst in der Luft. Als ich den Brotwagen vollgeladen hatte, schlüpfte ich noch mal ins Wohnzimmer, um vor der Abfahrt eine letzte Tasse Tee zu trinken. Auch das gehörte zu den kleinen häuslichen Annehmlichkeiten, mit denen Nellie mich verwöhnte. Auch Moscrop wurde verwöhnt. Alles wurde damals für ihn getan. Ich war nun fast ein Jahr unter seinem Dach, und nach und nach hatte ich alles Wissenswerte über sein Geschäft erfahren und ihm Stück für Stück die Verantwortung aus den Händen genommen. Unter seiner Leitung hatte ich angefangen, den ganzen Einkauf für das Geschäft zu besorgen und mancherlei Entscheidungen zu treffen, etwa, ob ein Kunde, der mit der Zahlung im Rückstand war, noch weiter zu beliefern sei oder nicht. Jetzt handelte ich in allen diesen Dingen nach eigenem Ermessen. Moscrops Asthma wurde immer schlimmer, er hatte fast täglich einen schweren Anfall. Kein Wunder, daß er jeden Tag später aufstand, und an jenem Morgen im Oktober 1891, als ich noch einmal hereinkam, um vor der Abfahrt eine Tasse Tee zu trinken, setzte er sich gerade an den Frühstückstisch. Der „Manchester Guardian" lag aufgeschlagen auf dem Tisch vor ihm.

Er blickte auf, als ich hereinkam. „Parnell ist tot", sagte er.

„Oh!" erwiderte ich. Ob Parnell lebte oder tot war, sagte mir nichts.

Nellie kam mit der Teekanne aus der Küche. „War das nicht ein schlechter Mensch?" fragte sie.

„Ein Ehebrecher und Götzendiener!" Dem Alten schwoll das Gesicht vor Zorn. „Ein Ehebrecher und Schuft dazu!"

Damals pflegte man das Wort Ehebrecher in Gegenwart eines Mädchens wie Nellie Moscrop nicht so leichthin auszusprechen. Hastig stellte sie den Tee auf den Tisch und verzog sich wieder in die Küche. Als sie die Eier mit Speck für ihren Vater wieder hereinbrachte, sah ich, daß ihr Gesicht glühte, und da Moscrop noch immer finster über seiner Zeitung brütete und aussah, als wolle er jeden Augenblick von neuem losbrechen, sagte ich, um die Situation zu retten: „Nellie, ein Freund von mir hat mich eingeladen, bei ihm und seiner Frau Abendbrot zu essen. Hast du Lust, mitzukommen? Er würde sich freuen. Und seine Frau ist sehr nett. Die beiden sind ungefähr in unserem Alter."

Nellies Gesicht war noch immer dunkelrot, aber jetzt nicht mehr wegen Herrn Charles Stewart Parnells ehebrecherischem Treiben, das wußte ich wohl. „Ich möchte schon", sagte sie. „Darf ich, Vater?"

Auch Moscrop vergaß seine Wut. „Darf ich, darf ich", äffte er sie keuchend nach. „Was haben wir doch für eine gehorsame Tochter! Immer bemüht, uns eine Freude zu machen, he? Ja, ja und noch mal ja! Einmal wenigstens tu doch, was dir selber Freude macht, Mädel. Und dies macht dir doch Freude, he? Ich seh' es doch. Natürlich seh' ich's."

So ging es mühsam weiter, bis es sie von neuem aus dem Zimmer trieb. Als wir allein waren, winkte er wieder einmal mit dem Zaunpfahl. „Bill", sagte er, „dem Mutigen gehört die Welt, wie das Sprichwort sagt", und vertrieb damit auch mich. Ich wollte ihm keine Gelegenheit geben, mir Glück zu wünschen, und er war offensichtlich auf dem besten Wege dazu.

Den ganzen Weg zu Dermot gingen wir zu Fuß. Es ist ziemlich weit von Hulme nach Ancoats, wo er noch immer wohnte, aber abwechslungsreich. Hulme liegt nahe beim Zentrum von Manchester, Nellies Zeit war jedoch so genau zwischen Haus und Kirche eingeteilt, daß sie selten in die großen Geschäftsstraßen kam. Wir schlenderten deshalb durch die Oxfordstraße und über den großen freien Albertplatz zur Kreuzstraße und dann langsam die Marktstraße hinauf. Hier bogen wir links in die ärmlichen Straßen ein, die nach Ancoats führten. Für Nellie war das alles ein großes Abenteuer. Schon die Aussicht, bei Fremden zu essen, regte sie auf und beklemmte sie ein wenig.

„Glaubst du, daß sie mich mögen werden?“ fragte sie unruhig, als wir in Dermots schmutzige Straße einbogen.

„Herrgott noch mal“, sagte ich ziemlich barsch, „warum sollen sie dich denn nicht mögen? Es ist immer dasselbe bei dir. Gewöhn dir nur nicht an, schlecht von dir selbst zu denken. Dermot und Sheila sind kluge, höfliche Leute.“

„Sind sie katholisch?“ fragte sie, und die Furcht vor dem großen Babel klang aus ihrer Stimme.

„Ich weiß nicht, was sie sind. Wir haben nie über Religion gesprochen, und an deiner Stelle würde ich auch nicht davon anfangen. So, und hier sind wir schon vor der Tür. Verspricht sie nicht allerhand?“

Offenkundig war Dermot nicht gewillt, sein Licht als Dekorateur unter den Scheffel zu stellen. Es war inzwischen dunkel geworden, aber der Schein der Straßenlaterne fiel auf die Tür; sie schimmerte in einem seidigen Olivgrün und war mit einem entzückenden Messingklopfer in der hergebrachten, aber mir immer noch erfreulichen Form eines Löwenkopfes geschmückt. Eine sehr ansprechende Haustür in dem elenden Gäßchen.

Dermot und Sheila kamen uns beide bis zur Tür entgegen und hießen uns herzlich willkommen. Als sie uns ins Wohnzimmer geführt hatten, ließ sogar Nellie etwas von ihrer Zurückhaltung fallen und verstieg sich zu dem Ausruf: „Wie schön!“

„Wissen Sie, Fräulein Moscrop“, lachte Dermot, „das ist es, glaube ich, wirklich! Nun sehen Sie selbst, was Bill alles entbehrt, wenn er seinen Freunden die kalte Schulter zeigt.“

„Und was auch wir unsererseits entbehren“, sagte Sheila, „wenn er uns nicht erlaubt, seine Freunde kennenzulernen.“

„Ihr schmiert uns ja tüchtig Honig um den Mund“, wehrte ich ab, „aber das Zimmer ist wirklich entzückend!“

„Nichts als Reklame“, sagte Dermot, „meine Kunden sollen platt sein, wenn sie von dieser gottverdammten Straße hereinkommen und hier drinnen das gerade Gegenteil sehen.“

Nellie machte große Augen, als sie ein solches Wort so vergnügt aussprechen hörte, und Sheila sagte: „Dermot, versuch doch heute abend mal nicht zu fluchen, ja?“

Dermot lachte schuldbewußt auf, ging zu Nellie hinüber und kniete mit gesenktem Kopf vor ihr nieder: „Züchtigen Sie mich, Fräulein Moscrop“, sagte er, „treiben Sie den Teufel aus, wenn Sie glauben, daß solche Worte vom Teufel sind. Aber wie dem auch sei“, fügte er ernsthaft hinzu, „ich sage es nicht mehr. Es war unhöflich.“

Das Zimmer, in dem wir saßen, hatte nur verputzte, weißgestrichene Wände. „Den Kamin müßt ihr entschuldigen“, sagte Dermot, „der gehört dem Hauswirt, und ich darf ihn nicht anrühren.“ Der Fußboden war gebeizt und gebohnert, und vor dem Kamin lag der erste weiße Wollteppich, den ich in meinem Leben gesehen habe. Auch die Gardinen waren für mich etwas Neues. Tiefrot und aus schwerem Stoff, verdeckten sie nicht nur das Fenster, was in einem Häuschen wie diesem immerhin merkwürdig war. Es waren Vorhänge und keine Gardinen. Sie hingen in weichen Falten über die ganze Wand. Ein einziges, niedriges Tischchen stand davor mit einem irdenen Krug voll weißer Chrysanthemen. Dann gab es noch ein paar schön gearbeitete Bücherschränke voller Bücher in lebhaften, farbigen Einbänden. Sonst war das Zimmer leer bis auf einen großen, schwellenden Diwan und zwei Lehnstühle; eine Lampe mit feinem, schmiedeeisernem Fuß und einem Schirm aus pergamentfarbener Seide warf gedämpftes Licht. Sheila paßte gut in den Raum. Sie trug ein langes, präraffaelitisch anmutendes Kleid, dessen tiefes Rot die dunkle lebhafte Schönheit ihres Gesichtes zur Geltung brachte.

„Das schlimmste an diesen kleinen Einfamilienhäusern ist, daß wir kein Eßzimmer haben“, sagte Dermot, „hier sitzt man ganz nett, aber essen muß man in der Küche. Aus ihr habe ich nun kein Kunstwerk gemacht, weil ich hier so bald wie möglich weg will. Kommt also mit und genießt den Reiz des Gegensatzes.“

Der Gegensatz war wirklich verblüffend, obwohl Sheilas Küche tadellos sauber war. Die Stühle und der Tisch, auf dem ein rot-weiß kariertes Tischtuch lag, waren von schlichter Arbeit in Dermots neuer Art, alles Überflüssige war aus dem Raum verbannt worden. Sheila stellte einen Fleischauflauf gleich vom Herd auf den Tisch, und Dermot brachte aus der Anrichte eine Flasche Wein zum Vorschein.

„Dies zur Feier eines ungewöhnlichen Ereignisses“, verkündete er, „ja, sogar von zweien! Das eine ist William Essex’ Rückkehr zu den Freunden seiner Jugend, das andere Dermot O’Riordens erster Scheck. Mein Kunde hat heute bezahlt mit einem hübschen Anerkennungsschreiben dabei.“ Er hielt die Flasche Burgunder über Nellies Glas. „Gestatten Sie, Fräulein Moscrop?“

Nellie legte erschrocken und schüchtern zugleich ihre Hand auf das Glas. „Ich bin Abstinenzlerin", sagte sie leise und ängstlich. Sofort schenkte Sheila ihr aus dem Wasserkrug ein.

„Du, Bill?" fragte Dermot.

„Ja, auf den Scheck müssen wir anstoßen."

„Der ruht schon sicher auf der Bank. Er kam heute mit der ersten Post, und der Morgen war noch nicht vorüber, da hatte ich schon ein Konto eröffnet."

„Und zehn Pfund abgehoben", sagte Sheila.

„Und zehn Pfund abgehoben. Aber das ändert nichts daran, daß das Konto eröffnet ist. Es ist ein großer Augenblick, Bill, wenn du ein Konto eröffnest. Du mußt das auch mal machen."

„Das werde ich auch."

„Verdienst du denn schon etwas mit deiner Schreiberei?"

„Nichts", sagte ich kleinlaut.

„Er bleibt nicht bei der Stange, Herr O'Riorden!" fuhr Nellie auf einmal dazwischen. „Ich tue, was ich kann, um ihn dazu zu bringen. Ich wünschte so sehr, daß er dabeibliebe. Er würde es schaffen. Ich weiß, daß er es schaffen würde. Sie hätten seinen Vortrag über Charles Dickens hören sollen." Dann wurde sie ganz plötzlich verlegen und verstummte, und Sheila sagte freundlich: „Er wird schon weiterschreiben, Nellie. Darf ich Sie so nennen? Treiben Sie ihn nur nicht an. Lassen Sie ihn in Ruhe. Lassen Sie ihn, wenn er nicht schreiben will, und vor allem lassen Sie ihn, wenn er schreibt. – Aber das klingt ja beinahe, als wollte ich Sie bemuttern! Dermot, Käse und Keks stehen hinter dir auf der Anrichte!"

Wir stießen auf den Scheck an. Dermot und Sheila tranken Nellie und mir zu und dann wir ihnen. Es war alles ein bißchen albern und kindisch, aber wir waren seelenvergnügt dabei und gut Freund miteinander. Als sich die beiden Mädels Schürzen umgebunden und das Geschirr zur Abwasch getragen hatten, gingen Dermot und ich wieder ins Wohnzimmer. Er zog einen Tabaksbeutel hervor und füllte sich die Pfeife. „Mein neuestes Laster", sagte er, „hast du es noch nicht versucht?"

„Nein."

„Das mußt du aber", sagte er. „Deshalb kommst du auch mit der Schreiberei nicht zugange. Komm mit und kauf dir gleich eine Pfeife."

„Nein, nein. Laß doch den Unsinn!"

„Unsinn? Du wirst mir bis an dein Lebensende dankbar dafür sein. Nun komm schon. Ich kaufe dir von meinem ersten Scheck eine Pfeife. Das lasse ich mir nicht nehmen. Du kaufst mir dann auch etwas, wenn du deinen ersten kriegst."

„Gut, einverstanden."

Er rief Sheila zu, er sei in einem Augenblick wieder da, und wir stürzten uns in die kurze, armselige Straße hinaus, in der jetzt ein dünner Nebel hing. Die Lampen beim Zigarrenhändler an der Ecke sahen aus wie orangegelbe Schmierflecken, bis wir fast davor standen. Dermot kaufte mir die schönste Bruyèrepfeife, die es im Laden gab, und ein Päckchen Glasgow-Mischung von Smith dazu, und ich selbst erwarb mir noch einen Tabaksbeutel aus rotem Gummi. Auf dem Ladentisch des kleinen Geschäfts lagen viele billige Zeitschriften. Dermot nahm eine zur Hand. Sie hieß „Tit-Bits". „Steck dir das in die Tasche und lies es durch, wenn du nach Hause kommst", sagte er. „Mit so was wirst du dein erstes Geld verdienen."

Dann gingen wir durch die kalte, neblige Finsternis nach Hause. Erst unmittelbar vor der Haustür sagte Dermot: „Das Mädchen ist in dich verliebt – wahnsinnig verliebt. Wußtest du das?"

„Ja."

„Nun, wenn du's nur weißt. Sie ist ein gutes Mädel, und sie meint es ehrlich."

Sheila und Nellie waren wieder im Wohnzimmer und hatten auf einem kleinen Tisch Kaffee vor sich stehen. Sie saßen auf dem breiten Diwan, und Dermot und ich rauchten unsere Pfeifen zu beiden Seiten des Kamins. Nellie sah mir zu, als vollführte ich ein ungewöhnliches Kunststück, und Sheila zog mich unbarmherzig auf und wies mir den kürzesten Weg nach dem Hinterhof. Aber mir wurde durchaus nicht übel, wie man es mir vorausgesagt hatte; und seitdem ist wohl kein Tag vergangen, an dem ich nicht meine Pfeife geraucht habe. Mein Gott, das sind jetzt fünfundvierzig Jahre her.

Vor fünfundvierzig Jahren zog Dermot jenen Brief aus der Tasche und sagte: „Übrigens, das wollte ich dir noch erzählen, Bill. Ich habe heute morgen einen Brief von Fergus bekommen. Es geht ihm gut in den Staaten. Fergus ist mein Bruder, Fräulein Moscrop. Er ist hinübergegangen, um bei meinem Onkel in New York einzutreten. Hört mal zu."

„Mein lieber Dermot – warum gibst Du Deine Bastelei

nicht auf und kommst herüber zu mir? Ich habe Dich seit Jahren darum gebeten, aber ich werde Dir nie klarmachen können, was Du alles versäumst. Je mehr ich von Onkel Con sehe, desto erstaunlicher finde ich ihn. Ich begreife einfach nicht, daß Vater und er Brüder sind. Seine Warenhäuser wachsen über New York hinaus, und er schwört, daß wir innerhalb der nächsten zehn Jahre in jeder Stadt der Vereinigten Staaten mit über 50 000 Einwohnern eins haben werden. Nächste Woche gehe ich nach Chikago, wo wir das erste außerhalb New Yorks eröffnen. Ich hoffe zu Gott, Du kommst und hilfst, daß das Geld in der Familie bleibt. Ich bin – in aller Bescheidenheit gesagt – bereits Onkel Cons rechte Hand, aber für Dich ist auch noch Platz.

Glaub mir, Dermot, dies hier ist Leben – unvorstellbar, wenn man in Ancoats aufgewachsen ist. Aber ich gewöhne mich langsam daran, an ein Haus voller Dienstboten und an die 10 000-Dollar-Schecks, die der alte Mann für wohltätige Zwecke ausstellt.

Etwas, woran ich mich aber nicht gewöhnen kann, ist Onkel Cons Besessenheit für die Irische Republik. Du weißt, ich bin schon jahrelang so etwas wie sein Privatsekretär, und das hat mir für manches die Augen geöffnet. In diesem Land wimmelt es von Geheimgesellschaften. Der alte Mann kommt immer mit den verrücktesten Iren zusammen, und wieviel Geld in diese Kanäle fließt, ist nicht zu glauben. Da ist eine vertrocknete kleine Ratte namens Michael Flynn. Der Kerl ist ständig unterwegs zwischen uns und England, und er verläßt unser Haus nie ohne ein Bündel Scheine in der Tasche. Mach Dich auf diesen Flynn gefaßt. Er ist jetzt in England, und Onkel Con hat ihm Deine Adresse gegeben. Wenn er bei Dir vorbeikommen sollte, bist Du hoffentlich erfreuter, ihn zu sehen, als ich.

Aber dagegen kann man nichts machen, Dermot. In unserer Familie können sich wohl nie zwei Brüder gleichzeitig für die irische Freiheit einsetzen. Vater hat sich nie was draus gemacht, aber sein Bruder ist toll. Dabei ist es eine rein sentimentale Tollheit, weil er genauso wenig daran denkt, nach Irland zurückzugehen, wie etwa zu fliegen. Und bei Dir ist es das gleiche, Du mit Deiner ‚Irisch-Republikanischen Brüderschaft' im Kopf, während ich nichts weiter will, als die O'Riordensche Warenhauskette von hier bis zum Stillen Ozean weiterführen. Und das werden wir auch tun und erheblich eher, als Dir ein Präsident eine Irische Republik aufzieht."

„In diesem Ton geht es weiter", sagte Dermot, „aber das genügt. Was halten Sie von meinem Bruder, Fräulein Moscrop?"

Nellie blinzelte ihn kurzsichtig an und zog die Stirn noch krauser. „Im Grunde, Herr O'Riorden", sagte sie, „verstehe ich von alledem nichts. Aber Ihr Bruder scheint mir ein sehr vernünftiger Mann zu sein."

Dermots Augen sprühten plötzlich Zorn und Verachtung. „Allerdings", sagte er und schmetterte den Brief auf den Kaminsims, „sehr vernünftig!" Dann wurde seine Stimme schneidend und hoch: „Wissen Sie denn nichts davon", schrie er, „wie Irland ausgesogen und ausgelaugt und bis aufs Blut mißhandelt worden ist von Ihrem verwünschten geldgierigen Empire, von den fetten Gutsbesitzern, die bequem in London sitzen, während die Bauern kaum noch eine verrottete Kartoffel zu fressen haben!"

Sheila sprang auf und legte ihm den Arm um den Hals: „Dermot, mein Liebling", sagte sie, „heute abend nicht, bitte nicht!"

Bleich und zitternd setzte er sich auf den Diwan. „Ein schöner Gastgeber bin ich, wie?" stieß er zwischen den Zähnen hervor. „Ein reizender Gastgeber!" In diesem Augenblick klopfte es bescheiden an die Haustür, wie verstohlen. Sheila ging hinaus und sah nach, wer da sei, und kam kurz darauf mit einem höchst merkwürdigen Gnomen wieder herein. Er war sehr klein, und man hatte zuerst Mühe, ihn überhaupt zu entdecken. Er verschwand fast in einem langen zweireihigen Mantel, der ihm vor den Füßen auf dem Boden schleifte, ein wollenes Tuch war um seinen Hals gewunden, und ein schwarzer Filzhut saß ihm tief über den Augen, die scharf aus ihrem Versteck hervorlugten. Das war das erste, was wir von seinem Gesicht sahen.

„Dermot, dies ist Herr Michael Flynn", sagte Sheila.

Dermot sprang auf und ergriff die Hand des winzigen Kerls fast mit Ehrfurcht, wie mir schien. „Michael Flynn!" sagte er. „Chester! Der Aufstand von siebenundsechzig! Das Gefängnis von Clerkenwell!" Und es klang, als spräche er von Troja und Salamis.

Michael Flynn wurde Nellie und mir vorgestellt, er schüttelte mir die Hand, und ich wunderte mich über seinen festen und warmen Griff. Dann nahm er den Hut ab, befreite den Hals von dem Schal, zog den Mantel aus und warf ihn auf den Boden – und auf dem nackten Holz klang es hart, als wäre etwas Metallenes in der Tasche.

Da stand er, in seinem graubraunen Tweedanzug, mit einem Gesicht wie ein verschrumpelter kleiner Shakespeare. Der kurze Spitzbart war rot, das Haar über den mächtig gewölbten Schädel zurückgebürstet, spärlich und schmutziggrau. Die Augen blickten scharf und verstohlen wie Wieselaugen. Er zog Pfeife und Tabaksbeutel aus der Tasche und fragte: „Darf ich rauchen?"

„Bitte, gern", erwiderte Sheila.

„Und trinken hoffentlich auch", sagte Dermot und lief in die Küche, um Burgunder zu holen. Die Flasche war noch halb voll, wir hatten zaghaft getrunken. Dermot stellte sie mit einem Glas auf den Tisch neben Flynns Stuhl. Flynn schenkte sich das Glas voll, nahm einen tüchtigen Schluck, als wäre es Bier, und fuhr sich mit dem Handrücken über den Mund.

„Sie haben durch Ihren Onkel von mir gehört?" fragte er.

„Viele Leute haben uns von Ihnen erzählt", antwortete Dermot, und Sheila nickte.

„Bei Patrioten brauche ich selten eine Einführung", sagte Flynn, „und nun wollen wir offen miteinander reden. Ihr Onkel hat mir Ihre Adresse gegeben, Herr O'Riorden, für den Fall, daß ich sie brauchen sollte. Sie wissen wohl, was ich meine."

Dermot nickte mit strahlenden Augen. „Ich habe nie Gelegenheit gefunden, zu handeln", sagte er. „Ich habe immer nur geredet. Ich sehne mich danach, etwas zu tun."

„Vielleicht kommt es einmal dazu", sagte Flynn. „Aber im Augenblick ist es nicht nötig. Ich brauche heute abend kein Versteck. Aber brauchte ich es, so wüßte ich, daß ich auf Conal O'Riordens Enkel zählen kann."

Dermot fuhr auf. „Sie haben doch nicht etwa meinen Großvater gekannt?"

„Und ob!" Das klang auf einmal leidenschaftlich. „In meinen Armen ist er gestorben! Er war nur noch Haut und Knochen! Haben Sie von der Hungersnot von 1845 gehört? Haben Sie von den zwei Millionen Iren gehört, die entweder im Heimatboden verfaulten wie die Kartoffeln, die sie nicht essen konnten, oder nach Übersee flüchteten, vertrieben aus einer Heimat, die die eigenen Kinder nicht mehr säugen konnte, weil ihr die englischen Schmarotzer die Brüste bis aufs letzte ausgesogen hatten? Davon habt ihr gehört, wie? Aber hat euch niemand erzählt, daß auch euer Großvater und eure Großmutter in einem Graben verreckten – in einem Graben am Straßenrand? Der kalte

Regen rann nieder, und niemand war da, der ihnen die Augen zudrücken konnte – nur ich."

Dermot stützte beide Ellbogen auf die Knie und das Kinn in die Hände und starrte hingerissen auf den alten Mann, der aufgestanden war und vor dem Feuer auf und ab schritt. „Das verbergen sie euch", fuhr er los, und sein Gesicht glänzte fanatisch. „Was sollen wir mit irischen Vätern anfangen, die ihren Söhnen solche Dinge verschweigen? Ich bin ein alter Mann. Ich bin sechsundsiebenzig Jahre alt. Aber die Mutter Gottes möge mir helfen, daß ich bis zum letzten Atemzug für Irland kämpfen kann. Als die Hungersnot kam, war ich dreißig, und seitdem ist nicht ein Tag vergangen, an dem ich meine Hand nicht gegen England erhoben hätte!"

Flynn erzählte gut. Und was er an diesem Abend erzählte, hatte er offenbar schon oft erzählt. Er hielt uns alle im Bann, als er schilderte, wie sie still auf dem Lande gelebt hatten, Mann und Frau, und von Gott und Mensch nichts anderes verlangt hatten, als daß sie arbeiten und ihr karges Brot essen durften. „Jahraus, jahrein keinen Bissen Fleisch. Kartoffeln waren gut genug, unseresgleichen am Leben zu erhalten."

Dann ließ er uns die ewig nassen, sonnenlosen Tage nacherleben, die der Herbst 1845 brachte, die Ausbreitung der Kartoffelkrankheit, die die Nahrung eines ganzen Volkes vernichtete, und dann den Winter und mit ihm Flecktyphus, Ruhr und Hungertod.

„Wir wärmten uns den Bauch an unserem kleinen Torffeuer. Herrgott, Mensch, aber man muß sich den Bauch auch von innen warm halten."

„Und dann . . .", die Stimme dämpfte sich zu erregtem Flüstern, „. . . dann begann das Sterben. Alte Männer, alte Frauen und die kleinen Kinder starben überall in dem fruchtbaren Land, das Gott erschaffen hatte, damit es lachende Ernten trage. Jetzt erntete allein der Tod. Und wenn er zum Fenster hereingrinste, dann machten sie sich auf, fiebernd im Schüttelfrost, matt und schwach und nur noch Haut und Knochen. Und sie sahen selbst aus wie der leibhaftige Tod und bettelten um Speise und wußten doch, daß es die nirgends gab. Sie zogen in die Städte, aber auch in den Städten gab es nichts zu essen. Da legten sie sich aufs Straßenpflaster und starben. Es war Winter, daß man keinen Hund vor die Tür gejagt hätte, und mit den Nebeln stiegen Tod und Pestilenz, die Menschen aber zogen im

Lande auf und ab, wie Vogelscheuchen in ihren alten Lumpen, und schleppten sich bis zu den Türen der Bauernhäuser und klopften. Aber aus den Bauernhäusern kam niemand, um ihnen zu essen zu geben, weil es in den Bauernhäusern nichts zu essen gab. Nur tote Männer und tote Frauen – nur", Flynn bekam plötzlich einen Wutausbruch, „nur Bürger des großen Empires, das den Millionen Heiden auf Gottes Erdboden das Christentum brachte."

Keiner von uns sagte ein Wort. Das kleine Männchen stand hochaufgerichtet vor dem Kamin und hielt uns im Bann seiner blauen Augen, mühelos, wie jemand, der große Volksmassen zu packen gewohnt ist.

„Es war im Dezember jenes Jahres", fuhr er fort, „da starb mein Vater – Gott gebe ihm die ewige Ruhe." Er bekreuzigte sich, und auch Dermot und Sheila schlugen das Kreuz. Nellie, der schon das Zusammentreffen mit einem Menschen nicht geheuer war, von dessen Existenz sie keine Ahnung gehabt hatte, entsetzte sich vor den sich dreimal wiederholenden Zeichen, mit denen Golgatha heraufbeschworen wurde.

„Er starb an einem Morgen", sagte Michael Flynn. „Wir waren allein in der kleinen Hütte am Rande des Moors, er und ich. Ich war sein einziger Sohn. Meine Mutter war schon lange tot. In einer Ecke stand ein Bett aus leeren Säcken, darauf lag er, geschüttelt vom Fieber. Licht hatten wir keins, nur den schwachen Schein des verglimmenden Torfs. Die ganze Nacht kniete ich an seinem Bett und tauchte hin und wieder den Finger in eine Tasse Wasser, um ihm die Lippen anzufeuchten. Er war erst fünfundfünfzig. In seiner besten Manneskraft hätte er dahergehen sollen, und da lag er nun, die Haut straff über dem Schädel, und seine großen Augen brannten tief in den Höhlen. Er war noch im Arbeitszeug, so wie er sich ins Bett gelegt hatte, und er schauderte vor Kälte und war dabei glühend heiß. Da saß ich in der verlassenen Hütte und horchte auf den anschwellenden Wind und den Regen, der auf Dach und Fensterscheibe schlug, und dachte an die Tausende, die in der geliebten Heimat starben. Sie starben in ihren Hütten wie er, sie starben draußen unter freiem Himmel, die armen pachtzahlenden Tiere. Und jetzt, wo sie keine Pacht mehr zahlen konnten, ließ man sie getrost verrecken."

Wieder hielt Flynn inne, und als er schwieg, hörten wir plötzlich auch in Ancoats den Regen gegen die Fensterscheiben prasseln. Er hob den Finger. „Scht!“ befahl er. „So klang das, was ich vor vielen Jahren in der stillen einsamen Nacht hörte. Und dieser Klang, Dermot O’Riorden, war für mich das Knattern von Schüssen! Es war Schlachtgetön! Der Ruf liegt mir bis heute ohne Unterlaß im Ohr – der Ruf, die Unterdrücker aus einem Land zu treiben, das ihnen nie gehört hat, jene Herren, die uns zur Fronarbeit verdammten, damit sie prassen konnten, und die, als wir nicht mehr arbeiten konnten, von uns erwarteten, daß wir den elenden Tod so anständig wie möglich starben und sie mit diesem Anblick verschonten! – Als das kleine Fenster heller wurde und der Morgen heraufdämmerte, verließ ich meinen Platz am Bett und sah in den neuen Tag hinein, der eben über dem Moor heraufkam, grau, naß, hoffnungslos, wieder ein großer Tag für Irlands Kreuzigung. Dann wandte ich mich zu meinem Vater zurück. In diesem kurzen Augenblick war er verschieden.

Ich ließ ihn liegen, ich begrub ihn nicht. Damals blieben viele Tausende unbegraben liegen. Und ich ging hinaus in den kummervollen Tag. Jetzt gab es nichts mehr, worauf ich noch zu warten hatte. Ich beschloß, nach Cork und von dort nach Amerika zu gehen. Nach einer kurzen Strecke Weges fand ich einen Mann am Straßenrand im Graben liegen. Das war Ihr Großvater, Dermot. Er war noch jung, nicht älter als ich, so an die Dreißig, und als ich mich über ihn beugte, um ihn aufzuheben, sah ich, daß er mit seinem Mantel eine Frau zugedeckt hatte, um sie vor der Nässe und Kälte zu schützen. Und diese Frau war tot. Schön war sie, wie sie dalag und ihr der Regen in die offenen Augen fiel – im Gesicht einen Zug wie nach einer großen Erlösung. Ich saß im Graben und zog den Mann auf den Schoß und legte seinen Kopf an meine Brust. Mit meinem Körper wärmte ich ihn. Er öffnete die Augen, und gerade da kam einer vorbei, der seine ganze Habe auf einem Schubkarren vor sich her rollte. Er hatte ein bißchen Branntwein und goß dem Sterbenden einen Tropfen zwischen die Lippen. Und der kam so weit zu sich, daß er uns eine Geschichte erzählen konnte, wie wir sie nur zu gut kannten: wie er und seine Frau ausgezogen waren, um Essen zu suchen, und wie sie nichts gefunden hatten, und wie es hier im Graben mit ihrer Kraft zu Ende gewesen sei, und wie sie die ganze Nacht dort gelegen hätten. Er sagte uns, er habe zwei Kinder in der Hütte zurückgelassen, und beschrieb, wo die Hütte sei. Dann starb er. Ich legte ihn neben seine Frau, und der Mann mit dem Schubkarren und ich liefen miteinander weiter.

Der Mann sagte, er wolle auch nach Cork. Und sein Bruder sei Priester dort. Er selbst aber war alles andere als Priester, er war ein gottloser Lästerer und faßte die finstersten Flüche, von denen mein Herz voll war, in Worte. Gott verzeih ihm und gebe ihm ewigen Frieden."

Wieder huschte das Kreuz dreimal an uns vorüber. „Er hatte etwas Geld. Damit kauften wir uns hier und da einen Bissen, wo noch ein geringer Vorrat war. Dies und sein kostbarer Branntwein erhielten uns am Leben. Wir holten die beiden Jungens und setzten sie auf Schubkarren, und am dritten Tag erreichten wir Cork. Tagelang waren wir durch einen einzigen großen Friedhof gewandert – einen gleichen möge uns Gott nie wieder sehen lassen."

Eine Weile war es still, dann sagte Dermot: „Und einer von den Jungens war mein Vater?"

„Ja, und der andere Ihr Onkel. Sie haben einen Bruder, Dermot, und der wohnt nicht in einem solchen Haus wie Sie. Er wohnt in einem Palast, und Dienstboten katzbuckeln um ihn herum, und alles Fett fließt nach seiner Seite. Er hat nichts im Sinn mit mir. Nein, nein, widersprechen Sie nicht. Ich weiß es. Vielleicht aber würde er doch mehr von mir halten, wenn er wüßte, was sein Onkel Con O'Riorden weiß und was Sie nun auch wissen. Sie brauchen es ihm nicht zu erzählen. Ich habe nicht mehr viel Freude auf der Welt, aber ich muß immer bei dem Gedanken lachen, daß der junge Mann gar nicht vorhanden wäre, wenn ich nicht seinen Vater auf einem Schubkarren nach Cork hineingerollt hätte."

Als Michael Flynn sich seine große Geschichte vom Herzen geredet hatte, fiel er etwas zusammen, füllte seine Pfeife und setzte sich. Wir atmeten alle auf. In einem sachlicheren Ton erzählte Flynn, wie er die beiden Jungen bei dem irischen Priester gelassen habe. Er habe ihn aber ebensowenig wiedergesehen wie seinen Bruder mit dem guten Herzen und dem Schandmaul. „Sehen Sie", sagte er, „so kam es, daß ich unter die Fenier gegangen bin und siebenundsechzig bei dem Anschlag auf Chester-Castle dabei war und einen Monat drauf bei dem großartigen Versuch einer irischen Erhebung."

„Erzählen Sie uns davon", bat Sheila in atemloser Spannung, und wieder geriet Flynn in ein ungeheuerliches Erzählen. „Der Schnee hat uns besiegt", sagte er. „Mit allem hatten wir gerechnet, nur nicht mit dem Schnee, denn damit braucht man in Irland eigentlich nicht zu rechnen. Wir hatten die Flinten, und wir hatten die Jungens, und über das ganze Land hatten wir unsere Sammelpunkte, in der Hauptsache jedoch in den Engpässen und Schluchten des Gebirges. Und Tag für Tag fiel Schnee und Nacht für Nacht. Und er lag hoch auf den Feldern, und die Straßen waren nicht mehr gangbar, und das Schneetreiben verwehte die Stellen, wo wir uns im Gebirge hatten treffen wollen. Wir hatten ein paar gute Führer, Männer, die ihr Handwerk im amerikanischen Bürgerkrieg gelernt hatten, aber was wollten sie gegen den Verrat der Flocken ausrichten, die mächtiger waren als die ganze Polizei in all ihren Kasernen?"

So lief der große Aufstand schließlich auf ein paar vereinzelte Schießereien hier und dort hinaus, ein paar Gefallene, ein paar Verhaftungen, und alles blieb so ziemlich beim alten.

Dann war der verwegene alte Fenier nach Manchester gekommen. „Kelly und Deasy", fuhr er fort, „Prachtkerle waren das. Sie hatten mit mir in den Bergen bei Antrim gelegen. Sie waren mit mir in New York gewesen. Ja, Dermot, die Zeit verrinnt. Wir waren Veteranen. Zweiundzwanzig Jahre waren seit der Hungersnot verstrichen. Zweiundzwanzig Jahre, und wir hatten viel in ihnen getan und viel gelitten. Ich kenne die Luft von Dartmoor, ich kenne sie gut." Er lehnte sich in den Stuhl zurück, sah in das raucherfüllte Zimmer und hing mit einem selbstzufriedenen Lächeln seinen Erinnerungen nach. Sheila stand auf und schürte das Feuer, dann begann er wieder: „Jeder von uns geht seinen eigenen Weg. Mir war lange Zeit Dartmoor beschieden, Ihrem Onkel der große Aufstieg in New York. Sie müssen wissen, damals war er noch nicht so reich wie heute, aber es ging ihm schon recht gut, und in der irischen Bewegung war er ein mächtiger Mann. Sowie ich aus dem Gefängnis kam, ging ich zu ihm. Dort habe ich Kelly und Deasy zum erstenmal gesehen. Wir haben dann zusammen gearbeitet, und kurze Zeit nachdem der Verrat der kleinen Schneeflocken Irland zugedeckt hatte, wurden Kelly und Deasy in Manchester verhaftet.

Deshalb kam ich nach Manchester, und es kamen auch noch andere, aber zusammen sind wir nicht gefahren, darauf könnt ihr euch verlassen. Wenn ich heute in solchen Geschäften hier wäre, wie an jenem Abend, Dermot, Sie würde ich bitten, mich zu verstecken. Aber zu Ihrem

Vater bin ich damals nicht gegangen. Nein, ich ging zu einem Patrioten."

Ich bemerkte, wie Dermots Hände sich unwillkürlich zusammenballten, und sah die grünen Flecke in seinen Augen glitzern. Auch Flynn entging es nicht. Er hatte sein gefährliches Leben damit zugebracht, in Menschenseelen zu lesen. „Ach, Junge", sagte er, „laß dich das nicht anfechten! Einigen von uns gibt Gott es, zu leiden und im Notfall auch zu sterben, anderen versagt er es, und daran ist nichts zu ändern.

Also, wir kamen einer nach dem andern in das Haus: Allen, O'Brien, Larkin, Condon und ein paar andere, deren Namen ich vergessen habe, und wir trafen unsere Anstalten zur Befreiung von Kelly und Deasy. Es kam uns alles kinderleicht vor. Sie mußten todsicher von der Vernehmung wieder ins Gefängnis zurückgebracht werden, und wir wollten dort, wo die grüne Minna vorbeikommen mußte, auf sie warten, den Wagen zum Stehen bringen, ihn aufbrechen und dann mit den Jungens das Weite suchen.

Wir warteten also. Einige von uns auf der einen Straßenseite, einige auf der anderen. Und dann kam auch die grüne Minna. Und ich werde sie bis an mein Lebensende vor mir sehen. Nie werde ich die schweren Pferde vergessen, wie sie die Köpfe warfen und mit den Trensen und Ketten klirrten, die wie blankes Silber blitzten, nie den weißen Schaum, den sie vorm Maul hatten, und die roten Nüstern, als ich vorsprang und den Revolver zückte. Ich stellte mich mitten auf die Straße und brüllte: ‚Halt, oder, bei Gott, es gibt Zunder!'

Sehen Sie, ich hatte den Auftrag: ich sollte den Wagen anhalten und den Polizisten auf dem Bock aufs Korn nehmen, während die anderen Jungens die Tür einschlagen und zu Kelly und Deasy vordringen wollten. Wir hatten uns das alles so einfach gedacht: einen Schuß ins Türschloß, und dann konnten sie heraus. So haben sie es auch gemacht. Aber der Schuß traf einen Polizisten zu Tode, und deshalb haben sie Allen, Larkin und O'Brien aufgehängt. Wegen eines unglücklichen Zufalls sind drei Leute an den Galgen gekommen.

Ich hatte für Kelly, Deasy und mich meine eigenen Pläne gemacht. Wir drückten uns still durch ein paar Hintergassen und kamen dann fast an dem gleichen Fleck wieder zum Vorschein, wo der Polizist erschossen worden war. Daß wir dort auftauchen würden, war das letzte, was sie sich träumen lassen mochten, und deshalb hatte ich Vorsorge getroffen, gerade dort unterzukriechen. Ein großer Patriot wohnte da, ein Begräbnisunternehmer aus der Grafschaft Down in Irland. Er hatte drei schöne Särge im Schaufenster stehen, jeden auf einem Gestell; und die Luftlöcher im Boden sah niemand. Daß das Haus durchsucht werden würde, wußten wir. Wir blieben also in den Särgen im Schaufenster, bis alles vorüber war. Dann fuhr er uns weg, noch immer in den Särgen, den ersten die erste Nacht, den zweiten die zweite Nacht, den dritten die dritte Nacht. Und wem konnte es einfallen, einen Sarg anzuhalten, der in einem Sterbehaus abgeliefert werden sollte? In ausreichender Entfernung wurden wir bei Freunden abgeliefert, und erst an dem Tag, an dem die Märtyrer starben, war ich wieder in Manchester. Die ganze lange Nacht – es war eine dunkle Novembernacht – mischte ich mich unter die Volksmenge, die vor dem Gefängnis tanzte und sang. ‚Rule Britannia' sangen sie, und mitten unter ihnen drückte ich mich herum und weihte meine Seele für den Tag, an dem es mit Britannias Herrschaft zu Ende sein würde. –

Durch die Märtyrer von Manchester kam Parnell auf den Gedanken des Home Rule, und nun ist auch Parnell tot. Sollen wir das beklagen?"

„Nein", brach Dermot los, und Sheila, die wie gebannt mit blassen Lippen dasaß, bekräftigte leise: „Nein, seinesgleichen nicht!"

„Recht habt ihr, Kinder", sagte Flynn. Wieder stand er aufgerichtet da, und so klein er war, beherrschte er uns doch alle mit seinem Blick, der nichts als lauterster Haß war. „Wer will Home Rule? Wer hat Lust, einem Klüngel verdammter Strolche und dummer Jungens zuzuhören, die sich im Unterhaus mausig machen und der großen britischen Öffentlichkeit soviel zu lachen geben wie eine Bande bezahlter Hanswurste? Was für ein Irland hätten wir denn von Parnell bekommen, wenn er seinen Home Rule durchgesetzt hätte? Sein irisches Parlament hätte er gehabt, und dann? Dann wäre er ein guter alter Tory geworden und hätte in Avonmore genauso behaglich auf seinem Hintern gesessen wie ein englischer Edelmann in Berkshire." Das kleine Männchen hob mächtig die Stimme. „Wir, die wir durch Blut und Feuer gegangen sind und unsere Väter verfaulen sahen, die wir in englischen Zuchthäusern geschuftet haben und die Flagge hochgehen sahen, die uns den Tod unserer Kameraden von englischer Hand verkündete – wir wollen keinen Home Rule. Irland, das ganze Irland und kein anderes Land auf Erden soll die Heimat unseres Volkes sein für jetzt und immerdar!"

Es folgte eine dramatische Stille. Ich blickte im Zimmer umher; auch mich hatte die Beredsamkeit des Mannes ergriffen. Nellie starrte ihn an, als wäre er ein Ungeheuer in Menschengestalt. Noch nie war ihr jemand vorgekommen, der auf ein Leben stolz war, das sie nur als verbrecherisch bezeichnen konnte. In Dermots Zügen arbeitete es schmerzlich, Sheila leuchtete hingerissen. Niemand wollte das Schweigen brechen. Da schrie Sheila leise auf und griff sich mit der Hand an den Leib. Sofort sprang Dermot zu ihr, Flynn war mit einem Schritt neben ihr und nahm ihre Hand. „Um Gottes willen, was ist denn, was ist denn?" flüsterte er.

Sheila sah auf Dermot. „Das Kind!" murmelte sie ganz leise. „Ich habe es gespürt – zum erstenmal. Es hat sich bewegt."

„Sie schenken es Irland", sagte Flynn schlicht.

Dermot stand auf. „Gott strafe England!" sagte er. „Wir schenken es Irland."

„Das tun wir", sagte Sheila. „Gott segne Irland!"

8

Wie lange bin ich nicht mehr in Manchester gewesen! Es wird wohl auch heute noch nicht sehr belebt sein um Mitternacht, damals aber war es tot.

Mitternacht! Als ich Nellie sagte, wie spät es sei, fiel sie beinahe in Ohnmacht. Sie war noch nie bis Mitternacht aus gewesen, und spät nach Hause kommen war für sie gleichbedeutend mit Sünde. Hastig stand sie auf, und in der Nüchternheit des Aufbruchs zerstob die etwas überspannte Stimmung, in die wir während des Abends geraten waren.

Flynn sagte, er müsse auch gehen. Er wickelte sich wieder zu dem häßlichen Bündel zurecht, als das wir ihn zuerst erblickt hatten. Als wir durch den engen Flur schritten, schob er die Hand in die Manteltasche. „Vielleicht interessiert euch das noch", sagte er. „Das ist der Revolver, mit dem der Polizist damals erschossen wurde." Das Metall blinkte auf im Licht. Dermot legte die Hand auf die Waffe, die zwei Menschen befreit und drei an den Galgen gebracht hatte – ein gutes Verhältnis für eine Revolution, wie mir schien. Mit dieser Waffe also waren die drei Märtyrer von Manchester geschaffen worden, deren Namen ihn damals an unserem ersten Abend im Schlafzimmer wild gemacht hatten. „Ich danke Ihnen dafür, Michael Flynn", sagte er. „Grüßen Sie meinen Onkel. Sagen Sie ihm, daß ich ein – ein Patriot bin!"

Der Regen, den wir gegen die Scheiben hatten prasseln hören, war vorüber, und er hatte den Nebel mitgenommen. Über den niedrigen Dächern von Ancoats leuchteten kalt und feierlich die Sterne. Nellie ging stumm zwischen mir und Flynn, und ich spürte, wie sie vor dem Mann zurückschauderte und sich an mich drängte. Das arme Ding war verstört. Sie suchte meinen Arm, und ihre Finger krampften sich in mein Fleisch. Wir kamen auf die Hauptstraße, keiner von uns sprach ein Wort, nur unsere Schritte hallten hohl auf dem Pflaster wider. An einer Straßenecke stand Flynn still, und unwillkürlich blieben wir auch stehen. Er blickte zum Himmel auf und sagte mit leise vibrierender Stimme:

„Auch nicht der kleinste Kreis, den du da siehst,
Der nicht im Schwunge wie ein Engel singt,
Zum Chor der hellgeaugten Cherubim.
So voller Harmonie sind ew'ge Geister,
Nur wir, weil dies hinfäll'ge Kleid von Staub
Ihn grob umhüllt, wir können sie nicht hören . . .

Gott segne euch!"

Er schlug das Kreuz, und seine Finger hoben sich einen Augenblick, als segnete er uns, dann war er verschwunden. Das Dunkel der Seitenstraße hatte ihn aufgenommen und verschluckt. Ich habe ihn nie wiedergesehen.

Als wir allein waren, begann Nellie zu schluchzen. Abgehackt stieß sie die Worte hervor: – die sündhaft späte Stunde – ihr Vater ganz allein – der schreckliche Mensch mit dem Revolver – die junge Frau, die so von einem ungeborenen Kind sprechen konnte. Es war alles abscheulich, und Dermots und Flynn waren abscheuliche Leute, und ich dürfte sie nie wieder mit dorthin nehmen. Sie klammerte sich an mich und legte den Kopf an meine Schulter, und ich strich ihr mit der freien Hand über den Rücken und sprach ihr tröstend zu. Ein Polizist schlenderte vorüber und tat, als geschähe es zufällig, kehrte nach zwanzig Schritten um und kam noch einmal vorbei. Es gelang mir, Nellie in eine Seitenstraße zu ziehen, die zum Piccadilly führte. Als ich sie glücklich so weit gebracht hatte, ging es, aber sie schluchzte noch immer stoßartig auf, und ich hoffte, trotz der späten Stunde noch irgendein Gefährt zu finden. Eine einsame Hansomdroschke stand da. Ich war noch nie in einem solchen Wagen gefahren, bei dem der Kutscher hinten hoch über dem Fahrgast sitzt. Es war und ist das romantischste Gefährt, das ich kenne. Mit einem Mädchen im zweisitzigen Hansom zu fahren, war damals der Inbegriff des Flotten und Eleganten für mich. Und jetzt mußte ich nun mit Nellie Moscrop, diesem überspannten Häufchen Unglück, in einen Hansom steigen. Nur mit größter Schwierigkeit gelang es mir, sie überhaupt in die Droschke zu bekommen. Sie war ihr Lebtag noch nicht Droschke gefahren, und ich glaube, sie hatte die schwersten Bedenken, ob es sich auch schicke. Aber ich schob sie hinein, knöpfte das Schoßleder zu, und wir fuhren ab. Es war eine anständige Droschke, hübsch und gepflegt und mit einem guten Pferd, das munter über das Pflaster trabte. Ich spürte wohl den Reiz der Sache, aber zugleich wuchs die Bitterkeit in mir, daß mir dieses erste Hansomerlebnis durch die trübselige Gegenwart von Nellie Moscrop verdorben wurde.

So fuhren wir durch das nächtliche Manchester, zwischen den schwarzen Mauern der Portlandstraße, die so hoch waren, daß die Sterne wie ein Fluß über unseren Köpfen dahinflossen, die Oxfordstraße entlang nach Allerheiligen und dann mitten in das finstere Herz von Hulme. Die ganze Zeit saß Nellie so weit von mir fort, wie das in einem Zweisitzer überhaupt möglich ist. Als wir zu Hause anlangten, hatte sie sich wieder etwas beruhigt. Ohne weitere Förmlichkeit sprang sie aus dem Wagen, öffnete die Haustür und verschwand, während ich den Kutscher warten hieß, weil ich mein Geld im Hause hatte.

Kaum war ich drinnen, da spürte ich schon, daß etwas nicht in Ordnung war. Der scharfe Geruch von Räucherkerzen füllte den Raum wie der Weihrauch die Kirche. Ich glaubte den Alten längst im Bett, aber als ich ins Wohnzimmer trat, saß er noch da, die Hände um die Armlehnen gekrampft und mit völlig starrem Körper. Die Adern an seinen Schläfen waren angeschwollen, der Schweiß rann ihm über das Gesicht, und sein Atem keuchte mühselig durch das Zimmer. Bestürzt standen Nellie und ich vor ihm, hilflos und zu Tode erschrocken. Einen so fürchterlichen Anfall hatten wir noch nicht erlebt. Er rang lange nach Atem und stieß schließlich das eine Wort hervor: „Herz!"

„Ich hole den Arzt", sagte ich und dankte dem Himmel, daß die Droschke vor der Tür wartete. Der Doktor wohnte nur ein paar Straßen weiter, und ich hatte Glück, daß ich ihn nicht erst aus dem Bett zu holen brauchte. Er öffnete gerade die Gartenpforte, als ich vorfuhr. Er war noch jung, kaum älter als ich und anscheinend sehr müde. „Ich komme eben von einer Geburt", sagte er. „Sechs haben sie nun schon! Herrgott, wozu eigentlich das alles?" Mit einer Handbewegung umfaßte er das dunkle, schlafende Hulme. „Ich muß etwas trinken. Kommen Sie mit herein." Als er in seiner kleinen Bude das Gas angesteckt hatte, sah ich, daß er bleich vor Müdigkeit war. Er mischte sich einen Whisky mit Soda. Ich lehnte ab. „Dann geben Sie es dem Kutscher", sagte er. Ich tat es, und wir fuhren zurück zu Moscrops.

Der Alte atmete wieder leichter. Die müde, abwesende Art des jungen Arztes wandelte sich in lächelnde Tatkraft. „Jaja, so ist das, Herr Moscrop", sagte er. „Das fällt über einen her wie ein Tiger und ist ebenso plötzlich wieder fort. Aber wie steht's mit dem Herzen? Wir wollen doch einmal nachsehen!"

Er zog sein Stethoskop hervor, und während er Moscrop untersuchte, bemerkte ich, wie die tüchtige Nellie schon gelüftet, die Glut im Kamin zusammengeschaufelt, den Rost gefegt und alles klargemacht hatte wie eine Kapitänskajüte. Ein Schwamm in einer Schüssel heißen Wassers deutete darauf hin, daß sie ihrem Vater den Schweiß von dem starren Gesicht abgewaschen hatte.

Der Doktor half mir, Moscrop zu Bett zu bringen. Als wir wieder hinuntergingen, war es halb zwei. „Kommen Sie noch etwas an die Luft", sagte er. „Und Sie, Fräulein Moscrop, gehen ins Bett; wir können jetzt nichts weiter tun."

Auf der Straße schritten wir eine Weile stumm nebeneinander her.

Dann fragte er: „Sind Sie ein Verwandter?"

„Nein, aber ich kann mich wohl als Freund des Hauses bezeichnen."

„So, na, dann müssen Sie wissen, daß der alte Knabe schlimm dran ist. Asthma ist eine scheußliche Sache. Und man kann nichts dabei machen, auch der beste Arzt nicht.

Für sich allein jedoch ist es nur lästig, verdammt lästig. Sie konnten sich ja davon überzeugen. Aber bei ihm ist es nicht Asthma allein. Das Herz des Alten ist in einem fürchterlichen Zustand. Ich will Ihnen nicht erst mit einer Menge gelehrter Worte kommen, Tatsache ist, daß ein Anfall, wie der heute abend, das Herz ungeheuer mitnimmt. Er kann noch Jahre leben; er kann aber auch beim nächsten Anfall draufgehen. Das wollte ich Ihnen nur sagen. Eine Lust zu leben, wie?" Unter der Laterne vor seiner Haustür grinste er mich an. „Wollen Sie nicht doch noch einen trinken?"

„Nein, danke."

„Na, dann lassen wir es. Ins Bett. Gute Nacht!"

Mir war aber noch nicht nach Bett zumute. Ich war ganz wach. Das war die aufregendste Nacht meines Lebens: erst der besessene Flynn, dann Nellies Hysterie und jetzt Moscrops Asthma. Ins Bett, das fehlte noch. Ich hatte Lust, weiter und immer weiter zu laufen, aber ich wußte, ob nun Nellie ins Bett gegangen war oder nicht, sie würde bestimmt auf meine Rückkehr horchen. Ich ging deshalb nach Hause. Sie war schon im Bett, und weil noch ein schönes Feuer im Wohnzimmer brannte, setzte ich mich in den Sessel des Alten und dachte über den seltsamen Abend nach, der nun fast übernatürlich ruhig abschloß.

Eins war mir restlos klargeworden. Ich hatte mich oft gefragt, wenn Dermot heiß und erregt aus einer seiner geheimen Versammlungen nach Hause gekommen war, was Theater und was ernsthafte Politik daran sei. Jetzt war es entschieden: von Theater konnte nicht die Rede sein. Dermot hatte sich da auf Gedeih und Verderb in eine sehr ernste Sache eingelassen. Er stand mit echten Verschwörern, Aufrührern und Hochverrätern in Verbindung, und sein Name mußte bei den „Patrioten" einen guten Klang haben, denn sonst wäre ein so schwer belasteter Mann wie Flynn niemals zu ihm gekommen.

Schon die Entschlossenheit, mit der Dermot seinen Lebensberuf anpackte, hatte mich beeindruckt. Um so tiefer wirkte jetzt die Erkenntnis auf mich, daß sowohl er wie Sheila zu den Menschen gehörten, denen Entschlußkraft und Entscheidung etwas Selbstverständliches war und die allen Ernstes damit rechneten, früher oder später einmal auf Tod und Leben handeln zu müssen. In meinen Augen war Dermot ein fertiger Mann, in jeder Hinsicht, und ich hatte noch von keiner Seite her angefangen, einer zu werden.

Ich kannte zur Genüge diese Stimmungen, in denen ich unzufrieden mit mir war und mich Drückeberger und Taugenichts nannte, und wieder faßte ich einen Sack voll guter Vorsätze. Es mußte bald Winter werden, ich würde beharrlich lesen, regelmäßig schreiben und irgend etwas endgültig fertigstellen, ganz gleich, ob es gut oder schlecht würde.

In einer Entschlossenheit, die mir ebenfalls nicht unbekannt war, stand ich schließlich auf, um ins Bett zu gehen, und stieß dabei Barnes „Über die Offenbarung“ von der Armlehne, worin der Alte offenbar vor seinem Asthmaanfall gelesen hatte. Aber es war nicht nur Barnes. Ein Haufen Zettel hatte, sorgfältig verdeckt, unter dem Buch gelegen, und als ich sie aufsammelte, fiel mein Blick auf ein Blatt, das von oben bis unten mit einer langen Zahlenreihe vollgekritzelt war. „summa £ 5.250“, das sprang mir zuerst in die Augen. Da las ich schamlos das Ganze durch. „Lern rechnen!“ hatte Herr Summerway zu mir gesagt, und ich hatte genug gelernt, um bald zu wissen, was ich da in der Hand hielt. Moscrop hatte sich eine Aufstellung über das Soll und Haben seiner irdischen Güter gemacht und war zu dem Ergebnis gekommen, daß er „in summa £ 5.250“ besaß.

Es war übrigens erstaunlich viel für einen Bäcker in einer Nebenstraße, aber aus den Zetteln ging hervor, daß er sein Geld geschickt angelegt hatte. Eine ganz nette Summe für einen angehenden Schriftsteller. Mit solchen Gedanken setzte ich mich wieder und überdachte meine Lage. Und kaltblütig beschloß ich, Nellie vom Fleck weg zu heiraten.

Der Alte drang darauf, daß bald geheiratet würde. Er fühlte wohl, daß er nicht mehr lange zu leben hatte. Nellie war verschämt und stolz zugleich. Unser gemeinsames Auftreten in der Oddy-Road-Kapelle bedeutete von nun an jedesmal eine Qual für sie. Zu Hause aber lebte sie in einem Wirbel von Näherei; sie nähte sich ihr Hochzeitskleid selbst mit Hilfe einer Hausschneiderin. Was mich betrifft, so habe ich – Gott stehe mir bei! – im Gehrock geheiratet. Ich besitze noch eine Fotografie von mir in dieser erstaunlichen Aufmachung: Gehrock mit seidenen Aufschlägen und zweireihig geknöpft, gestreifte Hose, Knopfstiefel und Zylinder. So stehe ich da auf diesem vergilbten und melancholischen Gedenkblatt, eine Blume im

Knopfloch und neben mir Nellie. Sie hat ein fliederfarbenes Kleid an, und man sieht auf der Fotografie, daß es hinten in eine Schleppe ausläuft. Sie trägt einen Sonnenschirm, obwohl es Winter war, und auf dem Kopf ein Wagenrad von einem Hut, beladen mit Erzeugnissen der Gartenkunst. An ihrer anderen Seite steht der alte Moscrop in dem gleichen Aufzug wie ich, nur daß bei ihm alles in die Breite statt wie bei mir in die Länge geht. Auf niedrigen Schemeln sitzen Dermot und Sheila O'Riorden vor uns. Dermot sieht blaß, mager und ernst aus und hält ängstlich seinen Zylinder vor sich; sicherlich sorgt er sich um Sheila, die dicht vor der Entbindung steht. Sie aber sieht glücklich aus. Sie ist überhaupt die einzige auf dem Bild, deren Gesicht strahlt. Die Zeit hat Moscrop, Nellie und Rory inzwischen dahingerafft, aber Sheilas Lächeln, mit dem sie damals wohl an Rory dachte, hat sie nicht auslöschen können. Nellie war jedesmal außer sich, wenn Sheila sagte: „Ach, Rory, mein Kleines, stoß mich nicht mit dem Beinchen oder flattere nicht mit den Flügelchen, wenn du unter der Hut der lieben Mutter Gottes noch ein Engelchen bist." Gewöhnlich war ihre Sprache schlicht und knapp, aber sobald sie zu dem Kinde sprach, nahm sie, vielleicht aus Erinnerung an die eigene Kindheit, diese Art zu sprechen an, preßte die Hände auf den Leib und schaute in eine Zukunft, die mit barmherzigen Schleiern verhangen war.

Ehrwürden Pascoe traute uns in der Oddy-Road-Kapelle. Nur wir fünf waren zugegen. Dermot hatte es geschickt so eingerichtet, daß wir bei der Rückkehr von der Kirche die Geschenke vorfanden. In einem Zimmer stand ein entzückendes Schreibpult für mich, glatt wie Seide und fest wie Stein und nur mit einer Inschrift verziert, die in schönen Lettern um den Rand lief. „Des Bücherschreibens sei kein Ende. D.O'R. In amicitiam. W.E." In der langen Reihe meiner Bücher und Theaterstücke steht kaum ein Wort, das nicht an diesem Pult entstanden wäre. Für Nellie hatte Dermot einen Toilettentisch aufgebaut, ein berühmtes Modell aus seiner Werkstatt, das er dann noch oft angefertigt hat.

Ein Sonnenblitz fiel durch die Hulmer Wolken, als Nellie und ich in die vierrädrige Droschke stiegen, die uns nach dem Victoriabahnhof bringen sollte. Der alte Moscrop gab seiner Tochter einen Kuß und sagte: „Glücklich die Braut, die von der Sonne beschienen wird – wie das Sprichwort sagt." Das war alles. Als wir beide schon in der Droschke saßen, erschien plötzlich Sheilas dunkles

Gesicht mit feuchten Augen am Fenster. Sie sagte einfach: „Gott segne dich, Bill. Gott segne dich, Nellie." Dann fuhren wir ab. Ein rauschendes Fest war es nicht.

Ich hatte für unsere Reise nach Blackpool leichtsinnigerweise ein Abteil erster Klasse belegt. Nicht aus dem Wunsch des Liebhabers, möglichst bald mit Nellie allein zu sein, sondern weil ich wußte, sie würde vor Verlegenheit sterben, wenn man ihr ansah, daß sie geradeswegs von der Trauung kam. Ich legte unser Gepäck ins Netz: meinen Handkoffer und den soliden Lederkoffer, den ich ihr geschenkt hatte. Er lag mir gegenüber, und die Anfangsbuchstaben „N. E." starrten auf mich herab und führten mir das Unwiderrufliche meines Schrittes zu Gemüt – Nellie Essex.

In der großen, rauchigen Bahnhofshalle brannten schon die Lichter. Wir fuhren hinaus, und als wir endlich das Weichbild der Stadt hinter uns hatten, erlosch der Tag über der düsteren Ebene von Lancashire. Wir hatten uns wenig zu sagen. Wir saßen eng nebeneinander, ich hatte meinen Arm um sie gelegt, und so blieb es während der ganzen Reise. Als wir nach Blackpool kamen, war es schon dunkel. Die Zimmer, in denen wir eine Woche bleiben sollten, hatte der alte Moscrop bestellt, der auch die ganze Hochzeitsreise bezahlte. Sie lagen vorn nach der Straße hinaus, die so still und dunkel war, daß es mich bis ins Mark fröstelte, als wir, ich in jeder Hand einen Koffer, auf das Haus zuschritten. Das schmalbrüstige kleine Haus nannte sich „Villa Frohsinn", zur Zeit lag sie in der Finsternis vor der Schöpfung. Aber als die Glocke in irgendeinem entfernten Winkel des Hauses Lärm schlug, regte sich etwas Lebendiges. Wir hörten Pantoffeln über das Linoleum schlurfen, im Flur flammte eine Gasflamme auf, und die bunten Scheiben der Haustür leuchteten mattgelb und rot. Frau Boothroyd öffnete uns; sie war lang und hager, mit Haaren von dem glänzenden Schwarz des Mistkäfers.

Frau Boothroyd hatte schon zu viele Sommergäste gesehen, als daß wir sie noch interessiert hätten. Ich konnte die ganze Woche lang den Eindruck nicht loswerden, daß sie sich durch uns gekränkt fühlte, weil wir sie aus ihrem Winterschlaf aufgestört hatten. Dezembergäste waren in Blackpool eine seltene Ausnahme, und alle Mängel entschuldigte sie mit den Worten: „Ja, in der Saison, dann...", als blühte die Villa Frohsinn in der Saison zu einem phantastischen Ausbund von Pünktlichkeit, Komfort und Behaglichkeit auf.

Unten an der engen Treppe stand ein Marmortisch, der aussah, als wäre er aus einem Grabstein gemacht, mit einem halben Dutzend blau emaillierter Blechleuchter darauf. „Hier finden Sie immer Ihren Leuchter und Streichhölzer", sagte Frau Boothroyd mit einem Nachdruck, als beweise sie damit von neuem die unerschütterliche Leistungsfähigkeit des Frohsinnbetriebes. Sie steckte die Kerze an und leuchtete uns die Treppe hinauf. „Hier ist Ihr Zimmer."

Es war das Zimmer, auf das ich mich gefaßt gemacht hatte. Ein Waschtisch, wieder ein Meisterstück für den Friedhof, hartes, kaltes Linoleum am Boden und ein großes Doppelbett, das den Raum beherrschte und aussah wie eine Schneewehe. An den Fenstern hingen Spitzengardinen, und Frau Boothroyd ließ die Jalousien dahinter gerade herunterrasseln; es klang wie klappernde Knochen. „So", sagte sie, „ist es nicht hübsch hier?"

„Noch hübscher wäre es mit einem Kaminfeuer", sagte ich.

„Kaminfeuer? Im Schlafzimmer?"

Frau Boothroyd hielt mich augenscheinlich für verrückt. Wir sahen uns giftig über das Bett hinweg an. „Ja ... in der Saison", begann sie, „aber jetzt ..."

„Im Sommer kämen wir ohne Feuer aus", sagte ich, „aber jetzt brauchen wir eins."

„Gut! Aber bitte denken Sie daran, daß ich im Winter kein Personal habe!"

„Zeigen Sie mir nur, wo das Holz liegt, ich werde das Feuer selbst besorgen; das ist eine Sache von fünf Minuten."

„Nein; ich mache es schon. Aber es kostet einen Schilling pro Abend."

„Das muß es dann aber auch wert sein!"

Frau Boothroyd zog sich zurück. „Wenn Sie herunterkommen, können Sie essen", sagte sie an der Tür.

Scharen von Engeln machten das Haus unsicher. Einen hatte ich schon im Flur hängen sehen, einen kleinen Engel, der einfach nur einen freien Nachmittag zu einem lustigen Ausflug benutzte. Aber anderswo hatten sie ihre feste Tätigkeit. Hier im Schlafzimmer zum Beispiel mühte sich ein ganzer Schwarm um etliche Christenseelen, deren leibliche Hüllen in züchtiger Haltung auf dem Boden einer Arena herumlagen, die ihrerseits wieder von lauernden Löwen bevölkert wurde. Als wir uns bald darauf ins Eßzimmer begaben, fanden wir nicht weniger als drei Bilder, die die Nützlichkeit der Engel illustrierten. Da war zunächst ein weißes Gewimmel um ein sinkendes Schiff herum, auf das sich einige wie Albatrosse herabstürzten, während sich andere anmutig in die Takelage setzten und den kopflosen Matrosen aufmunternde Blicke zuwarfen; ein Schild am Rahmen belehrte mich, daß sie offenbar „In Seenot“ waren. Dann hing ein kleineres Bild da, auf dem ein Engel einen alten Mann, der am Grabe kniete, freundschaftlich die Hand auf die Schulter legte. Und auf einem dritten schließlich war ein Soldat abgebildet, der sterbend auf dem Schlachtfeld lag, die eine Hand lässig um den Hals seines erschossenen Pferdes, während die andere sich nach einem Engel ausstreckte, der mit einem koketten „Komm mit“ nach oben wies.

Es war kein freundliches Eßzimmer. Das Kaminfeuer rauchte und schwelte vor sich hin, und über dem Sims hing ein Pappschild, auf dem in erhabenen Silberbuchstaben stand: „Der Herr ist das Haupt dieses Hauses, der unsichtbare Gast jeder Mahlzeit, der unsichtbare Zuhörer jedes Gespräches.“ Ich konnte mich im Lauf der Woche des Eindrucks nicht erwehren, daß der Herr, soweit es sich um die letztgenannte Funktion handelte, von Frau Boothroyd geschickt unterstützt wurde.

Nellie und ich setzten uns zu den Hammelkoteletts, die in Fett schwammen, und zu den Kartoffeln, zu einem Brotpudding, der gar nicht schlecht war, und zu Strömen von Tee. Während wir aßen, hörten wir Frau Boothroyd zornig und nachdrücklich in unserem Kamin herumstochern.

„Findest du wirklich, daß wir wegen des Kaminfeuers solche Umstände machen sollen, Bill?“ flüsterte Nellie.

„Natürlich! Wenn du in dieser Welt etwas haben willst, mußt du es verlangen und aufpassen, daß du es bekommst.“

„Aber womöglich hat sie jetzt etwas gegen uns.“

Ich lachte. „Macht dir das etwas aus?“

„Ich mag nicht, wenn man etwas gegen mich hat. Das ist alles.“

„Und ich mag nicht, wenn man es sich auf meine Kosten bequem macht“, sagte ich.

Als Frau Boothroyd schnaufend herunterkam und in allem den Eindruck erweckte, als habe sie einen Dampfer angeheizt, standen wir schon in unsern Mänteln im Flur. Nellie wollte gern noch ans Meer.

„Denken Sie daran: um zehn ist das Haus zu“, sagte sie kurz und machte dann einen grotesken Versuch zur Anzüglichkeit: „Ich hatte gedacht, heute abend freuten Sie sich auf Ihr Bett.“

„Wir gehen schon noch zu Bett, darauf können Sie sich verlassen", erwiderte ich. „Nur wecken Sie uns morgen früh nicht. Wir stehen auf, wenn wir soweit sind."

Ich faßte Nellie unter, und wir gingen in die bewölkte Nacht hinaus.

Begeistern kann ich mich für Blackpool nicht, weder für das damalige noch für das heutige. Ich kann den Ort nicht leiden – nicht ausstehen kann ich ihn. Ohne seinen Lärm und Betrieb wäre es ein ödes, elendes Nest an einem grauen, langweiligen Meer. Mit ihm jedoch ist es Gipfel und Ausdruck einer verrückten, angsterfüllten Zeit, die nicht mehr mit sich allein sein kann und weder die Ruhe noch das Schweigen erträgt. Auch an jenem Abend gefiel Blackpool mir nicht. Zu dieser Jahreszeit waren natürlich keine Gäste da. Als wir ans Meer kamen, packte uns der Wind von Norden. Wir drehten uns ihm entgegen und gingen nach Norbreck zu. Nirgends regte sich eine Menschenseele, und nur ab und zu brannte ein Licht in einer Kneipe. Wir gingen Arm in Arm und vorgebeugt gegen den Wind. Die Brandung donnerte in rhythmischem Schlag auf den Strand zu unserer Linken. Wir liefen weiter, bis bei Norbreck die Küste ein wenig ansteigt. Dort blieben wir stehen, ganz allein in der Nacht mit dem Heulen des Windes und dem Stöhnen der See. Nellie schlang ihre Arme um mich und drückte ihren Kopf an meine Brust. Auch ich legte meine Arme um sie, und so standen wir und klammerten uns aneinander. „Ach Bill", sagte sie mit erstickter Stimme und preßte mich fester an sich, „ich habe dich lieb, ich habe dich so lieb! Wir werden glücklich miteinander sein, nicht wahr? Ganz glücklich!"

Ich antwortete nicht, aber ich preßte sie auch fester an mich, dort oben auf dem Kliff, kein Licht weit und breit und vor mir nichts als das Meer, ruhelos, dunkel und drohend.

9

Mein früheres Schlafzimmer wurde jetzt mein Arbeitszimmer, und ich zog in Nellies Schlafzimmer; das war das einzige, was sich durch unsere Heirat im Hause änderte. Meine Befürchtung, daß Nellie jetzt Ansprüche geltend machen und meine freie Zeit für sich und Moscrop mit Beschlag belegen würde, bestätigte sich nicht. Die Ehe gab ihr ein gewisses Selbstbewußtsein. Sie gab ihrem Vater zu verstehen, sie würde durch seine zunehmende körperliche Unfähigkeit so in Anspruch genommen, daß sie unmöglich für Laden und Haushalt zugleich sorgen könne; wenn ich aber den Laden und die allgemeine Leitung des Geschäftes übernehmen müßte, könnte ich nicht auch noch Brot fahren. So wurde ein junger Mann für Pferd und Wagen angestellt, und ich war jetzt praktisch der Leiter des ganzen Moscropschen Betriebes.

Wenn ich mit der Tagesarbeit fertig war, schob mich Nellie in mein Arbeitszimmer. „Sieh zu, daß dein Buch weiterkommt", sagte sie dann, und der alte Moscrop hob die schweren Lider und meinte:

„Paß auf, sie macht noch einen großen Mann aus dir, Bill!"

Aber in meinem Arbeitszimmer, das ich mir mit Bücherborden und einem Teppich sehr gemütlich gemacht hatte, dachte ich gar nicht an das Buch. Die Londoner Wochenschrift „Tit-Bits", die mir Dermot an dem Abend mit Flynn in die Hand gedrückt hatte, beschäftigte mich. Das Zeug, das sie brachte, konnte nicht so schwer sein, und doch habe ich zwanzig Versuche zerrissen, bevor ich etwas zuwege brachte, was mir gefiel. Es hieß „Pensionen im Winter". Meine Erfahrungen unter den Engeln in Blackpool gaben mir den Stoff. Die „Tit-Bits" nahm es an, brachte es in der nächsten Nummer und zahlte mir dreißig Schilling. Der Artikel hängt noch heute, auf Pappe gezogen, in einem schmalen schwarzen Rahmen in meinem Arbeitszimmer; es mag sentimental sein, aber ich gebe den eingerahmten Artikel für kein Geld der Welt her.

Von da an brachte meine Feder mir Einnahmen. Als ich erst den Kniff heraus hatte, ging es leicht. Ich tat einen hübschen Schuß Humor in meine Skizzen und Geschichten, und sie gingen ab wie warme Semmeln. Bald schrieb ich zwei bis drei in der Woche. Dermots Rat trug Früchte, aber er hat mich jahrelang von meiner eigentlichen Arbeit abgehalten. Eigentliche Arbeit? Ich glaube, ja, denn von jenem ersten Abend im Schlafzimmer in der Gibraltarstraße an hat sie mir keine Ruhe gelassen, und es blieb so die ganze Zeit hindurch, selbst als ich ein reicher und erfolgreicher Geschäftsmann war. Denn das wurde ich gleichfalls. Und davon muß ich jetzt berichten.

Bei Moscrops war die Aufregung groß, als der erste Scheck kam. Der Alte riet mir, ein Bankkonto zu eröffnen, indem er das Sprichwort vom Pfennig und vom Taler anführte. Nellie war so erfreut und aufgeregt, als hätte Hulme eine zweite „Jane Eyre“ hervorgebracht. Ich selbst aber dachte an mein Versprechen, Dermot von meinem ersten Scheck ein Geschenk zu machen, und ich kaufte ihm einen Spazierstock aus Malakkarohr mit einem silbernen Knauf und machte mich eines Abends im Februar damit auf nach Ancoats.

„Du kommst gerade recht zur großen Generalprobe“, sagte Sheila, die mir die Tür öffnete. „Geh nur gleich in die Küche.“

Dermot saß am Küchentisch und hatte Dutzende von geschnitzten Buchsbaumhölzchen vor sich liegen. „Fühl mal“, sagte er und schob mir eines herüber, „es faßt sich an wie Elfenbein.“

Das stimmte. Es war ein entzückendes kleines Schnitzwerk.

„Eine verflixte Arbeit“, sagte Dermot. „Es ist alles so klein. Ich hätte in der gleichen Zeit ein Haus bauen können.“

„Was soll denn das werden?“ fragte ich.

„Spielzeug für Rory“, sagte Sheila mit glücklichem Lächeln und lehnte sich auf Dermots Stuhllehne. „Jetzt paß mal auf!“

Dermot setzte die Stücke zusammen. Jedes war mit Zinken und Dübeln versehen, die sich unter Dermots Fingern wie von selbst zusammenfügten. „Das ist ein altes englisches Dorf, siehst du“, sagte er, „es ist bis in die Einzelheiten garantiert wahrheitsgetreu.“

Die Mauern der Schenke faßten ineinander, das Dach fügte sich ein und ebenfalls die reizenden Dachfensterchen. An einen kleinen Haken hängte Dermot sogar das Gasthausschild. „Gut, nicht?“ fragte er, in sein Spiel vertieft.

Das war es. Hingerissen sah ich ihm zu, und plötzlich fiel es mir wie Schuppen von den Augen. – Hier, sagte ich mir immer wieder, hier ist endlich die große Idee, die für die Klugen auf der Straße liegt.

Dermot bastelte mit seinen schmalen geschickten Fingern ruhig weiter, und Freude leuchtete aus seinen Augen. Die Kirche erhob sich, Mauer an Mauer, Dach, Turm und Wetterfahne. Er stellte sie auf ein Stück grünes Papier, der Schenke gegenüber. Um die Schenke herum entstanden Wohnhäuser, neben der Kirche das Pfarrhaus und in geziemendem Abstand von allem ein Herrensitz. Es war wirklich ein bezauberndes Spielzeug, das Dermot da auf dem grünen Papier aufgebaut hatte, bis in die Einzelheiten echt und vollkommen in den Proportionen. „Am meisten Spaß wird es den Kindern machen", sagte er, „daß sie nicht nur etwas haben, sondern auch etwas damit tun können. Sie machen doch am liebsten alles selbst."

Sheila fuhr ihm derb durchs Haar. „Rory, nun hör dir das an, du Wicht", sagte sie, „er redet daher, als hätt' er 'n Dutzend so wie dich und sein Leben lang nichts anderes getan als aufgepaßt, was ihr kleinen Kerle macht!"

„Das hat auch seine Richtigkeit", sagte Dermot zuversichtlich.

„Ich weiß, was Kinder gern haben. Und dies hier ist so leicht zusammengesetzt, das kann jedes Kind auf- und wieder abbauen."

Mühelos nahm er die einzelnen Teile des Dorfes auseinander.

„Jedes Kind?" fragte ich.

„Ja", lachte er, „jedes, das das Glück hat, es zu besitzen, und Rory wird das Glück haben."

Aber ich hatte schon weiter gedacht. „Dermot", sagte ich, als er die Teile in den Kasten packte, den er dafür gemacht hatte. „Darf ich das mitnehmen und Nellie zeigen? Rory kommt doch erst in einem Monat, und auch dann wird es noch eine Weile dauern, bis er dies zusammensetzen kann."

„Nimm es mit", sagte Dermot, „aber gib acht darauf."

Ich holte den Malakkastock hervor und erzählte ihm von dem Artikel in den „Tit-Bits". Sheila und er beglückwünschten mich stürmisch. Wir tranken ein Glas Porter darauf (sie hatten einen Vorrat im Hause, weil es damals hieß, Porter täte Sheila gut). Aber sie ahnten nicht, wie weit in diesem Augenblick der Artikel bereits hinter mir lag. Ich nahm den kostbaren Kasten unter den Arm und machte, daß ich fortkam, denn mir schwindelte fast vor den Luftschlössern, die mein Kopf entwarf.

Harry Platts gehörte zu den Leuten, die ich auf meiner Brottour kennengelernt hatte. Er war schon lange arbeitslos und schuldete uns einen schönen Batzen Geld. Ich ging noch an demselben Abend zu ihm, und ich glaube, ihm ist zuerst angst und bange gewesen, ich wolle meine Forderung eintreiben. „Paß auf, Harry", sagte ich, „ich will dir etwas zu verdienen geben." Sein Gesicht leuchtete auf. Und als Auftakt fügte ich hinzu: „Die alten Brotrechnungen kannst du zunächst einmal als erledigt betrachten." Er sah beinah verstört aus. „Aber, Herr Essex ...", stotterte er.

„Das ist erledigt", sagte ich. „Aber ich habe etwas mit dir zu besprechen. Darf ich hineinkommen?"

„Natürlich", sagte er und grinste, „meine Alte ist unten bei der Heilsarmee und betet für meine unsterbliche Seele." Der Trunk hatte ihn um seine Stellung gebracht. Er war Gießer. Wir gingen in die unordentliche kleine Küche. Ich öffnete den Kasten und suchte alle Stücke heraus, die zu der Dorfschenke gehörten.

„Sieh mal, Harry", sagte ich, „von der Gießerei verstehe ich nichts, aber wenn man euch ein gutes Modell gibt, könntet ihr es doch sicher in Metall nachgießen, nicht?"

„Das ist mal sicher, Herr Essex."

Ich gab ihm die Stücke aus Buchsbaumholz. „Sind dies gute Modelle?"

Er nahm sie vorsichtig in die Hand. „Doch, das sind sie bestimmt", sagte er. „Das sind Meisterstücke."

„Und du könntest Gußformen danach machen und dann die Abgüsse massenweise herstellen?"

„Freilich, das ist 'ne Kleinigkeit für mich."

„Mit all den Dübeln und Zinken? Darauf kommt es nämlich an, verstehst du? Die Abgüsse müssen genauso glatt ineinanderpassen wie diese." Ich setzte das Modell zusammen.

„Ja, das ist 'ne Kleinigkeit", wiederholte er.

„Was für ein Metall würdest du nehmen?"

„Das müssen wir uns durch den Kopf gehen lassen. Es gibt viele leichte Legierungen."

„Je leichter, desto besser."

„Und wie steht es mit dem Nickel?"

„Nickel? Du willst doch Nickel nicht etwa leicht nennen!"

„Nein, Herr Essex", sagte er und lachte auf. „Ich meine die Arbeit und die Auslagen. Ich muß ja schließlich einiges dazu anschaffen."

„Mach mir eine Aufstellung", erwiderte ich, „und komm morgen zu mir. Was du brauchst, sollst du haben."

So fing die Geschichte an, die dann als „Schnellfix-Spielzeug" bekanntgeworden ist. Acht Tage nach meiner Unterredung mit Harry Platts saß ich in meinem Arbeitszimmer und setzte immer wieder ein Dutzend Metallabgüsse der Dorfschenke zusammen. Natürlich hatte Dermot recht. Es war gerade das, was Kindern Freude machen mußte: das Gefühl, alles selbst gemacht zu haben, wenn das ganze Dorf fertig vor ihnen stand.

Darin liegt der Witz, sagte ich mir und versuchte wie

ein gerissener Kaufmann zu denken. Und ein Kind, das einmal die Freude an einem altenglischen Dorf entdeckt hätte, würde es nicht dabei bewenden lassen. Wenn Dermot erst wußte, worauf ich hinauswollte, mußten wir weitergehen. „Stadt aus der Zeit der Königin Elisabeth.“ Das wäre ein Schlager. Da gäbe es Satz 1: das Theater; Satz 2: das Rathaus; Satz 3: Bürgerhäuser. Allein daraus konnte man ja einen zwölffachen Satz machen, und zwar mit Fortsetzungen, die den Käufer unwiderstehlich anlocken würden.

Absolute Genauigkeit wie beim ersten Modellsatz von Dermot, überlegte ich weiter und setzte mich an den Kamin. Wir konnten die Sache zum Beispiel auch pädagogisch aufziehen, vielleicht würden es die Schulen aufgreifen. Mit etwas Geschichtsforschung konnten wir wirkliche Städte abbilden. „Lincoln im fünfzehnten Jahrhundert“. Oder so etwas Ähnliches. Jedes Detail würdig eines Museums. Oder wir konnten auch einmal einen Sprung in die Zukunft wagen. „Die Stadt von morgen.“ Da war Spielraum nach allen Seiten.

Zärtlich ließ ich mir die Stücke durch die Finger gehen. Harry Platts hatte sie in einem grauen Leichtmetall, ähnlich dem heute beim Zeilenguß verwendeten, gegossen. Das Ganze müßte natürlich farbig sein. Dachpfannen rot, Steinmauern grau und grünes Strauchwerk um die Bauernhäuser. Aber wer konnte so etwas machen? Nun, das würde sich schon finden. Herrgott, was mußte da alles bedacht werden! Und alles kostete Geld! Einerlei. Billig würde das Spielzeug nicht werden, denn jedenfalls wollte ich auch gut daran verdienen.

Genau ein Jahr später ging der einzige Reisende der Schnellfix-Spielzeug-AG. auf Tour. Er nahm das altenglische Dorf mit sich. Ich hatte in der Nähe der Bäckerei einen leeren Stall mit einem geräumigen Boden darüber aufgetan. Im Stall hatte sich Harry Platts mit seiner Werkstatt eingerichtet, auf dem Boden war das Musterlager, und dort hatte Mark Harborough, der Reisende, an jenem Wintermorgen die abschließende Unterredung mit mir. Er war ein tüchtiger Mann. Ich hatte oft darüber nachgedacht, wie ich es am besten anfangen würde, reich zu werden, wenn ich erst einmal die große Idee hätte. Eins war mir immer klar gewesen: man mußte die besten Fachleute anstellen, die man sich leisten konnte. Und daher leistete ich mir Mark Harborough. Ich spannte ihn einer alteingesessenen Firma aus, bei der er zehn Jahre gearbeitet hatte. Er sollte dasselbe Gehalt bekommen wie bisher, aber höhere Provisionen. Meine Bestechung ging noch weiter. Wenn die Schnellfix-AG. drei Jahre hintereinander einen bestimmten Reingewinn abwerfen würde, sollte Harborough Direktor der Verkaufsabteilung werden, die wir dann sicher brauchen würden. Solange ich an den Schnellfix-Spielzeugen beteiligt war, behielten wir den Grundsatz bei: das höchste Gehalt, das wir jeweils aussetzen konnten, mit dem Versprechen weiterer Steigerung für diejenigen, deren Leistungen das ermöglichten.

Das wirkte. Nach fünf Jahren ging Mark Harborough nicht mehr auf Reisen, sondern leitete seinen Vertreterstab vom Hauptbüro aus, und nach zehn Jahren bearbeiteten seine Leute nicht nur England, sondern auch den europäischen Kontinent. Als Dermot und ich schließlich unsere Anteile am Schnellfix-Spielzeug verkauften, wurde Harborough Hauptaktionär und ein sehr reicher Mann.

Von alledem ahnten wir allerdings nichts, als wir uns an jenem kalten Wintermorgen auf den harten Holzstühlen des Lagerbodens gegenübersaßen. Harborough war damals dreißig, mager, dunkel und auffallend gut aussehend, ein Mann mit vollendeten Manieren und der natürlichen Begabung, Menschen zu behandeln. Er besaß nicht die grobschlächtige und oft genug derbe Art, die bei den meisten Reisenden damals gang und gäbe war. Seine Fähigkeiten wurzelten tiefer.

Er hatte seine Tasche mit Spielzeugkästen vor sich auf dem Tisch liegen.

„Also, auf Wiedersehen und viel Glück", sagte ich, „und ich danke Ihnen dafür, daß Sie zu uns gekommen sind. Sie setzen großes Vertrauen in uns."

„Ich danke Ihnen", sagte er. „Zehn Jahre habe ich bei Wilbraham & Sugden gearbeitet, und wenn ich noch weitere zwanzig für sie gearbeitet hätte, ich wäre keinen Schritt weitergekommen. Es ist mir nie gelungen, etwas Kapital in die Hand zu bekommen, und bevor Sie mich anstellten, habe ich es immer für ausgeschlossen gehalten, ohne Kapital in etwas Größeres hineinzukommen. Sie haben mir gezeigt, wie man es machen muß, und nun werde ich es Ihnen nachmachen."

Er sprach zuversichtlich, aber ohne Anmaßung. Wir gaben uns die Hand, und er kletterte die Stiege hinunter. Als er mir durch die Öffnung der Falltür noch einmal zulächelte, stand ihm der Erfolg im Gesicht geschrieben.

Ich hörte, wie Harry Platts unten hereinkam und an die Arbeit ging. Da setzte ich mich unter die summende Gaslampe, nahm einen Schreibblock und stellte einige sorgenvolle Berechnungen auf: Verzinsung des Anlagekapitals, Metallkosten, Verpackung, Gehalt für Harborough und Platts und andere Mitarbeiter, das alles entweder bar oder auf Wechsel! Es kam eine ganz hübsche Summe zusammen, und es konnte noch lange dauern, bis die Sache etwas einbringen würde. Es war nur gut, daß ich selbst Vertrauen und Harborough einen bemerkenswerten Auftrieb hatte, denn außer uns glaubte niemand an Schnellfix. Dermot sah nur einen lustigen Zeitvertreib darin. Gewiß, er wollte schon seine kleinen Spielsachen schnitzen, dann hatte er abends etwas zu tun, besonders seitdem Sheila zu Hause bleiben mußte. Denn Sheila mußte jetzt auf Maeve aufpassen. Maeve, nicht Rory. Zuerst waren sie doch enttäuscht, aber die Enttäuschung dauerte nicht lange, nachdem Maeve erst einmal im Hause war mit ihrem schwarzen Flaum auf dem Köpfchen und dem kleinen Affengesicht, das sich den halben Tag zu einem Lächeln runzelte. Rory würde sich schon eines Tages einstellen, das stand fest. „Der Schlingel wartet, bis ich mehr Übung als Mutter habe", sagte Sheila, wenn sie Maeve an ihrer Brust wiegte, „und was könnte ich mir Besseres zum Üben wünschen als dich, mein kleiner Liebling, und wäre ich selbst Königin von Irland?"

Dermot ging also abends nicht mehr viel aus, sondern schnitzte lieber an seinem schönen Spielzeug, und in seinen hellen Augen blitzte es lustig, wenn er mich in meinem Eifer sah. „Ach", sagte er, „der Gewinn wird kaum zum Brotaufstrich reichen – wenn überhaupt etwas dabei herauskommt." Und ernster: „Aber, Bill, wenn ich ehrlich sein soll, so gefällt mir die Sache nicht. Da steckst du nun dein Kapital in die Sache hinein, und ich habe nichts weiter dabei zu tun, als was ich ohnedies täte. Und außer dem Kapital steckst du noch die ganze Zeit und Arbeit hinein, nennst mich Direktor in deinem Schwank, und wir machen halbpart. Das hat weder Sinn noch Verstand."

Es war in der ersten Zeit immer das gleiche, wenn wir dort in der Küche saßen, unsere Pfeife rauchten und er an seinem Spielzeug arbeitete. „Mehr Sinn hat selten etwas gehabt", wandte ich dann ein. „Das ist das großartigste Spielzeug, das jemals hergestellt wurde. Das gibt einen enormen Absatz. Du entwirfst es, und ich stelle es her und verkaufe es. Fünfzig zu fünfzig ist recht und billig. Du hast mir eine Anlagemöglichkeit für mein Kapital verschafft, auf die ich ohne dich nie gekommen wäre."

„Dein Kapital! Daß ich nicht umfalle!" spottete Sheila, und das war natürlich der wunde Punkt.

Es war ja gar nicht mein Kapital. Es war Nellies Geld, und obwohl Sheila und Dermot nie ein Wort darüber fallenließen, sah ich doch, daß sie davor zitterten, ich könnte es zum Fenster hinausgeworfen haben.

Das ging mir wieder durch den Kopf, als ich bald nach Harborough die Stiege hinunterkletterte und durch die feuchten, morgendlichen Straßen von Hulme zum Frühstück ging. Ich war allein mit Nellie. Moscrop war nicht mehr da. Nellie hatte sein Bild in kindlicher Pietät neben das ihrer Mutter gehängt. Selbstverständlich war Moscrop nicht mehr da, sonst wäre ja kein Kapital dagewesen. In gewissem Sinne war er selbst schuld an seinem Tod. Es geschah an einem Sonntagabend im März, gerade zu der Zeit, als ich die ersten „Schnellfixpläne" im Kopf herumwälzte. Beim Tee sagte ich Nellie, ich könne sie heute abend nicht zur Oddy Road bringen, ich hätte in meinem Arbeitszimmer zu tun. Es war das erste Mal seit unserer Heirat, daß ich an einem Sonntagabend zu Hause blieb.

„Was soll denn das heißen, Bill?" fragte der Alte. „Nellie kann doch nicht allein gehen!"

Ich merkte nicht, daß es eine ernste Sache für sie beide war, und sagte: „Vielleicht bleibt Nellie auch lieber zu Haus und liest dir vor. Das Wetter ist fürchterlich." Das stimmte. Den ganzen Tag über hatte der Himmel voller Schneewolken gehangen, und jetzt blies ein scharfer Ostwind.

„Aber ich habe noch keinen Sonntagabend versäumt. solange ich denken kann", sagte Nellie. „Und gerade heute ist der Jahrestag der Kapelle. Weißt du, Bill ..."

„Ich sehe nicht ein, warum wir immer überall zusammen auftreten müssen", sagte ich. Ich litt bitter darunter und sprach deshalb ziemlich scharf – es war das erste harte Wort in unserer Ehe. Sie fing an zu weinen. Der alte Moscrop sprang mit einer Behendigkeit auf, die angesichts seines Umfangs und seiner Krankheit erstaunlich war. Er legte den Arm um sie und starrte mich wütend über den Tisch an. „So, du siehst also nicht ein, warum", sagte er aufgebracht, „dann will ich es dir sagen, Bill. Weil man von einem jungen Ehemann erwartet, daß er seine Frau nicht allein läßt."

Bei dem scharfen Ton des Alten spürte ich plötzlich, daß ich fremd im Hause war – und abhängig. Ich konnte es mir unmöglich bieten lassen, daß der alte Moscrop so zu mir sprach. „Daraus, daß die Leute etwas erwarten, folgt noch nicht, daß es das Richtige ist", gab ich zurück.

„Es ist aber das Richtige, daß jemand mit Nellie zur Kapelle geht", beharrte der alte Knabe, „und wenn du es nicht tust, tue ich es. Mir kommen die Gnadenmittel nie ungelegen. Vielleicht hast du die Güte und bestellst mir eine Droschke, bevor du in dein Arbeitszimmer gehst."

Er setzte sich voller Würde. Nellie wischte sich die Augen und floh nach oben. Ich zog meinen Mantel an, ging zu dem Droschkenstand bei Allerheiligen und bestellte eine Droschke zu Viertel nach sechs. Die Straßen waren damals noch nicht asphaltiert, und mir fiel auf, daß der scharfe Wind alle Pfützen mit einer dünnen Eisschicht bedeckt hatte.

Der alte Mann, der seit langem nicht mehr an einem Winterabend ausgegangen war, hüllte sich eigensinnig in Halstuch und Mantel. – Dir werde ich's schon zeigen, sagte sein finsteres Gesicht, und es mußte ja auch in Oddy Road Aufsehen machen, wenn ein Andächtiger trotz seiner körperlichen Leiden in einer Droschke zur Kirche kam und auf die gleiche, ebenso leichtsinnige wie verschwenderische Art wieder nach Hause fuhr. Ich half den beiden in den Wagen, nachdem ich den Alten über die Straße geführt hatte, auf der der Rauhreif glitzerte. „Bemüh dich nicht", fuhr er mich an, „geh nur in dein Arbeitszimmer. Ich werde schon allein fertig." Es klang höhnisch und gehässig. Er hatte wohl allmählich den Verdacht bekommen, daß aus dem Arbeitszimmer nicht viel Gescheites herauskommen würde.

Als ich ihn wiedersah, war er tot. Er hatte gründlich Aufsehen in Oddy Road hervorgerufen. Mitten in der Predigt bekam er einen Anfall. Ich habe schon gesagt, daß der Stuhl der Moscrops sich unmittelbar neben der Tür zur Sakristei befand. Ein paar Kirchendiener nahmen ihn unter die Arme und brachten ihn in die Sakristei. Er schnappte nach Luft wie ein Fisch auf dem Trocknen. Wenn er dort geblieben wäre, bis der Anfall nachließ, wäre wohl noch alles gut gegangen, aber er brachte tatsächlich noch das Wort „Droschke" über die Lippen. Ein Hilfsbereiter lief zum Droschkenstand und holte ihm den Wagen, der eine halbe Stunde später von selbst gekommen wäre. Moscrop und Nellie wurden hineingesetzt. Ein wüster Sturm fegte um die Ecke, und der Alte rang mühsam nach Luft. Der Droschkengaul war nicht minder kurzatmig als Moscrop, er zuckelte – klipp, klapp! – über die gefrorene Straße, und gerade an der Ecke vor Moscrops Haustür geschah es denn auch. Ich hörte von meinem Arbeitszimmer aus, wie das arme Tier plötzlich mit dem Huf in eine vereiste Wagenspur trat und böse ausglitt. Es versuchte wieder hochzukommen, und dabei rutschte der Wagen ab und krachte mit der Breitseite an die Ecklaterne.

Als ich hinunterkam, war schon ein kleiner Auflauf um die Glasscherben auf dem Plaster. Der Kutscher kniete neben dem Kopf des gestürzten Pferdes. Ich half Nellie aus der Droschke. Sie war starr vor Schrecken. „Vater!" war alles, was sie herausbrachte. Sie hatte bemerkt, daß sein wildes Keuchen nach Luft aufgehört hatte. Es hatte für immer aufgehört. Der Schreck des Zusammenstoßes hatte ihm den Rest gegeben. Es war genauso gekommen, wie es der Doktor damals voraussagte.

Durch den trüben Hulmer Morgen ging ich nach Hause, nachdem ich Mark Harborough mit seinen Schnellfixmustern in Trab gesetzt hatte. Im Wohnzimmer brannte Licht, das Feuer loderte hell, und das Frühstück war fertig. Überall blitzte es, und überall roch es einladend, aber mich machte dieser Anblick nicht froh. Nellie saß am Tisch und las ihr Morgenkapitel in der Bibel. Ich hatte sie zu einem Optiker geschickt, weil sie die Augen immer so zusammenkniff, und jetzt trug sie einen Kneifer. Sie legte das seidene Lesezeichen in das Buch, klappte es zu und sah mich durch die Augengläser an.

„Ich brühe den Tee auf", sagte sie. Jedesmal, wenn ich kam, machte sie derartige Bemerkungen. „Ich brühe den Tee auf." „Der Braten ist gerade fertig." „Darf ich dir die Knöpfe annähen?" Aber eins tat sie nie: sie kam mir nie entgegen, schlang die Arme um mich und liebkoste und küßte mich, wie ich es so oft bei Sheila und Dermot gesehen hatte. Und jetzt war es damit ohnedies vorbei. Der Tod ihres Vaters lag wie ein Schwert zwischen uns. Sie sprach nie darüber, aber in ihrer ganzen fügsamen Art lauerte es wie ein Vorwurf. Der alte Mann war jetzt fast ein Jahr tot, trotzdem ging sie noch immer von Kopf bis Fuß in Schwarz. Sie trug auch immer häufiger eine breite Kameenbrosche ihrer Mutter, auf der eine griechisch anmutende Jungfrau mit herabwallenden Haaren unter einer Trauerweide saß. Anscheinend tat sie alles, um älter zu wirken und den flüchtigen Freuden der Jugend Valet zu sagen.

Es war mir nicht gelungen, sie für die Geschäfte der Schnellfix-AG. zu interessieren. Moscrop hatte fast sechstausend Pfund hinterlassen. Ein Testament war nicht da, und Nellie hatte keine Verwandten. So gehörte jeder Pfennig ihr, und es fiel mir nicht leicht, davon anzufangen, daß ich ihr Vermögen in eine so unsichere Spekulation stecken wollte. Aber als ich es ihr schließlich vorschlug, war sie einverstanden. Das war jetzt überhaupt ihre Art, sie war ergeben und resigniert. Dein Wille geschehe. Ich wollte ihr Geld, gut, da war es. War ich nicht ihr Mann? Es gab Zeiten, in denen diese Art mir den Schlaf raubte; dann quälte ich mich mit meinen Sorgen. Hätte sie das Spiel herzhaft mitgemacht, so hätte ich einem Fehlschlag gelassener entgegensehen können. Aber das Geld dieser fügsamen Frau zu verlieren, hätte mich tief getroffen. Meine ganze Selbstachtung hing davon ab, daß der Wurf mit dem Schnellfix-Spielzeug gelang.

Nellie hatte den Grundsatz, mich gut zu füttern. Sie stellte mir einen Teller mit Schinkenspeck, Spiegelei und Bratkartoffeln hin, und weil ich mir einen Schnurrbart wachsen ließ, reichte sie mir den Tee in einer Barttasse. Das war eines von den Ungetümen, die die heutige Generation nicht mehr kennt. Eine Porzellanleiste sollte den Schnurrbart vorm Naßwerden schützen. Dabei war mein männlicher Schmuck noch gar nicht so weit, daß es einer solchen Vorsicht bedurft hätte. Ein Bildnis der Königin Victoria vor dem Hintergrund der britischen Flagge war darauf. Die Tasse war neu. Aber so war Nellie: sie erwies mir auf Schritt und Tritt diese kleinen Gefälligkeiten, ganz, als wollte sie mir zeigen, daß sie ihre Pflichten als Frau erfüllte.

Ich nahm die Gelegenheit beim Schopf, um etwas Leben in sie zu bringen. „Vielen Dank, Nellie", sagte ich. „Die Tasse wird ausreichen, bis wir aus silbernen Bechern trinken. Ich hoffe, es wird nicht mehr lange dauern. Heute ist Harborough auf Tour gegangen."

„Ich will für deinen Erfolg beten", sagte sie hart.

„Besser, man schafft dafür", fuhr ich auf; aber sie schüttelte den Kopf. „Das Gebet schafft mehr Dinge, als sich diese Welt träumen läßt", zitierte sie irgendwoher.

„Also gut", lenkte ich ein und wandte mich dem Speck zu.

„Du betest und ich arbeite. Damit sollten wir es eigentlich schaffen. Ich wette, in drei Jahren schließen wir die Bäckerei oder, noch besser, wir verkaufen sie."

„Das kannst du mir antun?" rief sie außer sich. „Die Bäckerei schließen?"

„Lieber heute als morgen", antwortete ich. „Wenn Schnellfix Erfolg hat, haben wir hier nichts mehr zu suchen. Warum wollen wir in Hulme bleiben? Meiner Vorstellung vom Paradies hat es nie entsprochen."

„Ich bin es von Jugend auf gewohnt", sagte sie. „Und Vater hat auch schon als Junge hier gelebt. Er erinnerte sich noch an die Zeiten, wo in Hulme grüne Felder waren."

„Schön, die gibt es aber jetzt nicht mehr und auch sonst nichts, was das Leben lebenswert macht. Je eher wir von hier fortkommen, um so besser."

„Es würde mir schwerfallen, Oddy Road zu verlassen. Ich bin dort immer zur Kirche gegangen und möchte es auch weiter tun. Du hast es ja wohl überhaupt aufgegeben."

Jetzt waren wir wieder bei einem wunden Punkt. Ich wischte mir den Mund mit dem Taschentuch und schob den Stuhl zurück. „Na, dann will ich lieber gehen und nachsehen, ob das Brot aufgeladen wird", sagte ich.

Ich besuchte nicht mehr die Andachten in der Oddy-Road-Kapelle. Warum, weiß ich nicht. Das Verlangen danach war mir ebenso plötzlich und unerklärlich vergangen, wie es aufgetaucht war. Das Ganze gab mir nichts mehr, und ich ging nicht mehr hin. Sonst hatte ich keinen Grund. Nellie ging nun allein. Das war ein ernsthafter Bruch, weil Oddy Road soviel für Nellie bedeutete. Ihr halbes Leben hing daran, und mit dieser Hälfte hatte ich nun nichts mehr gemein.

10

Nellie war gegen jede Veränderung, trotzdem änderte sich manches, und zwar schon bald. Zwei Jahre nach Mark Harboroughs erster Reise hatte ich mit Moscrops Bäckerei endgültig Schluß gemacht. Ein tüchtiger Fachmann führte sie weiter, während ich mich ganz dem Schnellfix-Spielzeug widmete. Im Kontor auf dem Boden saß jetzt ein Angestellter mit Telefon und fester Arbeitszeit. Als ich die Bäckerei glücklich abgestoßen hatte, verwandte ich meine ganze Zeit auf die drei Grundpfeiler jedes Geschäftes:

Einkauf, Herstellung und Vertrieb. Jeder halbwegs begabte Mann mit etwas Geld kann mit diesen drei Dingen fertig werden, und ich war über den Durchschnitt begabt.

Nach einem weiteren Jahr hatten wir das Kontor in ein paar Räume in der Oxfordstraße verlegt. Der alte O'Riorden kam als Bürochef zu uns. Die Fabrikation hatten wir in einem neuen Gebäude untergebracht, das den ganzen Hof des ursprünglichen Stalles einnahm. Solange ich am Schnellfix beteiligt war, hat dieses Gebäude für unsere Zwecke ausgereicht. Es besaß zwei geräumige Stockwerke; man braucht zur Spielzeugfabrikation nicht soviel Platz.

Es ging aufwärts mit uns. Dermot hatte seine schönen neuen Ausstellungsräume. Sie lagen unter dem Schnellfixkontor in der Oxfordstraße und sahen gut aus mit all den schönen Möbeln, in denen er seine Vorstellungen von Einfachheit und Gediegenheit verwirklicht hatte. Nie aber sahen sie besser aus als an jenem Maimorgen im Jahre 1895, als sich sogar der Himmel von Hulme wie straffe blaue Seide spannte und die Büsche in der kargen, verrußten Erde des Allerheiligenfriedhofs einen kurzen grünen Traum vom Sommer träumten. Wir waren eben erst in die neuen Räume eingezogen. Harboroughs Berichte übertrafen alle Erwartungen, und ich kam gerade von Hause, bis zum Platzen gefüllt mit Tatkraft und Begeisterung. Auf der Seite der Oxfordstraße, an der Allerheiligen liegt, blieb ich stehen und besah mir über die Straße hinweg die beiden Fenster im ersten Stock, auf denen „Schnellfix-Spielzeug" stand, und die riesigen Spiegelscheiben darunter. Dermot hatte das ganze Schaufenster als Eßzimmer eingerichtet. Die Möbel waren aus indischer Eiche, mit grünem Leder gepolstert. Ein grüner Teppich bedeckte den Boden. Die schmiedeeisernen elektrischen Lampen hatte ein Kunstschmied gemacht, den Dermot jetzt beschäftigte. Ein einziges Bild hing in dem Raum, von einer Art, die mir damals noch ungewohnt war. Dermots Vorliebe für Keramik hatte ihn kürzlich nach Kopenhagen geführt, und er war dort in eine Gemäldeausstellung geraten, die eine Frau Gauguin veranstaltet hatte. Ihr Mann lebte auf irgendeiner Südseeinsel und malte dort. Dieses Bild hatte ihm in die Augen gestochen – die wilde Glut der Farben: ein rosa Strand, ein Südseemädchen und einige Palmen –, und er hatte es gekauft. Für Manchester war es damals ein starkes Stück.

„Das erst macht den Raum", hatte Dermot am Tage zuvor gesagt, „und vor allem bleiben die Leute davor stehen und gaffen. ‚Rosa Strand' sagen sie, ‚Blödsinn!' Und dann sehen sie sich die Möbel an und denken: die sind verdammt gut. Und so kriege ich sie. Aber das Bild ist unverkäuflich."

Dann lief ich über die Straße, war mit ein paar Sätzen oben im Kontor und schloß mich in meinem Zimmer ein, um über den Fall Dermot nachzudenken. Er war ein ständiger Stachel für mich, denn er war mir immer um eine Nasenlänge voraus. Da war nun wieder dieses Bild. Ich konnte ihm damals nichts abgewinnen, aber ich ertrug doch Dermots überlegenes Lachen nicht. „In zehn Jahren, mein lieber Bill, wirst du mir wahrscheinlich ein paar tausend Pfund dafür bieten."

Und dann sein Haus. Er wohnte nicht mehr in Ancoats. Der Kunde, für den er das Haus in Withington umgestaltet und eingerichtet hatte, war in Konkurs gegangen, und Dermot hatte das ganze Haus mit Möbeln und allem von ihm übernommen. „Rory soll nicht in Ancoats zur Welt kommen", sagte er, denn Rory war wieder einmal unterwegs. „Und es gibt auch noch ein Fest", fügte er hinzu, und seine flugbereiten Augenbrauen hoben sich zu einem Lächeln. „Ich gebe eine großartige Gesellschaft zur Einweihung des Hauses. Jedenfalls für mich wird sie großartig. Sechs Personen, ich und Sheila, du und Nellie und Vater und Mutter." Fast unmerklich stockte er einen Augenblick und fuhr dann fort: „Wenn Nellie Lust hat." So dachten die Leute damals schon von Nellie.

Immerhin, sie kam. Ich glaube, sie hat sich in Dermots Haus nicht sehr behaglich gefühlt. Der Gegensatz zu unserem eigenen gemütlichen Durcheinander war doch zu groß. Dermot machte sozusagen gerade die Weißsucht durch. Das Eßzimmer war weiß getäfelt. Über dem Kamin hingen ein paar Wandleuchter, zwischen denen der Gauguin seinen richtigen Platz gefunden hatte. „Im Laden mag ich ihn nicht hängenlassen", setzte er mir auseinander, „ich schleppe ihn dauernd hin und her, und nun bleibt er wohl besser, wo er ist." Sechs offene Kerzen brannten in einer Reihe auf dem langen Tisch, den Sheila entzückend gedeckt hatte. „Ich sollte wirklich nicht mehr dabeisein", sagte sie mit einem Lachen. „Verrückt von dem Mann, sich heute abend Gäste einzuladen, wo Rory jede Minute kommen kann. Ach, du Rackerchen, mich würde es nicht wundern, wenn die Gesellschaft deinetwegen auffliegt."

Nellie war schockiert und sah sie erstaunt an, aber Sheila

nahm sie lustig beim Arm und führte sie zu der kleinen Maeve, die schon zu Bett gebracht worden war.

Der alte O'Riorden kreuzte in einem blauen Gehrock und steifen Vatermördern auf und war etwas verlegen. Es hatte sich ja auch manches geändert, seitdem er mich damals als Summerways neuen Laufburschen in die Gibraltarstraße mit nach Hause brachte und Dermot ein junger Tölpel war mit Sägemehl im Haar. Aber Frau O'Riorden ließ sich nicht beeindrucken.

„Ich verstehe nicht, Dermot, warum du nicht ohne den ganzen Firlefanz leben kannst", sagte sie, als Sheilas schmuckes kleines Hausmädchen aus dem Zimmer war. „Dienstboten und Kerzen. Und dann so ein Bild, mit lauter Dingen, die es in Wirklichkeit so gar nicht gibt."

Dermot lächelte milde. „Vielleicht kommt einmal die Zeit, wo dieses Bild da uns alle vor dem Armenhaus bewahrt", sagte er. „Es gab einmal eine Zeit", gab sie zurück, „wo du nur ein einziges Bild wolltest, das Ding mit dem Namen der Märtyrer von Manchester. Das ist mir schon auf die Nerven gegangen, aber es war mir lieber als dies hier!"

„Ja, was ist eigentlich daraus geworden, Junge?" fragte der alte O'Riorden. „Hoffentlich hast du es hinter den Ofen gesteckt!"

„Wollt ihr wohl den Jungen lassen!" befahl Sheila. „Hier paßte es ihm nicht in die Einrichtung. Dermot ist jetzt ein Künstler und kein Ire mehr."

Sie sagte das leichthin. Täuschte ich mich, oder verbarg sich ein bitterer, spöttischer Unterton hinter ihren Worten? Ich warf einen Blick über den Tisch und sah etwas, was ich lange nicht gesehen hatte: eine Sekunde lang glitzerte es grün vor zorniger Erregung in Dermots hellen Augen. Es war verflogen, ehe ich richtig hinsehen konnte, und Dermot antwortete gleichmütig: „Greift zu und eßt. Mit Ungläubigen streite ich über keine von meinen beiden Religionen."

Sheila nahm Nellie und Frau O'Riorden mit ins Wohnzimmer, und die drei Männer blieben an dem abgegessenen Tisch sitzen und rauchten Zigarren. Es war meine erste Zigarre, und sonderbar, auch sie führte mir meine eigene Unterlegenheit im Vergleich zu Dermot nagend zu Gemüte. Er spielte sich auch etwas damit auf und bot uns noch Portwein an. Ich dankte, aber der alte O'Riorden nahm gern ein Gläschen, hielt es gegen das Licht und schmeckte den Wein andächtig auf der Zunge. Ich hätte keine solche

Gesellschaft geben können. Ich hatte kein solches Heim, und Nellie hätte nie eine solche Wirtin abgegeben wie Sheila. Und so viel warf das Schnellfix-Spielzeug außerdem gar nicht ab. Dermot und ich machten wohl etwas Geld damit, aber viel war es nicht. Das meiste, was einkam, wurde wieder in das Geschäft gesteckt. Nein, all die behagliche Schönheit in Dermots Haus war die Frucht jener andern Arbeit, zu der es ihn von Anfang an getrieben hatte. Und da lag der Hase im Pfeffer. Gewiß war ich entschlossen, die Schnellfix-Spielzeuge zu einer großen Sache zu machen und viel Geld daran zu verdienen, aber ich betrachtete sie doch immer nur als Nebenbeschäftigung. Die Schriftstellerei lag mir mehr denn je am Herzen, obwohl ich nichts fertigbrachte als ein bißchen Spiel- und Stückwerk. Ich saß da, kaute an meiner Zigarre, die mir nicht schmeckte, und hatte wieder einen jener wütenden Anfälle, mich an meine eigene Arbeit zu machen und nicht eher nachzulassen, als bis ich sie geschafft hätte.

Ich wurde jäh aus meiner melancholischen Stimmung herausgerissen. Frau O'Riorden stürzte aufgeregt ins Zimmer und rief: „Dermot! Dermot! Es hat angefangen! Das Kind kommt!“ Das ist der Augenblick, wo ein junger Ehemann im Roman außer Rand und Band gerät. Dermot tat es nicht. Er stand auf und warf die angerauchte Zigarre in den Kamin. „Bring sie zu Bett“, sagte er ruhig. „Bill, hol die Hebamme. Morgen sollte sie ohnedies kommen. Hier ist ihre Adresse. Ich hole den Doktor. Und du, Vater – ach, bleib nur getrost, wo du bist! Trink deinen Portwein und rauch deine Zigarre!“

Kurz darauf trennten wir uns auf der Straße. Wir hatten verschiedene Wege. Er kam mir viel gefaßter vor als ich. Ich sah mich schon zurückstürzen und eine vor Tatendrang zitternde Pflegerin mitschleifen – aber die gesetzte und ältliche Matrone aus Lancashire, die ich unter der angegebenen Adresse fand, ließ sich nicht aus der Ruhe bringen. „Nein, wart man nicht auf mich, mein Junge“, sagte sie. „Erst mach' ich mir 'ne Tasse Tee, und dann kann's losgehen. Wann haben denn die Wehen angefangen?“

Die Frage machte mich lächerlich verlegen. „Sie haben eben begonnen“, stammelte ich. „Na, siehst du“, bekam ich zur Antwort, „dann hat sie ja noch alles vor sich. Reg dich bloß nicht auf, ich komme schon.“

Eine halbe Stunde darauf, als der Arzt und die Pflegerin oben bei Sheila waren, saßen Dermot und ich in der kleinen

Remise seitwärts im Garten. Er hatte sich eine hübsche Werkstatt daraus gemacht, zehnmal so groß wie der alte angebaute Schuppen in der Gibraltarstraße. Nellie und O'Riordens waren nach Hause gegangen. „Du bleibst hier, Bill", hatte Dermot gesagt, und ich spürte dabei, wieviel ihm unsere Freundschaft bedeutete und wieviel Unruhe sich hinter seinem gelassenen Wesen verbarg. Da waren wir wieder wie an jenem ersten Abend, wo er an seinen Sachen herumgebastelt hatte und plötzlich in Begeisterung über William Morris geraten war und dann später über die drei Märtyrer von Manchester. Ich mußte daran denken, als er jetzt unter der grellen elektrischen Birne rastlos hin und her ging und sich nervös an einem Stück auf der Hobelbank zu schaffen machte. Ich saß auf einer umgedrehten Kiste und rauchte meine Pfeife. Und plötzlich sagte ich: „Hast du eigentlich diesen Flynn mal wiedergesehen, Dermot?"

„Nein", antwortete er ziemlich schroff und setzte dann hinzu: „Der Mann ist tot."

Er nahm einen Bleistift und zeichnete mit leichter Hand Linien auf eine Holzfüllung. Dann warf er beides zu Boden und wandte sich mit einem Ruck zu mir. Seine Augen funkelten in dem blassen Gesicht. „Damit ist es aus", sagte er rauh. „Entweder das eine oder das andere. Von Schwätzern habe ich genug; ein für allemal. Was leisten sie denn schon? Sie kommen zusammen, schwätzen und blasen ihren Wind ab. Hätte ich nach Irland gehen und in Irland für Irland wirken und vielleicht für Irland sterben können, ich hätte es getan. Bei Gott und allen Märtyrern, ja – ich hätte es getan. Aber ich mußte für mein Brot sorgen, und dann habe ich geheiratet, und dann kam Maeve, und jetzt das zweite. Was soll ich da machen? Weiter den patriotischen Schwätzer spielen? Nein, das ist nichts für mich. Einmal dachte ich, es reicht zu was anderem. Aber das ist vorbei."

Er saß auf der Hobelbank, baumelte mit den langen dünnen Beinen, und das Licht brannte in seinem roten Haar. „Und dann das hier", fuhr er fort und umfaßte den Raum mit der Hand. „Sheila sagt, ich sei ein Künstler jetzt und kein Ire mehr. Gut, ich bin ein Künstler. Mir hat es niemand beigebracht, wie man es machen muß, aber ich mache es, und ich mache es gut; und bei Gott, ich werde es bald noch besser machen. Das glaubst du doch auch, Bill, nicht wahr?" drang er plötzlich in mich, und seine Augen baten um Zuspruch.

„Ja, Dermot", sagte ich, „ich wünschte, ich könnte so ganz in meiner Arbeit aufgehen wie du in der deinen."

„Siehst du", redete er weiter, „woher ich es auch haben mag, es ist jedenfalls da. Ich verstehe mein Handwerk. Ich weiß, wann ein Stück in Ordnung ist und wann es falsch ist. Und wenn es falsch ist, weiß ich, wie man es in Ordnung bringt. Als ich diese Bilder in Kopenhagen sah, wußte ich sofort: das ist ein großer Wurf. Mir ist noch keiner begegnet, der meiner Ansicht war – nicht einmal du, du alter Dummkopf. Aber das kommt noch! Und ich erkenne nicht nur das Große, wenn ich es sehe, ich kann auch auf meinem eigenen Gebiet Großes leisten. Kann ich es oder kann ich es nicht?" fragte er begierig.

„Doch, du kannst es", sagte ich und meinte es auch so.

„Nun also. Ich mußte mich aber entscheiden, wofür ich mich einsetzen soll, und ich habe mich ein für allemal entschieden. Ein Patriot bleibe ich trotzdem, und ein Ire ebenfalls. Ich kann Irland noch viel geben. Alles, was ich gern selbst getan hätte, soll aber deswegen nicht ungetan bleiben. Wenn ich einen Sohn bekomme, soll er es tun. Ich finde mich nicht damit ab und werde mich nie damit abfinden, daß Irland von eurem verfluchten Land mit Füßen getreten wird, und auch mein Sohn darf sich nicht damit abfinden. Er soll nach Irland gehen und ein Ire werden, anders als ich und mein Vater, anders auch als mein Onkel Con, der wie all die übrigen verdammten Irisch-Amerikaner seine Dollars verteilt und gar nicht daran denkt, zurückzukommen, wenn Irland morgen eine Republik würde. So, jetzt weißt du es. Und nun weißt du auch, was ich mir am leidenschaftlichsten in dieser Welt für meinen Sohn wünsche."

Ein Lächeln, wie es ihm selten kam, glitt über sein Gesicht.

„Und was ist mit dir, Bill?" fragte er. „Was hast du für Pläne mit der Nachkommenschaft?"

Ich stopfte meine Pfeife neu, bevor ich antwortete, und steckte sie an.

„Ja, Dermot, es ist im großen und ganzen dasselbe wie bei dir. Das heißt, ich möchte meinem Sohn alles das ermöglichen, was ich entbehren mußte. Ich war arm, so, wie du es nie gekannt hast. Einsam und elend war ich, und es fehlte mir an allem, was Kindern in einer anständigen Welt von Rechts wegen gebührt. Wenn ich einen Sohn habe, so soll er all das haben. Ich will schuften, um ihm jeden Quark, den er haben will, zu verschaffen und um zu sehen, wie er sich daran freut. Dann freue ich mich mit und lebe mein Leben noch einmal von Anfang an, aber anders. Findest du das richtig?"

Er sah mich ernst an und baumelte mit den Beinen.

„Ich weiß nicht", sagte er, „du wirst ihn verderben."

„Ich lasse es darauf ankommen. Er soll ein schönes Leben haben."

Siehst du, Rory, und du, Oliver, so verfügten wir damals um Mitternacht in der Werkstatt über euer Geschick, Dermot und ich. Und der Rauch unserer Pfeifen hing vor der Lampe, und die gütigen Schleier der Zukunft hingen vor unseren Augen.

Aber an jenem Abend wurde Rory noch nicht geboren. Damals war es Eileen. Als Rory geboren wurde, regte es mich weniger auf, weil Oliver in der gleichen Nacht zur Welt kam.

Vor unserer Heirat hatte mich Nellie immer Bill genannt. Nach unserer Rückkehr von Blackpool fing sie an, mich William zu nennen. Ich haßte William, aber Bill war Nellie zu leichtfertig, seitdem sie in den Stand der Ehe getreten war. Vor Dritten, mit Ausnahme von Dermot und Sheila, sagte sie: „Herr Essex sagt ..., Herr Essex meint ..."

Als Klein Eileen O'Riorden drei Monate alt war und Dermot gerade beschlossen hatte, daß Sheila eine Hilfe für die Kinder haben müsse, deren Zimmer er mit seiner ganzen Kunstfertigkeit einrichtete, verließ ich eines Tages sein Haus in Withington und ging sehr mißvergnügt nach Hause. Es war im August, und das Pflaster schmolz vor Hitze. Je mehr ich mich der inneren Stadt näherte, um so heißer wurde mir, und als ich mich bei Allerheiligen nach links wandte und die lange Straße vor mir hatte, die nach Hause führte, zog sich mir das Herz zusammen. Alles war schwarz und versengt, staubtrocken und schlug wie eine Wüste die Hitze zurück. Weit und breit weder Baum noch Strauch noch Blume. In allen Seitenstraßen saßen Männer in Hemdsärmeln und müde Frauen auf ihrer Türschwelle oder auf Stühlen, die sie sich aufs Pflaster gestellt hatten. Blasse, hohlwangige Kinder spielten im Staub der Gosse oder zankten sich, und dann wurden sie mit schrillen Stimmen aus den oberen Fenstern ins Bett gerufen. Der Gedanke an Dermots Haus mit seinem Gärtchen und seinen paar Bäumen und Sträuchern – viel war es weiß Gott nicht, aber so ganz anders als dies hier –

überkam mich derart, daß ich mich auf der Stelle entschloß, ein für allemal Schluß mit Hulme zu machen.

So kam ich nach Hause und ging ins Wohnzimmer. Im Winter konnte es ganz gemütlich sein, wenn die Gardinen vorgezogen waren und das Feuer sich auf dem polierten Holz und dem blankgeputzten Metall spiegelte, aber jetzt brütete die Hitze in den Plüschpolstern. Es war nicht auszuhalten. Nellie saß mit dem Rücken zum Fenster und las. Sie stand auf, als ich hereinkam, und sagte: „William, ich erwarte ein Kind."

Ich spürte weder Freude noch Schmerz, ich war nur überrascht, so überrascht, daß ich schwieg. „Freust du dich denn nicht?" fragte Nellie. „Doch, meine Liebe", sagte ich. „Selbstverständlich. Hoffentlich wird es ein Junge."

„Ich möchte eine Tochter haben", sagte sie.

„Auch gut", antwortete ich, „aber hier darf sie nicht zur Welt kommen. Wir sind vermögend, Nellie, und werden es immer mehr. Laß uns aus Hulme fort – jetzt – lieber heute als morgen. Das Kind soll in frischer Luft geboren werden und etwas Schönes vor Augen haben."

„William, dann ist es aus mit mir. Ich habe mein ganzes Leben hier verbracht!"

Ich kannte das auswendig und hätte es für sie aufsagen können, und ich sprach an diesem Abend nicht mehr darüber. Aber am nächsten Tag schlenderte ich über die Wilmslowallee nach Süden und kam an einen Meilenstein. „St.-Anna-Platz 5 Meilen" stand darauf, und das schien mir weit genug. Fünf Meilen mußte man schon vom Zentrum Manchesters entfernt wohnen. Ich ging weiter und kam an einen kleinen Landweg, der zum Mersey hinunterführte. Gleich dahinter lag ein Haus abseits von der Straße, am Ende eines langen Gartens. Es war zu vermieten, und ein Schild gab an, wo ich die Schlüssel bekommen könnte. Der Makler wollte mitkommen, aber ich sagte ihm, daß ich mir das Haus allein ansehen wolle.

Es hieß „Zweibuchen", und kaum hatte ich die Gartentür geöffnet, da wußte ich, daß ich in Zweibuchen bleiben würde. Es war ein kleines, freundliches Haus, und der lange schmale Garten gab ihm etwas Abgelegenes und Ruhiges. Er war so lang, daß ihm die beiden Buchen, die unmittelbar innerhalb der Pforte standen, nicht die Sonne nahmen. In dem dichten, kurzgeschorenen Rasen waren Rosenbeete ausgestochen, die in voller Blüte standen. Das Haus hatte eine glatte Front aus rotem Backstein, je ein

Fenster neben der Vorhalle und oben drei. Als ich in der Halle stand und zurücksah, lag die Straße ein gutes Stück entfernt, und die schlanken, anmutigen Buchen erfreuten das Auge und gaben zugleich die Gewähr, daß man von außen nicht gesehen werden konnte.

Schon vor der Tür hatte ich mir überlegt, was ich mit dem Haus anfangen wollte. Falls kein Badezimmer da war, mußte eins eingerichtet werden. Vier Zimmer brauchten wir: ein Mädchenzimmer – ein Mädchen mußte Nellie haben, wenn sie das Kind zu besorgen hatte –, ein Kinderzimmer, ein Schlafzimmer für uns und mein Arbeitszimmer. Und das Haus hatte tatsächlich vier Zimmer mit Bad. Ich ließ es nach Dermots Angaben von oben bis unten einrichten, bevor ich Nellie überhaupt ein Wort sagte. Es wurde November, bis ich eines Tages eine Spazierfahrt zum Vorwand nahm, um sie hinzuführen. Sie fand es unerhört verschwenderisch, Droschke zu fahren. Ich schimpfte darüber, daß sie ohne Rücksicht auf ihre schwachen Augen von früh bis spät Kinderwäsche nähte. „Ich begreife nicht, warum du dir die Aussteuer nicht fertig kaufst", sagte ich, „wir haben es doch dazu."

„Davon verstehst du nichts", sagte sie, „denkst du etwa, ich stecke mein Kind in gekaufte Kleider? Männer verstehen so etwas nicht!"

„So viel verstehe ich aber, daß du mal einen Nachmittag heraus mußt", entgegnete ich. „Da ist die Droschke schon. Ich höre sie vor der Tür."

So fuhren wir in der muffigen alten Droschke südwärts durch die Oxfordstraße über die Wilmslowallee, bis wir nach Zweibuchen kamen. Dort stiegen wir aus. „Dermot arbeitet hier", sagte ich. „Wir wollen ihn mal besuchen."

Ich sagte dem Kutscher, er solle uns in einer Stunde abholen, und dann gingen wir beide Arm in Arm zum erstenmal den langen Gartenweg auf das Haus zu, wo Oliver geboren wurde. An den Buchen hingen noch die letzten braunen Blätter, und ein goldbrauner Laubteppich lag auf dem Rasen. Es war ein ruhiger Spätherbsttag und noch nicht eigentlich winterlich. Noch blühten die Chrysanthemen vor den Vorderfenstern, der Himmel war zartblau, in der Luft hing der Geruch verwelkten Laubes.

Das Haus sah bewohnt aus, überall hingen Gardinen. Obwohl ich den Schlüssel in der Tasche hatte, klopfte ich an, und Dermot machte uns auf. Nellie und ich traten in die nicht sehr große viereckige Halle, die einladender wirkte, als ich gehofft hatte. Dermot hatte dort einen kleinen Ofen setzen lassen, und das Feuer glühte uns wie Bernstein entgegen. Der Raum war doch ganz geräumig; ein Tisch mit schlanken Beinen und einer Vase voll Rosen stand darin, ein Bücherschrank und ein Sessel auf dem Teppich neben dem Ofen. Dermot steckte die Kerzen auf dem Tisch an. „Gefällt es dir, Nellie?" fragte er. „Ich arbeite hier für ganz besondere Leute."

Dann gingen wir ins Wohnzimmer. Bis jetzt standen nur ein Tisch und ein paar Stühle darin, aber im Kamin brannte ein Feuer, und als wir die Vorhänge vorgezogen und Licht gemacht hatten, sah es recht wohnlich aus, besonders als Sheila sich ans Feuer kniete und Brotscheiben röstete. Den Tee hatte sie schon bereitgestellt.

Nach und nach weihten wir Nellie in das Geheimnis ein; sie sträubte sich erst etwas, aber dann gab sie nach. Eine Methodistenkapelle lag ein paar hundert Meter weiter an der Straße, und das trug wohl einiges dazu bei. Bezüglich der Möbel blieb sie hart. Ich hatte einige Zeit mit dem verwegenen Gedanken gespielt, mit allem, was dem Herzen des alten Moscrop teuer gewesen war, reinen Tisch zu machen, aber in der Einrichtungsfrage mußten wir doch nachgeben, um den plötzlichen Wechsel für Nellie nicht zu schwer zu machen. Ganz neu eingerichtet wurde nur mein Arbeitszimmer. Dermot arbeitete es selbst, und es wurde wundervoll. Als es fertig war, führte er mich an die Tür und stieß mich über die Schwelle. „Da ist es", sagte er, „nun arbeite aber auch drin, du fauler Kerl!"

Im folgenden Jahr im Mai, als die Buchen in ihrem schönsten Grün standen, wanderte ich eines Nachts unruhig im Garten auf und ab. Der Mond ging kalt auf, die Blätter flüsterten und seufzten, und das Licht brannte noch im Fenster des ersten Stocks. Als sie mich dann zu Nellie und dem Kind riefen, schlich ich die Treppen hinauf, und das Herz wollte mir springen. Ich fühlte, wie es gegen die Rippen hämmerte; erst als ich das Zimmer wieder verlassen hatte, fiel mir ein, daß ich Nellie kaum angesehen hatte. Ich nahm nur einen Eindruck mit, den an ein kleines Gesicht mit selig geschlossenen Augen, ein flaumiges Köpfchen und ein langes, schlankes, wundervoll geformtes Händchen, in das ich die ganze Welt schütten wollte.

Ein paar Stunden später wurde Sheilas drittes Kind geboren. Und diesmal war es Rory.

ZWEITES BUCH

11

Es war ein heißer Junitag. Ich saß im Eßzimmer beim Mittagessen, blickte den Garten hinunter und sah den Kinderwagen im Schatten der Buchen stehen. Ich freute mich, wenn ich ihn sehen und dabei an Olivers blaue Augen denken konnte; sie blickten in das Wunderland des wogenden Laubes, oder der grüne Schatten der Kronen fiel auf die geschlossenen Lider, die fast ebenso durchsichtig und blau waren wie die Augen darunter. Als ich gegessen hatte, schob ich den Kinderwagen vor die Haustür, und Nellie holte das Kind herein und gab ihm die Brust. Dann wurde er wieder in den Wagen gelegt, und ich fragte Nellie: „Darf ich ihn heute nachmittag ausfahren?"

Sie sah mich mit ihren kurzsichtigen Augen streng an: „Kann ich mich darauf verlassen, daß du vorsichtig bist?"

„Das kannst du."

„Gut, aber nicht länger als eine Stunde oder anderthalb!"

So ging es in den ersten Wochen, als Nellie Olivers Geschick noch unumschränkt regierte. Ich erbat mir ab und zu eine Gnade, demütig, wie der Gefangene seinen Wärter um Freiheit anflehen mag.

Gleich darauf schob ich Oliver die Wilmslowallee hinunter. Es war das erste Mal, daß ich ihn für mich hatte. Der Wagen glich einer kleinen Gondel, die hoch zwischen großen, spinnwebähnlichen Rädern hing. Er war voll weißer Bettchen, und Olivers Kopf lag in den gekräuselten Kissen wie ein Pfirsich im Seidenpapier. Ich werde wohl der stolze Vater gewesen sein, wie er im Buche steht. Eine braune Norfolkjacke, Knickerbocker und ein Strohhut bestimmten meine äußere Erscheinung. Dazu muß man sich noch den wachsenden Schnurrbart vorstellen. Ich war groß, dunkel und kräftig, aber mager. Für schön habe ich mich nie gehalten, und Nellie war es sicher ebensowenig. Ich sah mir Olivers blütenweiße Haut, die runden, zarten Bäckchen, die milchblauen Augen und die wohlgeformten Hände an, die dem Leben begeistert zuwinkten, und dachte über das Geheimnis der Schönheit nach.

Ich ging also die Wilmslowallee hinunter nach Withington zu und setzte meine Erziehungstheorien in die Tat um. Keine Kleinkindersprache! „Bäume!" rief ich ihm zu, als wir unter den grünen Ästen dahinfuhren, die über die Gartenmauer hingen. „Pferde“, sagte ich kühn, als sie vorübertrabten. Ein Viehtreiber kam vorbei, und das Vieh zog schwerfällig im Staub vor ihm her. Voller Verachtung dachte ich an die Unaufgeklärtheit, die jetzt „Muh“ machen würde. „Kühe, Oliver!“ erklärte ich. Aber Olivers seidige Lider hatten sich über die Augen gelegt, und sein Kopf war ihm seitwärts über den Hals gesunken wie eine schwere Blüte über ihren Stengel.

Gerade hatte ich die Gartenpforte eines großen Hauses erreicht, das die „Abtei“ hieß, da kam mir von Withington her Dermot mit seinem Kinderwagen entgegen. Auch er trug Norfolkjacke, Knickerbocker und Strohhut, wie es damals „fürs Land“ modern war. „Ich wollte dich mit Rory besuchen!“ rief er mir schon von weitem entgegen.

„Und ich dich mit Oliver.“

Wir hatten beide den Jungen des anderen noch nicht gesehen. Die Kinderwagen hielten bald nebeneinander, Kopfende an Fußende, unter den Bäumen der Abtei. Dermot beugte sich über Olivers Wagen und ich über Rorys. Rory war wach, strampelte mit den Füßen, steckte die Handknöchel in den Mund, und seine grauen Augen sahen ernsthaft in das Laub über sich. „Dein Racker schläft“, sagte Dermot. „Ich wollte sie doch zusammenbringen.“

„Leg ihm die Hand in den Rücken und richte ihn auf“, antwortete ich.

Dermot setzte Oliver auf und hielt ihn fest, und ich hielt Rory aufrecht. Oliver schlug die Augen auf, und die beiden Kinder sahen sich einen Augenblick feierlich und prüfend an. Dann runzelte sich Olivers Gesicht zu einem Lächeln, und nach einem unschlüssigen Augenblick lächelte Rory auch. Sie lehnten sich beide vor, und ihre Hände tappten nacheinander. Die Hände waren noch ungeschickt und verloren leicht die Richtung. Aber bald stießen sie zusammen, und die Finger schlangen sich ineinander. Sie hielten sich fest und zogen den Mund zu einem breiten Lächeln, bis die Hände wieder auseinandertappten.

„Was sagst du nun?“ fragte Dermot. „Einen Monat alt und geben sich schon die Hände. Wenn die beiden nicht gute Freunde werden, wer soll es dann wohl!“

Eine Stunde lang fuhren wir brav mit unseren Kinderwagen in Didsbury herum, und dann trennten wir uns wieder.

*

Heutzutage werden die Kinder natürlich dauernd geknipst, und jede kleinste Phase ihrer Entwicklung wird festgehalten. Aber Fotografieren war damals noch eine schwierige und feierliche Angelegenheit. Ich muß mich deshalb auf die Aufnahmen in meinem Gedächtnis verlassen, und dort mangelt es nicht, denn ich habe ein ausgesprochen optisches Gedächtnis.

Ich sitze in meinem Arbeitszimmer am Fenster und sehe den langen Garten hinunter. Ein Jahr ist verflossen, seitdem sich Rory und Oliver begegnet sind. Der Tag ist still und heiß, und Zufriedenheit füllt mein Herz. Auf dem Pult, an dem ich sitze, liegt ein Roman mit dem Titel „Der herzlose Schlag". Eigentlich sollte ich arbeiten, aber ich nehme den Roman zur Hand und sehe wieder und wieder auf das Titelblatt. „Von William Essex." Darüber komme ich nicht hinaus. Ich habe es auch niemals fertiggebracht, gleichmütig meinen Namen auf einem Titelblatt zu sehen. An jenem Tag aber war es das erstemal, und es packte mich wie ein Rausch. Das Buch war an demselben Morgen angekommen, und ich muß gleich betonen, daß sein Erfolg bestenfalls eine Ermutigung für den Autor war. Erst durch meinen zweiten Roman, „Gottes Mühlen mahlen langsam", kam ich zu Geld und Ansehen, die mir seitdem treu geblieben sind.

Ich saß da, und meine Gedanken wanderten zwischen dem Buch, den beschriebenen Blättern und der Szene im Garten hin und her. Unter den Buchen stand eine halbkreisförmige weiße Bank, auf der Nellie und Sheila saßen und nähten, und unser kleines Dienstmädchen räumte gerade das Teegeschirr von dem Tisch davor ab. Die Kinder tummelten sich lärmend auf dem Rasen: Maeve, jetzt ein schönes, anmutiges kleines Mädchen, Eileen, Rory und Oliver.

Maeve hatte die drei anderen im Kreise um sich her auf Kissen gesetzt, war niedergekniet und betrachtete forschend einen nach dem anderen. „Eileen ist zu dick", sang sie, „Eileen ist ein dickes schwarzes Baby und wird ein dickes schwarzes Mädchen werden. So schön wie Maeve wird sie niemals werden, denn Maeve ist eine irische Königin."

„Maeve ist ein eingebildetes Äffchen!" rief Sheila dazwischen. „Wart lieber ab, bis dir die anderen sagen, wie hübsch du bist!" Maeve ließ sich nicht stören. „Rory ist ein schwarzes dickes Baby und wird ein schwarzer häßlicher Junge werden, aber Rory ist ein guter Junge. Rory ist viel besser als Oliver. Oliver ist viel schöner als Maeve.

Oliver hat blaue Augen und Ringelgold auf seinem Kopf. Aber ich kann Oliver nicht leiden. Wenn ich Rory den Finger in den Mund stecke, saugt er daran. Aber wenn ich Oliver den Finger in den Mund stecke, beißt er zu. Aber er kann ja noch gar nicht richtig beißen, weil er noch ein kleines Baby ist. Aber er wird tüchtig zubeißen, wenn er erst kann."

„Und dann hat er auch ganz recht", sagte Sheila, „manchen Menschen tut es ganz gut, wenn sie mal gebissen werden." Nellie sagte nichts, aber selbst von weitem sah ich, daß sie gekränkt war, und ihre Lippen zuckten.

Es war ein Winterabend, und ich ging müde nach Hause. Ich lief Winter und Sommer, wenn ich zur Stadt mußte, zu Fuß hin und zurück. Allerdings ging ich jetzt nur noch einmal wöchentlich in die Schnellfixwerke. Wir hatten ausgezeichnetes Personal in der Fabrik wie in der kaufmännischen Abteilung, dem wir alle laufenden Arbeiten überlassen konnten. Jahrelang hatte ich meine ganze Kraft auf den Aufbau des Geschäftes gewandt. – Ich hatte nicht die Absicht, mein ganzes Leben damit zu verbringen, am wenigsten jetzt, als ich die richtigen Leute gefunden und in meinem Sinne angelernt hatte. Einmal in der Woche jedoch sah ich mir die Arbeit jedes Angestellten in der Hulmer Fabrik und in den Kontoren in der Oxfordstraße an. Ich meldete mich nie an, und niemand wußte, wann ich kommen würde. Das hielt sie alle bei der Arbeit. Ich verwandte einen ganzen Tag darauf und kam dann immer gerade rechtzeitig zum Essen nach Hause.

Obwohl ich recht gespannt war, kehrte ich an diesem Abend freudig erregt heim. „Gottes Mühlen mahlen langsam" war vor einer Woche erschienen, und bereits jetzt stand fest, daß das Buch einen ungewöhnlichen Erfolg haben würde. Die Zeitungen waren begeistert. Nirgends wurde ein Mißton laut.

Dermot begleitete mich bis zur Mauldethallee, aber wir hatten uns wenig zu sagen. Ich hatte meine eigenen Gedanken im Kopf und wußte, daß er seinerseits über den größten Auftrag nachdachte, den er bisher erhalten hatte. Ein Baumwollkönig, der ein Gut in Hampshire gekauft hatte und sich dort zur Ruhe setzen wollte, hatte Dermot mit der Einrichtung und Ausstattung des Hauses beauftragt. So trotteten wir durch den Winterabend und waren jeder mit seinen eigenen Plänen beschäftigt, und Dermot zupfte sich gelegentlich an dem fuchsroten Spitzbart, den er sich im letzten Jahr hatte wachsen lassen.

Wir trennten uns an seiner Straßenecke, und ich ging allein weiter. Es begann zu schneien, und da ich gegen den Wind lief, war ich bald von oben bis unten weiß gepudert. Vor Zweibuchen blieb ich einen Augenblick stehen und sah mir mein Haus an. Die beiden großen Bäume waren dick verschneit, die weiße Landstraße lag unberührt vor mir wie der Weg ins Paradies. Es war so still, daß man die Flocken zu hören glaubte. Aus den Fenstern meines Hauses schimmerte Licht, tröstlich, wie wenn in einem Märchenwald plötzlich ein Glanz aufstrahlt. Nie zuvor hatte ich so tief das Glück empfunden, heimzukommen, das Vorgefühl des Geborgenseins und die Kraft, den Meinen einen ruhigen, schönen Platz zu sichern, zu dem sie jederzeit ihre Zuflucht nehmen konnten. Dabei dachte ich natürlich an Oliver. Es war Schlafenszeit für ihn, und heute war ich an der Reihe, ihn zu baden. Seit seinem zweiten Lebensjahr hatten Nellie und ich ihn jeden Abend abwechselnd gebadet, und nicht für ein Königreich hätte ich das Recht hingegeben, den kleinen Körper mit all seinen Grübchen einzuseifen und abzuplantschen. Das Haar war ihm noch nie geschnitten worden, und es stand ihm wie ein Heiligenschein aus gesponnenem Gold ums Gesicht. An jenem Abend war er schon verschwunden. Aus dem Badezimmer tönte Lärm und Geschrei, das Bad war also schon im Gange. Ich stürmte die Treppe hinauf, zwei Stufen auf einmal, und platzte mitten in den Dampf und den wüsten Lärm hinein, die den Raum erfüllten. Das Wasser lief, Nellie schalt, und Oliver stampfte mit den Füßchen im Wasser, trommelte mit den Fäusten gegen die Wanne und heulte aus Leibeskräften.

„Halt, wer ist heute dran, den Jungen zu baden?“ rief ich.

Nellie ließ den Schwamm fallen, drehte sich mit einer geduldigen Leidensmiene um, die mich jedesmal rasend machte, und setzte sich den Kneifer wieder auf, der ihr am goldenen Häkchen vom Ohr herabbaumelte. „Er war ungezogen“, sagte sie. „Ich habe ihm gesagt, wenn er nicht artig sei, würde ich ihn baden und sofort ins Bett stecken. Aber er folgte nicht.“

Das war typisch die Art logisch-pädagogischer Maßregeln, die Nellie liebte.

„Manchmal können Kinder einfach nicht artig sein“, sagte ich. „Es steckt dann nicht in ihnen.“

„Dann müssen sie eben lernen, es in sich zu haben“, antwortete sie.

Wir standen uns gegenüber und sahen uns wütend durch den Badedampf an. Es war jetzt ganz still, nur das Wasser strömte aus dem Hahn. Der Kleine witterte Zwist unter den Erwachsenen, hielt sich ganz ruhig und schaute uns mit großen, interessierten Augen zu.

„Ich bin dran mit dem Baden“, erklärte ich hartnäckig. Und schon zog ich den Rock aus, hängte ihn hinter die Tür und krempelte die Ärmel auf. Plötzlich krähte Oliver: „Pappi ist dran! Hab' ich ja gesagt!“ In wilder Freude begann er mit den Fäusten auf das Wasser zu hämmern.

„Er freut sich, daß du mir unrecht gegeben hast“, sagte Nellie leise. „Ich tat, was ich für richtig hielt. Du bringst ihn jetzt wohl auch zu Bett, nicht wahr?“ Und damit ging sie harten Angesichts aus dem Badezimmer.

Ich hatte Oliver noch nie zu Bett gebracht. Ihn einseifen und abspülen war schön und gut. Danach aber griff Nellie immer ein und übernahm die Geheimnisse des Puderns, Anziehens und Haarbürstens. Immerhin, so leicht ließ ich mich nicht kleinkriegen. Ich tat eines nach dem anderen, wie ich es oft von Nellie gesehen hatte, und dabei sang Oliver die ganze Zeit selig vor sich hin, frohlockte über den Sieg der Männer und patschte mir mit den Fäusten ins Gesicht. Schließlich packte ich ihn in sein Bettchen, das neben dem unseren stand, gab ihm den Gutenachtkuß, und dann wusch ich mich und ging zum Essen.

„Hast du mit ihm gebetet?“ fragte Nellie.

„Nein, das habe ich vergessen.“

Stirnrunzelnd ging sie hinauf, und ich blieb in der kleinen Halle stehen und konnte sie durch die offene Schlafzimmertür hören.

„Oliver, Mammi nachsagen: Lieber Herr Jesus ...“

„Oliver nicht sagen!“

„Oliver, ‚lieber Herr Jesus‘ sagen!“

„Oliver will aber nicht. Pappi ist dran. Und Pappi hat es nicht gesagt.“

Es war einen Augenblick lang still, und dann sagte Nellie: „Dann gute Nacht.“

„Oliver nicht gute Nacht sagen.“

Ich war in das Eßzimmer geschlichen, bevor sie herunterkam, und ich schämte mich, ihr ins Gesicht zu sehen. Wir aßen schweigend, und als wir fertig waren, machte sie sich auf zu ihrer wöchentlichen Klassenversammlung in der

Methodistenkirche, die an unserer Allee lag. Ich zog den Vorhang von meinem Arbeitszimmerfenster im ersten Stock zurück und sah sie im Schnee, der immer noch fiel, den langen weißen Gartenpfad hinuntergehen. An der Pforte blieb sie einen Augenblick stehen und sah nach dem Haus zurück, als wollte sie ihre geliebte Versammlung dieses eine Mal fahrenlassen und zu dem Kinde zurückkehren, von dem sie sich im Groll getrennt hatte. Dann ging sie weiter, eine graue, sorgenvolle Gestalt. Als ich mich in dem schönen Zimmer, das mir Dermot geschaffen hatte, zum Kamin wandte, brach mir das Herz vor Mitleid mit der Frau, deren Schritte sich draußen so sinnbildlich von allem entfernten, was mir nahe war.

Ich glaube nicht, daß ich irgend jemand begreiflich machen kann, was Pyjamas für mich bedeuten. Als Kind schlief ich immer in einem Hemd. Tag und Nacht war es das gleiche, und es mußte eine Woche reichen. Auch bei Herrn Oliver schlief ich noch in meinem Taghemd. Dermot war es, der eines Abends, kurz nach meiner Ankunft in der Gibraltarstraße, zu mir sagte: „Warum kaufst du dir kein Nachthemd?“ Ich tat es und trug Nachthemden, bis ich mich verheiratete. Für Blackpool aber kaufte ich Pyjamas, und sogar besonders schöne, weil es ja auf die Hochzeitsreise ging. Immer, wenn ich daran dachte, daß ich früher in meinem Taghemd geschlafen hatte, schämte ich mich nachträglich halbtot. Meine Nachtwäsche wurde mir lächerlich wichtig. Zuerst wurden die Pyjamas immer prächtiger, dann beleidigten die bunten Seidenschnüre meinen Schönheitssinn, und es brach eine Periode kostspieliger Schlichtheit an: schwere Seide ohne Verzierung mit dazu passenden Hausmänteln.

Acht Tage vor Olivers fünftem Geburtstag fuhr ich nach London zu meinem Verleger. Nach dem Mittagessen ging ich allein durch die Straßen im Westen, wo die schönen Läden sind, und suchte nach einem Geburtstagsgeschenk für Oliver. In dem Schaufenster eines Geschäftes für Kinderkleidung sah ich Pyjamas aus einfacher schwarzer Seide. Daneben lag ein kleiner schwarzseidener Hausmantel mit einem breiten Seidengürtel, der in einer scharlachroten Franse endete. Ich kaufte beides und nahm es mit nach Manchester. Als ich dann in meinem Abteil erster Klasse meinen Handkoffer mit dem kleinen Paket über mir im Gepäcknetz betrachtete, freute ich mich darauf, Oliver in seinem neuen Staat zu sehen, an den Füßen die weichen roten Maroquinpantoffeln, die ich ihm dazu gekauft hatte. Der Anblick würde sicher dazu beitragen, daß ich mit größerer Ruhe an den kleinen Jungen denken konnte, der in seinem Taghemd hatte schlafen müssen. Vielleicht gelang es mir auch, ihn eines Tages ganz aus meinem Herzen zu reißen und endgültig zu begraben.

Es war ein warmer Maitag. Sheila kam mit Maeve, Eileen und Rory zu dem Kinderfest, mit dem der Doppelgeburtstag gefeiert werden sollte. Die Kinder spielten vor dem Tee noch eine Stunde auf dem Rasen zusammen, und als Sheila und Nellie den Teetisch deckten, schmuggelte ich Oliver die Treppe hinauf und zog ihm den Nachtanzug an, von dem ich noch niemand ein Wort gesagt hatte. Ich wusch ihm das Gesicht und bürstete ihm die Haare. Er war schon groß für sein Alter, gewachsen wie ein junger Baum, und sah entzückend in Schwarz und Rot aus. Manchmal war ich tief betroffen von seiner Schönheit, und so auch an diesem Nachmittag. Sein Gesicht mit den lebhaften blauen Augen, den vollen roten Lippen und der goldenen Lockenkrone glich einem Engelsgesicht von Reynolds. Das Spiel im Garten hatte ihm die Wangen gerötet, und die Freude über seinen neuen Staat blitzte ihm aus den Augen. Vergnügt wie ein Hanswurst und stolz wie ein Pascha stolzierte er durchs Zimmer und betrachtete sich in dem hohen Spiegel, die Hände in den Rocktaschen.

„Nun wollen wir ihnen zeigen, wie schön du dich gemacht hast“, sagte ich, nahm seine kleine Hand in die meine und ging mit ihm hinunter.

Sie saßen schon bei Tisch. Nellie blinzelte über die Teekanne hinweg und fragte nüchtern: „Woher hat Oliver diesen Anzug? Und warum hat er ihn jetzt schon an?“

„Sicher will sein Vater mit ihm protzen. Merkst du das nicht?“ fragte Sheila. „Ist das dein Geburtstagsgeschenk, Bill?“ Als ich nickte, nahm sie Oliver auf den Schoß und sagte: „Und ist er nicht auch zum Anbeißen?“

„Aber er hat keine Manieren“, sagte Maeve plötzlich laut zu unser aller Überraschung. Sie ließ sich auch durchaus nicht aus der Fassung bringen, als die Erwachsenen sie fragend ansahen. Maeve entwickelte sich zu einer selbstbewußten jungen Dame, in ihrer dunklen Art ebenso schön wie Oliver in der seinen.

„Vergiß nicht, daß du Olivers Gast bist, Maeve“, sagte Sheila. „An einem Gastgeber hat man nichts auszusetzen.“

Oliver legte einen Arm um Sheilas Hals und sah triumphierend auf die geduckte Maeve. Aber Maeve war nicht so leicht zu ducken. „Sein Gast? Deswegen sagte ich ja gerade, er habe keine Manieren", sagte sie. „Vor dem Tee hat er mir gar nicht gezeigt, wo wir uns die Hände waschen können und ... und so ... Statt dessen takelt er sich auf wie ... wie ... Ja, wie sieht er denn überhaupt aus? Doch nicht wie ein Junge. Matz sieht aus wie ein Junge." (Matz war der Name, den sie sich für den derben schwarzen Rory ausgedacht hatte.) „Aber Oliver sieht aus, daß ich mich totlachen könnte. Hahahaha!"

Es gehörte zu den besonderen Eigenschaften Maeves, daß sie von ganzem Herzen lachen konnte, sobald sie wollte, wie eine gute Schauspielerin. Jetzt lachte sie schallend, ein endloses, silbernes Lachen, und wies spottend auf Oliver. Sie steckte Eileen an und Rory, und im Nu waren alle drei in ein so hemmungsloses Gelächter geraten, daß sie nicht mehr aufhören konnten.

Oliver blickte die drei lachverzerrten Gesichter einen Augenblick finster an, und langsam stieg ihm das Blut in den Kopf. Er sprang von Sheilas Schoß, riß den Hausmantel herunter und trampelte in den roten Pantoffeln darauf herum. Dann zog er die Pyjamajacke aus und warf sie auf die Erde, und schon faßte er nach dem Hosenbund, da nahm Nellie ihn auf den Arm und trug das strampelnde Kerlchen aus dem Zimmer. Ich sprang zu und öffnete ihr die Tür, und sie sah mich böse an, als sie hinausging. „Deine Eitelkeit, nicht seine", sagte sie leise. „Du richtest ihn noch zugrunde mit deinem Unsinn."

Seit diesem Tage war Oliver nicht mehr dazu zu bewegen, den Pyjama und den Hausmantel anzuziehen. „Rory hat mich ausgelacht", sagte er immer wieder mit finsterem Gesicht. Rorys spöttisch zusammengekniffenes Affengesichtchen war zuviel für ihn. Und Rory begann für Oliver wichtiger zu werden als irgendwer von uns.

Fräulein Bussels Schule lag halbwegs zwischen Dermots Haus und dem meinen. Maeve war schon seit einigen Jahren dort, und für Eileen begann es jetzt auch. Morgens ging Sheilas Kindermädchen mit den drei Kindern zur Schule, sie nahm einen kleinen Postkarren mit, in dem Rory gefahren werden sollte, wenn er müde wurde. Aber Rory gab nicht gerne zu, daß er müde war. Er war klein, dunkel und stämmig, hatte dichtes, widerspenstiges schwarzes

Haar und die dunklen blaugrauen Augen, die wie rauchgeschwärzt in gewissen irischen Gesichtern stehen. Er strahlte und lachte den ganzen Tag, aber in seinem viereckigen Kinn und der dicken Nase lag eine drollige Kampflust. Er sah aus wie ein Junge, der einmal Boxer wird. Maeves Benennung für ihn hatte sich unterdessen zu Dickmatz ausgewachsen.

Das Kindermädchen gab die beiden kleinen Mädchen bei Fräulein Bussel ab und brachte dann Rory nach Zweibuchen. Sie nahm ihn später wieder mit, wenn sie die Mädchen von der Schule abholte, und nachmittags kam er noch mal.

Wenn Rory kommen sollte, stand Oliver immer auf Zehenspitzen auf der niedrigen Gartenmauer und spähte über das Gitter, das sich darauf erhob. Verspätete er sich einmal, so zappelte er vor Ungeduld, und wie der Wind war er an der Pforte, sobald sein Freund in Sicht kam. Morgen für Morgen sah ich die beiden von meinem Fenster aus hereinrennen und atemlos auf dem Rasen haltmachen. „Jetzt!" schrien sie dann. Sie sahen aus wie ein Windspiel und ein Terrier, die miteinander spielen wollten.

Sie wußten, daß Krieg war. Wochenlang spielten sie Briten und Buren und knallten mit Kinderpistolen aus dem Hinterhalt der Buchenstämme aufeinander los. Oliver wollte immer nur Engländer sein, und tagelang mußte sich Rory damit begnügen, Bure zu sein.

Oliver und ich waren jetzt so weit, daß wir jeden Abend ein Gespräch miteinander hatten. Der Ritus war festgelegt: zuerst das Bad, dann das Gebet unter Nellies Leitung, ein Märchen von Andersen, das ich vorlas, und dann kam: „Wir wollen noch ein bißchen zusammen reden." Oliver hopste auf seinen vier Buchstaben im Bett herum, wenn er diesen feststehenden Satz hersagte. Solche Unterhaltungen machten ihm Spaß.

„Heute wollen wir über die Buren reden", sagte er eines Abends.

„Was sind eigentlich Buren? Sind das Menschen?"

Er sah mich ängstlich aus seinen Kinderaugen an, als erwartete er zu hören, es seien sagenhafte Ungetüme, wie er sie aus seinen Märchen kannte. Ich unterhielt mich mit ihm immer genauso ernst wie mit einem Erwachsenen und sagte deshalb: „Ja, Oliver, die Buren sind ebensogut Menschen wie Onkel Dermot und ich. Vielleicht sogar tapferer als ich."

„Warum kämpfen wir denn mit den Buren?“

„Weil wir habgierig sind. Sie haben was, was wir ihnen gern wegnehmen möchten.“

Er sah mich noch immer mit großen Augen an, als wollte er mich ermuntern, meine unerwartete Begründung weiter auszuspinnen. „Siehst du“, sagte ich, „die Buren sind einfache holländische Bauern. Sie sind in das Land gezogen, in dem sie jetzt wohnen, weil es ein gutes Land für Bauern war, und dagegen hatten wir gar nichts. Dann stellte sich aber heraus, daß es in dem Lande viel Gold und Diamanten gab, und die habgierigen Engländer wollten das Gold und die Diamanten für sich haben. Sie fingen deshalb Streit mit den Buren an, um einen Vorwand zu finden, ihnen ihr Land wegzunehmen. Die Buren aber sind tapfere Männer und versuchen, ihr Land für sich zu behalten.“

Oliver sagte noch im Einschlafen vor sich hin: „Die Buren sind tapfere Männer“, und am nächsten Tag, als Rory, der so lange geduldig Bure gewesen war, das Spiel begann, fuhr Oliver dazwischen: „Du bist Engländer. Ich bin Bure.“

Plötzlich stand der stämmige kleine Rory mitten auf dem Rasen still. „Ich bin kein verdammter Engländer“, erklärte er. „Ich bin ein Ire.“

Er blickte Oliver wütend ins Gesicht. Dann faßten sie die Kinderpistolen mit ihren heißen Händen und traten einander entgegen. Auf einmal gab Rory Feuer, das „Hütchen“ knallte Oliver ins Gesicht. Gehorsam der Spielregel, daß der gewinne, dessen Schuß zuerst treffe, fiel Oliver tot hin. Rory setzte ihm den Fuß auf die Brust und machte ein grimmiges Gesicht dazu. „Verdammter Engländer!“ sagte er.

Ich schloß daraus, daß Dermot Rorys Erziehung schon begonnen hatte.

12

Von der Wilmslowallee zweigte kurz vor Zweibuchen ein Landweg nach rechts ab. Ich sagte es schon. Damals war es sehr hübsch dort. Zur Linken ragte die hohe Gartenmauer eines Landhauses, deren roter Backstein von den herabhängenden Buchenzweigen verdeckt wurde, zur Rechten sah man durch einen Park auf ein schönes, weiß verputztes Haus, und am Ende des Landweges begannen die Wiesen. Dort floß der Mersey in vielen Windungen und Krümmungen zwischen den hohen Deichen, die die

Felder vor Überschwemmungen schützen sollten, und von dort aus konnte ich auch die rote Sandsteinkirche sehen, in der mein Wohltäter, Herr Oliver, vor langer Zeit gepredigt hatte.

Wenn ich die Jahre zusammenzählte, war es eigentlich noch gar nicht so lange her. Ging ich aber die Wiesen hinunter, um mit Oliver Fußball zu spielen, schien eine Ewigkeit darüber hingegangen zu sein, seit ein zwölfjähriger Junge die Schlafkammer auf Herrn Olivers Boden bezog und lesen und schreiben lernte. Ein Junge, dessen Leben so ganz anders war als das Olivers! Dieser Vergleich erfüllte mich immer mit tiefer Befriedigung. Ich sah zu dem kleinen Hügel hinüber, auf dem die Kirche stand, und mußte an mich halten, um Oliver nicht zu packen und ihm zuzurufen: „Alles sollst du haben! Alles!"; weil ich ja dies alles durch Oliver mir selber schenkte.

Da war die Sache mit den Fußballstiefeln – im Winter nach Olivers sechstem Geburtstag. Er begann schon allein herumzustrolchen und machte kleine Ausflüge die Landstraße hinunter und wieder zurück. Eines Tages kam er nach Hause und erzählte uns, beim Schuster stünden Fußballstiefel, und das kleinste Paar würde ihm passen.

„Was willst du mit Fußballstiefeln?" fragte Nellie. „Zum Fußball kannst du deine ältesten Schuhe anziehen und sie auftragen."

Nellie konnte nie begreifen, daß es nicht notwendig war, alles aufzutragen. Sie sah nicht gern, wenn ein Kleidungsstück abgelegt wurde, bevor es ganz abgerissen war, und bei Stiefeln und Schuhen mußten sich erst die Sohlen vom Oberleder lösen.

„Ich will aber richtige Fußballstiefel haben", bockte Oliver. „Ohne richtige Fußballstiefel kann ich auch nicht richtig Fußball spielen!"

„Du hast schon viel zuviel, Junge, daher kommt es", sagte Nellie streng. „Es wäre besser für dich, wenn du mal etwas nicht hättest. Überlege dir doch nur, wie viele Jungen es in der Welt gibt, die nicht annähernd soviel haben wie du."

„Aber wenn Pappi es mir doch kaufen kann, warum nicht?"

„Gut. Aber du wirst dich noch umsehen, wenn du dein Geld erst einmal selber verdienen mußt."

Nellie liebte den Jungen leidenschaftlich, und dies um so mehr, weil sie nicht verstehen konnte, daß etwas so Schönes von ihr und mir abstammen sollte. Aber Liebe bedeutete ihr zugleich hartes Pflichtbewußtsein. Sie hatte eine puritanische Scheu vor der Freude und war seit langem davon überzeugt, daß ich einen schlechten Einfluß auf Oliver ausübte. Was ich einmal über ihn entschieden hatte, stellte sie nie in Frage. Auch das gehörte zu ihrer Weltanschauung. Ich war das Haupt der Familie, mein Wort war Gesetz. Aber bevor das Gesetz verkündet wurde, versuchte sie doch ein Wörtchen mitzureden.

Oliver warf mir einen niedergeschlagenen Blick über den Tisch zu, und diesmal war ich tatsächlich geneigt, seiner Mutter recht zu geben. Das stand außer Frage: er hielt es mehr und mehr für selbstverständlich, daß er sich nur etwas zu wünschen brauchte, um es auch schon in der Tasche zu haben. Ich machte also ein strenges Gesicht und sagte: „Ich habe als Junge keine Fußballstiefel gehabt."

Und gerade dieses Wort wurde mir zum Verhängnis. Ich dachte daran, wie ich als Junge Fußball gespielt hatte: wir malten die Torpfähle in Hulme an die Quermauer am Ende einer Sackgasse, als Ball hatten wir ein fest zusammengeknülltes Bündel Packpapier, die Spieler waren ein paar blasse Straßenjungen, und zum Schluß setzte es meistens Ohrfeigen von unseren Vätern, weil wir unsere Stiefel zuschanden gespielt hatten. Oh, was hätten wir damals für ein Spielfeld, einen Fußball und ein Paar eigene Fußballstiefel gegeben!

Da sagte Oliver, als hätte der Teufel selbst ihm die Worte eingegeben: „Wenn du als Junge keine hattest, warum schaffst du dir nicht jetzt welche an?" Die Vorstellung von mir selbst in Fußballstiefeln und als Olivers Mitspieler bezauberte mich. Und einige Stunden später rannten wir in herrlichen Stiefeln den Weg zu den Merseywiesen hinunter, trieben den Ball vor uns her, spielten ihn uns über die Straße zu und freuten uns darüber, wenn er von der roten Backsteinmauer zurückprallte, über die die Buchen ihre winterlichen Äste reckten.

Das Spiel auf der Wiese war einfach. Unsere Mäntel wurden als Torpfähle hingelegt, und als Torwächter wechselten wir uns ab. Ein paar Jungens kamen hinzu und spielten mit. Wenn ein Junge Torwächter war, rückten wir die Mäntel enger zusammen, wenn ich an die Reihe kam, wurde der Zwischenraum erweitert. Es war ein großartiger Nachmittag. Ich schrie mit den Jungens und war genauso bei der Sache wie sie, und als es dunkelte und die Abendluft kühl wurde, zogen Oliver und ich unsere Mäntel an und gingen Hand in Hand den Weg unter den finsteren Bäumen hinauf; und zu Hause würde die Lampe brennen und der Kamin flackern, und es würde Tee und Brötchen geben, und nichts auf der ganzen Welt schien so verrückt wie die Vorstellung, der Junge dürfe nicht alles haben, was er wolle.

Und wer wäre nicht entzückt gewesen, für Oliver etwas tun zu können? Er hatte eine freundliche Art, mit der er jedes Herz gewann. Unsere vertrauten Zwiegespräche währten täglich länger. Anstatt ihm im Bett vorzulesen, ließ ich ihn jetzt jeden Nachmittag nach dem Tee in mein Arbeitszimmer kommen und behielt ihn dort, bis er um halb sieben ins Bett mußte. Wir verbrachten die Zeit, wie es gerade kam. Manchmal unterhielten wir uns, oder ich las ihm vor, manchmal las er auch selber oder zeichnete, oder er wälzte sich auf dem Teppich, während ich las. Er zeichnete sehr gut, und ich sorgte dafür, daß immer reichlich Papier und Bleistifte vorhanden waren.

Inzwischen hatte er auch sein eigenes Zimmer bekommen. Es war unser zweiter Vorstoß, der Einrichtung des alten Moscrop zu entfliehen. Olivers Zimmer war sehr einfach. Sein Schlafsofa, ein Bücherbord für seine Lieblingsbücher, ein Lehnstuhl, in dem er sich einrollen konnte, und ein kleiner Tisch mit einem Stuhl davor, das war alles. Nellie fand es kahl und ungemütlich. Sie wollte die Wände mit Bildern pflastern, aber ich blieb hart, denn ich wußte, was für Bilder da drohten.

An jenem Abend nach unserem Fußballspiel war Oliver gerade zum Schwatzen aufgelegt. Er strich an den Bücherborden entlang, griff auf gut Glück ein Buch heraus und suchte darin nach einem unbekannten Wort. Das tat er öfter, und es gehörte damals zu unseren Lieblingsspielen. Endlose Unterhaltungen, für die er noch immer schwärmte, begannen mit einem solchen Wort. Ich zündete mir die Pfeife an und wartete. Er nahm sich das Buch mit auf den Läufer vorm Kamin und legte sich der Länge nach zu meinen Füßen, mit dem Kopf zum Feuer: „Begehrlichkeit“, verkündete er schließlich und stolperte über die Aussprache. „Was heißt Begehrlichkeit?“

„Es bedeutet, wenn einer etwas haben will, was ihm nicht gehört.“

„Wie die Engländer, die das Gold und die Diamanten haben wollten, die den Buren gehörten?“

„Ganz recht“, sagte ich. „Das ist ein gutes Beispiel.“

„Ist Begehrlichkeit Unrecht?“ fragte er und verfing sich wieder in den vielen Silben.

„Ja, es ist damit wie mit den meisten anderen Dingen, Junge. Wenn sie dir über den Kopf wächst, wenn du sogar stiehlst, um das zu bekommen, was du begehrst, dann ist es Unrecht. Das siehst du ein, nicht wahr?“

Er nickte ernsthaft, und ich fuhr fort: „Aber du kannst dir auch sagen: Ich will das lieber nicht haben, weil ich unrecht tun müßte, um es zu bekommen. – Damit wirfst du deine Begehrlichkeit zur Tür hinaus.“

„Aber den Krieg haben wir trotzdem gewonnen“, sagte er. „Du sagst, es sei unrecht von uns gewesen, den Buren ihr Gold und ihre Diamanten zu stehlen, aber den Krieg haben wir gewonnen. Man kann also unrecht tun und dabei gewinnen?“

Ich erschrak und antwortete etwas bedrückt: „Eine Zeitlang kann es gut gehen, aber auf die Dauer ist unrecht tun ein schlechtes Geschäft.“

„Hm . . . wie lange geht es gut? Bekommen wir jetzt das Gold und die Diamanten?“

„Ja, das hängt davon ab, was du unter ‚wir‘ verstehst. Einige Herrschaften mit sonderbar hochtönenden Namen bekommen sie allerdings. Wir übrigen aber müssen für unseren Tabak und andere Dinge mehr Geld bezahlen als früher, um die Kriegskosten zu decken.“

Nun wollte er wieder wissen, wieso man einen Krieg mit Tabak bezahlen könne. So verliefen unsere Unterhaltungen meistens, wir kamen vom Hundertsten ins Tausendste. Ich versuchte ihm noch einen Begriff davon zu geben, daß alles, was ein Land ausgibt, seinen Bewohnern aus der Tasche gezogen werden müsse; dann wurden wir unterbrochen. Es wurde laut an die Tür getrommelt, und Dermots Stimme erscholl: „Darf ich hineinkommen, Bill?“

Rory war auch dabei und schoß mit dem Ruf ins Zimmer: „Wo ist die ‚Kuckucksuhr‘? Ich will die ‚Kuckucksuhr‘!“

„Du willst wohl den Hintern voll haben?“ sagte Dermot und sträubte aus Spaß zornig den roten Bart. „Bricht man so in ein Herrenzimmer ein? Sag Onkel Bill und Oliver guten Abend.“

„Ich habe die ‚Kuckucksuhr‘ gestern hier liegenlassen.“

„Was ist denn eigentlich die ‚Kuckucksuhr‘?“ fragte ich.

„Hol’ dich der Teufel“, sagte Dermot. „Du nennst dich Schriftsteller und hast noch nichts von der ‚Kuckucksuhr‘ gehört? Sagt dir der Name Molesworth denn gar nichts?“

„Ich bin als Kind mit den Klassikern großgezogen worden", sagte ich.

„Die ‚Kuckucksuhr' gehört auch zu den klassischen Werken", antwortete Dermot, „und nun rück sie 'raus, das Kind läßt mir keine Ruhe, bis ich sie ihm zu Ende vorgelesen habe."

„Rory hat sie mit nach Hause genommen", erklärte Oliver.

„Nein", sagte Rory, „wir haben in deinem Zimmer darin gelesen, und dort habe ich sie gestern liegenlassen."

„Du hast sie mit nach Hause genommen", wiederholte Oliver.

„Das hat er nicht getan, mein Hähnchen", sagte Dermot, „oder er müßte sie auf dem Weg verloren haben. Ich war nämlich zu Hause, als er kam, und er hatte kein Buch bei sich."

Oliver sah Dermot offen ins Auge. „Wir können ja mal in meinem Zimmer nachsehen", sagte er.

Die „Kuckucksuhr" lag weder auf dem Tisch noch auf dem Fußboden. „Auf dem Bücherbord steht sie auch nicht", sagte Oliver. „Du hast sie mitgenommen, Rory, ich weiß es genau."

Wir überflogen die Bücher auf dem Bord. Die „Kuckucksuhr" war nicht darunter, aber da stand ein Buch, das ich noch nicht gesehen hatte, und ich kannte doch jedes Buch in der kleinen Bibliothek, die ich selbst zusammengestellt hatte. Das Buch, an dem mein Blick hängenblieb, war in braunes Papier eingeschlagen, und auf seinem Rücken stand in prachtvollen Wasserfarben „Abenteuer" geschrieben. Weiter nichts.

Ich zog das Buch heraus. „Das ist ja neu", sagte ich. „Woher hast du das, Oliver?"

Er sprang zu und wollte mir das Buch wegreißen. Überrascht von seinem jähen Ungestüm hielt ich ihn mit der einen Hand zurück. „Halt – Ruhe!" sagte ich und begann darin zu blättern. Da wich alle Farbe aus seinem Gesicht, und er blieb wie erstarrt stehen. Ich fühlte plötzlich, wie mein Herz zu klopfen begann, und ich möchte wissen, ob ich ebenso blaß geworden bin wie er. „Die Kuckucksuhr" las ich über jeder Seite, als meine Augen darüber hinflogen. „Kuckucksuhr"! „Kuckucksuhr"! Lügner! Dieb! Oliver!

„Das scheint gut zu sein", sagte ich. „Das lesen wir zusammen durch. Du mußt dich irren, Dermot. Weißt du gewiß, daß du das Buch nicht verloren hast, Rory?"

Rory wurde unsicher. „Vielleicht doch", sagte er.

Die Farbe strömte in Olivers Gesicht zurück. „Du mußt es verloren haben!“ schrie er, und zum erstenmal im Leben hätte ich ihn schlagen können.

Dermot nahm Rory mit aus dem Zimmer. Im Nu riß ich das Papier von dem Buch, stopfte es hinter das Bücherbrett, warf das Buch auf Olivers Lehnstuhl und legte ein Kissen darüber. Dann rief ich: „Halt, Dermot – noch einen Augenblick!“ Als er mit Rory wieder hereinkam, zog ich das Kissen fort. Rorys Gesicht schrumpfte zu seinem häßlichen Grinsen zusammen, das doch so anziehend wirkte. „Ich wußte es ja“, sagte er und zog glücklich mit seinem Schatz davon.

Ich wußte nicht, was ich tun sollte. Eine Weile sah ich Oliver an, und er gab mir meinen Blick gerade zurück und zuckte nicht mit der Wimper. Dann lächelte er: sein schönes, siegesgewisses Lächeln, dem ich nie hatte widerstehen können. Ich erwiderte es nicht. Ich schüttelte langsam den Kopf und ging über den Treppenflur in mein eigenes Zimmer, schloß die Tür und setzte mich an den Kamin.

Ich hatte ebensooft gelogen wie andere Menschen, aber ich war entsetzt über die unbefangene, gewinnende Anmut, mit der Oliver gelogen hatte.

Stehlen? Ich kramte in meinem Gedächtnis und konnte ehrlich vor mir selbst behaupten, daß ich, soweit ich mich besinnen konnte, nie etwas gestohlen hatte. Aber wäre ich der betrügerische Ananias selbst gewesen und ein gewerbsmäßiger Taschendieb dazu, ich hätte in jenem Augenblick dennoch das Gefühl gehabt, als sei eine Planke aus dem Boden meines Lebens herausgebrochen und als hätte ich einen Blick in den Abgrund getan, der sich darunter auftat. Es genügte mir ja nicht, daß Oliver nur gerade so gut oder so schlecht war wie ich. Er mußte einfach besser sein. Er war doch nicht allein er selbst, er war ich, und er sollte dort anfangen, wo ich selbst stehengeblieben war. Dies Bewußtsein lag allem, was ich mit dem Kind im Sinne hatte, zugrunde. Und plötzlich fühlte ich mich in dem, woran ich am festesten glaubte, auf das fürchterlichste verraten.

Ich ging über den Treppenflur zurück in sein Zimmer. Eine Lampe hing vom Haken an der Decke herunter. Es mußte jemand dagewesen sein und sie angesteckt haben. Oliver saß darunter in seinen Lehnstuhl gekauert und las. Das Licht fiel auf sein helles Haar und die weiche, kindliche

Rundung seiner Wange. Er legte das aufgeschlagene Buch umgekehrt auf seine Knie und lächelte mich an. Es war ein Lächeln, so bar jeden Schuldbewußtseins, daß ich an mir selbst irre wurde und mir wie genarrt vorkam. Ich setzte mich auf den Läufer vor dem Kamin.

„Oliver", sagte ich, „warum hast du Rorys Buch gestohlen?"

„Gestohlen habe ich es nicht."

„Aber es stand doch da – auf deinem Bücherbord. Du hast es doch dorthin gestellt?"

„Ja."

„Und in Papier eingeschlagen und ‚Abenteuer' draufgeschrieben, damit Rory sein Buch nicht erkennen sollte."

„Ja."

„Und hast gesagt, daß Rory es mit nach Hause genommen habe, obwohl du wußtest, daß es nicht so war. Das war doch wohl gelogen, wie?"

„Ja, das war gelogen. Aber gestohlen habe ich das Buch nicht."

„Wenn das nicht stehlen ist, was nennst du dann stehlen?"

Er glitt vom Stuhl herunter, kam heran und hockte sich auf den Kaminläufer neben mich. „Verstehst du das nicht?" fragte er offenherzig. „Ich nahm es doch, weil es Rory gehörte. Ich hab' Rory lieb, und ich wollte etwas von Rory haben. Rory liebt die ‚Kuckucksuhr', und deshalb wollte ich sie behalten."

Das Wasser rauschte im Badezimmer, und Nellie kam herein. „Oliver, zu Bett!" sagte sie und blieb wartend an der offenen Tür stehen. Sie sah aus wie eine besorgte Wärterin. Er sprang auf und lief eiliger als sonst zu ihr. Ich sagte nichts mehr, aber ich blieb noch eine Weile sitzen und starrte ins Feuer. Ich fühlte mich seltsam erleichtert. Er hatte mir seine Aufklärung so unbefangen gegeben, daß ich sie ohne Vorbehalt annahm. Das Kind konnte einen so ungewöhnlichen Beweggrund nicht erfunden haben. Er hatte unrecht getan, gewiß, aber in dem, was ihn dazu bewogen hatte, begann ich jetzt doch einiges zu sehen, was nicht so völlig verworfen war. Je länger ich darüber nachdachte, um so mehr kam ich zu der Überzeugung, daß nur einer, der über dem landläufigen Durchschnitt stand, und gerade er am meisten, in Gefahr geraten konnte, sich durch die Reinheit seiner Gefühle ins Unrecht zu setzen. Aber ich konnte doch nicht leugnen, daß es mir einen Stoß gegeben hatte. Ich mußte schärfer auf Oliver achtgeben.

Ich war noch im Zimmer, als er zu Bett gebracht wurde. Seitdem wir die Nachmittagsstunden für uns hatten, las ich ihm abends nicht mehr vor. Die einzige Formalität beim Zubettgehen war jetzt das Nachtgebet; für mich leider nur Formalität; aber ich kniete an der einen Seite des Bettes nieder wie Nellie an der anderen. Alle drei sangen wir zusammen die erste Strophe des Kindergebetes:

„Lieber Jesu, mild und lind,
Blicke auf ein kleines Kind.“

Dann sagten wir leise das Vaterunser und noch ein selbstgemachtes Gebet, das wohl jedes Kind lernt und worin es Gott bittet, alle Menschen zu segnen, die es kennt. Darauf verließ Nellie leise das Zimmer. Ich rollte den Kaminvorleger zusammen, überzeugte mich, ob der Funkenfänger an seinem Platz stand, öffnete das Fenster und blies das Licht aus. Als dann nur noch ein matter Feuerschein das Zimmer erhellte, kniete ich am Bett nieder und gab ihm den Gutenachtkuß. Seine Haut war warm und duftete köstlich.

„Du glaubst doch, was ich gesagt habe, nicht wahr?“ fragte er.

„Ja, mein Junge.“

„Dann ist alles gut.“

Er atmete tief auf, als käme es ihm von allem in der Welt allein auf meine gute Meinung an, und drehte sich zur Wand.

13

Maeve schleppte einen Stuhl aus dem Haus in die Mitte des Rasens. Das schwarze Haar mit dem feinen bläulichen Schimmer fiel ihr in wirren Wellen über die Schulter. Ihre Haut war weiß wie Alabaster. Farbe hatte das Kind nie, Schwarz und Weiß standen unvermittelt nebeneinander, nur ihre Augen waren von einem dunklen, tiefen Blau und ihre Lippen rot wie Korallen. Wangen und Stirn hatten auch nicht die leiseste Tönung. Vom Fenster aus beobachtete ich sie in ihrer wilden, ungebändigten Anmut: die zarte Lieblichkeit ihrer Beine, die fließende Bewegung ihrer Arme mit den wohlgeformten, aber schmutzigen Händen.

Sie setzte sich auf den Stuhl, schnappte sich die pausbäckige kleine Eileen und schubste sie hinter sich. „Nimm deinen Schild!" befahl sie, und Eileen nahm gehorsam einen großen Kochtopfdeckel vom Boden auf und hielt ihn linkisch vor die Brust. Maeve sprang vom Stuhl auf und sah sich die kleine Schwester an. „Heiliger Michael!" rief sie. „Du siehst ja aus wie eine Blutwurst. Gib mir den Schild." Eileen gab willig den Deckel her, und in Maeves Hand wurde er sofort zu einem Schild. „Siehst du, so!" sagte sie. „Denke dran, daß du die Schildträgerin der schönsten Frau von Irland bist."

Sie setzte sich wieder, strich sich das Kleid glatt, warf den Kopf zurück und hielt sich wie eine Königin. „Hauptmann der Leibwache!" rief sie. „Meinen Speer mit der ehernen Spitze!"

Rory sprang vor, verneigte sich tief und reichte ihr ein langes Schilfrohr. Nellie hatte – Gott weiß warum – ein Bündel in einem Porzellankrug in der Halle stehen. Maeve nahm das Rohr und hielt es vor sich wie eine Königin ihr Zepter. „Stelle dich zu meiner Linken, Fergus MacRoy!" befahl sie Rory. Oliver aber winkte sie gelassen mit der schmalen weißen Hand und sagte: „Und du, Gemahl, stelle dich zu meiner Rechten."

Sitzend war Maeve ebenso groß wie Eileen und Rory. Oliver aber zu ihrer Rechten überragte sie alle. Die sommerliche Nachmittagssonne schien auf die kleine Gruppe: auf das rote Kleid der Königin Maeve, die von Kind an wußte, welche Farben ihr standen, auf das zerknüllte grüne der schwerfälligen und ernsthaften Eileen, auf Rory, der stramm und stämmig zur Linken Maeves stand und mit seinen ehrlichen Augen tiefernst unter der niederen breiten Stirn und dem wirren Schopf hervorschaute, und auf Oliver, der das Spiel nicht ganz ernst nahm, etwas geringschätzig auf die anderen herabsah und den hübschen Lockenkopf auf dem schlanken Hals ein wenig zur Königin Maeve herabneigte.

„Jetzt kommt also die Geschichte", sagte Maeve, „und wenn ihr wollt, könnt ihr es bei Standish O'Grady nachlesen."

„Ich kenne sie schon", fiel Rory dazwischen. „Ich habe jedes Wort von Standish O'Grady gelesen."

„Das kann ich mir denken", sagte Maeve, „wenn Vater dich zu jeder Tages- und Nachtzeit damit vollpfropft. Aber das ist kein Grund, Fergus MacRoy, Hauptmann der Leibwache, deine Königin zu unterbrechen. Also hört zu: ‚Königin Maeve beschied alle ihre Hauptleute, Räte und tributpflichtigen Könige zu sich nach Rath-Cruhane. Sie kamen ohne Säumen, wie es ihnen befohlen war. Als sie alle versammelt waren, sprach Maeve zu ihnen, hoch von ihrem Thron mit dem Baldachin aus glänzendem Erz.‘“

Oliver warf einen überlegenen Blick in die leere Luft über Maeves Kopf, während Rory unbewegt vor sich hin blickte. Maeve ließ sich nicht stören und fuhr mit dem vollen Schmelz ihrer Stimme fort, der ich den ganzen Tag hätte zuhören können: „‚Sie war eine hochgewachsene Frau und schön anzusehen. Ihre Haut glänzte weiß wie Schnee, ihre Augen waren groß und voll, von blaugrauer Farbe, und ihr Haar dicht und lang und von einem leuchtenden Gelb.‘“

Sie warf einen spöttischen Blick auf Oliver, als ob sie ihn herausfordern wollte, sich dazu zu äußern. Oliver erwiderte mit einem Lächeln, das sie geflissentlich übersah. „‚Von einem leuchtenden Gelb‘“, wiederholte sie. „‚Ein Diadem aus lauterem Gold umschloß ihr Haupt und ein Reif aus Gold ihren weißen Hals.‘“

„Was ist das, Reif?“ fragte Eileen.

„Herrgott noch mal“, herrschte Maeve sie an, „was kann ein Reif nach allem, was ich sage, anderes sein als ein Ding, das man um den Hals trägt?“

Eileen senkte zerknirscht den Kopf. Rory drehte sich um und bedachte sie mit seinem verkniffenen Lächeln, mit dem er sonst so sparsam umging. Dann sagte er: „Wenn wir es nicht verstehen, wollen wir wenigstens den Mund halten. Man muß es eben fühlen.“

„‚Ihr Mantel aus feinster scharlachroter Seide‘“, fuhr Maeve fort und sah wohlgefällig an ihrem roten Kleid hinunter, „‚wurde über ihrem vollen Busen von dem Hoheitszeichen der hehren Herrscher von Connaught zusammengehalten. In ihrer Rechten‘“ – sie schüttelte das Schilfrohr – „‚trug sie einen langen Speer mit breiter Spitze aus glänzendem Erz. Ihr Schildträger stand hinter dem Thron. Zu ihrer Rechten stand ihr Gemahl, zur Linken Fergus MacRoy, Hauptmann der Leibwache. Ihre Stimme klang voll, wenn sie sprach, klar und melodisch und scholl durch die weite Halle . . .‘“

„Sie sprach“, schrie Rory plötzlich aufgeregt, „‚euch allen ist bekannt, daß in ganz Banba und auf der ganzen Welt keine trefflichere Frau lebt als ich selbst.‘“

Maeve sprang auf und warf das Schilfrohr zu Boden. „Und wenn du es zehnmal auswendig kannst!“ schrie sie,

„ist das ein Grund, dazwischenzufahren und alles zu verderben? Du sagst das bloß auf, aber ich will es aufführen. Siehst du denn nicht, daß es alberner Quatsch ist, wenn es nicht aufgeführt wird? Ich wollte euch allen eure Rollen geben."

Rory wurde blaß und ballte die Fäuste. „Was meinst du mit Quatsch?" fragte er und schob seinen kleinen Rundschädel so nahe an Maeves Gesicht, wie er konnte. „Es ist Dichtung. Frag Vater. Es stammt aus der Zeit, als Irland noch das Land der Heiligen und Gelehrten war. Nenne das nicht noch einmal Quatsch!"

„Du hast mir die ganze Aufführung verdorben", gab Maeve zurück.

„Und wennschon! Du willst immer nur Theater spielen."

„Das will ich auch, und das wird auch immer so bleiben."

Sie funkelten sich feindselig an, Rory beide Fäuste in die Seiten gestemmt und Maeve hochaufgerichtet, blaß und hochmütig. Eileen stand ratlos daneben und hielt den Kochtopfdeckel krampfhaft fest. Oliver blieb unbeteiligt und hob sachlich das Schilfrohr vom Boden auf.

Langsam glitt ein Lächeln über Maeves Gesicht, und bei diesem Anblick lösten sich Rorys Hände. „Selbstverständlich muß ich immer Theater spielen", sagte Maeve, „und wer möchte das nicht bei einer so schönen Dichtung!" Damit hüpfte sie lustig unter den Buchen herum.

„Es ist Dichtung, nicht wahr?" fragte Rory.

„Natürlich ist es Dichtung, du kleiner Patriotenmatz", antwortete Maeve. „Wie könnte es nicht Dichtung sein, wenn es von einer schönen Frau namens Maeve handelt?"

Ich sah die Kinder jetzt nicht mehr so oft, weil sie inzwischen alle zu Fräulein Bussell in die Schule gekommen waren. Dies aber hatte sich an einem Samstagnachmittag begeben, und Samstag nachmittags waren sie meist in Zweibuchen, weil unser Garten zum Spielen geeigneter war als Dermots. Maeve suchte sie damals immer zum Theaterspielen zu überreden, sie war förmlich theatertoll. Wenn sie allein war, probierte sie Stellungen und Gebärden. Spielte sie aber mit den anderen, so endete es meistens mit einem dummen Streit wie diesmal.

Dermots Kinder blieben zum Tee, dann machten sich Rory und Eileen auf den Heimweg. „Paß auf den Matz auf und gib acht übern Fahrdamm", sagte Maeve in dem überlegenen Ton der Erwachsenen zu Eileen. Sie gab sich große Mühe, sich zusammenzunehmen, aber ich merkte ihr an, daß sie innerlich vor Aufregung zitterte, denn sie sollte am Abend mit mir ins Palasttheater gehen.

„Ich passe auf den Matz auf", verkündete Oliver plötzlich. „Ich geh' mit."

„Und wer paßt auf dich auf, wenn du zurückkommst?" fragte Nellie draußen vor dem Haus. „Ich glaube, ich gehe besser mit, dann können wir beide zusammen nach Hause gehen."

Oliver wurde dunkelrot. „Ich bin groß genug, um auf meine Freunde achtzugeben", sagte er.

„Aber Rory ist doch ebenso alt wie du", beharrte Nellie eigensinnig. Ich konnte förmlich sehen, wie sich die Antwort in Olivers Mund formte, bevor er sie aussprach. „Aber verstehst du denn das nicht? Ich sage doch nur, daß ich auf Rory aufpassen werde, weil ich noch mit ihm zusammen sein will."

Da stand er nun und wunderte sich über das Unverständnis der Erwachsenen, denen er alle seine Gedanken erst auseinandersetzen mußte.

„Meinetwegen", sagte Nellie, „aber nicht weiter als bis zur Abtei. Und nimm dich auf dem Rückweg in acht, wenn du über den Fahrdamm gehst."

„Als ob ich das nicht schon von selber täte", sagte Oliver, packte Rory am Arm und zog ihn rasch mit sich fort. Eileen mußte mühsam hinterherstapfen.

Sie waren noch nicht fort, da nahm Maeve meine Hand, preßte sie ungestüm, und alles Erwachsene fiel von ihr ab. „Ach, Onkel Bill! Es wird wunderbar. Wunderbar! Zum erstenmal ins Theater!"

Ich klopfte ihr auf die schlanke Hand. „Auch für mich wird es wunderbar", sagte ich. „Es ist das erste Mal, daß ich mit einer Dame ins Theater gehe. Weißt du das?"

„Nein!"

„Doch! Es wird ein großartiger Abend für uns beide. Aber ich wünschte, wir wären jetzt mitten im Winter."

„Warum wünschst du das?"

„Weil das die richtige Zeit für das Theater ist und weil wir vorher in einem Restaurant essen, und dazu paßt der Winter am besten. Weißt du, du kommst von den kalten, zugigen Straßen und trittst herein, und der Geruch von Suppe und Fisch und Braten und Kuchen und Gasflammen steigt dir lieblich in die Nase. Doch! Das ist im Winter noch netter."

„Wir gehen doch nicht etwa in ein Restaurant?“

„Doch, das tun wir!“

Sie war so aufgeregt, daß es ihr die Rede verschlug. Sie sah nur fragend an ihrem roten Kleid hinunter. „Das kannst du ruhig anbehalten“, sagte ich lächelnd. „Das paßt sehr gut. Ich werde nachher sehr stolz auf dich sein. Wenn wir jetzt in London wären, würde ich mir ein schönes weißes Hemd anziehen; aber in Manchester ist das nicht nötig, nicht einmal für die Loge, für die ich uns Plätze besorgt habe. Und nicht einmal für Henry Irving und Ellen Terry.“

Wir waren ins Haus gegangen und stiegen die Treppe zu meinem Arbeitszimmer hinauf. Maeve hing noch immer an meinem Arm.

„Ach, erzähle mir von ihnen“, sagte sie und preßte meinen Arm.

„Wozu soll ich dir noch von ihnen erzählen, wenn du sie in ein paar Stunden mit eigenen Augen siehst?“

„Dann erzähle mir etwas von dem Stück“, bettelte sie, als wir ins Zimmer traten.

„Hier ist jemand, der dir besser davon erzählen kann als ich“, sagte ich und zog Charles Lambs „Shakespeare-Erzählungen“ aus dem Regal. „Aber das wirst du schon gelesen haben.“

„Nein, das habe ich nicht“, sagte sie, nahm das Buch und warf sich mit ihrem biegsamen jungen Körper in einen Stuhl. „Zu Hause bekommen wir nur irisches Zeug zu lesen. Man kann unmöglich daran glauben. – Es ist immer alles herrlich oder alles furchtbar traurig. Wunderbare Geschichten von Cuculain und den Helden und jammervolle Geschichten von Patrioten und Hungersnot und schlechten Kartoffeln. Mir hängt es zum Halse heraus, aber Rory verschlingt es. Und dann ist soviel davon die Rede, daß man die Engländer hassen soll. Ich hasse dich aber nicht, Onkel Bill. Warum sollen wir denn die Engländer hassen?“

„Ich sehe keinen Sinn darin, irgend jemand zu hassen“, sagte ich ein wenig schulmeisterlich.

„Dann könntest du aber doch Vater bitten, uns zur Abwechslung einmal etwas anderes zu geben.“

„Ja, das steht nun wieder auf einem anderen Blatt. Lies das da, solange du Gelegenheit dazu hast.“

Maeve zog ihre langen Beine unter sich auf den Sessel und machte sich an den „Kaufmann von Venedig“. Ich stopfte mir die Pfeife, zog einen Stuhl ans offene Fenster und sah durch den langen Vorgarten auf die Buchen.

Es ist das erste Mal, daß ich mit einer Dame ins Theater gehe. – Unglaublich, aber es war so! Vor meiner Heirat hatte ich wenig Zeit fürs Theater. Ab und zu ging ich wohl mit Dermot hin, seltener mit dem alten O'Riorden, aber beide machten sich nicht viel daraus. Der alte Mann hatte lieber die Füße am Kamingitter und seinen Dickens auf dem Schoß, und Dermot verbrachte seinen Abend lieber bei Hobel, Stemmeisen und Hohlmeißel. Bald nach der Heirat kam dann die Zeit, in der ich härter arbeiten mußte als je zuvor und je nachher. Den ganzen Tag über arbeitete ich für die Schnellfix-AG., und nachts saß ich über meinen Büchern.

Dann kam plötzlich auf beiden Arbeitsgebieten der Erfolg. Die Schnellfix nahm nur noch wenig Zeit in Anspruch, und zum Schreiben brauchte ich nicht mehr als den Vormittag. Nachmittags ging ich spazieren, und mit den Abenden konnte ich anfangen, was ich wollte.

Damals suchte ich Nellie ganz bewußt in jene Dinge mit hineinzuziehen, die mir am Herzen lagen. Aber gerade daran wurde die Kluft zwischen uns beiden deutlich. Es mußte jetzt wohl drei Jahre her sein – etwas über drei Jahre, denn es war an einem Wintermorgen –, als ich beim Frühstück sagte: „Im Prinzentheater gibt es diese Woche eine gute Aufführung, Nellie. Wie wäre es, wenn wir hingingen? Wir könnten ja vorher irgendwo essen."

„Ich finde nicht", sagte sie. „Ich mag das Theater nicht."

„Aber du bist doch noch nie drin gewesen, soviel ich weiß."

„Nein, noch nie."

„Dann kannst du doch auch nicht wissen, ob es dir gefällt oder nicht."

„Ich finde es aber ungehörig."

Sie warf mir ihren leeren, eigensinnigen Blick zu, den ich so gut kannte und vor dem alles Reden umsonst war.

„Wir könnten ja auch einmal etwas anderes unternehmen, irgendwo gut essen und nachher ins Konzert gehen. Gegen Musik hast du doch wohl nichts, nicht wahr?"

„Ich sehe nicht ein, warum man sein Geld im Lokal verschwenden soll", sagte sie. „Es schmeckt nirgends so gut wie zu Hause, und es ist viermal so teuer."

„Aber das ist doch noch nicht Verschwendung", verteidigte ich mich. „Man zahlt nicht nur für das Essen, sondern für die Abwechslung, die Bedienung und das ganze Drum und Dran."

„Es ist mir schrecklich, vor allen Leuten zu essen, und ich hasse es, wenn die Kellner so um einen herumlungern."

Ich hatte Mühe, ruhig zu bleiben, aber es gelang mir. „Gut, aber wenn du einmal ins Konzert gehen willst, könnten wir ja hier etwas früher essen und dann direkt hingehen."

Sie schüttelte den Kopf, stand auf und begann das Frühstücksgeschirr abzuräumen, was sie nie dem Mädchen überließ. „Was soll ich denn dort?" fragte sie. „Ich verstehe nichts von Musik und habe da nichts verloren. Außerdem kann ich Oliver abends nicht allein lassen."

Ich wußte, dies war mein letzter Versuch mit Nellie, und ich mußte ihn bis zu Ende durchführen. Ich ging hinüber zum Kamin und stopfte mir meine Morgenpfeife. „Nellie", sagte ich, „bitte, laß das Geschirr einen Augenblick stehen und hör mich an."

Sie hörte auf zu klappern und setzte sich. „Was ist denn dabei, wenn Oliver abends mal allein bleibt?" fragte ich. „Wir sind sehr wohlhabende Leute und werden wohl mit der Zeit noch wohlhabender werden. Wenn wir wollten, könnten wir dieses Haus morgen aufgeben und in ein doppelt so großes ziehen. Dort hätten wir auch einen Raum für eine Erzieherin, die nichts zu tun hätte, als auf Oliver aufzupassen. Wie wäre das?"

Sie schüttelte langsam den Kopf.

„Aber warum denn nicht? Du hättest doch dann mehr Zeit für dich."

„Das will ich aber nicht!" brach sie los. „Ich will keine solche Person, die auf das Kind aufpaßt. Siehst du denn nicht, daß er schon viel zuviel hat? Begreifst du nicht, daß du ihn völlig verdirbst, wenn du ihm alles, was er sich wünscht, in den Schoß wirfst? Ich will selbst auf ihn aufpassen. Und es wird ihm nichts schaden, wenn er merkt, daß es noch jemand gibt, der ihm nicht nachläuft und ihn dauernd fragt, ob er dies haben will und ob er jenes haben möchte. Und ich will auch kein neues Haus. Das Haus hier habe ich auch nicht gewollt. Und ich wollte auch keine Dienstboten um mich. Ich war glücklich, wo ich war."

„Dienstboten?" Ich sah sie verblüfft an und runzelte die Stirn, denn ich dachte an das kleine Mädchen, das wir hatten; aber es war zwecklos. Hätte ich unsere letzten Groschen für Lakaien in Livree ausgegeben, vor Nellie konnte ich nicht verworfener dastehen als jetzt.

So kam es, daß ich nie mit einer Dame ins Theater gegangen war. – Und das gehört doch zu den Annehmlichkeiten des Lebens, die sich ein gebildeter Mensch öfter leisten muß, dachte ich mit bitterem Lächeln dort an meinem offenen Fenster. Ich hatte mich damit abgefunden. Nellie und ich mußten miteinander auskommen, so gut es eben ging. Schließlich hatte ich nie behauptet, daß ich sie liebte, und vorzuwerfen hatte ich ihr nichts, eher schon mir selber. Ich hatte ihr viel gegeben, aber ich sah immer klarer, daß sie nichts damit anfangen konnte. Sie war stur und eng, aber Lauterkeit und Offenheit bestimmten ihr Wesen. Jeder Überfluß war ihr zuwider, weil sie ihm mißtraute, und das war, wie ich jetzt glaube, nicht ganz unbegründet. Reichtum hatte einen schlechten Beigeschmack für sie, und ich bin nach und nach dahin gekommen, ihr recht zu geben.

So standen die Dinge. Wir lebten zusammen. Bis zuletzt teilten wir dasselbe Bett miteinander. Wir haben uns nie gezankt. Es hätte schlimmer sein können.

Ich blickte durch das Zimmer auf Maeves schwarzes Haar. Wie ein dunkler herabhängender Flügel verdeckte es ihr Gesicht, das ganz in den Streit zwischen Shylock und Antonio versunken war. Genauso schwarz und gesund hatte Daisy Morton ausgesehen. Ich hatte sie kurz nach jenem entscheidenden Gespräch mit Nellie getroffen. Sie mochte so Mitte Zwanzig sein, schön, reich mit einem großen Zug in sich, wie ich ihn bei Frauen selten gefunden habe. Ihr Wesen gab sich ganz frei, ohne jede Prüderie, was ungewöhnlich reizvoll wirkte. Sie gehörte nicht zu den Frauen, die bei einem Kuß sofort an Heirat denken. Ich habe sie nie geküßt, aber ich wußte, daß sie mein geworden wäre, wenn ich zugegriffen hätte.

Ich bin nie mit Daisy ins Theater gegangen, aber ich habe sie dort kennengelernt. Ich ging jetzt regelmäßig jeden Samstagabend hin, meist allein, zuweilen auch mit Dermot. Und Dermot stellte mich ihr vor. Sie war das einzige Kind eines Baumwollhändlers, der ihr nach seinem Tode sein ganzes Vermögen hinterlassen hatte. Dermot war draußen in Bowdon gewesen, um das Herrenhaus zu renovieren, in dem der alte Sir Anthony Morton den kostspieligen Schund eines halben Jahrhunderts zusammengetragen hatte. Daisy trug ihm unbedenklich auf, die überladenen Alma Tademas und Marcus Stones, die sich an den Wänden breitgemacht hatten, zu verkaufen, falls er einen Heller dafür bekäme, und mit den spinnwebzarten Nippes und den gewichtigen Prachtstücken reinen Tisch zu machen.

Als Dermot uns im Theater miteinander bekannt machte, horchte sie auf. Schriftsteller waren damals in Manchester noch nicht an der Tagesordnung – heute sind sie so zahlreich wie neuer Adel –, und mein Ruf reichte weit über Manchester hinaus.

Daisy kannte meine Bücher und konnte gescheit darüber reden. Sie hatte ein gesundes Urteil, und bald war sie überall da zu finden, wo ich auch war. Wir aßen einige Male zusammen im Restaurant, und ich ertappte mich dabei, daß ich mich sorgfältiger anzog.

Sie war so lebhaft und heiter und plauderte so anregend, daß ich, der ich außer Nellie und Sheila keine Frau näher kannte, nicht mehr von ihr los konnte. Oft träumte ich von einem ganz anderen Leben – mit Daisy als meiner Frau.

Ein paar Monate lang aß ich einmal in der Woche mit ihr zu Mittag – immer an dem Tag, an dem ich in die Stadt mußte, um nach der Schnellfix zu sehen. Und eines Tages, als wir uns nach dem Essen verabschiedeten, geschah es, daß sich unsere Hände nicht voneinander trennen konnten. Heiß strömte es von einem zum anderen, und als ich sie ansah, bemerkte ich zum erstenmal Glut und Farbe auf ihrem blassen Gesicht.

Sie sagte: „Herr O'Riorden ist jetzt fertig bei mir zu Hause. Kommen Sie doch einmal zu mir. Kommen Sie – jetzt gleich."

Ihre Stimme zitterte etwas, und nie in meinem Leben bin ich einer Sache sicherer gewesen wie der Bedeutung ihrer Worte. Ich hätte mitfahren können – und zwischen mir und Nellie wäre es für immer anders geworden. Ich bin nicht mitgefahren. Das war ich Nellie schuldig.

Ja, so standen die Dinge, und so stand es um uns beide.

Maeve klappte ihr Buch zu. „Es ist ein großes Schauspiel", flüsterte sie. „Komm", sagte ich munter. „Gleich ist die Droschke da, und ich gehe zu einer reizenden jungen Dame ins Theater."

Obwohl beide Fenster heruntergelassen waren, roch der alte vierrädrige Kasten doch nach muffigem Leder. Er hielt kaum noch zusammen. Es hätte dieselbe Droschke sein können, aus der mich das Gesicht meines Bruders vor vielen Jahren angeblickt hatte, als er die Leiche meiner Mutter zu Grabe geleitete. An jenem Abend war ich zu

Moscrops gekommen und hatte den Raufbold niedergeschlagen, der Nellie geängstigt hatte. Es hatte sich überhaupt viel an jenem Abend angesponnen. Mißvergnügt zog ich die muffige Luft ein.

Trotz des schönen Sommerabends aber und all dem anderen, das so gar nicht zum Theater paßte, war Maeve in ihrem Element. Ohne Hut saß sie in ihrem roten Kleid zurückgelehnt im Wagen, das schwarze Haar über den Schultern, und ließ die Bäume der Fallowfielder Gärten langsam an sich vorüberrauschen. Die Hände zitterten ihr vor Aufregung, und sie hielt sie krampfhaft im Schoß gefaltet. Aber ihre Stimme klang ruhig: „Komisch, Onkel Bill, ich weiß schon, wie schön es heute abend werden wird. Ich bin noch nie im Theater gewesen, aber ich stelle es mir herrlich vor. In Charlotte Brontës ‚Vilette' habe ich gelesen, wie Lucy Snow nach Brüssel ging, um die Rachel auf der Bühne zu sehen, und was ich sonst über Theater und Schauspieler finden konnte, hab' ich auch gelesen."

Ich streichelte ihr die Hand. „Das ist gut! Und wenn du etwas wirklich gern hast, dann bleib dabei und halt es fest, bis es dir alles gegeben hat."

„Das will ich", antwortete sie ernst. „Ich will Schauspielerin werden. Ich muß einfach zur Bühne."

„Gut", sagte ich lachend, „nächstens schreibe ich auch ein Stück für dich."

Ich sah herab in die dunklen blauen Augen, die mich begierig aus dem weißen Oval des Gesichtes anblickten, und ich war von ihrem tiefen Ernst betroffen. „Versprich es mir", bat sie.

„Auf Ehre und Gewissen", sagte ich, „ich werde es nicht vergessen."

„Danke", bestätigte sie und fuhr fort: „Du bist so gut, Onkel Bill. Ich wünschte, Oliver wäre auch so."

„Aber Kind, Kind", wandte ich ein. „Er muß doch besser sein als ich, viel besser ..."

Langsam und zweifelnd schüttelte sie den Kopf.

„Warum kannst du eigentlich Oliver nicht leiden?" fragte ich sie plötzlich geradeheraus. Ich hatte mehr als einmal gemerkt, daß sie etwas gegen ihn hatte.

„Ich weiß nicht", sagte sie und wich lachend aus. „Vielleicht ist er zu schön, um wahr zu sein."

„Rory liebt ihn aber doch."

„Ach, Dickmatz liebt jeden. Abend für Abend, wenn er ins Bett geht, sagt er: ‚Gott strafe England – aber Onkel

Bill und Oliver und meine anderen Freunde nicht.' Damit meint er alle und jeden."

„Schade, daß er das überhaupt sagt."

„Ach, Mann!" sagte sie mit einem Anflug von irischem Dialekt, den ich so gern an ihr hörte. „Ach, Mann, das ist es ja eben! Er hat es von Vater."

„Schade", wiederholte ich.

„Es gibt mir jedesmal einen Stich", sagte sie. „Erst gestern bin ich in Vaters Zimmer heruntergelaufen, als er seine Pfeife rauchte und las. ‚Vater', habe ich ihm zugerufen, ‚das wirst du eines Tages zu verantworten haben!' Er sprang auf, als hätte ich ihn geschlagen, stellte sich an den Kamin und kaute auf seiner Pfeife herum. Und dann sah er mich plötzlich an, wie er mich noch nie angesehen hatte – ganz blaß und kalt –, und denk dir, Onkel Bill, in seinen Augen tanzten kleine grüne Flecken."

Ich kannte diese kleinen grünen Flecken, aber ich schwieg.

„Er sagte", fuhr sie fort, „‚wenn da etwas zu verantworten ist, so werde ich es tun.' Da bin ich einfach aus dem Zimmer gegangen."

Ja, und dann aßen wir miteinander, und Maeve fand es wundervoll, weil sie nicht gewohnt war, auswärts zu essen. Aber ich kam nicht so recht in Stimmung, weil ich an den kleinen stubsnasigen Rory denken mußte, wie er seine Freunde sorgsam von seinen Flüchen ausnahm, und an Dermot, wie ihm noch immer die grünen Flecken in den hellen Augen tanzten, die jetzt gegen den roten Spitzbart noch heller wirkten, und an Maeve, die zu einem so schönen und begabten Mädchen heranwuchs – die kleine Geschichte hatte sie doch mit echter dramatischer Kraft erzählt – und sich so früh schon mit den Torheiten der Erwachsenen herumschlagen mußte. Die Märtyrer von Manchester und der tapfere Kämpe Flynn und Dermot und nun auch Rory. Es lief mir kalt über den Rücken. Warum konnte der alte Streit nicht begraben werden? Es blies wohl immer wieder jemand in die Asche. Politik – Politiker –, ich haßte sie damals, und heute hasse ich sie noch mehr: gemeine alte Seeräuber, die den Völkern im Nacken sitzen.

Dann gingen wir über die Straße, der Vorhang hob sich, und Irving und Ellen Terry schritten über die Bretter des großartigen alten Theaters, in dem heute nur noch Schattengestalten die Belanglosigkeiten kleiner Geister nachplappern. Das nennen wir dann Fortschritt.

Es wurmt mich immer wieder, wenn ich daran denke, daß aus dem Palasttheater ein Kino geworden ist. Es hätte dem Drama treu bleiben sollen, meine ich, schon weil Maeve dort ihr erstes Schauspiel gesehen und den ersten Atemzug ihres eigentlichen Lebens getan hat. Aber vielleicht ist Maeve inzwischen selber vergessen: Maeve O'Riorden, die so leuchtend aufging und so schnell erlosch. Wir vergessen schnell.

Ich selbst weiß nicht mehr viel von der Aufführung, aber ich fühle noch heute eine heiße Hand, die mich fast den ganzen Abend festhielt, und ich höre wie damals, als ich mich in der ersten Pause zu ihr beugte, eine leise Stimme flüstern: „Nicht sprechen jetzt", und ich spüre noch immer den Stoß in meinem Herzen, als Henry Irvings schöne Stimme die Worte sprach:

„So voller Harmonie sind ew'ge Geister,
Nur wir, weil dies hinfäll'ge Kleid von Staub
Ihn grob umhüllt, wir können sie nicht hören."

Woran rührte das? Meine Gedanken flogen zurück und stießen auf den phantastischen Flynn, wie er um Mitternacht an einer Straßenecke in Ancoats stehenblieb und mir und Nellie diese Verse zitierte. „Gott segne euch", hatte er hinzugefügt und war verschwunden.

So war ich zum zweitenmal an diesem Abend auf Flynn gekommen, und ich hatte ein eigentümlich banges Herz, als ich schließlich draußen vor dem Theater unter der Laterne stand, mitten im Gedränge, und Maeve an der Hand hielt. Ich blickte hinunter auf die kleine Gestalt, und sie sah mit einem Gesicht zu mir auf, das stärker strahlte als die Gaslaterne. „Ich bin so glücklich", sagte sie, „so glücklich und so müde."

Ich winkte eine Droschke heran und nahm das Kind auf den Schoß; sie lehnte den Kopf an meine Schulter. Trotz des schwülen Sommerabends war es kühl. Ich öffnete den Mantel und wickelte sie ein. Sie schlief schon lange, als wir Dermots Haus erreichten.

Sheila kam an die Tür und nahm mir Maeve aus dem Arm. Sie sah besorgt und ängstlich aus, was sonst nicht ihre Art war. „Vielen Dank, Bill. Es ist nett von dir, daß du sie mitgenommen hast", sagte sie. „Hat sie sich gefreut?"

„Es war der schönste Abend ihres Lebens", erwiderte ich stolz. Sheila öffnete die Tür zum Wohnzimmer und rief:

„Gute Nacht, Dermot, ich bringe Maeve gleich nach oben. Gute Nacht, Herr Donnelly.“ Eine klare, angenehme Stimme antwortete aus dem Zimmer: „Also gute Nacht, Frau O'Riorden, gute Nacht.“ – „Komm herein, Bill!“ rief Dermot, und ich ging ins Wohnzimmer. Dermot und der Mann, der bei ihm war, standen auf. „Das ist Kevin Donnelly, Bill. Herr Donnelly, das ist William Essex.“

Donnelly gab mir die Hand. „Ich habe schon viel von Ihnen gehört, Herr Essex“, sagte er in seiner angenehmen, metallklaren Stimme, „und, was noch mehr ist, ich habe eins von Ihren Büchern gelesen. Allerdings nur eins. Ich habe nicht viel Zeit für die Literatur.“

Er war der Typ eines Handwerkers, klein und untersetzt, und trug einen derben, schlichten Anzug. Sein Haar lichtete sich bereits, sein Schnurrbart war voll, aber ungepflegt, und sein Gesicht genauso derb und schlicht wie sein Anzug.

„Setz dich, Bill“, sagte Dermot und mischte mir einen Whisky-Soda. Donnelly, der schon ein leeres Glas neben sich hatte, dankte. Er blieb stehen. „Entschuldigen Sie mich, Herr O'Riorden“, sagte er, „aber ich muß jetzt gehen. Es ist elf Uhr durch, und ich muß noch zur Stadt. Heute abend können wir doch nichts mehr dazu sagen. Aber wenn die Zeit kommt, und Sie sind noch der gleichen Ansicht, so können Sie auf mich rechnen.“

Er gab mir die Hand, und Dermot brachte ihn hinaus.

„Na“, sagte Dermot, als er wieder hereinkam, „es freut mich, daß du Kevin Donnelly kennengelernt hast. Was hältst du von ihm?“

„Er sieht aus wie eine Illustration zur Würde der Arbeit, wie sie Ruskin und Carlyle gepredigt haben“, antwortete ich lachend. „Die Unbescholtenheit in Person, die feste, schwer arbeitende Unterschicht, die es Schmarotzern wie dir und mir leichtmacht, oben zu schwimmen.“

Dermot sah mich abweisend an. „Du würdest nicht lange oben schwimmen, wenn es nach Donnelly ginge“, sagte er. „Du willst doch nicht etwa behaupten, daß du noch nichts von ihm gehört hast?“

„Nein, noch nie. Er sieht eigentlich nicht so aus wie einer, der von sich reden macht. Findest du nicht?“

Eine Weile zog Dermot schweigend an seiner Pfeife. „Eigentlich seid ihr Engländer doch unbegreiflich begriffsstutzig, selbstgefällig und ahnungslos“, sagte er schließlich. „Da läuft euch jemand über den Weg, der seit Jahr und Tag unermüdlich an der Arbeit ist, euch in Irland die

Wurzeln anzunagen, und ihr habt nichts weiter zu sagen, ‚er sieht nicht aus wie einer, der von sich reden macht'." Er stürzte den Rest seines Whiskys hinunter. „Na schön, aber ihr werdet noch von ihm hören."

„Ich lasse mich gern belehren", sagte ich. „Erzähl mir doch, was mit ihm los ist."

„Von Beruf ist er Drucker und lebt in Dublin. Wenn er Glück hat, wird er wohl so an zwei Pfund die Woche verdienen. Er hat eine Frau und eine kleine Tochter. Sein Familienleben ist sauber und innig, ich kenne es. Ich habe eine Woche bei ihm gewohnt und mit vielen seiner Freunde gesprochen. Ich könnte ihm doch Rory nicht anvertrauen, ohne mich persönlich von allem unterrichtet zu haben."

„Rory? Aber was soll denn das?"

„Darauf komme ich ja eben. Ich habe bei Kevin Donnelly gewohnt und ausführlich mit ihm gesprochen. Ich habe auch seine Bibliothek gesehen. Du kannst dir etwas darauf einbilden, Bill, daß er eins von deinen Büchern gelesen hat. Das ist sehr schmeichelhaft für dich. Er hat sich selbst das Lesen beigebracht. Mal dir aus, was das heißt. Und an Geringeren als Bunyan und Cobbet vergreift er sich nicht. Mal dir auch das aus."

„Vielen Dank. Mich hat er gelesen."

„Nun also. Und was er schreibt, hat den gleichen Schwung wie Cobbet. Um so schlimmer für euch – falls ihr überhaupt Wert darauf legen solltet, Irland zu behalten. Hast du einmal . . . nein, ich frage gar nicht erst. Du hast natürlich niemals etwas von ‚Irland, erwache!' gehört? Es ist das Blättchen, das Donnelly schreibt und druckt – wo er es druckt, weiß ich selber nicht. Auch Dublin-Castle weiß es nicht, möchte es aber gern wissen. Donnelly hat gar nichts davon. Druckpresse und Papier bezahlt die Partei, das übrige macht er. Es hat eine Auflage von Tausenden. Das Blatt gehört zu den Bomben, die Dublin-Castle einmal halbwegs bis nach Holyhead hinübersprengen werden. Seiner Logik werden auch eure Bojonette nicht mehr lange standhalten."

Er unterbrach sich und steckte seine Pfeife wieder an. „Siehst du", fuhr er dann fort, „das ist deine Illustration zur Würde der Arbeit. Wahrer hast du nie gesprochen, Bill. Nimm noch hinzu, daß Donnelly ein geborener Redner ist. Ist dir sein schönes Organ nicht aufgefallen?"

Ich nickte. „Du hast ihn noch nicht gehört, wenn er alle Register zieht. Die Partei hat ihn vor ein paar Jahren nach

Amerika geschickt. Eine von seinen Reden hat meinem Onkel Con zehntausend Dollar aus der Tasche gezaubert. Wohlverstanden, nicht einen Pfennig für Donnelly – alles für die Sache. Ich selbst habe ihn am Liffey von einem Faß herunter zu dem Gesindel von Dublin und von einem Heuwagen herunter zu den Bauern von Wicklow reden hören; der Heuwagen hielt genau vor der Tür der Polizeistation des Dorfes. Donnelly ist immer gleich hinreißend."

„Es geht auf Mitternacht, Dermot", sagte ich. „Ich muß nach Hause. Aber sag mir noch das eine – was hat das alles mit Rory zu tun?"

„Das will ich dir sagen: Rory soll als Ire aufwachsen, wie ich es dir schon vor langer Zeit gesagt habe. Wenn es soweit ist, kommt er nach Dublin zu Donnelly. Ich gebe ihn dort in Pension, und Donnelly will ihn wie einen der Seinen behandeln. Er kommt in Dublin zur Schule und später auch auf die Dubliner Universität und nicht ins Trinity-College nach Oxford. Rory kommt dahin, wohin er gehört, das ist alles."

„Und wann soll das vor sich gehen?"

„Das weiß ich noch nicht genau. In ein paar Jahren."

„Schade drum."

Ich stand auf und wollte gehen. Dermot sah mir bleich und aufgebracht ins Gesicht. „Was findest du daran schade?" fragte er. „Was, zum Kuckuck . . ."

Ich legte ihm die Hand auf den Arm. „Wir wollen uns darüber nicht streiten, Dermot. Wir beide, du und ich, wir wollen uns überhaupt nie streiten. Es kommt vielleicht nur daher, daß ich grundsätzlich und im allgemeinen der Ansicht bin, daß das Heil der Welt mehr im Vereinigen als im Entzweien zu suchen ist. Verstehst du? Das ist alles. Gute Nacht."

Er streckte mir mit plötzlicher Bewegung die Hand entgegen. „Habe Dank, Bill", sagte er. „Wir wollen uns nicht streiten – wir beide. Am allerwenigsten hierüber. Aber . . . nur grundsätzlich und im allgemeinen . . . Gott strafe England!"

14

Es war Dermot, der Reiherbucht entdeckte. Ich kam nicht viel herum. Ich möchte in diesem Buch weder mich selbst noch meine Arbeit zu sehr hervorheben, aber das eine muß ich doch sagen: damals schon war mein Ruf als

Schriftsteller größer, und meine Buchauflagen waren höher, als ich es je in meinen kühnsten Träumen erhofft hatte. Trotzdem sah ich keinen Grund, nun plötzlich alles im Stich zu lassen und ein Haus in London aufzutun. Mein Werk ruhte mit seinen Wurzeln im Norden, und so blieb auch ich im Norden, den ich noch immer für kräftiger und gesünder halte als den Süden; aber Dermots Beruf brachte ihn viel herum. In der Woche, in der ich mit Kevin Donnelly zusammentraf, kam er nach Cornwall, und nach ein paar Tagen fragte er brieflich bei mir an, ob ich nicht zu ihm stoßen wolle. Er war gerade in Falmouth. Ich hatte viel zu tun gehabt und war froh, einen Vorwand zu haben, einmal ein paar Tage Ferien zu machen. Ich packte den Koffer, fuhr nach London zu meinem Verleger, blieb über Nacht in dem alten Hotel zum Goldenen Kreuz und fuhr am nächsten Morgen vom Paddington-Bahnhof nach Falmouth. Es war das erste Mal, daß ich nach dem Westen kam. Und als ich erst über die Saltashbrücke hinüber war und Devonshire hinter mir hatte, da tat sich das seltsam zerrissene Cornwall vor mir auf. Die Eisenbahn überquerte Brücke auf Brücke und trug uns über Schluchten voll dunkler Wälder, durch abschüssige, rechteckig aufgeteilte Felder und vorbei an den großen, leuchtenden Kegeln der Lehmbrüche, die wie riesige Spitzzelte in den Himmel ragten; dazwischen leuchtete hier und da das ferne Meer auf, blauer, als ich es je gesehen hatte, und in der Nähe erblickten wir eine fremdartige Pflanzenwelt: Eukalyptus, Palmen und eine Überfülle von Hortensien. – Ja, da spürte ich, wie der Norden gleich einer rauchgeschwärzten Last von mir abfiel und eine tiefe Bereitschaft, unter Palmen zu wandeln, von mir Besitz ergriff.

Dermot stand auf dem Bahnhof. Ein paar Tage in diesem Klima – Tage voller Sonne – hatten Bronze auf seine blassen Wangen gelegt, und sein roter Bart stach mir herausfordernd gesund entgegen. Er trug sich nachlässig, ohne Hut und mit offenem Hemdkragen.

Ich hatte nichts als einen Handkoffer bei mir und ließ ihn von einem Jungen ins Hotel bringen. Dann gingen Dermot und ich zusammen durch die schmale, gewundene Gasse, die zum Fischmarkt führte und die so eng war, daß zwei Handwagen nur mit Mühe aneinander vorbei konnten. Damals fuhren noch ziemlich viele Segelschiffe, und als wir zum Strand hinunterkamen und sich das schimmernde Blau des Hafens vor meinen Füßen ausdehnte, lief gerade eins in der stolzen Pracht seiner weißen Segel ein und ging auf der Carrickreede vor Anker. Einige Segel wurden bereits eingeholt, Kommandorufe klangen schwach über das Wasser, schön und geheimnisvoll wie alles, was über das Meer zu uns tönt.

Dermot wies mit der Hand über den Hafen – den lieblichsten aller britischen Häfen – nach dem großen Schiff und den kleinen Dampfern, nach den Segeljachten, die wie Spielzeug auf der Sonnenfläche des Wassers tanzten, schlanke Boote in allen Farben, Gelb, Rot, Blau und Grün, die sich über dem Spiegelbild ihrer eigenen Anmut wiegten, und auf das ferne grüne Land und den blauen Himmel darüber: „Was wußtest du hiervon, als du in der Gibraltarstraße wohntest?“ fragte er. „Kein Wunder, daß van Gogh den Verstand verlor, als er nach dem grauen Elend von Barbant die Sonne von Arles erblickte. Auch bei mir setzt er schon aus. – Und jetzt gehen wir ins Hotel, damit du dir einige dieser lächerlichen Kleidungsstücke ausziehen kannst.“

Das Hotel lag unmittelbar am Strand, auf dem es damals einfacher und ruhiger zuging als heute, ohne betonierte Promenade, ohne knackende Drehkreuze und ohne Vergnügungsanzeigen. Es gab da nur eine schlichte Landungsbrücke.

Von der gingen wir am nächsten Morgen an Bord. Dermot tat sehr geheimnisvoll. „Du denkst doch nicht etwa, ich habe dich nur hierherkommen lassen, um dir die Gegend zu zeigen?“ fragte er. „Steig ein.“

Ich stieg die Steinstufen an der Brückenmauer hinunter. Fetzen von Seetang hingen an ihr herab, und hier und da waren Eisenringe zum Vertäuen der Fahrzeuge eingelassen. Ich kletterte ins Boot, das sanft auf dem Wasser schaukelte. Es schaukelte und ratterte leise – damals war ein Motorboot noch eine ziemlich ungewohnte Angelegenheit. Ein Bursche mit ölbeschmierten Händen und einer spitzen weißen Kappe bediente es. Dermot brachte einen großen Frühstückskorb herunter, und dann schossen wir aus dem kühlen Schatten der Mauer mit seinem Tanggeruch in den Sonnenglanz, der über dem Hafen lag.

„Vom Ufer kannst du den Ort nicht sehen!“ schrie mir Dermot durch das Knattern des Motors zu. „Schau ihn dir jetzt an!“

Ich habe ihn inzwischen oft betrachtet. Aber noch immer, wenn ich jetzt aus der Ferne an ihn denke, sehe ich ihn vor mir, so wie ich ihn zuerst erblickt habe: ich sehe, wie sich

Dermot ein Taschentuch um den Kopf knotet, und höre ihn rufen: „Du weißt ja gar nicht, was Sonne ist, ehe du nicht hierherkommst. Leg dir etwas über den Nacken, Bill!" Ich sehe die alte graue Stadt aus dem Wasser steigen, eine Straße über der andern, blinkenden Sonnenschein in Hunderten von kleinen, blanken Fenstern, die vom Wasserspiegel aus höher und höher klimmen bis hinauf in den blauen Himmel. Ich sehe unzählige Boote, deren Segel im leichten Sommerwind flattern, andere, die zielbewußt dahindampfen oder wie wir dahinknattern, getrieben von der neuen Kraft, die bald alles beherrschen sollte. Ich sehe in die Weite, nach Westen, wo die Wellen in den großen Atlantik hinaustreiben, und nach Osten auf den reizenden, geschützten Ankerplatz der Carrickreede. Ich sehe das alles und die Dörfer am Ufer, an denen wir vorüberjagen: Mylor, Pill, Restronguet und St. Just, das aus dem Hintergrund seiner Bucht hervorschimmert, über uns den blauen Himmel, unter uns die blaue tänzelnde See, den Fahrwind kühl an der Stirn, in dem unsere Köpfe zur Ruhe kommen wie unsere Augen im Anblick der schwebenden Möwen.

Als wir an das Ostende der Carrickreede kamen, wo man das Herrenhaus mit den Säulen oben auf dem Hügel erblickt, auf dem höchsten Punkt des Parkgeländes, das sanft zum waldigen Saum des Wassers abfällt, bemerkte ich, daß die Reede hier einen Ausgang hatte.

„Bei Flut kann man bis nach Truro hinauf!" schrie Dermot. „Das Wasser steigt jetzt."

Und mit der steigenden Flut fuhren wir den Fluß hinauf. Es war kühl zwischen den Ufern, die von dem grünen Vlies der Wälder bis zum Rand des Wassers bedeckt waren. Die unteren Äste der Bäume reckten sich weit hinaus über das Wasser, sie waren in einer langen, geraden Linie so säuberlich abgebissen, als hätte die Flut Zähne gehabt.

Wir waren das einzige Fahrzeug auf dem Wasser und plätscherten allein in der grünen Schlucht dahin. Ab und zu mündete ein Wasserarm zur Rechten oder zur Linken ein, in dem langbeinige Reiher wateten, bis unser Kommen sie aufscheuchte. Sie breiteten die weiten Schwingen und zogen mit langsamen, mächtigen Schlägen davon. Der Fluß wand und schlängelte sich und bohrte sich tiefer und tiefer in das grüne Herz der Einsamkeit und des Friedens ein, und ich fragte Dermot: „Fahren wir bis ans Ende der Welt?"

„Ja“, antwortete er. „Und wir sind schon fast da.“

Noch eine Biegung des Flusses, und wir waren wirklich da. Das Boot tuckerte ruhig dahin, und als ich nach vorne sah, erblickte ich zur Rechten einen kleinen Landungsplatz. Als wir näher kamen, entpuppte er sich als eine Art Kai, der zur Wasserseite mit einem Wall von grauen Granitblöcken fest abgestützt war. Einige Stufen führten auf einen freien Platz, der aus der Böschung herausgeschnitten war. Dort standen ein paar Schuppen und Holzhütten, und hinter ihnen ragten die Bäume bis zum Himmel empor.

„Sieh“, sagte Dermot, „dort auf halber Höhe. Kannst du das Haus sehen?“

Man konnte es gerade erkennen; es lag mitten in dem Wald, der den Abhang bedeckte. Etwas Friedlicheres, allem Ärger und Verdruß Ferneres konnte man sich nicht vorstellen als dieses Haus, inmitten seiner Ulmen und Eichen, hoch über dem Wasser, unter dem weiten Himmel.

„Das ist es“, sagte Dermot. „Deswegen habe ich dich herkommen lassen.“

Der Motor war abgestellt. In tiefem Schweigen trieb das Boot an die Stufen. Der Bootsmann griff nach einem Ring in der Mauer, und wir stiegen an Land.

„Reiherbucht“, sagte Dermot. „So heißt der Platz. Schön, nicht?“ Er stolzierte auf dem heckähnlichen Vorbau des Landungssteges auf und ab, von dem aus man den Fluß hinauf und hinunter sehen und das ganze schöne Fleckchen Erde mit einem Blick nach rechts und nach links umfassen konnte. Wir setzten uns auf einen Baumstamm und steckten unsere Pfeifen an, während der Mann den Frühstückskorb brachte.

„Die Stille ist überwältigend“, sagte Dermot. „Horch!“

Es war tatsächlich so still, daß man es hören konnte, unterbrochen nur von Lauten, die gut zu dem Ganzen paßten: das Saugen und Gurgeln des grünen Wassers unten am Steg, das leise Gurren der Waldtauben und das fast unmerkliche Säuseln des Windes, der über Millionen von Blättern dahinstrich. All diese Geräusche, die durch die brennende Sonne, in der wir saßen, auf uns niederrieselten, taten wohl.

„Und der Name des Ortes ist kein leeres Gerede“, sagte Dermot. „Es gibt wirklich Reiher hier. Schau, da ist einer.“ Der große graue Vogel, der langsam über den Wipfeln des gegenüberliegenden Waldes gekreuzt hatte, ließ seine langen Beine fallen und landete in der steigenden

Flut. „Es ist übrigens zu verkaufen", fügte Dermot beiläufig hinzu. „Ich dachte, du würdest es vielleicht kaufen."

Ich fiel beinahe von meinem Baumstamm. „Großer Gott", sagte ich, „hast du etwa die Frechheit besessen, mich hierher zu lotsen, bloß um mir einen so blödsinnigen Vorschlag zu machen?" Aber noch während ich das sagte, merkte ich, daß sich diese Vorstellung bei mir schon festsetzte.

„Doch", sagte Dermot unverfroren, „die Sache ist nämlich einfach ideal. Einen besseren Platz zum Arbeiten findest du nicht. Das Haus ist nur klein. Wir gehen jetzt langsam hinauf und sehen es uns in aller Ruhe an. Den Schlüssel hab' ich in der Tasche."

„Da bist du völlig auf dem Holzweg, mein Junge", sagte ich. „Ich bin einer der wenigen Schriftsteller des Nordens, die auch im Norden zu bleiben wünschen."

„Unsinn. Wer verlangt denn von dir, daß du den Norden verlassen sollst? Aber du müßtest ein bißchen abwechseln. Warum hast du nicht zwei Häuser? Dann kommst du hier herunter, sooft dir danach zumute ist. Du kannst es dir doch leisten. Immerhin ist mir nicht ganz unbekannt, was dir die Schnellfix abwirft. Und mit deinen Büchern mußt du doch auch einen hübschen Batzen verdienen."

Ich sagte nichts und gab mich dem Zauber des Ortes und des Augenblicks hin.

„Vor dem Wasser brauchst du keine Angst zu haben", fuhr der Versucher fort. „Du bist von Flut und Ebbe nicht abhängig. Wenn du hinter dem Haus durch den Wald aufwärts steigst, kommst du auf eine recht gute Straße und bist im Handumdrehen in Truro und wieder zurück. Du wirst dir ja doch bald ein Auto kaufen."

„Geh zum Teufel!" schrie ich. „Du schreibst mir ja mein Leben bis ins kleinste vor. Wahrscheinlich soll ich nächstens auch noch ein Motorboot anschaffen."

„Ich würde dazu raten, falls Sie hier wohnen wollen", sagte der Bootsführer allen Ernstes.

Da lachte ich laut auf. Das war die Höhe. Dermot klopfte seine Pfeife aus und schlug mir auf den Rücken. „Nur keine Aufregung", sagte er. „Los, wir schwimmen ein bißchen. Ich habe zwei Badeanzüge und Handtücher mitgebracht."

„Du denkst auch an alles. Ich soll wohl keine der Annehmlichkeiten meines Besitzes versäumen?"

„Stimmt, Bill."

Er begann sofort sich auszuziehen, und ich folgte seinem Beispiel. „Ich mache inzwischen ein Feuer, Herr Essex“, sagte Sawle, der Bootsmann, „dann bekommen Sie eine gute Tasse Tee, wenn Sie wieder herauskommen.“

„Ausgezeichnet“, sagte Dermot. „Los, Bill! Hast du dir je träumen lassen, so etwas zu besitzen?“

Nein, sagte ich mir, etwas so Unwirkliches hatte ich mir nie vorgestellt. Ich stand am Rande des kleinen Kais, der Granit glitzerte warm unter meinen Füßen, und ich schaute hinab in die grüne Verlockung des Wassers. Es war so klar, daß ich, als Dermot plötzlich mit wildem Schrei hineinsprang, seine weißen Glieder tiefer und tiefer tauchen sah, bis seine Finger wieder nach oben wiesen, rasch emporstiegen und den Silberspiegel der Oberfläche zersplitterten. Er stampfte durch das Wasser, schüttelte sich die Tropfen aus dem roten Bart und schrie: „Los, komm!“ Da war ich auch schon bei ihm, und wir planschten wie die Schuljungen und spritzten einander, ehe wir richtig schwammen. Ich kam zuerst wieder heraus und setzte mich, noch zur Hälfte im Wasser, auf die unterste Stufe und sah ihm zu, wie er auf dem Rücken dahintrieb mit seinem Bart, der wie ein Wimpel herausragte. „Das wäre etwas für Oliver!“ rief ich. Er drehte sich um und kraulte auf mich zu. „Und ob!“ sagte er.

Wir hatten uns die Badetücher um die Hüften geschlungen und spürten die Glut der Sonne auf dem Rücken und an den Schienbeinen die Wärme des Feuers, das Sawle angezündet hatte. Wir schlürften heißen Tee und aßen Butterbrote, und dann setzten wir uns hin, lehnten den Rücken an den Baumstamm und steckten die Pfeifen an. Es war ein wunderbares Gefühl, die Entspannung von Körper und Geist, die Sonne, die in jede Pore drang und die vollkommene Stille.

Am Nachmittag stiegen wir auf einen schmalen Weg, der sich durch niedrige Haselsträucher schlängelte, den Hügel hinter dem Landungsplatz hinauf. Er führte uns zu dem Haus, das auf einer abgeholzten Terrasse stand. Man hatte eine schöne Aussicht von dort. Nach dem Wasser zu schimmerte eine steinerne Balustrade durch die Bäume. Auf einen Garten hatte man verzichtet, nur ein großer Rasenplatz zog sich von der Balustrade bis zum Haus. Hinter dem Haus begann wieder der Wald, aber hier war eine gute Fahrstraße geschlagen, die sich ein paar hundert Meter hinauf durch die Bäume wand, bis sie in einem schönen schmiedeeisernen Doppeltor endete, in dessen Rankenwerk in feinen Lettern der Name „Reiherbucht“ eingeflochten war. Das Tor führte auf die Landstraße, daneben stand auf einem Schild „Zu verkaufen“. Das ärgerte mich. Es mußte sofort entfernt werden. Ich wünschte nicht, daß mir einer dazwischenkommen und Reiherbucht wegschnappen sollte.

Wir wandten uns um und blickten die Einfahrt hinunter. Keine Mauer, kein Schornstein war zu sehen. Zu beiden Seiten des Fahrweges standen dichte Rhododendronbüsche. Es mußte schön aussehen, wenn sie blühten. Und dann die anderen Jahreszeiten, die Winternächte, wenn der Sturm durch das Flußbett dröhnt, die Bäume ächzen und das Wasser dunkel aufsteigt, wo Flut und Wind aneinandergeraten. Im Haus würde ein mächtiges Holzfeuer brennen, und ich würde schreiben. Ich brauchte nur mit einem Dienstboten herzukommen. Aber konnte ich Oliver allein lassen? Nun, Oliver kam bald ins Internat. So ging meine Phantasie mit mir durch. Laut aber sagte ich: „Komm, wir wollen uns das Haus ansehen.“

Die geschotterte Auffahrt führte in einem schönen Bogen vor die Haustür, die auf die Balustrade blickte. Es war ein glattes, schlichtes Haus aus grauem Granit, innen geräumig, behaglich und anspruchslos. Die Eingangshalle war in Eiche getäfelt, und einer der Räume, in den man von hier aus blickte, hatte einen schönen Kamin, der nach Dermots Aussage von irgendwo anders hergebracht worden war. „Der echte Adam!“ sagte er. „Das ist das schönste Zimmer im Haus, und ich sehe schon, daß du es für dich nimmst und dir herrichtest.“

Ich erhob keinen Widerspruch. Dies war der Raum für die langen Winterabende von vorhin. Genug Platz an der Wand für Bücher und genug Platz im Kamin für Holz.

„Wieviel wollen sie für das Ganze haben?“

Er nannte mir die Summe.

„Gut“, sagte ich, „hiermit lade ich dich und Sheila, Maeve, Eileen und Rory für den August als meine Gäste ein. Fertig eingerichtet wird es dann noch nicht sein. Aber wohnlich will ich es bis dahin schon machen. Wir haben noch niemals zusammen Ferien gehabt, Dermot, und Rory noch nie zusammen mit Oliver. Ich würde es schön finden.“

„Ich auch.“

„Wir wollen hier noch oft Ferien zusammen verbringen.“

„Nichts, was mir lieber wäre“, antwortete Dermot.

So kam es, daß es bei den O'Riordens und den Essex' Brauch wurde, den August miteinander in Reiherbucht zu verbringen. An einen von diesen Ferienaufenthalten erinnere ich mich am lebhaftesten, es war der im August 1906. Rory und Oliver waren damals zehn, Eileen elf und Maeve vierzehn; ich war fünfunddreißig und Dermot etwas älter als ich.

Mit Oliver war nicht alles so gegangen, wie es sein sollte. Er und Rory besuchten noch Fräulein Bussells Schule, und am letzten Schultag gönnte ich mir einen Spaziergang dorthin, um ihn unterwegs zu treffen und mit nach Hause zu nehmen. Aber obwohl die letzte Stunde längst vorüber war, gelangte ich bis an die Schulpforte, ohne ihm zu begegnen. Andere Kinder hatte ich schon auf dem Heimweg gesehen, und so ging ich hinein, um mich zu erkundigen, ob er da sei. Fräulein Bussell sah mich und bat mich ins Sprechzimmer. Dort stand Oliver, hochrot und trotzig, und neben ihm Rory, der die Stirn sorgenvoll gefaltet hatte. Unbehaglich blickte er von Oliver zu Fräulein Bussell und sah merkwürdig finster und erwachsen aus.

Die weißhaarige alte Dame saß in ihrem Rollstuhl und sah schrecklich verstört aus. „Gut, daß Sie kommen, Herr Essex", sagte sie. „Ich bin recht in Sorge über das Betragen Ihres Sohnes."

Probleme des Betragens lagen Fräulein Bussell immer sehr am Herzen. Sie hatte mir schon oft damit in den Ohren gelegen – Unarten, gegen die kein anderes Kraut gewachsen war als Älterwerden. Ich setzte mich und war auf eine ähnliche Kleinigkeit gefaßt.

„Sie wissen", sagte Fräulein Bussell, „ich pflege am Ende des Schuljahres für besondere Leistungen in dem einen oder anderen Fach Preise zu verteilen. Gestern abend habe ich den Kindern gesagt, diesmal gehe es um eine freihändige Zeichnung. Sie sollten sie heute morgen machen – den Gegenstand habe ich ihnen freigestellt. Fräulein Dronsfield, unsere Zeichenlehrerin, hat die Arbeiten in der Frühstückspause nachgesehen und mir Olivers als die beste gezeigt. Aber sie hat nicht bemerkt, was Sie selber feststellen können, wenn Sie sich dies hier ansehen."

Fräulein Bussell gab mir die Zeichnung. Sie hatte sie stellenweise mit roter Tinte nachgezogen, und in der Tat konnte man dort deutlich genug sehen, daß Olivers Bleistift eine kaum wahrnehmbare Vorzeichnung in Kohle nachzuziehen versäumt hatte.

„Ich bin außer mir", sagte Fräulein Bussell in der gezierten sauertöpfischen Art, die ihr eigen war, „daß Fräulein Dronsfield die letzte Nummer des ‚Punch' nicht kannte. Aber ich kenne sie. Und Oliver hat nur eins versäumt: ‚Phil May' in die rechte Ecke unten zu setzen!"

Ich besah mir das Bild des gemeinen Frauenzimmers mit dem verwegenen Federhut und einer Blumenschale. – Zumindest mußte Fräulein Dronsfield dumm sein, dachte ich, wenn sie sich einbildete, ein Kind suche sich einen solchen Gegenstand aus.

„Was hat Rory damit zu tun?" fragte ich bedrückt.

„Das ist ja das Unglaubliche", sagte Fräulein Bussell, „daß Rory, der neben Oliver sitzt, hoch und heilig versichert, er habe Oliver auf einem leeren Blatt zeichnen sehen."

„Ja, das habe ich", sagte Rory und wurde sehr blaß.

„Wollen Sie so gut sein, Fräulein Bussell, und die beiden mir überlassen?" fragte ich.

Sie nickte mit dem Kopf und schien sichtlich erleichtert. „Ich möchte keine große Sache daraus machen", sagte sie. „Die anderen Kinder wissen selbstverständlich nichts davon."

„Wir wollen Rory nach Hause begleiten", sagte ich, als wir auf der Straße standen. Beide Jungens schienen froh, wieder in frischer Luft und dem Dunstkreis der Obrigkeit entronnen zu sein.

„Das war Betrug, Oliver", sagte ich, als wir ein Stück gegangen waren. „Du zeichnest sehr gut. Du hättest den Preis wahrscheinlich auch ohne Schwindel bekommen können. Warum hast du das getan?"

„Ich wollte es so gut machen, daß Fräulein Dronsfield später immer hätte sagen müssen: ‚Denk an die fabelhafte Zeichnung, mit der du den Preis bekommen hast!' Dann hätte ich mir immer große Mühe gegeben."

„Ich sehe nicht ein, was dir das hätte nützen sollen. Die fabelhafte Zeichnung, die den Preis bekommen hat, war ja gar nicht von dir. Warum hast du nicht lieber gesagt: ‚Wie fabelhaft hat Phil May das gemacht. Ich muß mir Mühe geben, es ebenso gut zu machen'?"

„Das wäre nicht dasselbe gewesen", sagte er. „Mir lag ja gerade daran, daß die anderen fabelhafte Zeichnungen von mir erwarten sollten."

„Und jetzt ist es schließlich umgekehrt gekommen. Wenn du jetzt etwas Anständiges zu Papier bringst, werden die anderen nicht mehr wissen, ob es nun durchgepaust oder von dir ist. Meinst du nicht, daß du etwas töricht gewesen bist?"

Er seufzte und machte ein gequältes Gesicht. „Ich glaube, ja", sagte er. „Aber ich habe es gut gemeint."

„Und du?" fragte ich Rory. „Hast du nicht gesehen, was Oliver getan hat?"

Rory sah noch immer blaß aus – zerknirschter als Oliver, dem offenbar nicht einleuchtete, warum die Sache nun nicht erledigt sein sollte. „Ich wollte mich selbst auf die Probe stellen", sagte er. „Ich hatte gehofft, sie würde mich prügeln. Sie hat schon einmal einen Jungen verprügelt."

Ich sah ihn an und war ratlos. „Wenn es nun in Irland wäre", sagte er, und die Worte sprudelten aus ihm heraus, „und Fräulein Bussell wäre die Polizei, und ich wüßte etwas, was Oliver in Gefahr brächte, vielleicht etwas, wofür sie ihn erschießen könnten – so was tun sie, weißt du –, dann hätte ich auch lügen müssen, aus Treue, nicht wahr? Wenn mich Fräulein Bussell nicht gefragt hätte, hätte ich auch nichts gesagt. Aber sie fragte mich, ob ich gesehen hätte, wie Oliver betrog, und plötzlich dachte ich, dies sei nun die Probe, und ich sagte nein."

Was konnte ich zu dem Kind sagen, das so bleich, ernst und zerquält neben mir ging. Im Herzen sagte ich: Gott segne dich, Rory, und Gott helfe dir. – Laut aber konnte ich nur sagen: „Ich verstehe. Ich dachte mir schon, daß es so etwas wäre."

Wir brachten ihn bis zur Gartenpforte, dann ging ich mit Oliver nach Hause. Fräulein Bussell, fand ich, hatte sich da über etwas ereifert, was sie sehr in Erstaunen versetzt haben würde, hätte sie die Hintergründe erraten.

Was tut man mit einem Kind, das man auf einem Unrecht ertappt? Man kennt so manche krummen Schliche des eigenen Wesens, so manche kleinen und großen Dinge, die verheimlicht wurden und vor denen, wenn sie bekannt würden, die Tugendrichter zurückschaudern würden, so daß man sich des eigenen Pharisäertums schämen müßte, wenn man den ersten Stein gegen das eigene Kind aufheben würde. Vielleicht kommt auch eine gewisse Selbstgefälligkeit hinzu. Was es auch immer sein mag, wovon die Welt nichts weiß – man hält sich aufrecht und ist ein anständiger Mensch. Schön und gut, so wird das Kind ohne Zweifel auch einer sein. Das Buch des Freundes gestohlen? Der Versuch, ein dummes Zeichenfräulein hinters Licht zu führen? Nun, man weiß von Mitgliedern der Königlichen Akademie der Künste, die Fotografien übermalt haben.

So tröstete ich mich selbst, als ich an diesem Abend nach dem Essen über die bucklige Brücke ging, die den Mersey überquert und nach Cheadle führt. Ich hätte mancherlei unternehmen können, aber alles schien mir die Eingebung menschlicher Unzulänglichkeit zu sein: ich hätte Oliver das Taschengeld entziehen können, ich hätte ihn acht Tage lang früh zu Bett schicken und ihm kleine Vorrechte entziehen können. Wäre ich vollkommen übergeschnappt, hätte ich ihn in eine dunkle Kammer einschließen oder ihm eine Tracht Prügel verabfolgen können – bei dem Gedanken schon brach mir jedoch der Schweiß aus, und ich ging rascher.

Aber hinter diesen Versuchen zu bequemer Selbsttäuschung lauerte doch eine Spur von Furcht, denn Olivers Verfehlungen geschahen nicht spontan: sie waren bis in die letzte Einzelheit ausgearbeitet. Ich erinnerte mich an die „Kuckucksuhr"; und ich hatte heute abend, als ich nach dem „Punch" suchte, festgestellt, daß er sorgfältig die Spuren seines kleinen Vergehens vernichtet hatte. Die Zeitschrift, die für gewöhnlich auf dem Tisch in der Halle liegenblieb, bis die nächste Nummer erschien, war weg. Ich fand sie zuunterst im Kehricht des Mülleimers. Die Vorsicht war aber noch weiter gegangen: die Zeichnung von Phil May war herausgerissen und zweifellos verbrannt worden.

So kehrte ich schließlich im ganzen doch sehr beunruhigt heim. Ich wollte wie gewöhnlich sofort in mein Zimmer, da öffnete sich die Wohnzimmertür, und Nellie trat heraus. Auf der Straße dämmerte es noch, aber im Hause war es schon dunkel; es brannte keine Lampe. Wie ein grauer ruheloser Geist stand sie in der Türfüllung und fragte: „Was wirst du mit Oliver machen?"

„Was ich machen werde?" fragte ich dagegen.

Sie ging ins Wohnzimmer, und ich folgte ihr. Ich setzte mich an den Kamin, aber sie wollte sich nicht setzen. Sie ging eine Zeitlang unruhig im Zimmer auf und ab, dann blieb sie am Fenster stehen, den Rücken zu mir gewandt, eine schwarze Silhouette zwischen dem fließenden Weiß der Vorhänge.

„Fräulein Dronsfield kam zufällig vorbei", sagte sie tonlos. „Ich war im Garten, und sie blieb stehen, um mit mir zu sprechen. Sie hat mir erzählt, was in der Schule passiert ist, und sagte, du wüßtest davon. Du hättest es mir auch sagen können."

„Was hätte das geholfen?"

„Wozu bin ich überhaupt noch nütze? Kann ich noch bei alldem helfen? Bedeute ich irgend etwas?"

„Meine liebe Nellie . . ."

Sie fuhr herum und fragte mit erhobener Stimme: „Warum hast du es mir nicht gesagt? Einerlei, ob ich dir noch etwas bedeute oder nicht, jetzt, wo du ein berühmter Mann bist – ich bin die Mutter des Jungen, nicht wahr? Glaubst du etwa, es macht mir nichts aus, daß er als Lügner und Betrüger aufwächst?"

Ich hatte sie noch nie so verstört gesehen. Sie stand am Fenster und hielt sich mit beiden Händen an den Vorhängen fest, als könnte die Erregung sie überwältigen und sie einer Stütze bedürfen. „Was gedenkst du jetzt zu tun?" fragte sie noch einmal.

„Wir werden den Jungen liebhaben und auf ihn aufpassen, ich sehe nichts anderes."

Darauf lachte sie beinahe hysterisch auf. „Liebhaben!" schrie sie. „Eine traurige Vorstellung von Liebe hast du. Nennst du das Liebe, wenn du ein Kind in dem Glauben erziehst, es könne tun, was es wolle, ohne für die Folgen einstehen zu müssen? Alles gibst du ihm . . . mehr Taschengeld in der Woche, als ich bei seinem Alter in einem Jahr gesehen habe, mehr Kleider, als ein Kind gebrauchen kann, Geschenke, jeden Sport, teure Schulen, alles, was er sich wünscht und träumt . . . alles gibst du ihm . . . und das nennst du Liebe? Ich kann da nicht mit. Wen der Herr liebhat, den züchtiget er."

Sie ging vom Fenster fort und schritt aufgeregt in dem dunklen Zimmer auf und ab. „Oliver ist mein Kind", sagte sie schließlich, „so gut wie deines. Vergiß das nicht. Ich weiß wohl, ich bin ein Nichts in diesem Hause. Ich weiß, das erste, was du tust, wenn du zur Tür hereintrittst, ist, daß du in dein Zimmer hinaufstürzt, als wäre ich gar nicht vorhanden. Aber soweit es sich um Oliver handelt, bin ich von heute an vorhanden. Hast du mich verstanden?"

In ihrer Aufregung glitt ihr der Kneifer von der Nase und hing am Ohr herunter. Zornig fegte sie ihn weg und warf ihn zu Boden. „Oliver hat gelogen und gestohlen und sich nicht daran gekehrt, ob andere statt seiner in Verdacht kommen. Ich habe dazu geschwiegen. Du hast die Erziehung des Kindes immer als deine Sache betrachtet, und jetzt, wo er dieses Verbrechen in aller Öffentlichkeit begeht, vor seinen Mitschülern und Lehrern, jetzt willst du nichts dabei tun?"

„Verbrechen ist ein starkes Wort", sagte ich. „Und was seine Mitschüler anbelangt, so wissen sie ja gar nichts davon."

„Ach, daher weht der Wind? Deine Liebe sieht also nur dann ein Unrecht, wenn es herauskommt?"

„Schrei nicht so", sagte ich gereizt, „man hört dich in der Küche."

„Das ist mir ganz gleich, ob man mich hört. In der Küche weiß man zur Genüge, wie du über mich denkst. Du denkst, ich täte besser daran, selber in der Küche zu bleiben."

Es war hoffnungslos. Ich sah jetzt, daß Nellie in den ganzen Jahren über die Kluft nachgebrütet hatte, die nicht mehr wegzuleugnen war – die Kluft, die sich immer weiter zwischen uns auftat und das Zueinanderfinden immer schwieriger machte. All das stieg jetzt in ihr auf und bestärkte sie in ihrer Überzeugung, daß ich einen schlechten Einfluß auf Oliver ausübte.

Ich stand auf. „Mit solchen Worten kommen wir hier nicht weiter", sagte ich. „Was denkst denn du, was mit Oliver geschehen soll?"

„Ich denke, er soll Prügel bekommen."

„Das denke ich nicht."

„Du hast nicht die Kraft, deine Pflicht zu tun."

„Faß es auf, wie du willst. Wenn du nichts anderes vorzuschlagen hast, kann ich jetzt wohl gehen."

Ich ging. Ich zog die Vorhänge in meinem Zimmer vor, aber ich steckte die Lampe nicht an. Ich saß im Dunkeln und war nicht in der Verfassung, zu lesen oder zu schreiben. Ich hörte, wie Nellie an der Tür vorbeiging, und nahm an, daß sie sich ins Bett legen werde. Einen Augenblick später hörte ich Olivers Stimme, sie klang unbestimmt, so, als wäre er aus dem Schlaf geweckt worden. Dann stieg sie zu einem Schrei der Abwehr an: „Nein! Nein! Nicht doch!"

Ich sprang vom Stuhl auf, und als ich über den Flur rannte, der mein Zimmer von seinem trennte, brüllte er vor Schmerz. Die Tür stand offen. Nellie hatte ein Licht auf den Tisch gestellt. Sie hatte die Decke fortgerissen und ihm den Pyjama ausgezogen. Ihre Linke hielt Oliver mit dem Gesicht nach unten ins Bett, die Rechte hieb mit einem Stock auf seinen Rücken ein. „Betrüger! Lügner! Dieb!" schrie sie. Die kalte Wut hatte ihr Gesicht verzerrt.

Das Kind schrie wie am Spieß. Es zerriß mir das Herz, und jeder Schlag schnitt mir schaudernd ins eigene Fleisch.

Mit einem Schritt war ich an seinem Bett und packte sie am Handgelenk, als sie zu einem neuen Schlag ausholte. „Halt!" schrie ich. „Bist du von Sinnen?"

Keuchend drehte sie sich zu mir. „Ich tue nur deine Pflicht!" stieß sie hervor.

Oliver hatte zu schreien aufgehört, als keine Schläge mehr kamen. Er lag da, den Kopf in den Armen, und sein Körper schüttelte sich vor Schluchzen. In dem matten Licht konnte ich die blauen Striemen auf seiner Haut sehen. Bei diesem Anblick stieg eine solche Wut in mir auf, daß ich blind wurde. Wie an jenem Abend, an dem der junge Ackroyd im Laden des alten Moscrop Nellie geängstigt hatte, fühlte ich den unwiderstehlichen Drang, zuzuschlagen. Ich riß ihr den Stock aus der Hand und schwang ihn hoch über dem Kopf.

Sie blickte mir ruhig in die Augen, ihr Gesicht war aschfahl, und ihre Brust keuchte vor Anstrengung und Aufregung. „Schlag zu", sagte sie, „das ist das einzige, was noch fehlt – schlag zu!" Mein Arm gefror mir förmlich am Kopf, und plötzlich fühlte ich, wie mir der Stock aus der Hand gewunden wurde. Oliver war aufgesprungen und stand kerzengerade im Bett. „Halt!" schrie er außer sich. „Schlag meine Mutter nicht!" Sein Gesicht war wutverzerrt, und er hieb blitzschnell nach meinem Kopf. Ich duckte mich und fing den kleinen Schlag mit der Schulter ab. Da verließ Nellie die Kraft, sie brach in einen Tränenstrom aus und sank aufs Bett. Oliver warf den Stock zu Boden, kniete bei ihr nieder, beugte sich über sie und liebkoste sie und sprach ihr leise und innig zu. Sie warf sich der Länge nach aufs Bett und schloß ihn in die Arme. „Oliver, Liebling – mein Liebling!" schluchzte sie, und er schmiegte sich dichter an sie und gurrte wie eine Taube. „Mammi, liebe, süße Mammi!"

Ich schüttelte den Kopf, als schüttelte ich damit meine Illusionen ab, und ging zurück in mein Zimmer.

15

Das war das erste Mal, daß Nellie, Oliver und ich vom Sturm der Gefühle fortgerissen wurden. Es war auch das letztemal. Nach den Jahren der Selbstverleugnung und des dumpfen Brütens tat Nellie ein solcher Versuch zur Behauptung und Verteidigung ungemein wohl. Tags darauf waren wir offener und freundlicher zueinander als seit langem. Es war Packtag. Am nächsten Morgen sollte es mit O'Riordens nach Reiherbucht gehen.

Wir waren inzwischen schon einige Male dort gewesen und hatten jedesmal zwei Tage zur Reise gebraucht. So war es auch diesmal. Wir bildeten eine richtige Karawane: vier Erwachsene, vier Kinder und die beiden Mädchen, unseres und Dermots. Dermot hatte recht gehabt: Reiherbucht war mir ans Herz gewachsen. Meine Wurzeln im Norden lockerten sich. Ich steckte Geld in das Unternehmen. Einmal im Leben wollte ich mir ein Haus nach meinem Geschmack einrichten. In Zweibuchen verließ ich mein Zimmer eigentlich nur zum Essen oder zum Schlafen, der alte Moscrop geisterte beklemmend im übrigen Haus herum. In Reiherbucht aber trug ich Stück für Stück alles zusammen, wie ich es brauchte und mochte. Sam Sawle hatte es mir angetan, der Mann, dessen Boot wir damals bei unserem ersten Besuch gemietet hatten. Er war Junggeselle und liebte die Einsamkeit. Es ging ihm nicht besonders; deshalb war er froh, jemand gefunden zu haben, der ihn anstellte und ihm die Arbeit gab, die ihm lag. In Reiherbucht machte er alles. Er lüftete das Haus und hielt es sauber, wenn ich fort war; er schnitt den Rasen, bediente die neue elektrische Anlage und besorgte die Boote. Eine ganze Flottille lag jetzt an unserem kleinen Steg: das Motorboot, das ich Sawle abgekauft und „Maeve" getauft hatte, Maeves Ruderboot, Olivers Segelboot, das „Rory" hieß, und Rorys Segelboot, das „Oliver" hieß, und ein leichter Kutter, der Dermot gehörte.

Im ganzen hatte Sawle alle Hände voll zu tun. Ich hatte ihm eins der Häuschen am Steg herrichten und der Länge nach in zwei Räume aufteilen lassen. In dem einen kochte und wohnte er, in dem anderen schlief er. Er war sehr kinderlieb und wurde nie müde, ihnen alles, was er von Booten und Schiffen wußte, beizubringen; und außerdem hatte er besser als ich und Dermot den Kniff heraus, ihnen die Angst vorm Schwimmen zu nehmen. Ich habe Sam Sawle immer als meine beste Errungenschaft betrachtet. Auf die Ferien in Cornwall freuten sich die Kinder schon Monate vorher, am meisten aber auf alles, was sie mit Sam Sawle vorhatten. Er wußte, wo man die fettesten Angelwürmer graben und bei welchem Wasserstand man am besten an der Lugoboje fischen konnte, er kannte die Kapitäne der großen Schiffe, die mit vollen Rahen in die Carrickreede einliefen, und manchmal bekam er die Erlaubnis, die Kinder mit an Bord zu nehmen, solange den Schiffen noch der Zauber der großen Fahrt anhaftete. Dann kamen sie zurück und plapperten von Affen und Papageien, die die Matrosen von drüben mitgebracht hatten, und wälzten mit Vorliebe große Namen über ihre Zungen: Antofagasta, Montevideo und San Franzisko.

Da waren wir also wieder, die ganze lärmende Horde, und marschierten in die dunkle Glashalle des Londoner Bahnhofs in Manchester. Wir hatten ein Abteil für uns, aber trotzdem waren wir eingepfercht wie die Heringe. Die Kinder standen am Fenster und schrien: „Auf Wiedersehen, Bellevue!" – „Auf Wiedersehen, Levenshulme!" – „Auf Wiedersehen, Stocksport!", während die schwarzen verrußten Vororte Manchesters an uns vorüberglitten. Alles johlte, bis auf Maeve, die heimlich in sich hinein lächelte. Ich wußte, warum. Die Kinder übersprangen in Gedanken den heutigen Abend und sahen vor sich den grünen Wasserlauf, den kleinen Steg und die Boote, die Sam Sawle schön und bunt angestrichen hatte, Maeve aber lächelte, weil vor morgen der heutige Tag kam, und heute abend waren wir in London.

Es sollte ein großer Abend werden für Maeve. Wenn ich nach London kam, was selten genug geschah, benutzte ich immer die Gelegenheit, meinen Verleger aufzusuchen. Ich hatte mich vierzehn Tage vorher bei ihm angemeldet, und er hatte mir mitgeteilt, einer seiner Autoren hätte an diesem Abend gerade Premiere und würde sich freuen, wenn ich die beiliegenden Karten für den ersten Rang benutzen würde.

Den Autor kannte ich nicht, aber Maeve und ich kannten die große alte Schauspielerin, die die Hauptrolle spielen sollte. Wir hatten sie in Manchester bewundert, und nun sollten wir sie in allem Glanz und Prunk einer Londoner Premiere wiedersehen. Kein Wunder, daß sie lächelte.

Maeve und ich aßen allein miteinander zu Abend. Dermot und Sheila waren unmittelbar nach dem gemeinsamen Mittagessen im Hotel des Paddingtonbahnhofes ihre eigenen Wege gegangen. (Wir stiegen dort immer ab, um am nächsten Morgen den Zug zehn Uhr dreißig bequem zu erreichen.) Sie waren zum Abendessen noch nicht zurück. Rory, Oliver und Eileen waren nach dem Vormittag auf der Bahn und den vorschriftsmäßigen Vergnügungen am Nachmittag – Besichtigung des Buckingham Palastes und Spaziergang im St. James Park – todmüde. Nellie hatte sie ins Bett gesteckt. Sie selbst wollte auf ihrem Zimmer bleiben und lesen, falls eines von den Kindern nach ihr rufen würde. Sie band mir meine weiße Krawatte und sagte: „Du siehst sehr gut aus, William." Dann ging sie hilfsbereit wie immer zu Maeve herüber, um dort nach dem Rechten zu sehen. Als das Kind fertig war, brachte sie es mir ins Schlafzimmer. Ich weiß nicht mehr, was Maeve an diesem Abend anhatte, ich weiß nur noch, daß sie eine rote Blume im Haar trug, daß ihre Augen brannten und daß sie mich ängstlich ansah, ob ich sie schön genug fände. Wir schritten zusammen über den dunklen Teppich des langen, halbdunklen Flurs, und ihre Hand im weißen Glacéhandschuh lag auf meinem Arm. Sie sah aus wie eine kleine Königin. Beim Gehen sah ich, daß sie rote Schuhe trug. Sie reichte mir kaum bis zur Schulter.

Wir aßen nicht im Hotel. Ich ging mit ihr ins Café Royal, und sie fand den roten Plüsch und die vergoldeten Möbel so prächtig, wie ich es mir gedacht hatte. Aber es war nichts von kindlicher Erregung und Aufgeregtheit in ihr. Ich vergaß immer wieder, daß sie erst vierzehn war: sie war ernst und verhalten, und ich sah, was ich bisher nicht bemerkt hatte, daß sich das Kleid über ihrer Brust spannte. Sie blickte sich unter den Gästen um und sagte: „Du siehst am besten aus, Onkel Bill. Ich mag dich gern im Frack. Wenn dein Haar erst ganz grau ist, dann wirst du sehr vornehm aussehen."

„Mein Gott, Maeve", sagte ich. „Du siehst aber weit voraus."

„Nicht so sehr. Siehst du, es fängt schon an – dort!" Sie legte mir die Finger auf die Schläfe.

„Nein!"

„Doch! Dort sind schon zwei oder drei graue Härchen."

„Wo ist ein Spiegel?"

Er fand sich, und als ich mich prüfte, sah ich, daß Maeve recht hatte. Maeve wurde groß. Maeve – die an dem Abend, als wir Flynn kennenlernten, noch nicht auf der Welt war, und das war doch noch gar nicht so lange her! Maeve wurde groß, ein junges Mädchen mit voller Brust, und mein Haar wurde grau! Beides hatte ich bisher nicht bemerkt.

Maeve legte ihre Hand auf die meine: „Magst du dein graues Haar nicht?" fragte sie.

„Ich hasse es."

„Ich finde es schön. Wenn du mir erst mein Stück schreibst, wird es noch grauer sein. Dann siehst du sehr bedeutend aus, und vor der Premiere essen wir hier miteinander."

„So? Ist das ebenfalls abgemacht zwischen uns?"

„Ja! Und es hängt von dir ab, du mußt nur erst das Stück schreiben."

„Das tue ich auch. Keine Angst!"

Sie sah einen Augenblick lang mutlos aus. „Ach, Mann", sagte sie, „was dich angeht, habe ich keine Angst. Aber wie wird das mit mir? Vater interessiert sich nicht dafür. Er interessiert sich überhaupt für nichts außer für Rory und die Fenier und den ganzen anderen albernen Unsinn, den ich so hasse. Wie soll ich da je Schauspielerin werden?"

„Willst du es denn immer noch so gern?"

„Das weißt du doch ganz genau!" ereiferte sie sich. „Du hast mir doch erst Mut gemacht und mich in all die schönen Stücke mitgenommen, nicht wahr? Und du hast mir doch auch gesagt, ich müsse hinter dem her sein, woran mein Herz hängt."

Das hatte ich in der Tat.

„Also, dann komm mit", sagte ich. „Wir sehen uns jetzt erst einmal ein anderes schönes Stück an – hoffentlich ist es schön –, und dann rede ich mit deinem Vater und sehe zu, was sich machen läßt."

„Tust du das wirklich? Oh, lieber Onkel Bill!" Und sie sprang auf, fiel mir um den Hals und gab mir einen Kuß. Ich freute mich wie ein Schneekönig. Mädchen saßen genug im Café Royal, aber nicht eine, deren Kuß ich gegen Maeves eingetauscht hätte. Dem Kellner kam das beim Trinkgeld zugute.

Das Stück gehörte nicht zu unseren großen Theatererlebnissen; Maeve und ich hatten ja inzwischen eine ganze Reihe gesehen. Trotzdem war der Abend doch etwas Besonderes. Wir saßen eingekeilt in ein glänzendes Parkett von Seide und Federn, Schmuck und wehenden Fächern, und der Duft guter Parfüms schwebte darüber und das Stimmengewirr leichter Unterhaltung. Ich blickte zur Seite, Maeves dunkler Kopf hob sich wie gestochen gegen den umfangreichen Busen einer älteren Dame ab, um deren wulstige Handgelenke es von Gold und Steinen nur so klimperte und blitzte, wenn der Federfächer langsam an ihrem Gesicht vorüberstrich; sie glotzte anmaßend und unbeweglich geradeaus wie eine Galionsfigur. Ich freute mich, daß sich Maeve nicht einschüchtern ließ. Ich kannte sie gut genug, um zu spüren, wie es sie aufregte, in einer Phalanx von Menschen eingepfercht zu sein, deren Wesen und äußere Erscheinung ihr fremd waren: das Blitzen eines Diadems hier und dort, die hohe Tonlage manierierter Stimmen und vor allem die erwartungsvolle Spannung, die über dem Haus lag. Maeve war aufgeregt, aber eingeschüchtert war sie nicht. Es war keine kleine Probe für ein Kind aus der Provinz, und ich war mit ihr zufrieden. Erst als der Vorhang aufging, legte sie ihre Hand in die meine wie damals, als wir zum erstenmal zusammen ins Theater gingen. Ich drückte sie ihr zur Bestätigung.

Es war ein kümmerliches Stück, nur erträglich durch das Spiel der großen alten Künstlerin, um derentwillen wir gekommen waren. Maeve klatschte ihr wie toll zu, als der letzte Akt vorüber war, dann riß uns das Gedränge des Aufbruchs mit fort. Wir waren noch nicht weit gekommen, als mir jemand auf die Schulter klopfte. „Essex! Einen Augenblick! Ich muß Sie sprechen!" Es war Jordan, mein Verleger. Der Verfasser des Stückes gehörte anscheinend zu meinen Verehrern. Er wußte, daß ich im Theater war, und wollte mich durchaus kennenlernen. Ich versuchte zu entrinnen, aber Jordan ließ mich nicht los. „Nun kommen Sie schon mit. Sie bringen sich ja in einen schrecklichen Ruf, wenn Sie nie jemand sehen."

„Ich will aber keinen sehen."

„Die Leute behaupten schon, es gäbe Sie gar nicht."

„Hauptsache, daß es meine Bücher gibt."

„Kommen Sie schon. Henderson wartet in Frau Bendalls Garderobe."

Ein gedehntes „Oh" aus Maeves Mund gab den Ausschlag.

„Dieser jungen Dame liegt viel mehr an Frau Bendall als mir an Henderson", lächelte ich. „Also gut, gehen wir!"

Maeve zog den Mantel fester und betrat zum erstenmal im Leben ehrfürchtig den geheiligten und ach so schmutzigen Boden hinter den Kulissen. Wir stiegen kalte Steintreppen hinauf und gingen durch kalte, steinerne Gänge, wo Gasflammen in Metallbrennern summten; wir kamen an Männern in Hemdsärmeln vorüber, die alle Hände voll zu tun hatten, und an geschminkten Frauen. Dann klopfte Jordan plötzlich an eine Tür, an der Frau Bendalls Name stand. Drinnen gerieten wir in ein Gewühl von Seiden, Straußenfedern, weißen Frackbrüsten, Fächern, Kamelien und Stimmen. Herren und Damen standen mit Sektgläsern in der Hand herum und stießen an, auf das Stück, auf Henderson, auf Frau Bendall und auf sich selber. Frau Bendall saß in einem Lehnstuhl und hatte ein Tischchen neben sich. Sie trank keinen Sekt. Ruhig und in sich gekehrt saß sie da wie eine liebe alte Großmutter. Ihr Haar war weiß, sie trug jetzt eine Spitzenhaube darüber und einen leichten Spitzenschal um die Schultern. „Wo bleibt mein Tee?“ fragte sie gerade, als wir hereintraten. Jordan stellte Maeve und mich vor. Maeve verneigte sich wie vor einer Königin. „Du bist ein liebes Kind“, sagte Frau Bendall. „Du sollst mir meinen Tee einschenken.“

Die Teekanne stand auf dem Tischchen neben ihr, und ein dienstbeflissener Schwarm von jungen Leuten wartete auf den Befehl, ihn einzugießen, aber Frau Bendall winkte allen ab. Maeve schenkte ein und reichte der alten Dame die Tasse mit vollendeter Anmut. Frau Bendall stellte sie auf den Tisch, legte den Arm um Maeve und zog sie neben sich; dann nahm sie die Tasse in die rechte Hand und führte sie dem Kind an die Lippen. „Trink einen Schluck“, sagte sie lächelnd. Maeve nippte daran, und dann trank Frau Bendall. „Vielleicht werde ich wieder jung und schön, wenn ich trinke, wo deine Lippen getrunken haben“, sagte sie. „Was meinst du dazu?“

„Ach, gnädige Frau“, entfuhr es Maeve in ehrlicher Leidenschaft, „wenn das möglich wäre!“

Die alte Dame lächelte wehmütig. „Das war wenigstens ehrlich, mein Kind“, sagte sie. „Weißt du, wenn ich die jungen Phrasenmacher hier danach gefragt hätte“ – sie wies mit ihrer weißen Hand in den unruhigen Schwarm –, „sie hätten alle gesagt: ‚Oh, Sie sind die Jüngste und Schönste von uns allen.‘ – Sie lügen wie gedruckt. Ich bin eine alte Frau und sehr müde.“ Sie saß eine Weile schweigend in ihrem Stuhl. „So, und nun trink du dort, wo meine Lippen waren, und vielleicht ...“, sagte sie mit einem bezaubernden Lächeln, „wirst du eines Tages eine große Schauspielerin wie Sarah Bendall.“

Maeve nahm die Tasse in beide Hände, als wäre es ein Kelch, und trank mit geschlossenen Augen. „Ich habe Gott darum gebeten“, sagte sie leise.

Die alte Dame sah sie verwundert an. „Ich wußte nicht, daß du das werden willst“, sagte sie. „Aber, wer weiß?“ Sie wandte sich an mich. „Nehmen Sie das liebe Kind jetzt mit. Ich bin sehr müde.“ Als wir dann gehen wollten, rief sie uns nach: „Hier! Nimm!“ und zog aus einem Strauß eine Rose und legte sie Maeve in die Hand.

Den Tag darauf ließen wir unser Gepäck in Truro, damit es von dort zu Land nach Reiherbucht befördert würde. Wir selbst fuhren weiter nach Falmouth, wo Sawle mit der „Maeve“ und einem Boot im Schlepp auf uns wartete. Nellie ging mit Eileen und den beiden Mädchen ins Schleppboot, wir übrigen stiegen ins Motorboot.

„Weg da, ich steuere!“ schrie Oliver.

„Nein – ich“, kam es von Rory.

„Gut.“ Oliver gab die Ruderpinne frei.

Ich hatte das schon unterwegs im Zug bemerkt: Oliver war sehr nett mit Rory und trat vor ihm zurück, wo er nur konnte. Sonst hatte er immer der Anführer und Häuptling sein wollen; aber die Geschichte mit Fräulein Bussell, in der Rory ihm „die Treue gehalten“ hatte, schien ihn verändert zu haben. Er rief auch jetzt Rory nicht einmal Befehle zu, wie es sonst seine Art war. Allerdings wäre es ohnedies nicht ganz leicht gewesen, solange Sam Sawle dabei war. Er saß da in seinem sauberen Marinezeug mit der spitzen weißen Mütze und gab mit seiner sanften Stimme, die jedem Satz ein zärtliches „mein Lieber“ anhängte, Ratschläge für die Fahrt. Sam sagte niemals „mein Herr“ oder „gnädige Frau“. Alle Kinder, und meist auch Sheila und Nellie, waren „meine Lieben“ für ihn. Nur Dermot und ich waren Herr O'Riorden und Herr Essex.

Als wir die Carrickreede, flach wie ein Teich und glitzernd wie ein Makrelenrücken in der Abendsonne, halbwegs durchquert hatten, sagte er: „Diesmal haben wir einen Nachbarn, Herr Essex.“

Auch das war typisch für Sam Sawle; er betrachtete sich als zugehörig, er fühlte sich nicht fremd. Reiherbucht war „unser Haus“, die Boote waren „unsere Boote“, „mir scheint, wir sollten in ‚unserem Wald‘ etwas holzen“, so ging es dauernd. Und nun tauchte also „unser Nachbar“ auf.

„Hat sich ein altes Wrack gekauft und sich uns batz vor die Nase gelegt, gerade gegenüber von unserem Steg“, fuhr Sam fort. „Ein ganz verrückter alter Kerl. So etwas haben Sie noch nicht gesehen. Ich bin ihm noch nicht nahegekommen; ich will ihm auch nicht nahekommen. Den ganzen Tag wieselt er auf dem Deck herum. Ich muß sagen, er hält es wie geleckt. ‚Jesabel‘ nennt er seinen Kahn und sich selbst Kapitän Judas.“

„Das kann ja gut werden – Kapitän Judas von der ‚Jesabel'", sagte ich; und es war mir nicht sehr angenehm. Ein Nachbar hatte mir gerade gefehlt, und ich hoffte, Kapitän Judas würde ebenso schnell wieder verschwinden, wie er unwillkommen war.

Wir sahen ihn, als wir in unseren Flußlauf einbogen. Die Sonne strich noch über die Baumkronen von Reiherbucht, aber der Fluß lag schon im Schatten. Auf der Seite, wo die „Jesabel" am Ufer lag, war es am dunkelsten; sie selbst war der tiefste Schattenfleck, denn sie war über und über geteert. Zum Fluß hin war sie mit kräftigen Holzpfählen abgestützt, und alle Masten waren herausgenommen. Kapitän Judas lehnte gerade über die Reling. Außer ein paar Schultern in schwarzem Rock und einem ehrwürdigen Kopf war nicht viel zu erkennen, nur das weiße Haar, das ihm über die Schultern fiel, und der weiße Bart, der ihm bis tief auf die Brust reichte. Er rührte sich nicht, aber er schien uns scharf zu beobachten. Erst als die „Maeve" vor dem Steg beidrehte, schrie er mit einer hohen, gellenden Kinderstimme zu uns herüber: „Reiherbucht, ahoi!"

Er zog ein weißes Taschentuch und winkte damit aufgeregt herüber. Die Kinder wandten kein Auge von seinem seltsamen Treiben, und Rory ließ sich nicht abhalten, „Jesabel, ahoi!" zu rufen.

Das wirkte wie ein Wunder. Kapitän Judas öffnete ein Luk in der Reling und ließ sich flink wie eine Katze an einer Strickleiter in das Beiboot herunter, das am Schiffsrumpf festgemacht war. Er sprang hinein und begann mit großer Geschwindigkeit zu uns herüberzuskullen.

Nellie sah aus, als wäre ihr eine Begegnung unangenehm. „Du gehst besser schon zum Haus", sagte ich, „und nimmst die Kinder mit."

Eileen drängte sich bereitwillig an sie, und Sheila und die beiden Mädchen folgten. Dermot und ich erwarteten mit den beiden Jungen und Maeve Kapitän Judas.

Er manövrierte sein Boot mit großem Geschick durch unsere kleine Flottille und legte sich glatt vor die Treppe, die zum Steg heraufführte. Dort zog er sachgemäß die Riemen ein und nahm die Fangleine mit herauf. Erst als er sein Schiff mit einem sicheren Seemannsknoten festgemacht hatte, drehte er sich zu uns um.

Er war ein Mann von mittlerem Wuchs, mit mächtigen Schultern, aber unverhältnismäßig kurzen Armen und kleinen weißen Händen. Auch seine Füße waren klein und steckten in sauberen weißen Segelschuhen, in denen er wie eine Katze daherschlich. Der mächtige, wohlgeformte Kopf paßte zu den Schultern. Wir sahen jetzt, daß das lange weiße Haar, das ihm von Haupt und Kinn fiel, sorgfältig durchgekämmt war und wie Seide glänzte. Aber den richtigen Eindruck von Kapitän Judas hatte man erst, wenn man ihm in die Augen gesehen hatte: seine Nase, deren Nasenlöcher nach außen witterten, war scharf geschnitten, und tief von ihrer Wurzel her schauten die Augen höchst unheimlich heraus, das eine völlig tot, blauweiß und undurchsichtig, wie man es oft bei Walliser Schäferhunden sieht, und das andere von einem funkelnden Glanz, der mir einigermaßen unnatürlich erschien.

„Guten Abend", sagte ich. „Wir sind also jetzt Nachbarn?" Ich versuchte mich herzlicher zu geben, als ich es war.

„Guten Abend, guten Abend!" sagte er mit seiner hohen, gebrochenen Stimme und ließ seine Augen über unser zusammengewürfeltes Häufchen eilen. „Judas ist mein Name. Kapitän Judas von der ‚Jesabel'. Stellen Sie sich vor."

„Ich heiße Essex, und das ist mein Sohn Oliver. Dies ist mein Freund Dermot O'Riorden, sein Sohn Rory und seine Tochter Maeve. Sam Sawle hier kennen Sie wohl schon."

Judas übersah Sawle und verbeugte sich steif vor uns übrigen, als ich ihm die Namen nannte. Er schwieg einen Augenblick, dann sagte er mit einem Grinsen, das durchaus nicht lustig war: „Ein Glück, daß ein Fluß zwischen uns liegt. Ich hasse Menschen – hasse sie wie die Pest. Jeden Tom, Dick und Harry. Jede Molly, Dolly, Polly. Jede Cilly, Milly und – was reimt sich auf Milly?"

„Nun", sagte ich und ging auf den Verrückten ein, „Lily wird es tun."

„Danke! Lily ist gut. Jede Cilly, Milly, Lily. Ich hasse sie. Ich bin nicht übergesetzt, um Ihre Bekanntschaft zu machen. Nein, nein, bilden Sie sich das nicht etwa ein! Machen Sie sich bloß keinen blauen Dunst vor! Ich wollte nur mal sehen, wie Sie ausschen! Das ist alles!"

„Danke", sagte ich, und Dermot fügte hinzu: „Wir gehen ja schon. Es war uns ein Vergnügen, Kapitän Judas!"

„So, war es das, war es das?" fragte er. „Warten Sie nur erst mal ab. Sie könnten sich noch wundern. Nehmen Sie ruhig als Voraussetzung unserer Beziehungen, daß ich Sie alle hasse. Davon müssen Sie bei Kapitän Judas immer ausgehen. Vielleicht ändere ich meine Ansichten noch, vielleicht auch nicht. Das kommt auf Sie an. Und wissen Sie, warum ich Sie hasse?"

Er dämpfte seine Stimme und schlich auf seinen weichen Sohlen näher. „Schicken Sie die Kinder fort", sagte er. „Die brauchen es nicht zu hören."

„Weg mit euch, Rory – Oliver, marsch nach Haus", sagte ich. Widerstrebend gingen sie davon und blickten sich verwundert nach dem Prophetenkopf von Kapitän Judas um. Aber Maeve blieb zurück und machte große Augen über die seltsame Begegnung.

„Ich hasse Sie", zischte Kapitän Judas, „weil Sie daran glauben. Sie haben nie in den Tatsachen geforscht. Das tut niemand. Sie glauben alle daran, weil es von Geschlecht zu Geschlecht so überliefert wird. Aber es ist Lüge. Ich sage es Ihnen, es ist Lüge!" rief er mit erhobener Stimme. „Ich habe den Herrn nicht verraten!"

Damit stürzte er die Stufen hinunter, machte sein Boot los und ruderte wie toll auf die „Jesabel" zu, deren Rumpf kaum noch zu sehen war. Betroffen standen wir da und schwiegen. Wir horchten auf das Plätschern der Ruderblätter und das Quietschen der Riemen und sahen seine weiße Mähne über das dunkle Wasser tanzen. Er kletterte an Bord, und ein orangegelbes Quadrat an der Seite des Schiffes leuchtete auf. Da gingen wir langsam nach Reiherbucht hinauf, und als wir zu dem rasenbewachsenen Ausblick kamen, lehnte ich mich über die Steinbrüstung und erblickte zu meinem Ärger Judas' Licht über dem Fluß, an dessen Unbewohntheit ich mich immer gefreut hatte.

Merkwürdigerweise schlief ich schlecht; aber vielleicht war es nach allem, was vorgefallen war, gar nicht so merkwürdig. Gedanken über Kapitän Judas jagten mir durch den Kopf, und kaum war ich eingeschlafen, schreckte ich wieder hoch mit der Vorstellung, sein eines gesundes Auge dringe wie ein Bohrer in mich ein. Um sechs Uhr früh stand ich auf und zog meinen Hausmantel an, um im Fluß zu baden, mich im Boot warm zu rudern und zeitig zu frühstücken.

Zu meinem Erstaunen war Kapitän Judas schon auf. Er war mit seinem kleinen Boot auf dem Fluß und zog eine Leiter hinter sich her. – Verdammter Kerl, dachte ich. Er wird uns nicht in Ruhe lassen. Er hat uns um unsere Einsamkeit gebracht.

Ich sprang ins Wasser und schwamm hinaus. Bis auf

sechs Meter schwamm ich an sein Boot heran – aber er sagte kein Wort. Er beachtete mich gar nicht. Ich schwamm wieder an Land, trocknete mich ab und zog mich an. Dann stieg ich in mein eigenes Boot. Ich kam wieder nahe an ihn heran, und aus Höflichkeit sagte ich: „Guten Morgen. Nun, beim Fischen?"

Auf dem Sitz lag ein Taschenmesser. Er nahm es und schnitt die Leine durch, so daß das ganze Tauwerk achteraus trieb. „Fischen?" sagte er. „Nein, Herr. Ich und fischen? Simon, der Lump, war Fischer. Und über den ist die Wahrheit noch nicht heraus. Aber eines Tages wird sie an den Tag kommen. Ich glaube, daß er es getan hat. Oder Andreas, der Sohn des Zebedäus. Einer von den beiden war es bestimmt."

Ich zog die Riemen ein. Unsere beiden Boote schlingerten Seite an Seite auf dem stillen Fluß, auf dem die Morgennebel dampften. Kapitän Judas blickte über die Schulter und suchte links und rechts das bewaldete Ufer ab. Dann flüsterte er mir vertraulich zu: „Kein Mensch in Sicht. Ihnen möchte ich doch den Beweis zeigen. Kommen Sie an Bord."

Ich sah unentschlossen auf den armen Tropf und hatte nicht die mindeste Lust, meine Nase in seine verdrehten Geheimnisse zu stecken. „Was ich gestern abend gesagt habe, brauchen Sie nicht so ernst zu nehmen", erklärte er mit einem einfältigen Lächeln. „Ich meine, das mit dem Haß. Es bleibt mir ja nichts anderes übrig; aus Selbstschutz, verstehen Sie? Ich darf die Leute nicht auf meinem Schiff herumschnüffeln lassen." Seine Stimme wurde noch leiser: „An Bord der ‚Jesabel' sind nämlich genug Beweise, um den Thron Petri in die Luft zu sprengen."

„Ich muß etwas rudern", sagte ich. „Mir ist ein bißchen kalt nach dem Schwimmen."

„Mein lieber Herr Essex", wehrte er ab und sprach ganz vernünftig. „Ich kenne meine Pflicht als Gastgeber. Das Feuer in der Kombüse brennt schon. Das Schiff ist warm. Sie sollen eine Tasse Tee haben. Und dann" – das gesunde Auge flammte wieder auf – „sollen Sie die Beweise sehen."

Er hielt mit seinem Boot auf die „Jesabel" zu, und ich folgte ihm.

Ich war erstaunt über die Ordnung an Bord. Das lange Deck zeigte nicht einen Flecken. Wir gingen eine Treppe hinunter, und Judas erklärte mir, wie er sich das Unterschiff wohnlich eingerichtet hatte. Eine Schotte riegelte das Heck ab, das er als Schlafraum benutzte. Eine andere trennte einen Teil des Bugs ab, wo eine zweckmäßige Küche angelegt war. Zwischen beiden war ein Raum entstanden, der die ganze Breite des Schiffes und den größeren Teil seiner Länge einnahm und gute Ausmaße zeigte. Auf der Seite zum Fluß war ein Kamin eingebaut. Links und rechts davon war ein Fenster aus der Schiffswand herausgeschnitten, und rechtwinklig zu jedem der beiden Fenster stand eine Bank. Wo man auch saß, man hatte vom Fenster her Licht, ein Kaminfeuer vor sich und am Feuer einen Tisch mit einer Hängelampe darüber. An der gegenüberliegenden Seite war der Raum zwischen den Schiffsrippen zu Bücherbrettern ausgenutzt worden. Da standen Hunderte von Büchern, manches dunkle theologische Werk darunter, teils englisch, teils deutsch. Kapitän Judas tappte auf seinen leisen Gummisohlen hinter mir auf und ab, als ich mir die Titel ansah. „Unsinn, alles Unsinn", brummte er. „Sie sind der Sache nie auf den Grund gekommen. Sie haben den Beweis nicht gefunden. Sie müssen alle in die Luft gesprengt werden."

Ich folgte dem Kapitän in die Kombüse und sah zu, wie er gewissenhaft wie eine alte Jungfer den Tee zubereitete. Er stellte die Tassen und die Teekanne auf ein Tablett, tat einige Zwiebäcke daneben und brachte es in den großen Schiffsraum. Dann setzten wir uns ans Fenster. Im Winter, wenn der Kamin und die Lampe brannten und der Wind über den Fluß brauste, mußte es ein gemütlicher Bau sein. Ich hätte mir nur ein anderes Bild über den Kamin gehängt und nicht gerade einen großen Öldruck der Kreuzigung.

Die Fenster standen nach Osten offen. Eben ging die Sonne auf und zog den Nebel vom Fluß. In dichten Schwaden hing er noch vor dem Wald am anderen Ufer und strich wie Altweibersommer über die Brombeeren. Durch die Stämme sah ich die Fassade von Reiherbucht. Sam Sawle schlenderte über den Steg und schnupperte in den Morgen. – Judas hatte sich einen entzückenden Platz ausgesucht.

Er beobachtete mich gespannt. Das gesunde Auge glich wirklich dem Bohrer, von dem ich geträumt hatte. Seine kurzen Finger trommelten auf den Tisch. Plötzlich sagte er: „Sie sind doch nicht katholisch, nicht?"

Ich schüttelte den Kopf, und er atmete auf. Die Arme vor sich auf den Tisch gekreuzt, beugte er sich zu mir herüber und flüsterte: „Der Papst ist mir auf der Spur. Sie haben es mir auszureden versucht. Sie haben mich zum päpstlichen Kammerherrn machen wollen. Ich habe das alles abgelehnt – rundweg abgeschlagen. Jetzt versuchen sie es nun mit Gewalt und Betrug. Sieben Mitglieder des Dominikanerordens sind damit betraut worden und sollen es zu ihrem Lebenswerk machen, mir den Beweis aus den Händen zu nehmen und ihn zu zerstören. Deshalb mußte ich von den Hebriden fort."

Er schenkte mir noch eine Tasse Tee ein. „Sie führen ein gefährliches Leben", sagte ich, um auf ihn einzugehen.

„Sie wissen ja noch nicht einmal die Hälfte", antwortete er. „Der Erzbischof von Canterbury, das Haupt der Schottischen Kirche, der Präsident der Methodistensynode, der Vorstand der Baptistengemeinden und wie sie alle heißen mögen – sie stecken alle unter einer Decke, wenn es um diese Frage geht. Aber noch bin ich da! Und sie wissen nicht, wo ich bin! Und jetzt werde ich es ihnen zeigen."

Lange Kokosläufer lagen nebeneinander auf dem Fußboden. Kapitän Judas rollte den mittleren auf, und darunter kam eine Falltür mit einem Ringbolzen zum Vorschein. Er zog die Tür auf und leuchtete mit einer Laterne in den Hohlraum hinab, der sich zuunterst durch das ganze Schiff zog. „Das ist der Kielraum", sagte er, „aber trocken wie die Wüste Sahara. Hier gibt es keine Ratte an Bord, Herr Essex, keine Wanze und keine Schabe."

Er kniete am Rand des Loches, und ich sah über seine Schulter in die schwacherleuchtete Dunkelheit hinein. Er nahm ein Tau mit einem Haken am Ende und langte damit nach einer Ledertruhe mit gewölbtem Deckel. Der Haken faßte einen Ring. Kapitän Judas stellte die Laterne ab und zog die Truhe mit seinen kleinen weißen Händen herauf. Als sie vor uns stand, klappte er die Falltür zu, blickte mich vielsagend an und strich zärtlich über den Deckel: „Dynamit!" sagte er. „Genug, um den Papst von seinem Thron zu fegen. Nachfolger Petri! Nach dem da ist es aus mit Meister Petrus!"

Er schloß alle drei Türen ab: nach der Treppe, zum Schlafzimmer und zur Kombüse. Er schloß auch die Fenster und zog die Vorhänge vor. Dann holte er eine Schnur, die er um den Hals trug, hervor, steckte den Schlüssel, der daran befestigt war, in das Schloß, hielt voller Spannung inne und richtete sein flammendes Auge auf mein Gesicht: „Im Namen des Vaters, des Sohnes und des Heiligen Geistes, Amen." Damit öffnete er die Truhe.

Sie war vollgepfropft mit Schriftstücken, jedes mit einem roten Band verschnürt. Kapitän Judas steckte seine Hände tief hinein und warf Packen herüber auf den Tisch.

„Fassen Sie sie ruhig an. Noch explodieren sie nicht", gluckste er.

Ich nahm einige Bündel zur Hand und las die Aufschriften, die in einer kleinen, sorgfältigen Handschrift geschrieben waren. „Fischer in allen Zeitaltern – ihre Unzuverlässigkeit – unter besonderer Berücksichtigung des kürzlich aufgedeckten schwindelhaften Bankrotts einer Grimsbyfirma." – „Die besagte Nacht. a) Wo war Petrus? b) Wo war Andreas, der Sohn des Zebedäus?" – „Judas, der Kassenwart der Jünger. Redlichkeit seiner Buchführung." – „Selbstmord des Judas. Die Wirkung ungerechter Anklage auf ein empfindliches Gemüt. Vergleiche zahlreiche Fälle im Laufe der Geschichte."

Andere Überschriften waren völlig unsinnig. „Kreuz, Crux, Krise und Kreatur." – „Der originale Origines." – „Pax vobiscum, Pax Romanorum, Kartenpack, Hundepack." – „Entwurf zu einer Methode, der ganzen Angelegenheit näherzukommen durch Richtwege über a) das Bedlam-Irrenhaus, b) das Unterhaus, c) den Kurator der Nationalgalerie (siehe Kreuzigungsbilder passim)."

Solche Akten gab es haufenweise. Die Truhe war bis oben voll davon. Ich ließ sie rasch durch meine Finger gleiten, ohne die Überschriften weiterzulesen. Es war mir doch peinlich, daß ich mich dazu herbeigelassen hatte, bei dem Verfall eines Geistes den Zuschauer zu spielen. Nun konnte ich nie mehr über den Fluß hinüber das Licht der „Jesabel" brennen sehen, ohne mir den alten Kerl hinter seinen verschlossenen Türen vorzustellen, wie er sich freute an den Schätzen seines Irreseins oder, unter der Lampe über den Tisch gebückt, emsig Steinchen auf Steinchen zu diesem Babylon des Schwachsinns auftürmte. Jetzt nur mit möglichstem Anstand fort von hier!

Ich stand auf. „Eine bemerkenswerte Sammlung", sagte ich. „Darin stecken wohl Jahre des Forschens und des Schreibens."

„Zehn Jahre", erwiderte er, „die zehn glücklichsten Jahre meines Lebens. Ich habe keinen Augenblick verloren. Alles ist auf dieses Ziel ausgerichtet – und beinahe ist es erreicht. Knall! Bums! Krach!"

Er schwenkte beide Arme weit von sich, um mir das plötzliche Ende des Heiligen Stuhles vor Augen zu führen, und lächelte glückselig.

„Also vielen Dank, Kapitän Judas", sagte ich, „daß Sie mich ins Vertrauen gezogen haben. Sie können sich auf mich verlassen."

Er verbeugte sich ernst und förmlich.

„Aber jetzt muß ich gehen. Zu Hause weiß man ja gar nicht, wo ich bleibe."

Er begleitete mich an die Tür, die auf die Treppe führte, und schloß auf. „Verzeihen Sie, wenn ich Sie nicht von Bord geleite", sagte er leise. Ich hörte hinter mir das Schloß zuschnappen und sah ihn im Geist die Truhe wieder einpacken und vor den sieben päpstlichen Desperados in Sicherheit bringen. Als ich von seinem Schiff wegruderte, war die Gardine einen Zollbreit zurückgezogen, und ich wußte, daß er mich beobachtete und sich jetzt überlegte, ob ich der Mann dazu sei, ihn und seinen weltbewegenden Ehrgeiz höheren Ortes anzuzeigen.

16

Seitdem so das Eis zwischen uns und Kapitän Judas gebrochen war, bekamen wir nichts mehr von dem grimmigen Wesen zu spüren, das er bei unserer Ankunft herausgekehrt hatte. Die ganzen Ferien über schwärmten die Kinder wie die Affen die Strickleiter zur „Jesabel" hinauf und nahmen das Schiff in Besitz. In einem Haus zu wohnen, und läge es noch so nahe am Wasser, ist doch nicht dasselbe wie auf einem Schiff, an dessen Planken die Wellen schlagen; und als der alte Judas den Kindern erst einmal den kleinen Finger gegeben hatte, nahmen sie bald die ganze Hand.

Er hatte ein Fernrohr an Bord, das auf einem Dreifuß an Deck festgeschraubt war, und obwohl die Aussicht durch die Krümmungen des Flusses auf unser eigenes Bereich beschränkt blieb, saßen Oliver, Rory und Eileen den ganzen Tag auf dem Stuhl davor und sahen unermüdlich hindurch.

Oliver hatte bald heraus, daß man dem Alten nur schönzutun brauchte, um alles mit ihm anfangen zu können. Er war auf den großartigen Gedanken gekommen, „Schiff überholen" zu spielen. Monatelang war die „Jesabel" auf See gefahren. Judas – als Kapitän Morgan – hatte Glück gehabt, er hatte Schätze geraubt, Gefangene über die Planken springen lassen und war vor den Regierungsschiffen mit vollen Segeln ausgerissen. Jetzt war die „Jesabel" so morsch geworden, daß sie wie ein alter Scheuerlappen durch die Wellen trieb. Morgan war mit ihr in eine stille Bucht gefahren und hatte sie zum Kalfatern und Überholen aufgelegt.

Ich hatte nicht gewußt, wie gründlich Oliver die Annalen der Seeräuberei beherrschte. Er war ganz aufgeregt, als er uns in unsere Rollen einweihte. Er war ein Grieche von der Tigerbucht, Morgans rechte Hand. Eileen mußte eine reiche englische Erbin spielen, die bei irgendeiner Gelegenheit, als wieder einmal das Deck von Blut troff, verschont worden war, weil sie ein Lösegeld einbringen sollte. Sie hatte sich in den hübschen Griechen verliebt und war nun bereit, ihm bis ans Ende der Welt zu folgen.

„Warum mußt du immer jemand Hübsches sein?" fragte Maeve unfreundlich.

Gewöhnlich überließen wir die „Jesabel" den drei Kleinen zum Spielen, aber an diesem Nachmittag waren wir alle dort außer Nellie. Kapitän Judas hatte uns zum Tee eingeladen. Nellie war nicht mitgekommen, weil sie angeblich nachher ein ganzes Regiment zu Tisch hatte. In Wirklichkeit wollte sie mit einer so ungewöhnlichen Erscheinung wie Kapitän Judas nichts zu tun haben.

Der Tee war etwas spartanisch ausgefallen, aber Kapitän Judas hatte doch mit großer Würde den Wirt in seinem schönen Raum gemacht. Gelegentlich fiel er aus der Rolle. Ich war jetzt sein Spießgeselle und mitverpflichtet, die Anmaßungen Roms zu vernichten, so daß die anderen Gäste nicht recht wußten, was es bedeutete, wenn er mir ab und zu mit seinem gesunden Auge zuzwinkerte und geheimnisvoll auf den Kielraum deutete und mit den Lippen die Worte „Knall! Bums! Krach!" formte.

Nun war der Tee überstanden, die Frauen hatten abgewaschen, wir saßen alle auf dem Oberdeck und ließen uns von Oliver das Spiel erklären.

„Warum mußt du immer jemand Hübsches sein?" fragte Maeve.

Oliver wurde rot. „Ich kann nichts dafür. Ich bin nun einmal hübsch!" gab er zurück.

Kapitän Judas klopfte ihm auf den Rücken. „Und ob er hübsch ist!" schrie er. „Der schmuckste junge Hahn, der je auf einem Deck herumstolziert ist." Er schnappte sich den Jungen und stellte ihn sich zwischen die Knie. Dann sah er ihn lange und ernst an, fuhr ihm durch den dichten goldenen Lockenkopf und nahm andächtig den ruhigen Glanz in sich auf, der ihm aus den offenen blauen Kinderaugen entgegenstrahlte. „Wundert euch nicht", sagte er endlich, „wenn ihr diesen jungen Mann eines Tages nach Hause gehen seht. Ja, gehen – nicht rudern. Von hier zu Fuß über das Wasser."

Den Kindern blieb der Mund offen bei dieser seltsamen Bemerkung. Sheila, Dermot und ich sahen uns verlegen an. Wir wußten nicht, wie wir uns verhalten sollten. Judas ging wirklich zuweit, aber er sprach so einfach und sachlich, daß wir wehrlos dagegen waren. Im nächsten Augenblick half er uns selbst über die Situation hinweg. Er schob Oliver sanft weg und sagte: „So, nun spiel weiter. Spiel, solange du kannst. Zum Schluß fassen sie dich doch. Spiel nur, spiel."

Und wir spielten. Morgan, sein Grieche und die reiche Erbin blieben an Bord der „Jesabel" und mit ihnen Sheila als Indianerschönheit, die Morgan bei der Plünderung einer Stadt mitgeschleppt hatte. Der Kutter mit Dermot und Rory an Bord und das Ruderboot mit Maeve und mir stellten zwei Fregatten dar, die in die Bucht eingedrungen waren. Wir hatten die „Jesabel" zu entern und Morgan in Eisen zu legen.

Es war ein glorreiches Gefecht. Von entgegengesetzten Punkten des Flusses aus fuhren die beiden Fregatten auf das Schiff los. Dermot war zuerst da, und als er den Fuß auf die Strickleiter setzte, lehnte sich der alte Judas über die Reling und schrie seinen Leuten zu, sie sollten die Entermannschaft zurückwerfen. Rory machte den Kutter am Schiffsrumpf fest und klomm hinter Dermot die Leiter hinauf. Es hagelte Hiebe mit zusammengerollten Zeitungen auf Dermots Kopf und Schultern, und Judas' schriller Kriegsruf wurde von einem Indianergeheul übertönt, das der Grieche von der Tigerbucht für angemessen hielt.

Als die Schlacht für uns recht bedrohlich stand und Dermot standhaft zurückgeschlagen wurde, so daß Rory die Leiter nicht weiter hinauf konnte, ruderte ich mein Boot an den Bug der „Jesabel". Ich hielt mich dicht an den Planken und blieb durch den ausladenden Schiffsrumpf unbemerkt; einmal am Bug, waren wir völlig unsichtbar. Wir hatten eine Reserveleine im Boot, und es war ein leichtes, ein Ende über die Galionsfigur zu werfen, die jetzt über uns hing: Kopf und Rumpf eines abstoßend häßlichen Weibsbildes mit hervorquellenden Augen und wehendem Haar. Als die beiden Enden des Taues verknotet waren, besaßen wir einen gangbaren Weg auf die „Jesabel". Ich kletterte zuerst hinauf und gelangte über den Rücken des Weibsbildes leicht zu einem Punkt, von dem ich auf Deck springen konnte. Ich stieß einen Kriegsruf aus, und die Verteidiger ließen einen Augenblick von Dermot ab und wandten sich um. Die kurze Atempause genügte ihm, um durch die offene Schanztür hereinzuklettern und mir den Feind zuzutreiben. Einen Augenblick später stießen Rory und Maeve zu uns. Wir jagten die ganze Besatzung zur Treppe und trieben sie glücklich unter Deck.

Oliver fieberte vor Aufregung. „Wie bist du an Bord gekommen?" fragte er immer wieder. Maeve zog ihn auf. „Das war ein Schlag für den hübschen Griechen, nicht? Siehst du: Hirn ist besser als Schönheit."

„Aber, so sag mir doch, wie ihr das gemacht habt", beharrte er. Ich ließ ihn aufs Deck herauf und zeigte es ihm.

„Ich möchte es auch versuchen", sagte er.

Ich kletterte erst auf die Galionsfigur hinauf und hangelte dann am Tau hinunter ins Boot. Oliver folgte, löste den Knoten und zog das Tau herab. Dann machte er das ganze Manöver mit angespannter Aufmerksamkeit noch einmal allein, schwang das Tauende über die Galionsfigur, verknotete die Enden und kletterte an Bord. Dreimal wiederholte er den ganzen Vorgang.

„Dir scheint ja sehr viel daran zu liegen", sagte ich. „Was hast du vor? Willst du etwa nachts beim Kapitän einbrechen?"

Er antwortete nicht. Er sah mich auch nicht an. Er rollte nur schnell und sorgfältig das Tau ein. „So wird es gehen", sagte er.

„Jetzt rudere ich dich nach Hause." Auf der ganzen Fahrt über den Fluß sah er mich nicht an und sprach kein Wort.

Es war ein sehr heißer Tag. Nach dem Abendessen lagen wir in Liegestühlen auf dem Rasen. Über dem Fluß wurde es dunkel, und der Vorhang der Bäume hing schwarz über das andere Ufer. Zwei orangegelbe Quadrate glommen still in der Dunkelheit. Kapitän Judas hatte nun die kindlichen Spiele des Tages hinter sich und quälte sich hinter Schloß und Riegel mit seinen phantastischen Dokumenten.

Niemand sprach ein Wort. Etwas weiter auf der Terrasse glühte Dermots Zigarre wie ein roter Fleck in der Dämmerung. Nellie und Sheila lagen regungslos im Stuhl zwischen uns. Die Kinder waren schon im Bett. Maeve zählte allerdings nicht mehr zu ihnen. Sie trat jetzt aus dem

Haus, schritt leise über den Rasen und lehnte sich einen Augenblick von hinten über meinen Stuhl. Ich spürte ihren Atem über meinem Kopf, hob die Hand und strich ihr über das Haar.

„Schön ist es", flüsterte sie, und ihre Stimme paßte zu der stillen Schönheit des Augenblicks. Sie nahm meine Hand zwischen ihre beiden und sagte: „Komm mit aufs Wasser."

Ich stand auf, und wir schlüpften beide in das Dunkel der Bäume. Der holprige Weg, der zum Fluß führte, war nicht mehr zu sehen. Sie trug einen weißen Mantel und ging hell wie ein kleiner Geist neben mir, beide Hände um meinen Arm gelegt und die Finger gefaltet. Ein paarmal kam sie ins Stolpern, und ich fühlte ihr ganzes Gewicht. Der Wald duftete feucht und geheimnisvoll nach Farnen und reifendem Leben.

„Ich mag solche Spiele nicht – wie heute nachmittag. Ich bin zu groß dafür."

„Du bist ein kleines Kind", sagte ich.

Sie protestierte heftig. „Nein, nein, ich bin schon vierzehn, und es gibt soviel anderes zu tun."

An einer steinigen Strecke des Weges hängte sie sich hilfesuchend an mich. „Kein Mensch kümmert sich darum", sagte sie. „Das macht mich bange. Keiner hilft mir weiter. Du wolltest mit Vater darüber reden, ob ich zur Bühne darf. Hast du es schon getan, Onkel Bill?"

Vom Waldrand bis zum ebenen Platz am Steg kamen wir ins Laufen. Es war heller dort. Ihr schmales, blasses Gesicht, in dem die Augen jetzt bei Nacht ganz schwarz wirkten, sah mich flehend an.

„Mein Gott, du tragisches kleines Persönchen", sagte ich, „in deinem Alter habe ich für einen Landpfarrer Holz gehackt und mich nicht damit abgequält, was ich werden sollte. Mach dir keine Gedanken, Liebling. Ich werde mit deinem Vater sprechen, wenn der rechte Augenblick da ist."

Sam Sawle saß an der Spitze des Stegs und rauchte seine Pfeife. Er stand auf und kam zu uns. „Wollen Sie noch hinausfahren, Herr Essex?" Er sprach ganz leise. Es war eine von jenen Nächten, in denen jedes Wort, das über das Flüstern hinausgeht, das Ohr beleidigt. Ich nickte.

„Womit?"

„Was meinst du zum Motorboot? Wir können zur Carrickreede hinunterfahren."

Maeve schüttelte den Kopf. „Nein, nicht heute nacht. Nachts, wenn es so ruhig auf dem Fluß ist, ist mir der

Krach des Motors schrecklich. Laß uns lieber ein Boot nehmen. Wenn du müde wirst, rudere ich."

Sam zog das Ruderboot längsseits. „Sie haben noch lange Wasser", sagte er. „Es flutet noch."

Er holte einige Kissen aus seiner Hütte und legte sie bequem hinter Maeve, die sich ans Heck setzte. Dann stieß er das Boot hinaus. Über dem Wald ging gerade der Vollmond auf, gelb und riesengroß, und verdunkelte den Glanz von Kapitän Judas' Fenster. Ein Sprühregen von Silber fiel auf den Fluß und schuf ein gleißendes Band zwischen ihm und uns.

Ich ruderte in langsamen Schlägen und horchte auf den melodischen Fall der Tropfen von den Ruderblättern und das leise Saugen und Gurgeln des Wassers an den Bootswänden.

„So ist es besser", sagte Maeve. „Dies sind Laute, die in die Nacht passen. Wenn die Sonne scheint, macht mir der Krach der alten ‚Maeve' nichts aus, aber im Mondschein hasse ich ihn."

Sie hielt die Finger ins Wasser und zog sie schnell wieder zurück. „Kalt", sagte sie, „kalt" und steckte die Hand in den Mantel. Sie schauderte ein wenig, und ich fragte sie, ob ich zurückrudern und eine Decke besorgen solle. „Nein, nein", sagte sie. „Es ist wunderschön. Nicht reden."

Das hatte sie damals in Manchester auch gesagt – den ersten Abend, als ich mit ihr ins Theater ging –, als der Vorhang nach dem ersten Akt fiel und jeder außer ihr schwätzte. Immer häufiger brauchte Maeve ihre Zeiten des Schweigens.

Der Mond war schnell aufgegangen. Milde glänzte die ganze Scheibe auf und grenzte mit ihrem unteren Rand an die Wipfel der Bäume. Judas' Lichter waren hinter einer Flußbiegung verschwunden. Um uns nichts als Wasser, Bäume und der Himmel, der in geheimnisvollem Glanz verschwamm. Vom Ufer kam ab und zu ein Vogelschrei, der zitternde Kehllaut einer Eule, die kurzen, scharfen Pfiffe der Austernfischer, die in Schwärmen am Rande des Wassers entlangflitzten. Wo der Wald lichter wurde und sich am kahlen Hang verlor, lag das Vieh in Gruppen zusammen, wie erstarrt im toten Licht des Mondes.

Der Fluß bog und schlängelte sich. Wir bohrten uns in das schweigende Herz des Zauberreiches, an dunklen Höhlen vorbei, über die sich die Bäume hochreckten, und wieder hinaus in mondklare Weiten, die mit den dunklen Schatten der Büsche, Scheunen und Schober gesprenkelt waren.

Da sagte Maeve leise und ganz ergriffen: „Sieh. Die Schwäne!"

Ich zog die Riemen ein und sah mich um. Ich hatte mir schon gedacht, daß wir bald zu den Schwänen kommen mußten, denn ich hatte sie hier schon öfter gesehen, nur im Mondschein noch nicht. Auf der einen Seite des Flusses fiel das Ufer ab, und dort lag ein Sumpfgelände, vielfach von Bächen, Teichen und Wasserarmen durchzogen, die jetzt wie mit flüssigem Blei in eine Landkarte gelegt wirkten. Auf diesen Gewässern saßen die Schwäne, Scharen von Schwänen: einige hatten den Kopf in die Flügel gesteckt, andere wiegten sich gelassen mit hochgereckten Hälsen. Große weiße Tiere waren darunter, schimmernd wie schöne Gebilde aus Schnee, und braune Junge, die noch nichts von der glänzenden Verwandlung des ausgewachsenen Schwanes wußten.

Ich nahm die Ruder wieder auf und trieb das Boot langsam in die Vogelflottille hinein. Einige, die wach waren, reckten sich aus dem Wasser, indem sie die schwarzen Schwimmfüße hinunterdrückten und die herrlichen Schwingen im Mondschein ausbreiteten. Dann strichen sie langsam vor dem nahenden Boot davon. Ihre Unruhe teilte sich den anderen mit, lange Hälse rollten sich auf und schlängelten sich über den schaukelnden Booten der Leiber empor. Bald waren alle Schwäne in unserer Nähe aufgescheucht, und es kam Bewegung in das Wasser. Sie schienen von selbst wegzugleiten, schöne Geheimnisse, die durch das Traumgespinst des Mondes den Blicken entschwanden.

Maeve, die im Boot gelegen hatte, richtete sich plötzlich auf und klatschte in die Hände. Der Lärm der Flügel zerriß den Bann des Augenblicks. Einige Schwäne reckten sich aus dem Wasser und platschten schleppenden Fußes durch den zertrümmerten Mondspiegel, der auf den Teichen und Wasserarmen blinkte. Andere stiegen auf, und das Krachen ihrer Schwingen war ergreifender als alles, was ich je gehört hatte. Wenn man sie aus solcher Nähe sah, war es unverständlich, daß sich die mächtigen Körper so mühelos aufschwingen konnten. Bald sahen wir sechs von ihnen in das silberne Licht des Himmels hinaufstreben. Unwillkürlich hatten wir uns auf den Rücken gelegt, um den ungewöhnlichen Anblick zu genießen. Eine Weile verloren wir sie aus den Augen, aber als sich die Unruhe der übrigen auf dem Wasser wieder gelegt hatte, hörten wir klar und deutlich ihren fernen, knarrenden Flügelschlag.

Die Schwäne zogen hoch über unseren Köpfen gegen den Mond, einer hinter dem anderen, ein Bild wilder, unzugänglich scheuer Schönheit. Wir lagen noch lange dort und schwiegen in der Hoffnung, das Wunder möge wiederkehren. Schließlich sagte Maeve: „Das gibt es nur einmal. Laß uns heimfahren."

Es war sehr spät, als wir am Steg anlegten. Der Mond stand hoch, und er war heller und kleiner. Es ebbte. Wir blieben einen Augenblick stehen und beobachteten, wie sich alles nach der Ebbe richtete. Alle Boote hatten sich in ihren Ankerringen nach Westen gedreht, das Mondlicht kräuselte sich gelb in den Wellen, Blätter und Zweige trieben in der gleichen Richtung vorüber, und selbst das Wasser, das tiefe, geheimnisvolle und zeitlose, strömte leise murmelnd dem Meere zu.

Noch immer leuchteten die Lichter von Kapitän Judas über den Fluß. Weder Zeit noch Flut konnten die Gespenster abhalten, die hinter ihm her waren. Maeve zog mit der einen Hand den Mantel fester um sich, mit der anderen faßte sie mich unter und schmiegte ihren Körper eng an mich. „Danke!" sagte sie. „Diese Nacht vergesse ich nie. Ich werde nie wieder eine so schöne Nacht erleben. Und nie wieder werden die Schwäne am Mond vorüberfliegen."

„Unsinn", sagte ich und zog sie den Waldweg hinauf, „du wirst noch so viel Schönes sehen, Mädchen. In zehn Jahren sprechen wir uns wieder, und dann erzähl mir noch einmal, ob du inzwischen nichts Schöneres gesehen hast als einen alten Fluß, der im Mondschein ein schönes Gesicht vortäuscht."

Sie schauerte etwas zusammen. „Zehn Jahre!" sagte sie, „Das ist eine lange Zeit. Dann werde ich vierundzwanzig sein. Ich möchte wissen, was in zehn Jahren aus uns allen geworden ist: aus mir und Rory und Oliver und dir und Eileen."

„Warum, Kind?" meinte ich. „Du bist dann eine berühmte Schauspielerin, und ich bilde mir mehr auf meine Stücke ein, als gut für mich ist, weil alle Welt hingeht, nur um die schöne Maeve O'Riorden zu sehen."

„Oh", flüsterte sie, „das wäre wundervoll!"

„Und Rory ist dann – sagen wir – vermutlich die rechte Hand seines Vaters in der berühmtesten Inneneinrichtungsfirma der Welt."

„Dickmatz! Es spukt ihm so viel im Kopf herum, daß mir angst um ihn ist."

„Und Oliver wird ein goldhaariger Pfarrer, und alle alten Damen haben ihn so lieb, daß sie fünf Groschen in den Klingelbeutel stecken statt zwei. Und dadurch machen sie ihn schließlich zum Bischof. Eileen heiratet selbstverständlich einen netten Mann, der einen Zigarren- und Zeitungsladen an der Ecke einer Dorfstraße hat. Sie bekommen viele Kinder, und wenn ihr Mann draußen die neuesten Meldungen anklebt, stibitzt sie Bonbons aus dem Laden und stopft sie ihnen in den Mund. Und so machen sie schließlich Bankrott, und die Gläubiger bekommen zwei vom Hundert."

„Was redest du für einen Unfug, du lieber alter Peter. Und doch – ich – ich – ich habe dich so lieb."

Damit blieb Maeve plötzlich stehen, mitten auf dem Weg im stockdunklen Wald, schlang beide Arme um mich, legte ihren Kopf an meine Brust, an die sie gerade noch heranreichte, und weinte sich die Augen aus! Ich ließ sie dort, bis der Sturm sich gelegt hatte, dann nahm ich sie auf den Arm und trug sie über den feuchten Rasen ins Haus. Alles war schon im Bett. Ich setzte sie in die Halle unter die Lampe, und sie hob ein schmales, blasses und tragisches Gesicht zu mir, das von Tränen überströmt war, und sagte: „Küsse mich."

Ich beugte mich nieder, küßte sie und schmeckte ihre salzigen Tränen. Dann ging sie wortlos mit schweren Knien die Treppe hinauf. Ich setzte mich und zündete mir eine Zigarette an. Ich hatte Maeve manchmal geküßt, aber ich wußte jetzt, daß ich sie nicht wieder küssen würde.

Allmählich merkte ich, daß Kapitän Judas mit der Außenwelt nicht viel im Sinne hatte, aber ab und zu ging er doch nach Truro, um nachzusehen, ob dort postlagernde Briefe für ihn eingegangen waren. Am nächsten Vormittag fuhr ich mit der „Maeve" in die Stadt, um einige Besorgungen zu machen, und nahm ihn mit. Unterwegs sprach er ganz vernünftig und wußte allerhand über die Schiffe, die an der Landungsbrücke lagen, zu erzählen, ihre Heimathäfen und ihre Landung. Hier äußerte er sich anerkennend über ein Schiff, das gut im Stande war, dort brummte er abfällig über die Schlamperei auf einem anderen. Erst als die „Maeve" in den engen Hafenarm zwischen Bootswerften auf der einen und Getreidespeichern auf der anderen Seite einlief, wurde er unruhig. Die Speicher erhoben sich unmittelbar am Wasser; zwei, drei Stock hoch standen in den offenen Türen Männer, von oben bis unten mit Mehl bestäubt, und bedienten die Winde, an der die vollen Säcke hinauf und herab schwankten.

Er sah bedenklich zu ihnen hinauf. „Achtung, mein Junge, nach der Mitte halten!“ brummte er. „Ein mürbes Tau und so ein Sack – bums! klatsch! –, und was bleibt dann noch übrig von mir? Wie? Immer das gleiche Spiel: sie kommen auf alle Tricks. Aber ich kenne sie. Ich kenne sie. Und wenn wir an Land gehen, hüten Sie sich vor der Kirche!“

„Sie haben ganz recht, Kapitän. Aber ich mache nur ein paar Besorgungen.“

„Und ich gehe nur auf die Post. Verstehen Sie mich recht: ich kann noch nichts gegen den Bischof hier sagen – nichts Endgültiges, das heißt ... ich kann ihm noch nichts nachweisen. Inzwischen ... Vorsicht!“

„Wissen Sie, Kapitän“, sagte ich, als wir ausstiegen. „Sie sind eine recht auffallende Erscheinung. Ihr langer Bart und Ihr langes Haar. Verrät Sie das ‚denen‘ nicht leicht?“

Er kicherte schlau vor sich hin. „Auf den Grund sind Sie bei mir noch nicht gekommen, mein Junge. Nein, nein, höchstens ein oder zwei Faden tief. Sie hätten recht, wenn ich immer so ausgesehen hätte. Aber ich war glatt rasiert und kurz geschoren wie ein Sträfling, als sie – als...“

Der alte Mann blieb mitten auf dem Fahrdamm stehen und sah mich mit einem ausdruckslosen Gesicht an, in dem nur das eine gesunde Auge funkelte. Es zuckte ihm um den Mund. Mehrere Male setzte er zum Sprechen an und quälte sich mit etwas ab, was ihm entfallen war. „Das war – als...“ fing er von neuem an, und dann lehnte er sich gegen eine Mauer und fuhr sich mit dem Taschentuch über die Stirn. Ich sah, daß ihn meine Bemerkung tiefer getroffen hatte, als ich es gewollt hatte, und nahm ihn beim Arm. „Meinen Sie, Kapitän“, sagte ich, „daß der norwegische Holzdampfer, an dem wir vorbeikamen, heute abend noch mit der Ebbe ausläuft?“

„Heute abend? Nie im Leben! Die können von Glück sagen, wenn sie es morgen schaffen bei ihrem Schneckengang.“ Er war wieder der alte.

Es war ein Brief für Kapitän Judas angekommen. Als wir langsam nach Hause fuhren, las er ihn wieder und wieder. Er hatte den Umschlag auf die Bank gelegt, und ich sah, daß er an Kapitän Jude Iscott adressiert war, und oben stand quer über den Umschlag gedruckt „Schauspiel-

Ensemble Mary Latter". Es berührte mich sonderbar, daß der alte Judas Verbindungen zur Bühne haben sollte. Das Mary-Latter-Ensemble hatte einen guten Namen. Maeve und ich hatten sie ab und zu in Manchester gesehen. Sie machten Tournees durch die Provinz mit modernen Lustspielen – unter dem Kitsch, der ein volles Haus verbürgt, suchten sie sich das Beste heraus. Ich konnte mir keinen Vers auf den Umschlag machen, der da vor meiner Nase lag. Schließlich wies ich mit dem Finger darauf und sagte: „Die Leute habe ich gesehen, Kapitän. Sie spielen recht gut."

Er sah mich abwesend an und fingerte mit dem Brief herum. „Sie weiß gar nicht, wie schwer es ist, hier herauszukommen. Sie kommt heute nachmittag in Falmouth an, aber wie, in aller Welt, will sie zu mir kommen?"

„Bekommen Sie Besuch?"

„Ja, meine Tochter – Mary Latter."

„Herrgott! Das ist Ihre Tochter? Ich habe sie auf der Bühne gesehen!"

„Ich wünschte, das hätten Sie nicht, Herr Essex", sagte er streng. „Ich bin ganz und gar nicht damit einverstanden. Babylonische Hurerei ist das."

Er starrte noch immer auf den Brief. „Mein Fleisch und Blut", murmelte er. „Das ist das Schlimme, Herr Essex – mein Fleisch und Blut. Das geht einem sehr zu Herzen – sein eigen Fleisch und Blut. Das ist nicht wiedergutzumachen. Ich habe mich schon seit langem damit abgefunden."

„Ich werde sie von Falmouth abholen", sagte ich. Sofort wehrte er höflich ab, aber ich bestand darauf. Ich hatte Ferien. Mit der „Maeve" nach Falmouth zu fahren, war ein guter Zeitvertreib für den Nachmittag. Und außerdem wollte ich Mary Latter unter vier Augen sprechen. Der Kapitän wollte an Bord der „Jesabel" bleiben, um alles fertigzumachen. Trotz der babylonischen Hurerei seiner Tochter kannte er die Pflichten der Gastfreundschaft. Aber er war voll altfränkischer Ansichten über schutzlose Frauen. Seine Tochter konnte am Ende Angst davor haben, sich mir anzuvertrauen. Woher sollte sie wissen, ob ich nicht ein Verbrecher und zu allem fähig war? Ich kletterte deshalb mit ihm auf die „Jesabel", und er schrieb einen Brief, den er mir zu lesen gab. „Ein guter Freund von mir, William Essex – vertrauenswürdig – Ehrenmann –, Du kannst Dich ihm getrost anvertrauen . . ."

Mit diesem Einführungsschreiben bewaffnet, holte ich am Nachmittag Mary Latter vom Bahnhof in Falmouth ab. Ein kleiner Koffer, „M. L." gezeichnet, genügte mir als Erkennungszeichen. Ich nannte meinen Namen und überreichte ihr den Brief ihres Vaters. Sie las ihn lächelnd. „Der gute Alte! Sie sind der Schriftsteller?"

„Ja."

„Dann gebe ich Ihnen noch einmal die Hand, nur um mich zu bedanken. Sie haben mir Freude gemacht."

„Und Sie mir."

„Gut. Dann werden wir uns gut vertragen. Wie komme ich auf Vaters Schiff?"

„Das findet sich schon. Zuerst sollten Sie lieber Tee trinken."

„Herzlich gern."

Sie war eine nette, kluge Frau, mit der sich gut reden ließ, und gab sich ohne jede weibliche Affektiertheit. Ich schätzte sie um einiges älter als mich. Sie hatte regelmäßige, kräftige Züge, sah aber nicht eigentlich gut aus. Ihrem dunklen, zielbewußten Gesicht sah man an, daß sie es nicht leicht gehabt, aber sich durchgesetzt hatte. Nach der spartanischen Mode der Zeit trug sie einen steifen, kleinen Strohhut, eine Bluse mit hohem Kragen und einen dunklen Rock. Ich hatte mein Lebtag nichts gesehen, was weniger nach babylonischer Hurerei aussah, und mußte lächeln, als mir die Wendung wieder einfiel.

„Sie amüsieren sich?" fragte sie ohne Umschweife.

Ich erzählte ihr, was ihr Vater gesagt hatte, und sie lachte. „Der gute Alte", sagte sie wieder.

Wir nahmen eine Droschke bis zum Fischmarkt, ließen ihren kleinen Koffer dort und gingen zu Fuß zurück nach der Hauptstraße in eine Teestube. Es saß sich hübsch dort in der Fensternische, den Blick auf den Hafen mit all seinen Dampfern, seinen kleinen, schaukelnden Segeljachten und den Postschiffen, die den Dienst nach Vlissingen und Cherbourg versahen. Sie schien müde zu sein. Ich schenkte ihr Tee ein.

„Schön ist es hier", sagte sie. „Er sollte sich hier wohl fühlen. Ist er glücklich?"

„Ich glaube wohl. Ich sehe ihn oft, und er scheint sein Leben zu genießen – auf seine Weise – Sie wissen ja."

Sie seufzte. „Ja, ich weiß."

„Wir sind eine ganze Bande dort. Das tut ihm gut. Vor allem die Kinder. Sie halten ihn in Atem."

„Kinder hat er immer gern gehabt", sagte sie und trommelte mit den Fingerspitzen auf den Tisch, während sie in das bunte Treiben auf dem Wasser sah. „Sagen Sie – schreibt er noch – nachts?“

Ich nickte. „Er hat mir das alles erzählt und mir seine Papiere gezeigt.“

„Wir hatten ein Häuschen in Deptford“, begann sie unvermittelt, „einen hübschen Platz mit einer Magnolie im Hintergarten, so groß, wie ich selten eine wiedergesehen habe . . .“

Dann hielt sie inne, und ein leichtes Rot flog über ihr dunkles Gesicht, das irgendwie aussah, als wäre es vom Wetter mitgenommen. „Entschuldigen Sie“, sagte sie, und ihr warmes, tapferes Lächeln hellte ihre Züge wieder auf. „Fast hätte ich Ihnen meine Lebensgeschichte erzählt. So bald schon. Viel zu früh.“

„Heben Sie sie auf, bis wir im Boot sitzen.“

„Ich nehme an, das kommt von der Vorstellung, ihn nach so langer Zeit wiederzusehen. Fünf Jahre.“

Während Mary Latters Aufenthalt auf der „Jesabel“ sammelte ich die Geschichte Stück für Stück. Mit dem Häuschen in Deptford fing sie an, der Garten, die Magnolie, die Mutter, die immer dort wohnte, der junge Vater, der nur zwischen seinen Fahrten da war. Ein Harmonium spielte eine große Rolle. Mutter spielte jeden Abend darauf und sang fromme Lieder. Und wenn Vater zu Hause war, spielte er darauf, und die beiden sangen fromme Lieder. „Und es war herrlich“, sagte Mary Latter. „Wissen Sie, ich schwelgte damals in jener hochgestimmten Traurigkeit, von der nur Kinder etwas wissen: das kleine dunkle Wohnzimmer, die Fenster gingen auf den Garten, dort stand die Magnolie, Dämmerstunde im Spätsommer und die schwermütigen Lieder, bei denen ich immer daran denken mußte, daß Vater jetzt fern auf hoher See war. Jeden Abend sangen wir fromme Lieder – Mutter und ich –, ich war das einzige Kind. Dann ging ich in mein Schlafzimmer, und ich konnte den Fluß sehen, und im Winter zogen die Lichter auf ihm durch die feuchte Dunkelheit, und die Nebelhörner heulten.

Aber die hochgestimmte Traurigkeit verkehrte sich in Freude, wenn Vaters weiße Mütze mit den Goldstreifen daran auf dem Harmonium lag und Vater selbst dran saß und die frommen Lieder spielte.“

Eine Missionskapelle war am Ort, wohin sie jeden Sonntag und zuweilen auch wochentags gingen. Und wenn Vater zu Hause war, predigte er oft; und Mutter und Mary saßen dann dicht nebeneinander und wurden erhoben in das unfaßbare Reich der Gnade, wo sie in Gottes Schoß geborgen waren. Und sie rangen auch inbrünstig im Gebet in dem Häuschen in Deptford, und Vater und Mutter und Mary lagen auf den Knien, und Vaters Stimme hallte im Sommer durch die Dämmerung des Gartens und füllte im Winter das ganze Zimmer, wenn die Schiffe vorsichtig durch den Nebel tuteten.

„So bin ich aufgewachsen", sagte Mary Latter, „in einer überhitzten und überspannten Umwelt. Als ich die Schule, wie sie damals war, überstanden hatte, blieb ich einfach zu Hause und half Mutter. Wir fuhren fort, zu beten und zu singen, und sahen außer den Leuten am Sonntag in der Mission keinen Menschen. Mutter starb, als ich sechzehn war."

Es war ein schwerer Schlag für ein Mädchen, das so behütet und unselbständig erzogen war, und sie war ihm nicht gewachsen. Der Vater, der gerade sein erstes Schiff fuhr, beschloß, sie mit auf See zu nehmen. „Es war furchtbar", sagte sie. „Ganz furchtbar. Wenn ich daran denke, läuft es mir noch heiß und kalt über den Rücken." Sie schauerte zusammen; es war auf der Terrasse vor unserem Haus.

Damals hatte sie zum erstenmal begriffen, daß der alte Mann dem religiösen Wahnsinn verfallen war. Sie fuhren auf einem großen Viermaster und hatten zähe, hartgesottene Jungens an Bord. Der Alte, damals noch gar nicht so alt, hatte sein Harmonium in der Kajüte, und die frommen Lieder nahmen ihren Fortgang. Nachts in den Tropen spielte er bei offener Tür, damit die Mannschaft auch etwas davon hätte, und sang „Dem Herrn zu bekennen, schäm' ich mich nimmer" und „Am Kreuz, am Kreuz, da mir das Licht erschien".

„Auch der Gottesdienst am Sonntag war außergewöhnlich", sagte sie. „Die ganze Mannschaft mußte dabeisein und mitmachen: Gesang und Gebet und eine von seinen Stegreifpredigten. Es war grausig, sie machten sich über ihn lustig, und er merkte es nicht. Sie drehten die Texte um und flochten unflätige und gemeine Worte hinein. Mitten in der Predigt schrien sie ‚Halleluja' und ‚Gelobt sei das Lamm' und alles so grausam und höhnisch. Sie wissen, daß er Jude Iscott heißt, und sie fingen an, ihn Judas Ischariot zu nennen. Die Stimmung hinter seinem Rücken war entsetzlich. Sie lachten verächtlich über ihn und machten unanständige Bewegungen mit den Traktaten, die ich ihnen in die Hand drücken mußte, und murmelten: ‚Wer hat Jesus für dreißig Silberlinge verkauft?'"

Sie schilderte es sehr anschaulich bis ins einzelne, und ich sah das große Schiff mit vollen Segeln durch die weißen Kämme des blauen Meeres streichen und das junge Mädchen am Harmonium, das zum Gottesdienst aus der Kajüte an Deck geschleppt worden war, und den alten Judas barhäuptig, damals noch stahlgrau, wie sie berichtete, und sein Bekenntnis zu Gottes Liebe in den Wind reden. Und vor ihm die Offiziere, einigermaßen gefaßt, und darum der Kreis grinsender Gesichter, die nur auf das Zeichen warteten, einen Gesang loszulassen. Mit einem Gesangsvers läßt sich alles machen: ich hatte die Jungen in Hulme oft genug gehört. Für das einzige Mädchen an Bord muß es furchtbar gewesen sein.

„Sehen Sie, an Land war ich immer nur mit Menschen zusammengekommen, die so etwas gern hatten. Jetzt kam ich mir vor wie ein Missionar unter Kannibalen. Ich war kein Held. Ich liebte ihn und betete ihn an, und er war ein ausgezeichneter Seemann, aber noch einmal konnte ich das nicht mitmachen, und vor dem endlosen Alleinsein in dem Häuschen in Deptford, Monat für Monat, graute mir. Ich wußte nicht, was ich tun sollte."

Aber es ergab sich. George Latter kam in Sydney an Bord und fragte, ob er die Heimfahrt abarbeiten könne. Ein paar Schurken waren gerade durchgebrannt, und der alte Judas nahm ihn.

„Haben Sie George einmal gesehen?" fragte sie. „Wir sind zusammen aufgetreten."

Ich schüttelte den Kopf.

„Er sah damals gut aus", sagte sie, „obwohl er eine schwere Krankheit hinter sich hatte und noch immer blaß und abgefallen war; aber lächerlich romantisch. Ich lehnte über die Reling, als er das Fallreep heraufkam, schwarzlockig, im Schillerhemd – ich sah sofort die tiefen Löcher über den Schlüsselbeinen – und ein winziges Bündel am Stock über der Schulter. Ein ‚Hans, der auszog, das Glück zu suchen', wie er leibt und lebt – der Gedanke kam mir auf den ersten Blick. Ich erinnere mich noch, wie ihm der Steuermann zurief: ‚Was willst denn du? Wir sind doch kein Tingeltangel hier!'"

Aber der Alte unterhielt sich mit Latter in seiner Kajüte, gab ihm ein Traktätchen und heuerte ihn für die Heimreise an. Latter war der Sohn eines reichen, geadelten Kaufmannes, der den „glücksuchenden Hans" bereits in allen Phasen hinter sich hatte. George aber wollte davon los, und er benutzte die Freiheit des ersten Semesters in Oxford, um sich einer fahrenden Schauspielertruppe anzuschließen. Mit ihr war er nach Australien gekommen, in Sydney krank geworden und ohne einen Pfennig sich selbst überlassen worden. Das war seine ganze Geschichte, kurz und weiter nicht bemerkenswert.

„Selbstverständlich verliebten wir uns auf der Heimreise", erzählte Mary Latter. „Einem solchen Mann war ich noch nie begegnet. Als er wieder gesund und kräftig wurde, war er der schönste Mann, den ich in meinem Leben gesehen habe, auch späterhin – das heißt, bis ich . . . nun, was meinen Sie?" Sie wandte sich mit ihrem warmen Lächeln zu mir.

„Ich weiß", sagte ich. „Oliver."

„Ja. Er stellt sie alle in den Schatten. – Gut, nun wissen Sie, warum ich neulich in Falmouth drauf und dran war, Ihnen einiges von mir zu erzählen. Der ‚Feuervogel' – so hieß Vaters Schiff damals – landete nämlich in Falmouth. Am späten Nachmittag liefen wir ein, abends gingen George und ich an Deck und sahen den ganzen Hafen vor uns im Vollmond liegen. Ich sehe es noch wie heute, besonders die grauen Schieferdächer der Stadt, die wie flüssiges Blei glänzten, und ich spüre noch die ungewohnte Stille der eingezogenen Segel und des vertäuten Takelwerks nach dem monatelangen Knarren, Ächzen und Klatschen. Es war himmlisch! Da beschlossen wir, am nächsten Tag durchzubrennen, und wir taten es. Wir hatten Angst, Vater etwas davon zu sagen. Und diese Woche habe ich nun Falmouth zum erstenmal wiedergesehen."

So hatte Mary Latter das Bühnenhandwerk gelernt – sie hatte sich mit Latter einer fahrenden Truppe angeschlossen und ihn später geheiratet – und ihre Erfahrungen bei der Schmiere gesammelt, nicht auf Akademien, sondern von der Pike auf.

„Eine große Schauspielerin bin ich nie gewesen", sagte sie bescheiden, „aber das kann ich von mir behaupten: mein Handwerk verstehe ich."

Es ging schmal zu, bis Latters Vater starb. Er war Witwer und unversöhnlich, aber er hatte zum Glück kein Testament gemacht. George Latter folgte ihm bald; soviel ich verstand, muß er nie besonders kräftig gewesen sein. Mary Latter kam in den Besitz eines ganz anständigen Vermögens, das unstete Leben des fahrenden Theaters kannte sie von Grund aus, und sie beschloß, ihre eigene Truppe zu gründen. So entstand das „Schauspiel-Ensemble Mary Latter". Ihre Gründerin war eine tüchtige Geschäftsfrau, und ihr Vermögen wurde nicht kleiner, sondern eher größer.

Einige Tage später brachte ich die Rede wieder auf Kapitän Judas. Sie erzählte mir kurz die Geschichte seines Zusammenbruchs. Sein Benehmen an Bord wurde immer überspannter, und die Nachrichten von seinen überschwenglichen Gottesdiensten wurden den Reedern allmählich unheimlich. Seine seemännischen Fähigkeiten standen außer Frage, denn wenige holten so viel aus einem Klipper heraus wie er; aber als er in jedem Albatros, der dem Schiff folgte, die sichtbarliche Gegenwart des Heiligen Geistes zu sehen begann, riefen sie ihn nach London und fühlten ihm auf den Zahn. Paulus vor Festus, so war das für ihn, und alles, was aus dem stillen, kleinen Mann in dem anständigen blauen Rock herauszubekommen war, gipfelte in dem ebenso plötzlichen wie leidenschaftlichen Ruf zur Buße, solange das Jüngste Gericht noch nicht angebrochen sei.

So geschah es, daß Kapitän Jude Iscott, dem jetzt der Name Judas Ischariot wie eine Klette anhaftete, lange Zeit kein Schiff bekam und allmählich von Posten zu Posten herabsank, bis er schließlich nach Holländisch-Indien verschlagen wurde. Dort hieß er nur ganz einfach Kapitän Judas, sein Name und seine Geschichte waren verschollen, und er trieb sich wie ein phantastischer Heiliger zwischen den Inseln herum. Sein langes Haar und sein wallender Bart, das apokalyptische Leuchten seines Auges und die Unverzagtheit, mit der er an seine Berufung glaubte, seefahrende Sünder zur Buße zu rufen, machten ihn zu einer Gestalt, die man liebte und fürchtete und der man am besten aus dem Wege ging, sofern man sündig war, aber seine fünf Sinne noch beisammen hatte.

„Eine Meuterei gab ihm schließlich den Rest", sagte Mary Latter.

Sie erfuhr zuerst durch die Zeitungen, daß Kapitän Jude Iscott und ein Schiffskoch in einem offenen Boot aufgefischt worden waren. Der Kapitän sei unzurechnungsfähig gewesen, aber der Koch habe eine lange Geschichte von einer Meuterei erzählt. Weiter verlautete nichts von der Sache, die ja auch für die englischen Zeitungen zu belanglos war. Mary wußte nicht einmal, welches Schiff ihr Vater geführt hatte, es stand nicht in den Meldungen, es hieß nur, daß die beiden Leute in Penang an Land gesetzt worden seien.

Was tat die Frau? Sie beschloß, nach Penang zu fahren. Und jetzt wird man eher verstehen, warum ich sie bewunderte.

„Sehen Sie“, sagte sie, und sie saß in ihrer steifen, korrekten Kleidung vor mir, die sie auch in den Ferien anbehielt, „ich war gerade zu all dem Geld gekommen und dachte mir: ein Luftwechsel wird dir guttun. Ans Herumreisen war ich ohnedies gewöhnt.“

In englischen Privatpensionen, gewiß! Aber in Penang!

Sie berichtete mir in ihrer sachlichen Art, wie sie in Penang angekommen sei; es klang so, als wäre es Bournemouth gewesen. Anscheinend gab es dort ein Armenspital, und sie erfuhr, daß der Kapitän wie der Koch dort gelegen hätten, aber inzwischen entlassen worden wären. Wohin sie gegangen seien, wußte kein Mensch, aber man nahm an, daß sie sich noch in der Nähe aufhielten, weil ein Verfahren gegen sie schwebte.

Mary hatte viel Geld. Sie kaufte sich ein paar Burschen und schickte sie von ihrem Hotel aus – „etwas so Scheußliches haben Sie noch nicht gesehen! Und das Essen!“ – auf die Suche. Sie schafften denn auch nach einiger Zeit den Koch herbei.

„Ich hatte etwas Angst. Mir waren die Schwarzen immer zuwider.“ Aber der Koch war ein anständiger Kerl, ein Malaie, nicht so schwarz, wie Mary gefürchtet hatte. Sein Englisch machte ihr Kopfzerbrechen, aber sie holte die ganze Geschichte aus ihm heraus. Nach allem, was daraus zu ersehen war, handelte es sich ganz einfach um eine ausgemachte Schurkerei. Der Dampfer, den Judas fuhr, war nur klein. Er hatte einen Maschinisten, einen Steuermann, zwei Matrosen und den Koch an Bord. Mit Ausnahme des Koches waren es alles Schurken. Sie waren darauf aus, das Schiff zu stehlen, und der Koch sollte mitmachen, er tat auch so, aber er warnte den Kapitän. Dieser stieg darauf auf die Kommandobrücke und stimmte ein frommes Lied an, in dem er der Welt verkündete, er sei „stark in der Kraft, die Gott durch seinen ewigen Sohn schenkt“.

Das hinderte aber nicht, daß die Bombe noch am gleichen Abend platzte. Im Schlaf wurde er in seiner Kajüte festgesetzt und aufgefordert, ins Boot zu gehen. Er leistete Widerstand. An allen vieren schleppten sie ihn ins Boot. „Rein mit dir, Judas“, befahl der Steuermann, „und vergiß mir die dreißig Silberlinge nicht!“ Damit warf er ihm verächtlich eine Handvoll Münzen nach. Der Koch versuchte ein wahrhaft heroisches Entlastungsmanöver, indem er mit einem Topf kochenden Wassers aus der Kombüse hervorstürzte und ihn dem Steuermann über den Kopf zu gießen drohte. Aber bevor er dazu kam, erhielt er von einem Matrosen einen Schlag über den Kopf und wußte nichts mehr, bis er im Boot wieder zu sich kam. Der Dampfer war außer Sicht und wurde auch unter seinem bisherigen Namen nie wieder gesichtet. Drahtlose Telegrafie gab es damals noch nicht.

Judas lag noch bewußtlos im Boot. Er hatte auch eins auf den Kopf bekommen wie der Koch, und als er wieder zu sich kam, redete er irre. Er sammelte die Münzen vom Boden auf, schleuderte sie ins Meer und schrie in den Sonnenaufgang, der eben die Wellen errötete, er habe den Herrn nicht verraten.

Der arme Malaie machte einige verzweifelte Stunden durch. Nur mit Mühe hielt er den Kapitän zurück, über Bord zu springen. Sie hatten kein Wasser an Bord und keinen Schutz gegen die stechende Sonne. Beiden schmerzten die Kopfwunden, und nur der Glücksfall, daß sie noch am gleichen Tage aufgefischt wurden, rettete ihnen das Leben.

So lautete der schmucklose Bericht des Malaien, und das waren die Umstände, die Judas' Gemüt aus seiner Überspanntheit endgültig in den Wahnsinn trieben. Am Abend führte der Malaie Mary Latter zu ihm. Der Kapitän, der sein Leben lang Abstinenzler gewesen war, predigte in einer Hafenspelunke vor einer hingerissenen Zuhörerschaft über Sünde und Erlösung und verwahrte sich dagegen, daß er den Herrn verraten habe. Er war schwer betrunken.

Wieder gab mir ihre einfache Erzählung ein deutliches Bild der ungewöhnlichen Szene: das überfüllte, nach Bier stinkende Loch, Myriaden von Insekten darin, die summend um die hängenden Petroleumlampen herumschwirrten, der Haufen verkommener Gesichter, auf die das Licht fiel, wenn sie sich um den kleinen Mann mit dem wilden Bart, den lodernden Augen und der feurigen Zunge drängten. Mitten in diese Rembrandtgruppe platzte unvermutet die steife, strenge Frauengestalt hinein, die nach Penang gefahren war, als wäre es Bournemouth. „Der Mund blieb ihnen offen stehen", war alles, was sie zu diesem großartigen Auftritt zu sagen hatte.

Anscheinend ging sie dann auf Kapitän Judas zu, packte ihn beim Arm und sagte: „Vater, du kommst jetzt mit." Er war hilflos, weinte ein bißchen, und sie und der Malaie führten ihn ins Hotel und legten ihn ins Bett. Am nächsten

Morgen war er ruhig, zerknirscht und fügsam. Sie sagte ihm, daß es mit dem nächsten besten Schiff heim ginge. „Aber das Verfahren!“ entgegnete er; und auf Schritt und Tritt verfolgte sie der gleiche, erschreckte Ausruf: „Aber das Verfahren!“ – „Pfeif auf das Verfahren“, sagte Mary Latter. „Laß sie kommen und es in London eröffnen.“ Ob es je dazu gekommen ist und was dabei herauskam, hat sie nie erfahren, und es war ihr auch gleichgültig.

„Mehr konnte ich doch nicht für ihn tun, nicht wahr?“ drang sie in mich. „Jahrelang lebte er dann in einem kleinen Landhaus auf den Hebriden, bis er plötzlich die fixe Idee bekam, daß ein paar katholische Priester, die dort ihre Ferien verbrachten, von Rom ausgesandt seien, um ihn zu beobachten. Dann setzte er sich in den Kopf, er müsse wieder ein Schiff haben und in einer Bucht unterschlüpfen. Deshalb gab ich ihm die Mittel, die ‚Jesabel‘ zu kaufen. Sprechen Sie nie über das Geld mit ihm, ja? Sie täten es auch ohnedies nicht, ich weiß. Ich möchte, daß er seine Schecks selber ausschreibt, er tut es so gern. Ich zahle jeden Monat eine Kleinigkeit auf sein Konto ein. Davon hat er ja die ‚Jesabel‘ gekauft.“

Zum erstenmal in all unseren Gesprächen klang ihre feste Stimme brüchig. „Er führt Buch darüber“, sagte sie. „Es geht einem durchs Herz, verstehen Sie? Er bestand darauf, es mir zu zeigen. Jeder Pfennig, den er mir schuldet, ist eingetragen. Es soll alles von dem Honorar zurückgezahlt werden, wenn sein Buch erschienen ist.“

Im schwarzen Rumpf der „Jesabel“ leuchteten die Lichter auf. „Ich muß gehen“, sagte sie. „Wenn ich jetzt nicht komme, fängt er an zu schreiben, und solange ich hier bin, soll er die Hände davon lassen.“

Als wir diesmal von Reiherbucht abfuhren, reiste Mary Latter mit uns nach London. Kapitän Judas brachte uns zur Bahn nach Falmouth. Sam Sawle wartete mit der „Maeve“, um den alten Mann wieder nach Hause zu fahren.

Als die anderen verstaut waren, ging Judas noch eine Weile mit mir und seiner Tochter auf dem Bahnsteig auf und ab. Er hatte nichts zu sagen, aber er hielt uns beide fest am Arm gepackt und führte uns auf einer Fläche von der Größe eines Achterdecks unablässig hin und her. Schließlich mußten wir einsteigen, und als der Zug abfuhr und ich mich aus dem Fenster lehnte, sah ich von dem kleinen Mann nur noch einen gebeugten Rücken und hängende Schultern, die sich vom Bahnsteig fortschleppten, wahrlich eine andere Gestalt als der kampflustige Zwerghahn, der uns bei der Ankunft entgegengetreten war. Er würde jetzt sehr allein sein! Seit Jahren hatte er sich an niemand mehr „angeschlossen", sagte Mary. Er würde nun wohl zeitig die Gardinen zuziehen und sich unten im Schiff an die Arbeit machen.

Ich saß in meiner Ecke, mir gegenüber Mary Latter Arm in Arm mit Maeve. Das hatte geklappt! Mary hatte an dem Kind Gefallen gefunden, und ich hatte sie viel beisammen gelassen, ehe ich bei Mary anfragte, ob sie eine Möglichkeit sähe, Maeve anzustellen. Zuerst mußten Dermot und Sheila gewonnen werden, und das war nicht schwer. Sie waren beide klug genug, zu wissen, daß bei einem Kind in Maeves Alter eine echte Neigung, die fast einer Berufung gleichkommt, selten ist und daß es daher nur richtig ist, ihr den Willen zu lassen. Daß ich Mary Latter als praktische, zuverlässige und unsentimentale Frau bewunderte, war ihnen Gewähr dafür, daß Maeve nirgends besser aufgehoben sei.

Mary selbst besprach die Frage mit Maeve und mir, als wir eines Abends auf unserem kleinen Steg auf und ab gingen. „Hoffentlich hast du keine Flausen im Kopf", sagte sie streng zu Maeve. „Bilde dir nicht etwa ein, daß du dein Bild auf Postkarten zu sehen bekommst. Solange du bei mir bist, sicher nicht. Kannst du Schreibmaschine schreiben?"

Maeve schüttelte verängstigt den Kopf. „Ja, wenn du zu mir kommen willst, mußt du es lernen. Auch stenografieren. Du mußt Briefe für mich schreiben und mir auch wohl einmal vorlesen, wenn ich müde bin. Wenn du dich gut aufführst, nehme ich dich vielleicht dann und wann mit ins Theater, damit du die Witterung dafür bekommst und siehst, wie es gemacht wird, bis es dir in Fleisch und Blut übergeht. Und in einem Jahr binden wir vielleicht ein Schürzchen um, setzen dir ein weißes Häubchen auf, und du darfst hinausgehen und sagen: ‚Der Herr Pfarrer läßt fragen, ob er der gnädigen Frau seine Aufwartung machen darf.' Und wenn du das ordentlich sagen kannst, darfst du vielleicht auch mal etwas mehr sagen. Hast du mich verstanden?"

Maeve nickte nur, sprachlos, aber glücklich. „Also gut. Hauptsache, du begreifst, um was es sich handelt. Du sollst lernen, wie ich gelernt habe – von der Pike auf. Wie alt bist du?"

„Vierzehn, gnädige Frau."

Mary zog die Stirne kraus. „Mein Gott, für ein solches Kind habe ich dich nicht gehalten. Einerlei. Du wirst hoffentlich vernünftiger sein als ich mit vierzehn Jahren. Jetzt mach, daß du ins Bett kommst. Wenn du erst bei mir bist, bekommst du wenig Schlaf."

Als Maeve fortgegangen war, sagte sie: „Ich bin Ihnen sehr dankbar, daß Sie mir das Kind gebracht haben. Sie gefällt mir."

„Mir scheint, sie hat Glück", antwortete ich, „und – seien Sie nicht böse, wenn ich das sage – Sie auch. Mich freut es, daß sie ihre Ausbildung bei einer Gastspieltruppe bekommt. Da lernt sich's am besten."

„O ja", sagte sie, „es ist eine großartige Schule. Sie lernen alles, was wir ihnen beibringen können, und dann lassen sie uns sitzen."

17

Maeve verließ uns Anfang September 1906. Im folgenden April sahen wir sie flüchtig, als das Schauspiel-Ensemble Mary Latter acht Tage in Manchester spielte. Sie war noch mit keinem Fuß auf die Bühne gekommen und doch nicht mehr die alte. Sie hatte ein ruhiges Selbstvertrauen, an dem es ihr gefehlt hatte, solange sie vom Theater nur geträumt hatte. Jetzt hieß es nicht mehr Luftschlösser bauen, sondern warten, und sie wartete in schöner Zuversicht.

Im August kam sie nicht zu uns nach Reiherbucht. Mary Latter ging auf eine Auslandstournee: Frankreich, Spanien, Italien und Österreich. „Einen richtigen Bummel durch die Welt", nannte sie es, und Maeve war mit.

Aber wir erhielten unerwarteten Zuwachs, und das kam so. Dermot und ich hatten die Schnellfixwerke in Hulme besichtigt und waren auf dem Heimweg, als er sagte: „Es ist schade, Bill, aber dieses Jahr wird es für uns nichts mit Reiherbucht. Du entsinnst dich, was ich dir damals an dem Abend mit Kevin Donnelly andeutete, über Rorys Aufenthalt in Irland, nicht wahr?"

Ich nickte verdrießlich.

„Nun, es dauert nicht mehr allzulange, bis er fortgeht, und da dachte ich, es sei ganz gut, wenn er vorher etwas mit Donnelly zusammenkäme und ihn auf zwanglose Art kennenlernte. Donnelly hat auch eine Tochter – Maggie – ungefähr in Rorys Alter. Ich wollte die beiden bitten, die Ferien mit Sheila und mir zu verbringen."

„Na und?“ fragte ich. „Warum nicht in Reiherbucht?“
Dermot leuchtete auf. „Dir wäre das recht? Und Nellie?“

„Nellie sagt zu allem ja. Und was mich angeht ... wenn du schon entschlossen bist, Rory in diese verdammten Dummheiten hineinzubringen, so möchte ich wenigstens noch, solange es geht, etwas von ihm haben. Ich hänge an dem kleinen Kerl.“ Dermot blieb stehen. „Verdammte Dummheiten!“ brach er los.

„Ich will dir mal was sagen ...“

„Nein“, fiel ich ihm ins Wort. „Sag mir nichts. Wir wollen uns doch nicht darüber streiten. Dabei bleibt es.“

Dermot nahm den Hut ab und trocknete sich die Stirn. Schon bei diesem leisen Widerspruch war er in Hitze geraten. In seinen graugrünen Augen funkelte es. Er faßte sich, stülpte sich den Hut auf und sagte: „Ich will keinen Streit mit dir. Komm.“ Er nahm meinen Arm.

„Freut mich“, schmunzelte ich. „Ich bin stolz darauf, mich mit einer so vornehmen Erscheinung beim Spaziergang sehen zu lassen. Der schöne Hut und all das übrige!“

Dermot sah damals, kurz vor den Vierzigern, am besten aus. Er war sehr groß und schlank. Sein Gesicht, lang, hager und vornehm, lief in den herausfordernden roten Bart aus. Auch seine Hände waren unwahrscheinlich schmal geworden; er hatte die längsten Finger, die ich je bei einem Mann gesehen habe, und wunderbar feine Handgelenke. Er zog sich auch danach an. Neuerdings hatte er eine Vorliebe für riesige schwarze Schlapphüte, und an jenem Tag trug er einen leichten grauen Anzug mit grüner Krawatte. Damals hatte ich Shaw noch nicht gesehen, aber mir scheint, Dermot muß ihm ziemlich ähnlich gesehen haben.

„Zweierlei möchte ich dir noch sagen“, lenkte Dermot ab und schlug sich mit dem silbernen Knauf seines Malakkastockes gegen das Bein. „Ich reiße aus Manchester aus und hänge die Schnellfix an den Nagel.“

„Du willst aus Manchester ausreißen? Nein, mein Lieber ...“

„Es ist nur eine Frage der Zeit, daß du es auch tust. Ich gebe dir höchstens noch zwei, drei Jahre.“

„Aber warum denn?“

„Weil ich sehr viel im Süden zu tun habe und mich vergrößern möchte. Den Laden hier behalte ich und setze einen Geschäftsführer hinein.“

Er sprach im Ernst, offenbar hatte er sich die Einzelheiten schon überlegt. „Ich habe schon ein Grundstück in der Regent Street“, sagte er. „Vor Ablauf eines Jahres kann ich nicht hinein, bis dahin ist es noch vermietet; und erst soll auch Rory fort.“

Er warf mir einen schnellen Blick zu, und seine Augenbrauen flogen hoch. – Halt um Gottes willen den Mund, schien er zu sagen.

„Und dann sieh mal“, fuhr er fort. „Diese Schnellfixgesellschaft. Wir haben jahrelang ganz anständig daran verdient, und jetzt möchte ich aussteigen und mir meinen Anteil auszahlen lassen. Ich rate dir ebenfalls dazu. Es wird langweilig. Jetzt, wo die Sache von alleine läuft, bin ich nicht mehr nötig, und Spielzeug zeichnen kann jeder.“

„Und dein Vater?“

„Ich verkaufe selbstverständlich nur unter der Bedingung, daß er entweder seinen Posten behält oder pensioniert wird. Wir können auch sehen, daß er ein anständiges Aktienpaket bekommt. Und wenn ich weg bin, kann er mein Haus haben.“

„Du hast das ja alles schon festgelegt.“

„Ja, das habe ich. Punkt für Punkt. Und du? Willst du nicht auch lieber verkaufen? Du lebst doch ausgezeichnet von deinen Büchern.“

„Voriges Jahr hatte ich dreitausend Pfund.“

„Und deine Auflagen steigen. Wenn du erst mit den Theaterstücken anfängst, von denen du immer sprichst, wirst du im Handumdrehen fünftausend haben. O ja. Gib es lieber auf, geh nach London und kauf dir ein Auto. Sie sind schon ganz zuverlässig. Ich kaufe mir morgen eins. Dabei fällt mir ein, wir kommen dann dieses Jahr alle Mann hoch per Auto nach Reiherbucht. Ich habe schon ein paar Fahrstunden gehabt.“

Und so geschah es auch, aber sie brauchten zwei Tage dazu. Die Autos waren ganz zuverlässig, darin hatte Dermot recht, aber die Wege waren damals noch nicht jene asphaltierten Rennstraßen, wie sie es bald darauf wurden. Dermot telegrafierte aus Bristol, daß sie dort übernachten und erst am nächsten Nachmittag in Reiherbucht eintreffen würden. Ich erwartete sie ungeduldig, denn diesmal langweilte ich mich in Reiherbucht; es war das erste Mal, daß wir keine Gäste dort hatten. Schon unterwegs hatte Oliver seinen gesprächigen Kameraden vermißt und kam um vor Langeweile, bis wir schließlich nach zwei Tagen Bahnfahrt Falmouth erreichten. Das Schlimme war, er stellte sich immer vor, wie Rory die Aufregungen des neuen Reisens genoß. „Wenn nun der Reifen platzt? Wenn sie nun in den Graben fahren? Wenn sie nun ankommen und von einem alten Gaul gezogen werden?“ – obwohl diese Art Hochgenüsse damals alle schon der Geschichte des Autofahrens angehörten.

Endlich waren wir da, und Sam Sawle legte mit der „Maeve“ am Steg an, und Kapitän Judas half Nellie voller Respekt an Land. Sie zuckte vor seiner ungewöhnlichen Art zurück, grüßte ihn kaum und verschwand auf dem Waldweg. Oliver ging gleich zu Bett. Nellie hatte sich kaum gewaschen, da fuhrwerkte sie auch schon in der Küche herum. Essen machen und dies und das. In Wirklichkeit haßte sie Reiherbucht. Sie konnte nicht schwimmen und wollte es auch nicht lernen, aufs Wasser wollte sie auch nicht. Jedesmal, wenn die Kinder mit der „Rory“ und der „Oliver“ hinaussegelten, war sie überzeugt, daß sie ertrinken würden. Und ich wußte, daß ihr jetzt, wo wir allein waren, besonders vor dem Gedanken an die feindselige Stille der großen Bäume um uns und des Wassers unter uns graute.

Wir aßen wortlos zu Abend, dann nahm ich ein Boot und ruderte zur „Jesabel“ hinüber. Es war neun Uhr, und es wurde schon dunkel. Judas' Fenster glühten. Zu meiner Überraschung war die Strickleiter eingezogen. Das war etwas Neues. Ich rief mit lauter Stimme: „Jesabel ahoi!“

Über mir öffnete sich vorsichtig ein Fenster, und Judas' weiße Mähne kam zum Vorschein. „Wer ist da?“ fragte er.

„Bill Essex. Störe ich Sie? Haben Sie zu tun?“

„Nein, nein!“ rief er eifrig. „Nein, mein Lieber, einen Augenblick, einen Augenblick!“

Das Fenster schlug zu, und gleich darauf spähte Kapitän Judas über die Reling. Die Strickleiter wurde heruntergelassen, und ich kletterte an Bord. Dann wurde die Leiter wieder eingezogen. Judas nahm mich leidenschaftlich beim Arm, führte mich unter Deck und schloß die Tür hinter sich ab. „Es wird immer schlimmer“, brummte er. „Halten Sie mich für ungastlich, Herr Essex, aber ich muß jetzt die Strickleiter einziehen. Es wird immer schlimmer. Nehmen Sie Platz.“

Er wies auf einen bequemen Stuhl unter einer der Hängelampen. „Rauchen Sie“, sagte er, und als ich mir die Pfeife gestopft und angezündet hatte, beugte er sich geheimnisvoll zu mir und sagte: „Es ist ruchbar geworden.“

Ich hob fragend die Augenbrauen und wies mit dem Pfeifenstiel nach dem Kielraum hinunter. Er nickte. „Wollen Sie mir glauben oder nicht“, sagte er, „vor einer Woche stand ich auf Deck, als ein Boot herankam. Am Heck saß eine Frau, und ein Pfarrer ruderte. Was sagen Sie zu der schamlosen Unverfrorenheit! Nicht einmal verkleidet hatte er sich. So wie er war, kam er, mit hochgeschlossenem Kragen und all dem anderen. ‚Gott, ist das schön hier‘, sagte er zu der Frau, ‚möchtest du nicht auch da drin wohnen?‘ Sie schauderte. ‚Da wimmelt es sicher von Ratten.‘ Ratten! Denken Sie, Herr Essex – Ratten auf der ‚Jesabel‘! Aber das gehörte natürlich zu dem ganzen Schwindel. ‚Sieht mir nicht so aus‘, sagte der Pfarrer, ‚im Gegenteil, wie aus dem Ei gepellt.‘ Durchschauen Sie die Verschlagenheit von dem Kerl? Er schmeichelte mir. Und dann ruft er: ‚Dürfen wir uns Ihr Schiff einmal ansehen, mein Herr?‘ Können Sie sich einen durchsichtigeren Anschlag vorstellen? Habe ich sie erst an Bord, was wird dann aus mir? Eine Frau! Ich wette, es war ein verkleideter Mann. Meine einzige Antwort war, die Leiter einzuholen, die Tür abzuschließen und nach unten zu gehen, und seitdem ist die Leiter immer oben geblieben, wenn ich nicht selbst an Deck sein und Ausschau halten konnte.“

„Da haben Sie recht“, sagte ich. „Nur nichts aufs Spiel setzen.“

„Nichts aufs Spiel setzen. Das ist es. Und schnell weiter mit der Arbeit. Fertigmachen. Veröffentlichen. Und dann... Knall! Bums! Krach!“

Sein Gesicht glühte. Er sah strahlend auf die Papiere, die über den ganzen Tisch verstreut waren. „Das geht der Sache auf den Grund“, sagte er und tippte auf das Blatt, an dem er gerade geschrieben hatte. „Leider kann ich es noch nicht einmal Ihnen zu lesen geben. Sie sind mir nicht böse, nicht?“

„Aber nicht im geringsten.“

„Eins wird mich noch etwas aufhalten. Ich muß Griechisch lernen.“

„Aber, mein lieber Kapitän Judas, das wird Sie sehr lange aufhalten.“

„Darauf kommt es nicht an“, wies er mich zurecht. „Griechisch ist nötig. Ich fühle, im griechischen Urtext ist noch mancher Schlüssel verborgen, und deshalb will ich es lernen. Ich habe mir in London die notwendigen Bücher bestellt.“

Er sah mich ruhig an und strich sich mit den Fingern den langen Bart. Ich wußte, daß er es durchsetzen würde. Mit seiner fixen Idee überwand er Hindernisse, von denen ich beschämt zugeben mußte, daß ich ihnen mit meinen fünf gesunden Sinnen niemals gewachsen gewesen wäre.

„Ich sehe jetzt“, sagte er, „daß ich in meiner Jugend zu buchstabengläubig war. Ich habe die Weisheit dieser Welt verachtet, weil ich mir nicht vorstellen konnte, daß sie mir zur Weisheit jener Welt verhelfen könnte. Aber es ist noch nicht zu spät. Ich bin erst siebzig.“

Er schob sein Geschreibsel in eine Schublade und schloß sie ab. „So, jetzt darf ich Ihnen eine Tasse Tee machen“, sagte er vergnügt. „Vergessen wir die Ränke des Papstes, des Präsidenten der Methodistensynode und jenes armen Teufels, der neulich hier vorbeiruderte. Schien ein Reformbaptist zu sein. Wenn der große Krach kommt, fliegen sie alle auf. Das wird ein Schauspiel! Das wird ein Schauspiel! Dreifache Tiaren, Mitren, Birette, Kardinalshüte, Jesuitenhüte und Heilsarmeemützen! Alle miteinander in die Luft!“

Er tappte in die Kombüse und kam mit dem Teegeschirr und seinen unvermeidlichen Zwiebäcken zurück. Ein Weilchen darauf stand der Tee auf dem Tisch, und wir unterhielten uns vernünftig über vernünftige Dinge. Er wollte wissen, ob ich etwas von Maeve und seiner Tochter gehört hätte, wann Dermot käme und wie es mit meiner Arbeit stünde. Erst als wir wieder an Deck waren und er die Leiter heruntergelassen hatte, nahm er mich beim Arm, wies über den Fluß hinüber nach Reiherbucht, wo ein einsames Licht durch die Bäume blinkte, und flüsterte erregt: „Ist das das Zimmer des Herrn?“

„Des Herrn? Warten Sie mal: wessen Zimmer ist das? Was denn, es ist Olivers.“

„Ich werde jede Nacht danach Ausschau halten“, sagte er. „Das Zimmer des Herrn. Es kommt die Nacht, da er über das Wasser zu mir schreiten wird.“

Ich stieg eilig die Leiter hinunter und machte das Boot los. Ich war kaum darin, da schnellte die Leiter wieder an Bord, und ich hörte mehrfach Türen schließen. Es war eine dunkle Nacht, und der Fluß war rabenschwarz. Ich ruderte hinüber und sah über die Schulter nach dem Lichtspalt in Sawles Hütte aus. Der Herr! Der Alte wurde unheimlich. Ich war froh, daß Sawle die Ruder knarren hörte und mit einer Laterne ans Wasser kam.

*

Am nächsten Tag wußten wir alle nichts Rechtes anzufangen, bis Dermot mit seiner Gesellschaft ankam. Oliver konnte den ungewöhnlichen Anblick eines Autos vor unserem Tor nicht erwarten. Nellie war verstimmt wie immer, wenn sie mit jemand zusammentreffen sollte, den sie nicht kannte. Wären Donnelly und seine Tochter Marsbewohner gewesen, hätte ihre Aufregung nicht größer sein können.

Oliver und ich lungerten den ganzen Tag am Tor herum, und zur Teezeit kündigten eine Staubwolke und der Ton einer hohlbauchigen Riesenhupe die Ankunft unserer Gäste an. Es war ein großer offener Wagen. Alle Insassen waren weiß bestaubt wie die Mehlträger am Kai von Truro. Dermot saß mit farblosem Bart am Steuer, Donnelly ruhig lächelnd neben ihm. Sheila hatte den Hut mit einem jener breiten Chiffonschleier herabgebunden, die damals höchste Mode waren, und saß in einem unlösbaren Knäuel von Kindern. Als Dermot den Wagen zum Stehen brachte und stolz salutierte, entwirrte es sich von selbst, und zum Vorschein kamen Rory, dann Eileen und anscheinend vom Boden des Wagens ein Mädchen, das Maggie Donnelly sein mußte. Wenn ich darüber noch im Zweifel gewesen wäre, so hätte Rory mich alsbald überzeugt, denn er tauchte aus dem unbeschreiblichen Durcheinander der hereinbrechenden Horde auf, führte, ohne sich um jemand anders zu kümmern, das Kind an der Hand schnurstracks zu mir und meldete schüchtern und stolz zugleich: „Da ist Maggie, Onkel Bill. Sie ist genauso alt wie ich."

Zumindest genauso altmodisch wie du, dachte ich bei mir. – Es bestand in der Tat eine auffallende Ähnlichkeit zwischen den beiden Kindern. Sie hatten das gleiche Gesicht, ernst und freundlich, die gleich offenen Augen, grau und nachdenklich, wie von frühreifen Gedanken beschattet, das gleiche Haar, schwarz und widerspenstig, und die gleichen anziehend unregelmäßigen Züge. Hand in Hand standen sie da, erhitzt, staubig und aufgeregt, und Oliver ließ sich gleichzeitig auf der Gartentür herumschwingen und besah sich aus dem Augenwinkel das kleine Mädchen, das offensichtlich die ungeheuerliche Macht besaß, ihn bei Rory in Vergessenheit geraten zu lassen. Dann sprang er herunter und ging, ohne Rory zu beachten, geradeswegs auf Maggie zu. Frisch und sauber, wie er war, pflanzte er sich vor ihr auf, und sein Goldhaar leuchtete in der Sonne. Mit einem strahlenden Lächeln gab er ihr die Hand und sagte: „Ich bin Oliver. Oliver Essex. Ich zeige dir, wo du dich waschen kannst.“

Maggie folgte ihm, und Rory blieb mit gerunzelter Stirn auf der Straße stehen und stieß mit dem Fuß in den Staub.

„He, Oliver!“ rief ich. „Rory möchte sich auch waschen“, und darauf setzte sich Rory in Galopp und rannte mit den anderen ins Haus.

Kevin Donnelly war ein bedeutender Mann. Heute weiß das jeder, der etwas von der neuesten irischen Geschichte kennt. Sein Name steht auf den Tafeln der Geschichte unter den Märtyrern.

Aber wir, die wir das Kommende nicht voraussehen konnten, nahmen einen ganz unauffälligen Mann in unsere Mitte auf, den weder ein Glorienschein des Schicksals noch sonst etwas Besonderes auszeichnete, außer einem unerschöpflichen Humor und guter Laune. Was uns am meisten wundernahm an ihm, war, daß in seiner Gegenwart alle Befangenheit von den Menschen abfiel. Seine kurze, gedrungene Gestalt habe ich schon beschrieben, das dünne Haar, das sorgfältig über den Schädel gekämmt war, und den mächtigen ungepflegten Schnurrbart, der sein biederes Gesicht zierte. Aber ich hatte sein Lächeln noch nicht gesehen, das immer wieder hervorbrach und einen Kranz lustiger Falten um seine Augen legte, und seine Stimme noch nicht gehört, wenn er sang. Er hatte etwas an sich, vor dem gewiß nicht alle Würde, wohl aber das würdevolle Getue, hinter dem man sich etwa verschanzt hatte, augenblicklich zusammenfiel. Ich habe nie wieder einen Menschen gesehen, der einfach durch seine eigene anspruchslose Art sein Gegenüber so entwaffnete und aufschloß.

Mir hatte vor der Begegnung mit Nellie gebangt, aber da war nichts zu befürchten. Donnelly war neben allen anderen Dingen – genügend andere Dinge in der Tat! – ein einfacher Handwerker, und das verstand Nellie. Sie gaben sich die Hand, sahen sich in die Augen, und ich wußte sofort, daß sie sich verstanden.

Dermot hatte mir von dem Schmelz erzählt, den Donnelly beim Reden hatte. Seine Stimme war auch in der einfachen Unterhaltung wohlklingend und zu Herzen gehend, und immer wieder geriet er ins Singen. Unbefangen, wie in allem, hob er die Stimme und sang ein Lied von Anfang bis zu Ende. War Maggie dabei, so stimmte sie ein, und er ließ ihr die Führung und nahm die zweite Stimme.

Deshalb blieben diese Ferien vor allem als Liederferien in meinem Gedächtnis haften. Am ersten Abend nach dem Essen fing es an. Wir saßen alle miteinander auf der Terrasse und sahen auf das Wasser, fünf Erwachsene und vier Kinder; da begann Donnelly plötzlich zu singen. Er hatte einen schönen Tenor und ließ die Töne aus voller Kehle in die Nacht hinausströmen. Es war ein Ulklied und handelte von einem irischen Pferdemarkt. Es traf uns unvorbereitet, und wir hörten zuerst etwas verlegen zu; dann wuchs unsere Teilnahme, und zum Schluß waren wir entzückt. Als er geendet hatte, klatschten wir Beifall, und er lächelte befriedigt über die gute Aufnahme, die er gefunden hatte.

„Jetzt aber", rief er, „etwas, was wir alle kennen! Fang an, Maggie, und die anderen fallen dann ein." Damit stimmte er „Annie Laurie" an und hatte uns bald im Bann.

So begann das Konzert, und es dauerte nicht lange, da lagen wir uns in den Haaren und wollten unsere Lieblingslieder hören. Wir waren mitten im Singen, als es plötzlich im Gebüsch neben dem Flußpfad raschelte, und im nächsten Augenblick schimmerte die weiße Mähne von Kapitän Judas geisterhaft durch das Dunkel. Er blieb stehen und betrachtete uns atemlos, und kaum war der letzte Ton über den Fluß verklungen, da hob er zu meiner Überraschung und zur Bestürzung der anderen, die ihn nicht bemerkt hatten, plötzlich seine hohe, brüchige Stimme und begann: „Wenn staunend ich das Kreuz betracht'."

Es war ein heikler Augenblick, und alles hätte schiefgehen können, aber Donnelly flüsterte nur „Maggie", und die beiden geschulten Stimmen fielen in den Gesang ein, unterstützten ihn kräftig und trugen die zitternde Stimme des Kapitäns Judas mit sich fort. Dann stimmte auch Nellie ein, und schließlich dröhnte noch Dermots mächtiger Baß dazwischen. Bald sangen wir alle, und der Kapitän, der noch immer bleich vor dem dunklen Hohlweg stand, schlug mit seiner mageren Hand feierlich den Takt. Die Worte brausten durch den Wald und über das Wasser:

„Wenn staunend ich das Kreuz betracht',
An dem der Fürst der Ehren starb,
All was hienieden ich erwarb,
So Lust wie Stolz, für Schande acht."

Donnelly kannte das Lied und stimmte feierlich Strophe auf Strophe an. Wir sangen es bis zum letzten Vers:

„Wär' mein der Erde voller Kranz,
Er wär' zu arm, Herr dir zum Gruß.
Der Gottesliebe Überfluß
Heischt all mein Seel' und Leben ganz."

Die Worte klangen in einer fallenden Kadenz aus. Judas blieb noch einen Augenblick stehen, die Hand erhoben und das Haupt zum Nachthimmel aufgerichtet, dann war er plötzlich verschwunden. Donnelly stand auf. „Das war wunderbar", sagte er. „Das war das Wunderbarste von allem."

Die Gesellschaft trennte sich, und wir gingen ins Haus. Sheila und Nellie brachten die Kinder der Reihe nach zu Bett. Donnelly blieb noch, die Ellbogen auf die Balustrade gestützt und das Kinn in den Händen. Einen Augenblick lang trat ich neben ihn. Er schien tief ergriffen. „Lust und Leid strömen eng verschmolzen dahin", murmelte er. „Lust und Leid – eng verschmolzen – immerdar."

Ich glaube, was auch immer dazwischengekommen wäre, ich hätte den erschütternden Eindruck von Kapitän Judas in jener Nacht nie vergessen können, der uns zutiefst ergriff, die Gesellschaft aufhob und jeden von uns seinen eigenen Weg gehen ließ, als wäre nun alles gesagt. Ich entsinne mich ihrer um so bitterer, weil das Lied, das wir damals zuletzt sangen, das einzige war, was Donnellys Gefängniswärter ihn Jahre später singen hörten in der Nacht, bevor sie ihn hinausführten und an die Wand stellten. Donnellys Lied im Gefängnis gehört jetzt zur irischen Heldengeschichte, und ich habe mich oft gefragt, ob er in der Einsamkeit jener Nacht vielleicht daran gedacht hat, wie wir damals beisammensaßen und uns zugetan waren, und vielleicht Kraft gefunden haben mag in der Erinnerung an die stille Nacht, die Bäume und den Fluß, der dem Meere zuströmte.

Mit Mänteln über den Badeanzügen und den Hals in Handtüchern vermummt, liefen wir am nächsten Morgen den Weg zum Steg hinunter. Als Donnelly seinen Bademantel abwarf, fiel mir auf, wie mächtig seine Brust, wie breit die Schultern und wie stämmig die Beine waren. Wir standen alle am Rande des Stegs und warteten auf das Zeichen, zusammen abzuspringen. Die Sonne warf einen Sprühregen von Diamanten auf das Wasser. „Kann man sich etwas Hübscheres denken?" fragte Donnelly. „Wir hier in unseren bunten Farben wie Jockeys, die auf die Flaggen warten."

Wir sahen wirklich ziemlich buntscheckig aus. Oliver in hellstem Blau, Rory in Dunkelrot, Eileen, Arm in Arm mit Maggie, grün und Maggie selbst weiß. Sheila glänzte in einem kanariengelben Badeanzug und Dermots war kastanienbraun. Ich selbst trug ein lebhaftes Scharlachrot, und Donnellys Anzug war rot und weiß gestreift.

„Großartig sehen wir aus!" rief Donnelly. „Aber wo ist Frau Essex?"

„Lassen Sie sie nur", sagte ich, „sie badet niemals."

„Los!" kommandierte Donnelly, und im Sprung sah ich die bunten Gestalten links und rechts neben mir in der Luft. Ich tauchte wieder auf und legte mich auf den Rücken. Da sah ich, daß Donnelly nicht im Wasser war. Er hatte den Bademantel wieder angezogen und lief den Waldweg hinauf. Wir waren noch im Wasser, als er wiederkam. Er hatte Flanellhosen an und einen alten Sweater. Jetzt ging er zu Sam Sawles Hütte und bummerte an die Tür. Ich stieg aus dem Wasser, trocknete mich ab und trat zu den beiden. „Frau Essex hat keinen Badeanzug", sagte Donnelly, als ob damit alles erklärt wäre. „Heute nachmittag geht sie mit Maggie nach Truro und kauft sich einen."

„Aber sie kann ja gar nicht schwimmen", sagte ich.

„Man kann auch ohne zu schwimmen im Wasser viel Spaß haben", sagte er. „Davon sprachen wir gerade."

Sam Sawle brachte glücklich vier Tonnen zum Vorschein und bastelte mit Donnelly den ganzen Tag auf dem Steg daran herum. Bei Sonnenuntergang hatten sie ein richtiges Floß mit Tauschlingen am Rande und einer Kokosmatte darauf fertig. Am nächsten Morgen überlegten wir gemeinsam, wie es am besten verankert würde. „Dort unten liegt ein großer Betonklotz mit einem Eisenring", sagte Sam und wies in das Wasser gerade vor dem Steg. „Da hat sonst eine Ankerboje drangelegen."

Donnelly zog den Badeanzug an, und wir nahmen eine lange Bootsleine mit ins Boot. Sie wurde so aufgerollt, daß sie beim Tauchen leicht hinter ihm abrollen konnte. Er holte tief Atem, stand einen Augenblick aufrecht auf dem Hecksitz und schoß wie ein Pfeil hinunter. Wir sahen seine weißen Glieder, vom Wasser verzerrt, als würden sie selber flüssig, am Grund herumtasten. Dann schoß er wieder nach oben, seine Finger stießen durch den Wasserspiegel, und er warf das Tauende ins Boot. Sawle fing es auf und knotete es rasch um eine Bank. Donnelly schöpfte tief Luft, legte sich auf den Rücken und paddelte mit den Händen an Land. Sawle sah ihm bewundernd zu. „Wenn die Kinder mit dem abziehen, hätte ich keine Angst um sie", sagte er.

Dermot kam gerade im Kutter heran. „Hörst du das, Bill?" schmunzelte er. „Merk dir das, mein Junge, und nimm es dir zu Herzen."

Sam Sawle knotete die Leine an ein dickeres Tau, und wir holten es mühselig durch den Betonring; dann wurde es am Boden des Floßes befestigt, und mit Triumphgeschrei ließen wir das Floß vom Stapel. Die Kinder tauften es „Kevin", und die „Kevin" gab für den Rest der Ferien das herrlichste Badefloß ab. Donnelly ruderte Nellie in dem ersten Badeanzug ihres Lebens eigenhändig hinaus. Eine Weile saß sie halb befriedigt, halb mißtrauisch auf dem schwankenden Floß. Donnelly schwamm wieder und wieder um das Floß, sicher wie ein Tümmler, das spärliche, nasse Haar in dünnen schwarzen Strähnen auf dem weißen Schädel, und redete ihr mit unendlicher Geduld zu. Er überredete sie schließlich, sich an den Tauschlingen ins Wasser gleiten zu lassen, festzuhalten und mit den Füßen zu planschen. Es dauerte nicht lange, und sie turnte ganz beherzt 'rauf und 'runter an ihrem Floß, und die Ferien waren noch nicht zu Ende, da geschah das Wunder, daß sie eines Tages die Entfernung zwischen Floß und Landungsstufen mit einigen hastigen Bruststößen durchschwamm. Donnelly neben ihr begnügte sich mit einem mächtigen Beinstoß und hielt die Arme gerade nach vorne ausgestreckt. Er war vor ihr an der Treppe, half ihr aus dem Wasser, legte ihr den Bademantel um und ließ sie mit einem aufmunternden Wort zum Haus gehen. Dann tauchte er mit einer Art Bocksprung weit hinaus, kam wieder nach oben und trat Wasser. Oliver und Rory sahen ihm andächtig zu. „Das Wassertreten müssen Sie uns auch beibringen, Herr Donnelly!" schrien sie. „Bitte."

„Los!" sagte er und blies sich den Schnurrbart von den Lippen. „Springt und kommt her!" Gleichzeitig schossen sie vom Floß und schwammen begierig um die Wette.

Dermot und ich standen mit wirren Haaren am Steg und sahen einander an, die Badelaken in der Hand. „Na, alles in Ordnung, Bill?" fragte er anzüglich.

„Ja", sagte ich. „Es scheint alles in Ordnung zu sein. Ich glaube, ja."

Ich schämte mich etwas, daß ich mir nie die Mühe gegeben

hatte, Nellie die Anfangsgründe des Schwimmens beizubringen, und daß es Donnelly so mühelos gelungen war, sie aus ihrer Küche herauszulotsen. Ich ging zum Haus und fragte mich, ob es nicht auch bei einem großen Teil der anderen Dinge so gewesen war, daß ich Nellie zu früh aufgegeben hatte. Aber jetzt war es zu spät, sich darüber den Kopf zu zerbrechen. Ich blickte zurück über den Fluß und sah, wie Oliver und Rory geduldig den lauten Weisungen Donnellys folgten. Über die Reling der „Jesabel" hing Kapitän Judas und beobachtete sie durch ein Fernglas.

In Reiherbucht gehörte es mit zur Tradition, daß jeder zum Frühstück herunterkam, wann er Lust hatte. Dermot saß schon an dem langen Refektoriumstisch, den er selbst gemacht hatte, und auch Donnelly, Nellie und Rory waren schon unten. „Nellie", sagte Dermot gerade, als ich ins Zimmer trat, „im Auftrag meines Sprößlings" – er wies mit seiner schmalen Hand auf Rory – „soll ich etwas vorbringen, was er selbst nicht zu sagen getraut: Butterbrote für zwei!"

„Aber natürlich", sagte Nellie. „Warum hast du mich denn nicht selbst gefragt, Rory?"

Rory wurde dunkelrot. „Ja, da ist nämlich ein weibliches Wesen mit im Spiel", neckte Dermot.

„Ich weiß eine Stelle, wo es viele Heidelbeeren gibt", sagte Rory und beugte sich tief über seinen Teller. „Ich habe Maggie versprochen, sie mitzunehmen. Es ist ziemlich weit. Man muß sich Mittagbrot mitnehmen", rechtfertigte er sich.

„Ich weiß, wo es ist!" rief Oliver, der gerade herunterkam. „Aber man kann abschneiden. Ich zeige es dir."

„Wir wollen aber am Ufer entlangfahren", sagte Rory und zog sein Affengesichtchen in ernsthafte Falten. „Wir wollen gar nicht abschneiden."

„Ich nehme mir auch Essen mit und schneide ab und dann treff' ich euch", versprach Oliver.

Rory sah auf, und seine Stirn wurde noch krauser. „Ich zeige ihr die Stelle, nicht du", sagte er.

Oliver stand an der Tür, sah sehr groß aus für sein Alter, schön goldbraun von Sonne und See und errötete bis an die Wurzeln seiner ausgebleichten blonden Haare. Rory wollte ihn nicht mithaben und hatte das offen ausgesprochen. „Auch gut", sagte er, kam näher und setzte sich an den

Tisch, hochfahrend und verschlossen. Rory sah zu ihm hinüber, sein häßliches Gesichtchen war zerquält, und die offenen Augen waren voller Zuneigung. Aber Olivers Augen blieben unzugänglich. Rorys Annäherungsversuch war mißlungen.

Oliver stand am Steg, als Rory und Maggie sich mit dem Boot aufmachten. Er tat so, als wäre er zufällig dort, drehte dem abfahrenden Boot den Rücken und schleuderte flache Steine über das Wasser. „Nun, Oliver", sagte Donnelly, als das Boot außer Sicht war, „wie wäre es mit etwas Wassertreten? Das muß geübt werden, dann wirst du Rory noch schlagen."

Oliver hob einen neuen Stein vom Boden und schleuderte ihn über das Wasser. „Daran liegt mir nichts, vielen Dank", sagte er, ohne sich umzusehen.

Geschrieben hatte ich in Reiherbucht noch nie. Ich hatte es bisher immer nur als Ferienaufenthalt betrachtet. Aber an diesem Tag war ich so aufgewühlt und durcheinander, daß ich mich niedersetzen und Ordnung in meine Gedanken bringen mußte. Zum Glück war ich allein. Oliver und Eileen waren im Segelboot mit Sam Sawle unterwegs, hatten sich Brote, Wasserkessel und Teekanne mitgenommen und würden es sich bestimmt gut gehen lassen. Sam würde irgendwo am Ufer anlegen; wo es viel trockenes Treibholz gab. Dort würden sie Feuer machen, was ihnen immer einen Heidenspaß bereitete, baden und dann eine von Sams „schönen heißen Tassen Tee" trinken. Sie hatten also einen Tagesausflug vor sich, wofür sich die Gegend vorzüglich eignete.

Dermot, Sheila, Donnelly und Nellie waren mit der „Maeve" nach dem Helfordfluß; und das würde auch den ganzen Tag dauern. Unglaublich, wie Nellie aufblühte. Um nichts in der Welt hätte ich sie je dazu bringen können, einen Tag auf dem Motorboot zu verbringen, aber da saß sie nun und Donnelly neben ihr, und als das Boot um eine Biegung verschwand, rollte seine Stimme voll über das Wasser zurück: „Hast du das grüne Kleidchen an . . ." Wahrlich, er verstand es, die Menschen zu nehmen.

Ich ging langsam den Waldweg hinauf zum Haus. Noch nie hatte ich Reiherbucht ganz für mich allein gehabt. Ich sagte den Mädchen, sie möchten mich mit dem Mittagessen verschonen, und setzte mich in dem länglichen Zimmer, das auf den Rasen und die Balustrade hinausging, an den Schreibtisch. Schon die rein körperliche Tätigkeit des Schreibens war mir immer ein Genuß gewesen, und ich gab mich ihr an diesem Morgen gerade mit dampfender Pfeife und unbeschwertem Kopf nach Herzenslust hin und dachte, wie gut sich Reiherbucht für meinen Beruf eigne, als ein Schatten am Fenster vorbeiging. Ich sah nicht auf. Es mochte eines der Mädchen gewesen sein, das vorüberging. Aber der Schatten kam wieder, und als ich einigermaßen ärgerlich den Kopf hob, sah ich Kapitän Judas, die Hände auf dem Rücken, das bärtige Kinn auf die Brust gesenkt, auf dem Rasen auf und ab gehen.

Ich tat, als hätte ich ihn nicht gesehen, und schrieb weiter. Aber der Schatten kam wieder und wieder, er ließ sich nicht wegscheuchen. Mit einem Stirnrunzeln sah ich auf, aber obwohl Judas mich gesehen haben mußte, gelang es mir nicht, seinen Blick zu erhaschen. Er war augenscheinlich entschlossen, die Rolle des geduldig Wartenden unbegrenzt weiterzuspielen, aber meine Geduld war erschöpft, und mir gingen die Nerven durch. Ich sprang auf und trat ans offene Fenster.

„Guten Morgen", sagte ich ärgerlich. „Ich wollte gerade etwas arbeiten."

„Hoffentlich habe ich Sie nicht gestört", sagte er liebenswürdig.

„Um nichts in der Welt . . ."

„Sie scheinen mich sprechen zu wollen."

Er fuhr sich mit den Fingern durch den seidig glänzenden Bart. „Ich wollte Sie bitten, auf die ‚Jesabel' zu kommen und sich etwas anzuschauen", sagte er und sah dabei unruhig wie ein Kind aus, das Angst davor hatte, daß ihm sein Wunsch abgeschlagen werden könne.

„Gut. Ich muß das hier jetzt doch bis nach dem Essen vertagen. Aber hören Sie, Kapitän Judas, eines müssen Sie mir versprechen: wenn ich schreibe, dürfen Sie sich hier nicht herumtreiben", sagte ich und lächelte ihn so freundlich an, wie es ging. „Wir sind doch beide Schriftsteller – nicht? Was würden Sie sagen, wenn man Sie unterbräche, gerade wenn einem so die Ideen kommen – wie?"

Das schmeichelte ihm, und er fing sofort an, sich überschwenglich wegen seines schlechten Benehmens zu entschuldigen. „Unverzeihlich, Herr Essex. Ich gehe – augenblicklich. Ein andermal, wenn weder Sie noch ich vom göttlichen Funken gepackt sind . . .", und schleunigst machte er sich auf seinen winzigen Füßen davon.

Ich kletterte zum Fenster hinaus, holte ihn ein und faßte ihn unter den Arm. „Wenn wir nur in Zukunft einander verstehen", sagte ich, „ist es in Ordnung. Was wollen Sie mir denn nun zeigen?"

Wir waren am Wasser angelangt, und er winkte mich in sein Boot. „Warten Sie nur ab", sagte er geheimnisvoll. „Ich bin heute morgen gekommen" – er war wieder voller Entschuldigung –, „weil ich alle anderen außer Ihnen fortgehen sah. Sie sind selten allein zu haben, und dies muß zwischen uns beiden bleiben. Verstehen Sie? Erst ahnte ich es nur, aber jetzt weiß ich es."

Wir kletterten an Bord und gingen in seinen großen Wohnraum hinunter. Auf dem Tisch lag ein Haufen Packpapier durcheinander: das lang erwartete griechische Elementarbuch und das Lexikon. Er aber führte mich vor den Kamin, hob erwartungsvoll den Kopf und sagte: „Nun?"

Ich wußte nicht, was er von mir erwartete. Ich begriff gar nicht, um was es sich handelte, und sah nur, daß das Bild von der Kreuzigung nicht mehr über dem Kamin hing und an seiner Stelle ein anderes ungerahmtes Bild mit Reißnägeln an die Wand geheftet war. „Nun?" fragte er noch einmal ungeduldig. „Erkennen Sie ihn denn nicht?"

Ich blickte genauer hin. Es war die Reproduktion eines Bildes von Holman Hunt oder Millais – ich habe vergessen, von wem –, das den Jesusknaben in Josephs Tischlerwerkstatt darstellte. Das Kind stand mit ausgebreiteten Armen da, und hinter ihm fiel der Schatten des Kreuzes auf die Wand.

„Betrachten Sie ihn gut", sagte Judas feierlich. „Und denken Sie daran, daß ich neben Ihnen stehe. Die Leute werden schon sehen", brach er plötzlich los, „sie werden schon noch sehen, ob ich ein Verräter bin oder nicht."

„Ich verstehe Sie nicht", sagte ich ziemlich kühl, obwohl ich auf einmal wußte, welche Form die fixe Idee des Alten jetzt angenommen hatte.

„Sie verstehen mich nicht", sagte er niedergeschlagen. „Nicht einmal Sie?" Er schüttelte den Kopf. „Ich – ich ahnte es schon seit langem, aber als dies, um die Bücher gewickelt, hier ankam, wußte ich es. Warum ist es gerade mir geschickt worden?" fragte er mit steigender Erregung. „Es hätte ja auch jemand anders bekommen können, aber nein – ich bekam es. Das ist die Bestätigung. Die Bestätigung für alles."

Ich sah mir das Bild genau an. Es hatte keine Ähnlichkeit mit Oliver, abgesehen von der Jugend und der Schönheit.

Was sollte ich tun? Wie sollte ich es dem armen verrückten Kerl beibringen, daß die Träume, von denen er lebte, auf einem Wahn beruhten und im Leeren verlaufen mußten? Ich schüttelte den Kopf. „Ich verstehe Sie nicht", sagte ich noch einmal. „Nun denn", sagte er, „behüten Sie seine Jugend, Herr Essex. Lassen Sie ihn spielen. Lassen Sie ihn Kind sein. Lassen Sie ihn sich freuen an dieser schönen Welt. Jetzt weiß ich, warum ich hierher gesandt worden bin." Das eine gesunde Auge leuchtete auf und flackerte, und er bekam wieder den seltsamen, apokalyptischen Ausdruck, der ihn von Zeit zu Zeit überkam. „Lassen Sie ihn fröhlich sein", begann er wieder. „Seine Zeit wird sich von neuem erfüllen, seine dunkle Stunde wird wieder über ihn kommen, und er wird wieder verraten werden. Aber diesmal werden die Menschen wissen, auf welcher Seite Judas steht."

Ich stolperte die Stufen hinauf an den hellen Tag. Ich konnte es nicht mehr mit anhören. Nur sein Boot lag am Schiff. Ich sprang hinein und ruderte schleunigst davon. Mochte er bleiben, wo er war, noch einmal konnte er mich an diesem Tag nicht erreichen. Er fing an, mir unheimlich zu werden.

Ich war nicht in der Stimmung, weiterzuarbeiten. Ich ging hinauf ins Haus, zog mir den Badeanzug an und legte mich auf das Floß, um mich zu sonnen. Plötzlich fiel das Geräusch einer Schiffsschraube in die sommerliche Stille, das leise Plätschern des Wassers, das Rascheln der Blätter und die schrillen Schreie der Austernfischer, die in kleinen Schwärmen ausgerichtet umherflogen. Ich wälzte mich auf den Bauch, legte das Kinn auf die Hände und beobachtete das herankommende Schiff. Es war ein kleiner, schmutziger Kahn mit einer mächtigen Holzladung auf Deck, der die dänische Flagge zeigte. Ein Weilchen später, als mein Floß in seinem Kielwasser zu schwanken begann, sah ich seinen Namen in schwarzen Buchstaben am Heck „Kay-Kobenhavn". Auf der Brücke der „Kay" aus Kopenhagen stand ein Offizier, der seine weiße goldbetreßte Mütze in der Hand hielt und sich das üppigste gelbblonde Haar kratzte, das ich je bei einem Mann gesehen habe. Wie eine große Sonnenblume leuchtete es in der Sonne. Der Mann sah zur „Jesabel" hinüber und zog, als er sie passierte, an einer Schnur, worauf ein Dampfwölkchen in die stille Luft puffte und die Dampfpfeife zweimal heiser aufkreischte.

Ich sah, wie Kapitän Judas an Deck stürzte und aus Leibeskräften zu der „Kay“ aus Kopenhagen hinüberwinkte. „Kay ahoi!“ schrie er. „Jansen! Jansen!“

Der Offizier mit dem gelben Schopf schwenkte die Mütze und rief zurück. „Jesabel ahoi! Judas! – Auf heute abend!“ brüllte Judas durch die hohlen Hände dem abziehenden Heck der „Kay“ nach.

„Yes, heute abend!“ antwortete Kapitän Jansen. Judas sah dem Schiff nach, bis es auf dem Weg nach Truro an einer Biegung des Flusses außer Sicht kam. Dann begann er flink und aufgeregt auf seinen kleinen, federnden Füßen an Deck auf und ab zu rennen.

Jansen war in Judas' Herz weich gebettet, das hatten wir bald heraus; wenn ich „wir“ sage, so meine ich Dermot, Donnelly und mich. Wir mußten Jansen kennenlernen, unter dem tat es Kapitän Judas nicht. Sobald ich ihm nachmittags das Boot zurückgebracht hatte, setzte er damit über und erzählte mir, was für ein großartiger und wunderbarer Mann Jansen sei. Es war ein unzusammenhängender Bericht, aus dem ich nur so viel entnehmen konnte, daß Jansen Judas kennengelernt hatte, als der Alte seine fünf Sinne noch beisammen hatte, und ihn auch dann noch für voll genommen hatte, als die meisten es nicht mehr taten. Jansen kam ein- bis zweimal im Jahr mit Holz nach Truro. Dann trafen sich die beiden Freunde auf der „Kay“ und führten sich meist, wie ich zu meinem Erstaunen hörte, so heillos ungehörig auf, daß sie ganz Truro durcheinanderbrachten. Es mag die Aussicht gewesen sein, so etwas einmal mitzumachen und zu sehen, wie Kapitän Judas Truro auf den Kopf stellte, was mich bewog, die Einladung sofort anzunehmen, auch für Dermot und Donnelly.

Nach dem Abendessen machten wir uns in Dermots Auto auf den Weg. Judas sah ungewöhnlich schmuck aus. Die kleinen Schuhe blitzten, Haar und Bart sprühten beinahe Funken, so waren sie gebürstet, und sein blauer Anzug war so sauber wie bei einem Seekadetten. „Sie werden es erleben!“ kicherte er in sich hinein. Er saß neben mir auf dem Rücksitz. „Ein Nordländer! Ein Wiking! Ein gewaltiger Recke!“

„Kommt, Jungens!“ schrie Donnelly. „Stimmt eure Kehlen für dieses seemännische Unternehmen.“ Und er sang: „Durch die Paradiesesstraße – ging ich mit Geschrei – hei! Pust ihn um, den Kerl!“ Wir sangen alle mit, während

Dermots Auto den Staub von der ruhigen Landstraße aufwirbelte – auch Judas, dem ich so weltliche Lieder nicht zugetraut hätte, fiel hin und wieder heiser in einen Vers mit ein.

Wir parkten auf dem Holzlager, an dem die „Kay" lag. Judas tanzte aufgeregt vor uns die Laufbrücke hinauf. „Jansen!" quiekte er, „Jansen! Wo steckst du? Da sind wir. Ich habe meine Freunde mitgebracht."

„Kommt 'rein! Yes! Herein! Entrez!" dröhnte Jansens tiefe Stimme, und Judas ging uns voran in die Kajüte. Jansen rasierte sich gerade. Eine Spiegelscheibe war auf dem Kajüttisch gegen den Wasserkrug gelehnt, und sein gelber Schopf flammte über einer weißen Schaummaske. Als Judas eintrat, stand er auf, und ich sah erst jetzt, warum er sich zum Rasieren hingesetzt hatte. Er war ein Riese. Als er Judas entgegenging, duckte er sich wie auf dem Sprung zusammen, hob den kleinen Mann stürmisch in den Armen hoch und drückte ihn zärtlich an die Brust. Ich war darauf gefaßt, Judas' Rippen krachen zu hören, aber Jansen stellte ihn behutsam wieder auf den Boden, als wäre er eine Kostbarkeit, und blieb vornübergebeugt vor ihm stehen mit einem Grinsen, das die Schaummaske bersten ließ. „Yes", brummelte er, „my Freund Judas, mon ami – yes? Amigo. Jaja. Kommt herein, señores!"

Er brummelte weiter in allen Sprachen durcheinander, als er meine Hand packte, daß die Knochen knackten. „Ich setze fort jetzt das Rasieren. Asseyez-vous, messieurs."

Er beendete sein Geschäft mit einem großen Meuchelmesser, und strahlend rotbackig kam sein gesundes Kindergesicht zum Vorschein mit einem krausen goldblonden Schnurrbart und leuchtendblauen Augen, die unwahrscheinlich treuherzig daherblickten. Er betrachtete Judas, der vor ihm auf dem Stuhl saß und mit den winzigen Füßen kaum den Boden berührte, schmunzelte, als gefiele ihm der Anblick, und begann wieder zu brummen. „Ach, my Freund Judas ..." Mir schien, als wollte er sich wieder auf das Männchen stürzen und ihn an sich quetschen, aber er gab ihm nur einen Knuff und sagte: „Du mein Leben gerettet? Nicht?" Er nickte zu uns herüber: „Yes, er hat mein Leben gerettet. Ich erzähle euch cette conte-là. Aber jetzt nicht. No! Erst, señores, zünden wir ... nein? ... ignite? ... Truro. Aber erst waschen. Ich muß mir erst Respekt verschaffen."

Mit einem Ruck zog er sich das Hemd über den Kopf und goß sich dann aus einem Zuber mit einem Eimer

Ströme von Wasser über Gesicht, Nacken und Körper. Grinsend drehte er sich nach mir um: „Guut! Was? Erfrischt die Gedanken! So!“ Die großen weißen Zähne blitzten aus seinem roten Gesicht. Er rollte das Handtuch zu einem Tau zusammen, schwenkte es sich über die Schultern, und eine Hand an jedem Ende, sägte er hin und her und grunzte vor Behagen. Dann ging er wieder in die Kajüte und zog sich an, weißes Hemd, steifen weißen Kragen, schwarze Krawatte und ein doppelreihiges blaues Jackett. Zum Schluß knallte er sich die weiße goldbetreßte Mütze schief auf den Kopf. „So ist man fertig. Ist wahr, alter Kapitän?“

Judas nickte strahlend.

„Dann gehen wir.“

Er ging geduckt voran, bis wir aus der Kajüte heraus waren, dann richtete er sich zu seiner ganzen Höhe auf, die fast zwei Meter betragen haben mag, pumpte die Lungen voll frischer Luft und trommelte sich dabei herzhaft mit beiden Fäusten auf die Brust. Er sah sich um und grinste mit blitzenden Zähnen zu Judas hin. „Ich fresse dich auf – was? Eins – zwei – fini!“ Judas lächelte, wie wenn ihm nichts Schöneres passieren könnte, als von Jansen gefressen zu werden. Er versuchte, dem Freund herzhaft auf den Rücken zu schlagen, landete aber ziemlich auf dem Hintern, so daß wir alle lachend an Land gingen und uns in guter Stimmung einen Weg durch das Holzlager bahnten.

Wenn Jansen von der Fahrt kam, hatte er augenscheinlich nur einen Gedanken im Kopf. Er dehnte die breiten Schultern gegen die erste Kneipentür, an der wir vorbeikamen, und wir alle zogen im Gänsemarsch hinterdrein: Dermot, Donnelly, ich und Kapitän Judas als Nachhut. Jansen hob Judas hoch und setzte ihn auf einen Barstuhl vorm Schanktisch. „So, mein Held, jetzt kann ich dich besser sehen“, sagte er.

In der Kneipe war kein Gast, nur das Schankmädchen, das wie eine Pfarrerstochter aussah. Sie legte ihren Roman aus der Hand und bediente uns mißmutig. „Um Gottes willen“, flüsterte Donnelly uns zu, „entschließen Sie sich zu einem bestimmten Getränk, und dann bleiben Sie dabei. Der Mann hat viel vor.“ Laut sagte er: „Einen John Jamieson, Mädchen.“ Dermot und ich bestellten Whisky, Jansen Rum und Judas Ingwerbier.

Das Schankmädchen leierte herunter wie eine Litanei: „Einen John Jamieson, einen Haig, einen White Horse, einen Rum, ein Ingwerbier.“ Donnelly bezahlte. Wir nahmen unsere Gläser und gingen damit an einen Tisch in die Ecke des Raumes. Wir wollten uns gerade setzen, als Jansen bereits das leere Glas auf die Theke knallte und sich mit einem neuen zu uns setzte. Er wollte sich damit nicht etwa davor drücken, seinerseits eine Runde auszugeben; das tat er so gut wie wir alle, aber auf jedes Glas von uns kamen zwei von ihm. Auf diese Art hatte er zwischen den einzelnen Runden jeweils seine eigene Sonderrunde, und jedesmal goß er sie auf einen Zug hinunter.

Wir tranken an diesem Abend fünf Runden in fünf verschiedenen Kneipen, so daß Jansen zehn Rum hinter die Binde schüttete. Donnelly trank seine fünf John Jamieson. Der Abend war von ungewöhnlicher Beschaffenheit für mich, und in dieser Kneipenatmosphäre rollte das Heldenepos ab, das Jansen nach vier oder fünf Glas zum besten gab.

Die Begebenheit, die Judas für ihn zum Helden machte, hatte sich wohl vor fast zwanzig Jahren zugetragen. Jansen war damals Schiffsjunge und machte seine erste Fahrt. Er malte uns jedes Detail aus – in den Kneipen, in denen wir saßen und unsere Pfeifen rauchten, und in den dunklen Gassen, durch die wir von einer Kneipe zur anderen zogen: sein Schiffsjungenelend, den abscheulichen Fraß, die Knüffe und Flüche, den schrittweisen Verfall seines Wesens, der so weit ging, daß bei dem ersten Sturm, der im Nordatlantik über das Schiff hereinbrach, nichts mehr von ihm übriggeblieben war, keine Kraft, nur blanke Angst und Entsetzen.

Auf dieser ersten Fahrt hatte er so ziemlich alles erfahren, was man auf See erfahren kann. Als das Unwetter immer ärger tobte, flüchtete er in die Kombüse. „Ich hatte Angst. Yes. Ich zitterte. Das ist nichts – rien du tout –, nur noch ein paar Segelfetzen flattern herum. Und ich hatte die Hosen voll, daß der Kapitän sagen könnte: Verfluchter Bengel, ’rauf und mach die Segel fest! Daher verkroch ich mich in der Kombüse.“

Das Schiff rollte schwer und nahm dauernd Wasser über. Schon lag der Fußboden der Kombüse nicht höher als der Wasserspiegel, und die Wände krachten unter dem Anprall der Wellen. Das nächste, was Jansen sah, war, daß gar keine Kombüsenwände mehr da waren, gegen die die Wellen schlagen konnten. Die Kombüse war über Bord gegangen, und er saß auf dem offenen Deck und würgte nach Luft und gurgelte und dachte, nun wäre es aus mit ihm. Die nächste Welle schleuderte ihn gegen eine Lukenleiste, er hielt sich daran fest, und als sie vorüber war, lag der Großmast quer über dem Deck; er war unten abgebrochen, hielt noch mit ein paar Fasern am Stumpf, und die Spitze schleifte im Wasser. Er hatte im Fallen den Kapitän und zwei Mann erschlagen. Der Steuermann schrie ihm zu, er solle sich ein Beil holen und die Trümmer abhacken helfen.

„Ja, señores, da hatte ich keine Angst mehr. Da hatte ich Mut. Yes! Ich laufe nach dem Beil, und hast du nicht gesehen – bin ich im Wasser. So!" – Mit einer sanften Bewegung seiner Riesenhand schwappte er einen Korken vom Tisch und ließ ihn durch das Lokal trudeln.

So wurde Jansen in den Nordatlantik gewirbelt, der einzige Mann der Besatzung, der den Schiffbruch überleben sollte. Er wurde gegen die treibende Kombüse gespült, klammerte sich daran fest und sah fünf Minuten darauf das Schiff in den schwarzen tosenden Wellen versinken. „Aber mein Leben, es ist . . . wie sagt man – behext – bezaubert? Si, señores. Ich bin ein gefeites Leben. Da ist das Schiff mit meinem Helden!"

Er klatschte Judas auf die Knie. Der kleine Kapitän sah ihn liebevoll an und hielt seine Augen bescheiden von uns abgewandt.

Die treibende Kombüse, an die sich Jansen mehr tot als lebend anklammerte, wurde von einem Schiff gesichtet, aber in dem entsetzlichen Unwetter konnte kein Boot herabgelassen werden. Jansen erzählte gut. Bald war er im Abgrund und blickte verzweifelt an der dunkelgrünen weißgefleckten Glaswand hinauf, deren überhängender, zerfetzter Grat ihn von der übrigen Welt abschloß. Bald wieder glitt die ganze Wand mit aller Macht und Wucht unter ihm und seiner zerbrechlichen Arche hindurch und schleuderte ihn mitten in die schäumende Brandung des Kammes hinein. Von dort sah er einen Augenblick lang das Schiff und winkte mit allerletzter Kraft, dann ging es wieder hinunter in den schwarzen Abgrund, der mit Millionen weißer Schaumblasen bedeckt war.

Als er einmal gerade oben war und – ganz Hoffnung und ganz Verzweiflung – Ausschau hielt, sah er einen Mann sprungbereit oben auf der Reling stehen und gleich darauf in die tobenden Wellen tauchen.

„Das war mein Kapitänchen – yes – so klein – so ein großer Held – wie? Aber da war er noch nicht Kapitän –

nein – da war er noch keiner – noch kein langes Haar und keinen Bart."

Judas kraute sich verlegen den Bart und trank sein Ingwerbier, während Jansen sich den achten oder neunten Rum hinter die Binde goß und zum Höhepunkt seiner Geschichte kam. Eine Zeitlang war von dem Retter nichts zu sehen. Jansen war bald auf dem Kamm und bohrte die Augen in die aufgewühlte See, bald unten im Abgrund mit erlöschender Hoffnung und einem wilden Schluchzen in der Brust.

Da bricht auf einmal Judas' Kopf durch eine weiße Wellenfranse.

„Ach, nur so ein kleines Kerlchen, señores; aber sein Gesicht war für mich wie ein Sonnenaufgang in der Nacht. Ich beuge mich vor und packe ihn – ganz fest – und ziehe ihn auf die Kombüse. Ich meinte fast, ich habe ihn gerettet, weil ich schon so groß war und er so klein. Da macht er ein Tau an einer Kombüsenplanke fest, und wir sind im Schlepp. Ach, señores, nur ein schwaches Tau, nicht dicker als das" – er hielt uns den Daumen hin –, „und der ganze Atlantik stürmt darüber hin, aber ich schluchze nicht mehr, weil die Kombüse an dem kleinen Tau hängt."

„Lobe den Herrn", sagte Judas plötzlich, „und vergiß nicht, was er dir Gutes getan." Dann begann er zu singen:

„Wirf aus die Rettungsleine, wirf aus die Rettungsleine,
Denn hier versinkt ein Mensch."

Mit geschlossenen Augen lehnte er im Stuhl, hielt das Glas in der Linken und schlug mit der Rechten den Takt. Das Schankmädchen, das hier nicht so herablassend war wie die Pfarrerstochter, sah sich sein Gebaren eine Weile schweigend mit an und sagte dann voller Mitgefühl: „Sie sollten den alten Papa lieber nach Hause bringen."

„Das scheint mir auch", sagte Dermot und versteckte sein volles Whiskyglas geschickt hinter einem Krug. Dann trampelten wir alle in die Nacht hinaus, die trotz des Sternenhimmels sehr dunkel war.

Jansen stand wie eine Eiche auf den Beinen. „Jetzt kommen Sie alle wieder mit zur ‚Kay'. Yes – und wir machen uns einen Grog."

Wir lehnten nachdrücklich ab.

„Dann kommt mein Held mit und bleibt die Nacht bei mir – was, Judas, mon vieux?"

Dagegen ließ sich nichts sagen, zumal der Grog bei

Judas ohnedies nicht mehr viel ausrichten konnte. Wir sahen Jansens Riesengestalt die Laufbrücke hinaufsteigen, einen Augenblick erschien sein Kopf zwischen den Sternen. Dann bückte er sich, nahm Judas wie ein Kind auf den Arm und hielt ihn hoch, damit wir ihn sehen könnten. „Sehen Sie ihn – ja? So, jetzt wissen Sie, warum ich für den alles tue. Jawohl, alles. Und jetzt mache ich Grog. Buenos noches, señores.“

Wir sahen, wie er sich wieder zur Hälfte zusammenduckte und in der Kajüte verschwand. Dann kurbelte Dermot an. Die Nachtluft wehte uns ins Gesicht und tat uns wohl, und Donnelly fing an zu singen:

„Bist du der O'Reilly, von dem man so viel spricht,
Zum Teufel, O'Reilly, wie schön ist dein Gesicht.“

Das Gepäck war schon auf der „Maeve“, die startbereit am Steg lag, um uns nach Falmouth zu bringen; Oliver, Nellie und ich standen am Tor, um Dermot mit seinem vollgepfropften Auto abfahren zu sehen. Sie verschwanden in einem Staubkranz, Donnelly auf dem Rücksitz zwischen Rory und Maggie und beide im Arm.

Wir schritten den alten Weg durch den Wald hinunter, in dem es schon hier und da gelb aufleuchtete, und gingen an Bord. Die „Kay“ fuhr mit Kurs in See an uns vorüber. Jansen stand auf der Brücke und pfiff mit der Dampfpfeife, und Judas kroch heraus und winkte. Sie riefen sich über das Wasser Lebewohl zu, und als die „Kay“ um die Flußbiegung war, riefen auch wir Lebewohl. Judas schwenkte das Taschentuch und stürzte dann nach unten, der Abschied von so vielen Freunden nahm ihn mehr mit, als er ertragen konnte.

Den ganzen Heimweg über lag mir Oliver diesmal wegen eines Autos in den Ohren. Wann bekommen wir auch ein Auto? Wir können uns doch wohl ebensogut eins leisten wie Onkel Dermot? Denke, wie schön es wäre, die ganze Reise nach Falmouth zu sparen und zu Land nach Truro zu sausen.

„Ich komme aber gern in Falmouth an“, sagte ich.

„Ich auch“, sagte Nellie. „Um Gottes willen, Oliver, jammere nicht immer nach allem, was dir in den Sinn kommt. Was glaubst du wohl, wie viele Jungen so viel haben wie du? Ruderboot und Segelboot und was nicht alles noch. Glaubst du, dein Vater hatte das als Junge?“

„Da gab es ja noch keine Autos, als Vater klein war.“

„Und wir sind bisher sehr gut ohne eins ausgekommen", sagte Nellie. „Sie riechen so widerlich. Ich möchte das Brot nicht essen, das damit ausgefahren wird."

Oliver wurde rot. Von Moscrops Bäckerei war ihm nicht viel erzählt worden, aber er hatte doch hin und wieder etwas läuten hören und sich die Dinge zusammengereimt bis herab auf meine unrühmliche Tätigkeit als Brotkutscher. Ich mußte über sein Erröten lächeln – es färbte seine Haut so schön goldbraun wie eines von den Broten vom alten Moscrop. „Es ist nicht gerade notwendig, daß du davon anfängst", sagte er.

Da war es! Nun war es heraus! Zum erstenmal hatte er von dem Stachel gesprochen, der in ihm bohrte.

„Wovon?" fragte Nellie scharf.

„Du weißt schon, wovon." Oliver wand sich auf seinem Sitz und sah zerquält und unglücklich aus.

Nellie sah ihn an, und die Ferienbräune schwand aus ihrem Gesicht. „Du eingebildeter kleiner Fatzke", sagte sie böse. „Wenn du die Arbeit damit meinst, die dein Großvater sein Leben lang und dein Vater als junger Mann getan haben, dann hoffe ich nur, daß du einmal halb soviel leistest, wenn du groß bist."

Oliver wurde noch röter. Er antwortete nichts. Nellie sah ihn eine Weile empört und außer sich an und fuhr fort: „Das hätte ich nicht erwartet! Ich hätte nicht zu hören erwartet, daß du dich deines Vaters schämst. Ich will dir mal etwas sagen, mein Junge: wenn du nur halb soviel wirst wie dein Vater, dann kann sich deine Frau später freuen."

Das war sehr nett von Nellie.

Es war sonst nicht ihre Art, mir Komplimente zu machen. Dennoch mußte ich lächeln. Oliver hatte sich sehr dumm benommen, daran war kein Zweifel. Aber ich fand doch, daß Nellie es zu schwer nahm.

„Hm, Oliver", sagte ich, „du bist anscheinend dahintergekommen, daß dein Großvater einen Bäckerladen hatte und ich ihm die Brote austrug. Sag mir ehrlich, macht dir das wirklich etwas aus?"

„William!" fuhr Nellie auf.

„Wirklich, Oliver?" Er sah langsam von Nellies aufgebrachtem Gesicht herüber in meine belustigten Augen. Er schüttelte den Kopf.

„Gut!" sagte ich. „So ist es nun einmal. Und wenn es dir nicht paßt, mußt du es bleibenlassen!"

DRITTES BUCH

18

Nellie hob die kurzsichtigen Augen zum Himmel und sagte: „Es will Abend werden.“

Ich hatte sie den langen Gartenpfad in Zweibuchen hinunterbegleitet. An der Pforte blieb sie stehen und sagte: „Ich bleibe nicht lange fort.“ Sie klopfte mir auf den Arm, schenkte mir ein schwaches Lächeln und schlug den Weg rechts zur Methodistenkapelle ein.

Sie war in ihrem Wesen wärmer zu mir als früher. Ich war vierzig, sie ein Jahr älter. Seit fünfzehn Jahren waren wir verheiratet. Jeder von uns kannte die Grenzen dieses Zusammenlebens. Feuer und Glanz waren ihm versagt geblieben, aber während der letzten Jahre war es behaglicher geworden. Vielleicht war Nellie froh, mich mehr für sich zu haben. Dermot und Sheila lebten jetzt in London und hatten Eileen mitgenommen. Maeve hatte Mary Latter verlassen. Was sie von Mary Latter lernen konnte, hatte sie gelernt, und jetzt spielte sie ihre erste Rolle in einem Londoner Theater. Ich hatte sie darin noch nicht gesehen, aber ich mußte ohnedies bald zur Stadt. Die ein oder zwei Male, die ich sie mit der Latter-Truppe in Manchester gesehen hatte, war ich überrascht und ergriffen von ihrem Spiel.

Rory war in Dublin. Von ihm wußte ich weniger als von den anderen. Er schrieb nur ab und zu einmal an Oliver, aber Oliver war im Internat, und so sah ich nicht einmal diese Briefe.

Ich lehnte über der Pforte und blickte die leere Straße hinunter. Herbstliche Schwermut lag auf der Gegend und auch auf mir. Ein schwacher Wind strich durch die Buchen über meinen Kopf, und sie raschelten dürr und welk. Ein paar gelbe Blätter wirbelten durch den Schein der Straßenlaterne, die mit der Dämmerung rang. Unten in den Wiesen, wo ich immer mit Oliver Fußball gespielt hatte, kroch der weiße Nebel über die Felder, dem ich als Junge so oft zugesehen hatte, wenn ich aus dem Arbeitszimmer von Herrn Oliver blickte.

Eine unaussprechliche Traurigkeit überfiel mich. Ich spürte, daß ein Abschnitt meines Lebens vorüber war. Oliver war fort. Die einzige Familie in Manchester, die mir etwas bedeutet hatte, war weg. Nellie war noch da. Sie spürte meinen Kummer und bemutterte mich. Was hätte sie wohl gesagt, wenn ich jetzt, nachdem alle intimere Vertrautheit zwischen uns längst aufgehört hatte, versucht hätte, unsere Beziehung aus der Sphäre des bedrückten Gatten und der tröstenden mütterlichen Frau herauszuheben? Wir schliefen noch zusammen und erfüllten die ehelichen Pflichten. Das war immerhin schon etwas. Es lag ein Frösteln in der Luft heute abend.

Ich ging zurück zum Haus, die Pfeife zwischen den Zähnen und die Hände in den Taschen. Ich hatte nicht einmal zu arbeiten. Eine Woche zuvor hatte ich einen Roman beendet – den zwölften –, und leer und ziellos, wie ich war, wurde ich die Beute ungewisser Wünsche, die aus der heimwehschweren Oktoberdämmerung heraufkrochen. Ich empfand den dringenden Wunsch, meine Wurzeln auszureißen, mit Manchester Schluß zu machen und mich an einer neuen Umwelt zu erproben.

In meinem Arbeitszimmer sah ich mir die elf Romane auf dem eleganten Bücherbord an, das Dermot dafür gemacht hatte – in Leder gebundene Dedikationsexemplare meines Verlegers. Übrigens konnte er sich das leisten, denn er hatte gut verdient an mir. Bald würde der zwölfte Band neben den anderen elf stehen. Dann wäre das Bord voll. Ich hatte das früher nicht bemerkt. Es schien mir bedeutungsvoll.

Vielleicht sollte ich das Romanschreiben ein wenig lassen. Schließlich hatte ich über Manchester und seine Menschen nichts mehr zu sagen. Diese zwölf Bücher würden über diesen Teil meines Lebens hinlänglich Zeugnis ablegen. Die Kritiker sagten, ich hätte für Manchester getan, was Arnold Bennet für das „Fünf Städte“-Gebiet seiner Heimat Staffordshire getan hatte. Das stimmt: und noch etwas mehr. Ich war nicht nach London gegangen, sondern an Ort und Stelle geblieben und hatte mit dem lebendigen Stoff vor meinen Augen gearbeitet.

Ruhelos wie ein Tier im Käfig ging ich umher, griff hierhin und dorthin und wußte plötzlich, daß ich keinen Roman über Manchester mehr schreiben würde. Ich mußte fort; jetzt mußte ich nach London. Maeve wuchs heran. Es war Zeit, daß ich das Stück für sie schrieb.

In den Zimmerecken lagen die Schatten, und ich saß grübelnd in meinem Lehnstuhl, da hörte ich Nellies Stimme von unten: „William, bist du da? Hast du einen Augenblick Zeit?“

Ich ging hinunter und fand sie in der Halle mit einem

großen, hageren Pastor. „Oh, William, dies ist Herr Wintringham."

Ich hatte seinen Namen am Kapellenbrett gesehen: Ehrwürden W. Wilson Wintringham. Er war in besonderem Auftrag hier: gestern Jubiläumsgottesdienst und heute abend eine Vorlesung über „Walt Whitmans Botschaft". Diese Kerls gaben keine Ruhe, bis sie nicht jedem irgendeine „Botschaft" angehängt hatten. Jetzt stellte sich heraus, daß da etwas mit der Rückfahrt nicht klappte. Ehrwürden W. Wilson Wintringham mußte noch heute abend nach Haus, und das Auto, das ihn zum Bahnhof nach Wilmslow bringen sollte, war nicht erschienen.

„Ich dachte, wenn du heute abend nichts zu tun hättest . . .", bat Nellie.

Ich sagte Ehrwürden W. Wilson Wintringham, daß es mir eine Freude sei, ihn nach Wilmslow zu bringen. Es wäre mir eine Freude gewesen, ihn nach Jericho oder sonstwohin zu bringen. Frische Luft um die Nase, das war es, was mir im Augenblick not tat. Seit ich vor einem Jahr zu fahren begonnen hatte, machte es mir immer mehr Spaß. Ich dachte nicht daran, mir einen Chauffeur zu nehmen, obgleich Oliver mich bat, es zu tun. „Aber Onkel Dermot hat jetzt auch einen Chauffeur." Gut, von mir aus.

Herr Wintringham dankte mir in salbungsvollem Basso profundo, wobei sein Adamsapfel auf und nieder hüpfte wie ein Stopfei in einem alten braunen Strumpf. Ich bot ihm einen Whiskysoda an – „ein Getränk, das Walt Whitman sicherlich gewürdigt hätte, Herr Wintringham" –, aber er lehnte ab, und Nellie drängte mich zur Eile, damit wir den Zug nicht versäumten.

Ich holte den Wagen heraus – einen offenen Viersitzer –, und wir fuhren los. Nellie saß vorne neben mir, Ehrwürden W. Wilson Wintringham auf dem Rücksitz, wo er seinen Aktenkoffer mit Walt Whitmans Botschaft hütete.

„Und was ist nun Walt Whitmans Botschaft nach Ihrer Meinung, Herr Wintringham?" Ich schrie es, als wir an der niedrigen alten Kirche von Cheadle nach links einbogen.

„Nun, ganz allgemein gesagt, die Bruderliebe", dröhnte Herrn Wintringhams Baß über den Motor.

„Und wie kommt denn die Bruderliebe auf diesem alten Planeten voran? Ich vermute, in Ihrer Stellung müssen Sie ein Auge darauf haben?"

„Das will ich meinen", stimmte er kräftig zu. „Berichte von allen Schlachtfeldern, verstehen Sie. Sie würden staunen, wenn Sie wüßten, wie das Evangelium der Liebe in der Welt an Einfluß gewinnt, wenn ich es einmal so ausdrücken darf."

„Sie glauben, das Reich des Friedens und der Menschenliebe sei merklich nähergekommen?" fragte ich ihn und kam mir vor wie ein junger Reporter bei einem Interview.

„Zweifellos! Zweifellos!" Ich konnte förmlich hören, wie der knorpelige Knoten in seiner Kehle auf und nieder raspelte. „Ich predige, daß das Reich Christi sich in den nächsten zehn Jahren auf Erden ausbreiten und jene überraschen wird, die nicht der Zeichen achten. Gesegnet, wer heute jung ist, Herr Essex. Die Jungen werden Zeichen und Wunder erleben. Die Dichter irren nicht – Walt Whitman – Robert Browning . . ."

„Oh, Robert Browning. Seine Botschaft lautet ja wohl, daß es gut sei, im Bad zu singen."

Ehrwürden W. Wilson Wintringham lachte, außer Fassung gebracht, plötzlich wie ein wieherndes Pferd. Ich fühlte seinen Atem in meinem Nacken. „Wir sind da", sagte ich und dankte meinem Schöpfer.

Es war ein Glück, daß wir nicht noch mit ihm warten mußten. Der Zug lief ein, als wir den Bahnsteig erreichten. Einen Augenblick später sahen wir die roten Schlußlichter im tiefen Dunkel verschwinden.

Der Mond war groß und orangegelb aufgegangen. Ich legte eine Decke über Nellies Knie und setzte mich wieder neben sie. „Nellie", sagte ich, als wir fuhren, „mit Manchester habe ich Schluß gemacht. Ich habe hier nichts mehr verloren. Ich will fort."

Sie zuckte zusammen. „Fort! Aber William, wir haben es doch so gemütlich."

„Ja, ich weiß – zu gemütlich."

„Nun, offen gesagt, finde ich es undankbar vor Gott", sagte sie, als wäre ihr der Adamsapfel in die Kehle gefahren. „Zu gemütlich! Du solltest dem Herrn für seinen Segen danken und seine Gaben nicht mißachten."

„Nellie", antwortete ich, „dazu muß ich zweierlei sagen. Einmal befiehlt dir gerade deine Religion, die Gemütlichkeit zu meiden wie die Sünde. Verkaufe alles, was du besitzest. Suche nicht den Frieden, sondern das Schwert. Und so weiter. Und dann ist folgendes: wenn ich jemandem für den Segen, der über mir ruht, zu danken habe, so sind das zwei Menschen: dein Vater, der für das Kapital gesorgt hat, mit dem ich mein Geschäft begründet habe, und ich selbst mit meiner verwünschten Dickköpfigkeit, die mich so lange schreiben ließ, bis ich etwas Lesbares zuwege brachte."

Eine Weile schwieg sie verdrossen, dann sagte sie: „An mich denkst du nie. Du teilst mir einfach mit, was du zu tun gedenkst."

„Weißt du noch", erinnerte ich sie, „wie ich dir vor langer Zeit einmal mitteilte, daß wir von Hulme nach Zweibuchen umziehen würden? Findest du nicht, daß wir gut daran getan haben?"

Sie antwortete nicht. „Nun also", fuhr ich fort, „sei vernünftig. Ich will mich gern mit dir besprechen wegen des Hauses, in dem wir leben werden, und wegen des anderen, was dich angeht, aber ich muß fort aus Manchester, oder ich gehe zugrunde. Dir wird London gefallen."

„London!" sagte sie atemlos. „London! Aber ich finde es schrecklich! Du verstehst mich nicht. Du darfst mich doch nicht von hier fortnehmen."

„Wir wollen jetzt nicht mehr davon reden", sagte ich. „Laß es dir in Ruhe durch den Kopf gehen."

Ich spürte, daß die leise Wärme, die sie mir in der letzten Zeit gezeigt hatte, wieder erkaltete. Stumm und erbittert saß sie neben mir. Wir kamen durch Cheadle und bogen nach links in die Chaussee ein, die zu unserem Hause führte.

Ich trat den Gashebel durch. Der herbstliche Vollmond lag auf der Straße mit den dunklen Hecken und den schlafenden Feldern zu beiden Seiten. Es gibt einen Weg dort, der aus den Feldern direkt auf die Fahrbahn führt, ich bin ihn selber oft gegangen. Einen seitlichen Fußsteig hat die Chaussee nicht. An jenem Abend kamen zwei Liebende dieses Weges, die selbstvergessen im Zauber des Mondes dahinschritten. Sie sahen nichts außer sich selbst, auch das Auto nicht, denn dieses rauhe Stück Wirklichkeit gab es in ihrem Märchenland nicht.

Sie liefen geradeswegs auf die Chaussee, die Arme umeinander geschlungen, und erst das grelle Licht der Scheinwerfer schleuderte sie in die Welt der Wirklichkeit zurück. Sie blieben wie angewurzelt stehen, während mein Herz schrie: Oh, ihr armen jungen Esel! Lauft! Rückwärts oder vorwärts! Aber lauft! Und Nellies Hand griff an ihren Mund, um einen Schrei zu ersticken.

Sie liefen nicht. Sie schwankten, ob sie vor oder zurück sollten. Ich mußte mich entscheiden. Ich riß den Wagen in voller Fahrt zwischen sie und die Hecke, aus der sie gekommen waren. Ich glaube, das Ganze geschah in drei Sekunden, und ich wollte schon aufjubeln, daß ich heil an ihnen vorbeigekommen war, als ich merkte, daß ich den Wagen nicht wieder zurück auf die Straße bekam. Junge Bäume und Sträucher wurden umgerissen, und blitzschnell entsann ich mich, daß das Gelände hinter der Hecke steil abfiel. Schon brachen wir durch, und meine Sinne verzeichneten alles mit einer grauenvollen Exaktheit: der Kühler bohrte sich auf halber Höhe tief in die Erde, die Hinterräder hoben sich, schwebten und kippten vornüber. Der Wagen über uns rutschte ein wenig weiter und blieb dann liegen. Ich stemmte die Arme dagegen und machte den lächerlichen Versuch, das Gewicht wegzustoßen, das auf uns preßte; ich versuchte die Beine zu bewegen und schrie vor Schmerz laut auf; ich rief: „Nellie, Nellie, hast du dir was getan?“ – aber ich bekam keine Antwort. Ich hörte auf zu schreien und mit den Armen zu stemmen und versuchte angespannt, ihren Atem zu hören. Ich erschrak zu Tode. Da war kein Atem, keine Bewegung, kein Laut. Nur die lauten Stimmen von Männern, deren Hände an dem Wagen entlanggriffen, um ihn hochzuheben und umzudrehen.

Ich hatte das Bein gebrochen. Nellie das Genick. Es hieß, sie müsse sofort tot gewesen sein. Ich mußte meine Aussage im Krankenhaus machen und konnte der Untersuchung nicht beiwohnen. Dermot kam von London und identifizierte die Leiche. Er und Sheila besorgten auch das Begräbnis auf dem Südfriedhof, und beide gaben dem Sarg das Geleit. Es dauerte lange, bis ich das Grab sah. Erst zu Beginn des neuen Jahres humpelte ich aus der Klinik, wohin ich vom Krankenhaus gebracht worden war. Mein neuer Wagen stand vor der Tür mit einem Chauffeur am Steuer. Ich hatte keine Lust mehr, selber zu fahren, und so stand Martin da, ein nett aussehender Junge mit der unbeweglichen Maske des Berufschauffeurs.

Für alles ist auf dem Südfriedhof bestens gesorgt: Da gibt es eine Steinmetzfirma, die der Phantasie zu Hilfe kommt und sie von einem einfachen Marmorstein bis zu einer Vielfalt von Engeln hinaufschweben läßt; Engel mit gramgebeugten Häuptern, aufrechte und triumphierende Engel mit Lorbeerkränzen, kniende Engel, die Hände zum Gebet gefaltet, und auch ganz einfache Engel, die gegen Bezahlung des Steinmetzen bereit sind, den käuflichen Posten eines Wächters bis zum Tag des Jüngsten Gerichts zu übernehmen. Neben der Steinmetzfabrik liegt ein ausgezeichnetes Wirtshaus, wo man sich vor Betreten des Friedhofs Kraft und hinterher Trost holen kann.

Der Wagen hielt am Friedhofstor. Die Marmorengel glänzten durch den trüben Winternachmittag und mahnten mich an jenen fernen Tag in Blackpool, da Nellie und ich die gemalten Engel an den Wänden unserer Pension betrachteten. Als ich dann an zwei Stöcken zwischen den Gräbern herumhumpelte, erinnerte ich mich daran, wie ich sie an jenem Abend mit hinausgenommen hatte und wie wir bis zu dem Kliff von Norbeck gekommen waren und uns dort aneinander festgehalten hatten, während das dunkle Meer an die Küste dröhnte und der Wind um uns in die Nacht heulte.

Ich fragte mich, ob ich Nellie ein glücklicheres Leben hätte bereiten können. Ich hatte alles getan, wozu ich verpflichtet war. Ich hatte ihr ein Heim gegeben und es ihr behaglich gemacht. Ich hatte ihr das Kind gegeben, auf das jede Mutter stolz sein konnte. Ich war ihr treu gewesen. Und doch – als ich unter den grauen hängenden Wolken von Manchester über das flache Gelände ging und, so weit der Blick reichte, die Grabsteine unzähliger Toten vor mir sah, fuhr mir zum erstenmal der Gedanke durch den Kopf, daß ich sehr wohl ein schlechterer Mensch, aber ein besserer Gatte hätte sein können.

Dermot hatte mir gesagt, wo das Grab in dem bedrückenden Dickicht von Gräbern zu finden sei. Ich erschrak, als meine Augen auf eine bescheidene Marmorplatte fielen, die den Namen Nellie Essex trug. Ich war nachdenklich und versonnen und wunderte mich ein wenig, daß Nellie sich so schnell unter den Toten heimisch fühle. Die Buchstaben sahen schon alt aus, das Grab verwahrlost, als wäre der Geist, der darin wohnte, schon seit langem vertraut dort. Plötzlich gab es mir einen Stich durchs Herz, und ich begriff, daß ich am Grabe meiner Mutter stand.

Ich hatte ihren Vornamen nicht gekannt. Für meinen Vater und für uns Kinder war sie immer „Mutter“ gewesen, sofern sie überhaupt mehr als jemand war, an den man nur flüchtig einmal das Wort richtete. Ich hatte das Grab noch nie gesehen. Es quälte mich unerträglich, daß ich an dieser Stelle und zu diesem Zeitpunkt das einfache Geheimnis ihrer Person erfahren mußte, das einzige, das sie für sich allein gehabt hatte: ihren Vornamen. Es war alles, was ihr gehört hatte, und kein Mensch hatte sich darum gekümmert.

Ich stand auf dem Weg, stützte mich auf meine Stöcke und sah lange auf das Grab nieder; dann wandte ich mich fort, und einen oder zwei Schritt weiter auf der anderen Seite des Weges fand ich den Erdhügel, um dessentwillen ich gekommen war. Hier lag auch eine Nellie Essex; noch nicht in Marmor eingezeichnet, schlief sie unter den verregneten Überresten, die das Mitgefühl aufgehäuft hatte, um das grausame Bild des Grabes zu verdecken. Breites weißes Seidenband lag schmutzig und aufgeweicht zwischen den Blumen auf der Erde, ein paar schwarzgeränderte Karten, die Schrift schon unleserlich, sagten namenlos Lebewohl.

Ich stand auf dem Weg, in jeder Hand einen Stock, und konnte fast gleichzeitig die Gräber der zwei Frauen berühren, die beide Nellie Essex gewesen waren. Sie hatten einander nicht gekannt. Es sei denn, daß die junge Nellie Essex vor Jahren ihre Mutter öfter von einer Frau Essex hatte sprechen hören, der aus Freundlichkeit eine Stange Seife zur Wochenwäsche gepackt werden müsse.

Gewaschen – gewaschen – gewaschen – eingezogen durch die Tore des neuen Jerusalem, gewaschen im Blute des Lamms. Langsam ging ich davon. Ich ließ sie Seite an Seite in ihrem Schlaf, zwei Frauen, die mich geliebt haben und die ich nicht geliebt habe.

Das war an einem Sonnabendnachmittag. In der Klinik wartete ein Brief auf mich. „Lieber Onkel Bill" – ich warf einen Blick auf die Unterschrift – „Maeve." Sie wollte mich morgen besuchen. „Und das Vergnügen verdankst Du zwei Dingen – erstens Livia; und zweitens der guten Idee der hiesigen Theaterleitung, die montags keine Vorstellungen ansetzt. So haben wir ein herrlich langes Wochenende. Wann werden wohl alle Theaterdirektoren so vernünftig werden und ihren armen Schauspielerinnen den Nervenzusammenbruch ersparen? Livia bringt mich in ihrem Wagen hin. Mann! Sie fährt wie der Teufel, und das ist gerade das Richtige, um so mehr Zeit haben wir miteinander. Die Sonntagszüge sind schauderhaft. Bei Tagesanbruch fahren wir los, und Dir werden die Ohren klingen, wenn Du aufwachst, denn wir werden den ganzen Weg über von Dir sprechen. Livia tut das nicht etwa mir zuliebe – bewahre! –, sie brennt darauf, Dich kennenzulernen. Sie hat alle Deine Bücher gelesen, und mir scheint sie nicht ganz zu glauben, daß ich Dich kenne. Wie wundervoll muß das sein, wenn jedermann einen kennenlernen möchte! Nun, ich gebe die Hoffnung nicht auf! Es wird schon werden!"

Einen solchen Brief bekommt man gern. Ich fühlte mich nun nicht mehr so einsam. Ich hatte mein eigenes Zimmer in der Klinik. Ein Mädchen kam herein und zog die Vorhänge zu, so daß ich nicht mehr auf die kahlen Zweige und die Abendnebel blicken mußte. Sie knipste das Licht an, und die rosa Wände und die hellgrünen Gardinen schienen mich enger und wärmer einzuhüllen. Das Kaminfeuer brannte hell, und der Tee wurde gebracht.

Livia – das mußte das Mädchen sein, von dem mir Dermot erzählt hatte, als er zur Beerdigung hier war. Ich erinnerte mich, daß er damals ein wenig gekränkt schien. Er, Sheila und Eileen lebten in Hampstead. Dort wäre auch für Maeve genügend Platz gewesen, aber sie wohnte lieber allein – „oder vielmehr mit einem Mädchen – Vaynol – Livia Vaynol", sagte Dermot ziemlich kurz angebunden.

„Er ist eifersüchtig, Bill. Hör nicht auf ihn", sagte Sheila. „Für Maeve ist es das allerbeste, daß sie sich selbst ihre Freundschaften sucht und so lebt, wie sie möchte. Schließlich ist sie vier Jahre lang mit Mary Latter herumgezogen. Sie ist kein Kind mehr."

„Sie ist erst achtzehn", warf Dermot ein.

„Und wie alt ist Rory? Den hast du in die Welt hinausgestoßen." Dermots Augen funkelten böse. „Das läßt sich überhaupt nicht vergleichen", antwortete er. „Rory lebt bei einem ernsten Mann mit Verantwortungsgefühl."

„Aber wir können nicht in zehn Minuten zu ihm wie zu Maeve", beharrte Sheila. „Livia ist in Ordnung. Sie wird Maeve nicht schaden."

Im Augenblick war dazu nichts mehr zu sagen. Livia Vaynol war, wie ich später erfuhr, nicht viel älter als Maeve, an die Zwanzig. Sie war Waise mit etwas Geld; es reichte gerade, um sie eine Kette von Mißerfolgen mit Humor betrachten zu lassen. In der Mary-Latter-Truppe hatte sie sich eine kleine Rolle ergattert. Dort war Maeve ihr begegnet. Aber sie genügte nicht. Dann hatte sie im Chor einer Operette mitgewirkt; die Stellung gab sie auf, weil der Betrieb sie abstieß. So hatte sie es denn mit dem Schreiben versucht, und es waren auch tatsächlich ein paar Kurzgeschichten von ihr in Zeitschriften erschienen. Im Augenblick versuchte sie zweierlei: sie komponierte Couplets und machte etwas, was Sheila unbestimmt mit „entwerfen" bezeichnete. „Weißt du", sagte sie, „sie zeichnet dir da Entwürfe – Muster, die so aussehen, als wenn sie etwas vorstellten. Ich weiß nur nie, was. Dermot sagt, sie seien gut. Soviel gibt er zu. Er sagt, daß er sie eines Tages für Wandbehänge, Teppiche und dergleichen beschäftigen könne. Originalentwürfe. Das arme Kind hat eben noch nicht herausgefunden, was es eigentlich will, und sie will sich nicht einfach hinsetzen und von ihrem kleinen Einkommen leben. Darum mag ich sie. Und sie ist so guter Dinge bei allem – nie mutlos."

Das war Livia Vaynol; und das war alles, was ich von ihr wußte.

„Mädel, bist du groß geworden!"

Maeve war ins Zimmer gestürmt. Ich war noch zu unbeholfen, um schnell genug aufzustehen. Da stand sie schon an meinem Stuhl, sah auf mich herunter und hielt meine beiden Hände in den ihren. Sie trug einen enganliegenden grauen Astrachanmantel und einen runden Hut aus dem gleichen Pelz. Ihr Gesicht war bleich wie immer, aber die dunklen Augen mit dem blauen Ton darin schimmerten vor Freude, und ihr Mund war sehr rot. Sie hielt mich fest an den Händen, und ihr aufgeschossener, biegsamer Körper flog so vor innerer Bewegung, daß ich es bis in ihre Finger spüren konnte. Ich war neugierig, ob sie mich küssen würde. Sie tat es nicht.

Sie setzte sich zu meinen Füßen und lehnte sich gegen den Sessel.

„Armer Lieber", sagte sie. „Es tut mir so leid."

„Davon wollen wir jetzt nicht sprechen. Erzähl mir lieber von deiner Fahrt. Und wo ist deine Freundin – meine Verehrerin?"

„Es war eine wundervolle Fahrt, so wie solche Fahrten eben sind. Aber ich hasse Autofahren, weißt du. Es macht mich nicht gerade seekrank, Gott sei Dank – es ist nur eine so verlorene Zeit. Aber ich fuhr zu dir", sie streichelte mein Knie, „und so war es erträglich."

„Wann bekomme ich Miß Vaynol zu sehen?"

„Oh, Livia kommt gleich. Sie paßt nur auf, daß ihr geliebter Wagen gut aufgehoben ist."

„Erzähl mir von deinem Stück." Ich stopfte mir die Pfeife, und Maeve sprang auf, um mir die Streichhölzer vom Kaminsims zu holen. Sie zündete eins an und hielt es, während ich zog.

„Oh, das Stück ist fabelhaft", sagte sie und setzte sich

wieder auf den Boden, „und ich komme in jedem Akt dran. Fünf Minuten in dem ersten, dann eine wirklich wichtige Szene von elf Minuten im zweiten und im dritten ein paar Auftritte. Eine wunderbare Chance."

„Und du nutzt sie gut, ich weiß. Gib mir mal das Buch da."

Sie nahm das Buch vom Tisch. „Sieh her", sagte ich. „Hier schreibt die ‚Times': ‚Fräulein Maeve O'Riorden, eine neue Darstellerin, spielte die Henriette Shane mit einem Talent, das nicht nur eine ausgezeichnete Leistung auf die Bühne stellte, sondern, was wichtiger ist, noch größere Leistungen für die Zukunft verspricht.' Und hier ist der ‚Daily Telegraph'."

„Oh, Mann, das ist süß von dir, daß du dich mit den alten Zeitungsausschnitten abgibst!" rief Maeve, sprang auf und strahlte mich an.

„Ja, sieh dir das Buch an", sagte ich. „Sieh mal den schönen, festen Ledereinband. Und die vielen Seiten. Ich ließ es extra anfertigen. Und sieh mal auf die Titelseite, in meiner eigenen, allerbesten Handschrift: ‚Maeves Aufstieg'."

„Oh, das sollst du nicht! Das sollst du nicht!" rief sie.

„Doch, ich soll. Sieh mal, sie sind alle hier. Dies ist das allererste. Es hat sich in das Blättchen von Accrington verirrt, wo du mit Mary Latter auf deiner ersten Tournee warst. Whitby, Aberdeen, Edinburgh, Carlisle, Birmingham. Ich habe deine ganze Laufbahn zusammengeheftet. Sieh her! Hier ist eine Zeitung aus Kapstadt – von Mary Latters Südafrikatournee."

„Liebling!" rief sie. „Soviel Anteil nimmst du an mir – an meiner Karriere?" verbesserte sie sich und wurde rot.

„Das ist erst das Vorspiel", sagte ich lachend. „Warte nur, bis wir zwei zu dem wichtigen Kapitel kommen: ‚Maeve O'Riorden in den Stücken von William Essex'."

Sie nahm das schwere Buch in ihre schlanke Hand, legte es auf den Teppich und blätterte darin. „Das sind schrecklich viele Seiten", seufzte sie. „Ich bin neugierig, ob wir die wohl alle voll bekommen?" Sie sah zu mir auf. Die Augen in ihrem weißen Gesicht waren feucht. „Niemand denkt soviel an mich wie du", sagte sie. „Du wolltest es von Anfang an so, nicht wahr? Genau, wie ich es so gewollt habe."

„Mein Herz, ich habe es gewollt, wie ich nur je etwas in meinem Leben wollte. Aber ich wünschte, daß ich auf Oliver einmal genauso stolz sein kann wie auf dich."

„Oh, Oliver.“ Sie stand auf und legte das Buch auf den Tisch.

„Was wird Oliver machen?“

„Ich weiß es nicht. Jetzt ist er im Internat.“

„Ja, ich weiß. Er ist fünfzehn, nicht wahr?“

„Ja.“

„Älter als ich war, als ich mit Mary Latter fortging.“

„Wie meinst du das?“

„Viel Bewegungsfreiheit hat er dort nicht, nicht wahr?“ Sie zuckte etwas geringschätzig die Schultern. Dann drehte sie sich lebhaft um, als sich Schritte auf der Treppe vernehmen ließen.

„Livia!“ Sie öffnete die Tür, und Livia Vaynol kam herein. „Das ist Onkel Bill“, sagte Maeve. „Oder, wenn es feierlicher sein soll, William Essex.“

Livia Vaynol war das erste weibliche Wesen mit kurzgeschnittenem Haar, dem ich begegnete. Als sie ins Zimmer trat, riß sie eine lederne Autokappe vom Kopf und schüttelte ihr Haar locker. Das war kaum nötig, denn das Haar leuchtete plötzlich von selbst in einem Strahlenkranz aus gesponnenem Gold. Als erstes mußte man an Livia Vaynol dieses Haar bemerken, das von einer beunruhigenden Lebendigkeit war. Es war von der Farbe des Korns, fast weißblond, aber es sprühte Funken und sammelte alles Licht der Umwelt in sich. Livia wußte um den Reiz ihres Haares, und später entdeckte ich, daß sie, wenn irgend möglich, am liebsten eine möglichst einfache Kappe trug, die ihren Kopf wie eine Sturmhaube umschloß, dem Haar jedoch rundum freies Spiel ließ. Diese Kappen waren immer aus schwerem Samt: bald rot, bald tiefblau.

Aber im Augenblick gab es keine Kappe; es gab nur dieses goldene Haar, das wie eine plötzliche Erscheinung auf mich wirkte und mich so unmittelbar gefangennahm, daß ich die breite weiße Stirn, die kornblumenblauen Augen, den empfindsamen Mund und die Linie nicht beachtete, mit der sich das ganze Gesicht wie ein Rosenblatt zu dem kleinen Kinn hin verjüngte.

Sie trug eine schmutzige Lederjacke, darunter einen Tweedrock und derbe Schuhe. Ihre Kleider wirkten reichlich nüchtern-praktisch für eine so dekorative Erscheinung. Wir gaben uns die Hand, und ich sagte: „Fräulein Vaynol, Sie sehen aus wie eine schöne Blume in einem Marmeladentopf.“

„Ich habe einen Handkoffer mit ein oder zwei Blumenvasen mitgebracht“, sagte sie.

Ihr roter Mund öffnete sich zu einem Lächeln und zeigte die schönen weißen Zähne.

„Ja, Onkel Bill", sagte Maeve, „du brauchst dir keine Sorgen zu machen, falls du uns zum Abendessen ausführen willst. Livia ist eine sehr gut angezogene junge Dame, wenn du es ihr jetzt auch nicht ansiehst."

„Natürlich habe ich die Absicht, euch zum Essen einzuladen", sagte ich. „Erinnerst du dich noch an das erste Mal? An den Abend, als wir Irving und Ellen Terry sahen? Wie lange ist das her?"

„Ewig."

„Und wir fuhren in einer geschlossenen Droschke nach Hause. Du warst in meinen Armen eingeschlafen. Ich hatte dich in meinen Mantel gewickelt."

„Das Kind hat es nicht vergessen", sagte Livia. „Wie einen Schatz hütet sie diese Erinnerung. Sie hat mir davon erzählt. Du brauchst nicht rot zu werden, mein Herz. Ich wäre stolz wie ein König, wenn mich ein berühmter Mann in seinen Mantel gewickelt hätte. Ich bin unter Börsenmaklern aufgewachsen. Natürlich nennen sie sich selbst nie so. Sie gehören ‚zur City'. Ein herrliches Leben, nicht? Man kauft etwas, was man nie gesehen hat, von einem, den man nie gesprochen hat, verkauft es dann zu einem höheren Preis, als man selbst bezahlt hat, an einen, von dem man nie gehört hat. Feine Burschen! Ich habe ein Liedchen über sie geschrieben. Wollen Sie es hören? Zu hören bekommen Sie es doch einmal!"

Maeve war Fräulein Livia Vaynols plötzliche Einfälle offensichtlich gewohnt. Sie war durchaus nicht überrascht von diesem musikalischen Ausbruch. Aber ich schrak zusammen, als Livias Stimme auf einmal in die sonntägliche Stille des Victoriaparks einbrach. Später sollte ich ihre Lieder dann eher als alle anderen hören.

Livia hatte keine gute Stimme, aber der Text amüsierte mich, und ich gratulierte ihr.

„Oh, das ist noch gar nichts", sagte sie leichthin. „Erste Versuche. Aber Sie sehen, worauf ich hinauswill, nicht? Tanzgirls mit Zylindern, die auf der Bühne auf und ab marschieren und Aktenmappen tragen. Da muß noch mehr kommen. Ich habe große Pläne mit dieser jungen Dame Maeve O'Riorden."

„Aber Maeve ist eine Schauspielerin, kein Revuestar", protestierte ich. „Zum Kuckuck, Miß Vaynol, seit Jahren setze ich alles daran, aus Maeve eine Schauspielerin zu machen, nun dürfen Sie nicht einfach dazwischenfahren und aus ihr eine Kabarettsängerin machen."

Livia machte eine Bewegung, die, wie ich bald merkte, bezeichnend für sie war. Sie hob beide Hände zu dem goldenen Plusterball ihres Haares und fuhr hinein, als wollte sie die blonde Seifenblase in die Luft werfen. „Pff!" sagte sie. „Eine Schauspielerin ist doch nicht nur ein pathetisches Frauenzimmer, das die Worte anderer Leute hersagt. Eine Schauspielerin muß alles lernen. Sie muß tanzen und sie muß singen. Hat Maeve Ihnen noch nicht davon erzählt?"

„Nein."

„Oh, Sie ahnen noch nicht, was wir alles können. Ja, das Kind arbeitet schwer. Sie singt und steppt und noch allerhand mehr. Wir werden ein Universalgenie aus ihr machen."

Ich sah Maeve fragend an. „Es stimmt, Onkel Bill", sagte sie, „und es macht mir Spaß. Kannst du dir nicht eine große Revue vorstellen mit allen Möglichkeiten für die Hauptdarstellerin? – Singen, spielen, tanzen? Das wäre etwas für mich."

Livia Vaynol gab ihr einen leichten Klaps auf den Kopf. „Hüte dich vor diesem Mann", sagte sie mit Grabesstimme. „Ich merke schon, was er für deine Bestimmung hält. Sudermann, Ibsen, Strindberg. Womöglich Shaw. Und womöglich er selbst. Wer kann das wissen? Aber wir werden es ihm schon zeigen."

Dann lachte sie lustig und ließ ihr Haar wieder mit einem „Pff" auffliegen. „Zur Sache", sagte sie. „Jetzt mal das Praktische. Wo werden wir schlafen?"

„In der Ackerstraße", sagte Maeve. „Vergiß nicht, ich bin vom Bau. Ich weiß da ein paar Zimmer . . ."

„Zum Teufel mit der Ackerstraße", sagte ich. „Ihr wohnt beide in Zweibuchen."

Zum erstenmal saß ich wieder in meinem Arbeitszimmer, seit ich es damals mit Nellie verlassen hatte, um Ehrwürden W. Wilson Wintringham zur Bahn zu fahren. Die jungen Mädchen bekamen das Schlafzimmer, das Nellie und ich so lange bewohnt hatten. Sie kleideten sich dort jetzt um.

Ein Dienstmädchen hatte das Haus zu hüten, bis ich mich entschloß, was damit geschehen sollte. Ich wußte, daß ich nicht mehr nach Zweibuchen zurückkehren würde. Ich hätte die Klinik schon vor einiger Zeit verlassen können, aber ich fühlte mich wohl dort, gut versorgt und hatte genügend Platz. Ich konnte ebensogut dort bleiben, bis ich Manchester für immer verlassen würde.

In Livias Wagen konnten wir uns zu dritt nicht hineinquetschen, und so brachte Martin mein Auto. Er wartete jetzt, um uns ins Midlandhotel zum Abendessen zu fahren. Ich hatte mich nicht umgezogen. Das Ankleiden fiel mir noch immer schwer, obwohl ich jetzt mit meinen Stöcken ganz gut gehen konnte und sie bald ganz abzulegen hoffte. Ich saß und wartete auf die Mädchen, wie ich acht Jahre zuvor auf Maeve gewartet hatte, an jenem Tage, als sie sich im Garten mit Rory über Standish O'Grady und seine „Dichtung" gezankt hatte.

Die Tür zum Flur stand offen, und ich konnte die Mädchen in dem Zimmer lachen und schwatzen hören, das so lange Zeit nur Nellies unvergleichlich strengere Gegenwart gesehen hatte. Die Schlafzimmertür öffnete sich, und Livia Vaynol kam allein heraus. Als ich sie unter der Flurlampe herüberkommen sah, ganz unbefangen und ohne zu wissen, daß ich sie beobachtete, überfiel mich ihre Schönheit fast wie ein körperlicher Schlag. Sie war sehr groß und bewegte sich mit gelassener Hoheit. Ihr Kleid aus blauem Samt war mit silbernen Brokatsternchen verziert. Bis heute wage ich nicht zu entscheiden, ob solch ein Aufzug kindisch und ein wenig geschmacklos war. Ich weiß nur, daß Livia es hinreißend trug, daß die kleinen Sterne aus dem nachtblauen Samt hervorglänzten und daß die bleiche Glocke ihres Haares wie Mondlicht über dieser Sommernachtsschöpfung leuchtete und ihre nackten Arme wie zwei Milchstraßen am Nachthimmel darüber schimmerten.

Ich versuchte aufzustehen, aber in diesem Augenblick sah sie mich, kam schnell herüber und legte mir beide Hände auf die Schultern. Sie muß gefühlt haben, wie es mich überlief. Sie lächelte und sagte: „Bitte, bleiben Sie sitzen."

Sie ging hinüber zum Kamin, und das Licht blinkte und tanzte in den Sternen ihres Kleides. Auf dem Kamin stand das Bücherbord, das Dermot für meine Romane gemacht hatte. Jetzt standen sie alle da: der letzte war vor ein paar Tagen angekommen, er war aber noch nicht erschienen. Livia ließ ihre schlanken Finger über die Titel gleiten. „Welch entzückende Ausgabe", sagte sie. „Ich kenne sie alle." Dann wandte sie sich zu mir: „Ich bin wirklich stolz darauf, Sie zu kennen. Aber das wird Ihnen wohl alle Welt sagen?"

„Nicht so sehr. Ich kenne wenig Leute."

„Verzeihen Sie, daß ich mich wie ein Kind aufgeführt habe, als ich Sie zuerst sah. Ich bin nun einmal so. Man kann nämlich nicht immer ernst sein, und ich bin gerade dann sehr albern, wenn ich jemandem begegne, vor dem ich etwas Angst habe."

„Ja. Das wußte ich."

„Natürlich wußten Sie es."

„Aber jetzt sind Sie wohl wieder ganz beisammen. Und sehr schön. Sind Sie mir böse, wenn ich das sage?"

„Warum?" fragte sie offen. „Wenn Sie es auch so meinen."

„Das tue ich."

Sie setzte sich auf einen Stuhl mir gegenüber und legte ein Bein über das andere. Der Samt floß in königlichen Falten von ihrem runden Knie herab. Sie schaukelte mit ihrem blauen Samtschuh sachte auf und nieder und sah mich nachdenklich an. Ihr Blick war so ruhig, so unergründlich und unverwandt, daß ich mich unbehaglich in meinem Stuhl fühlte und mich fragte, ob ich etwa wie ein Schulmädchen errötete. „Als ich meine Hände auf Ihre Schultern legte, zitterten Sie. Warum?"

Was ich auf diese ungewöhnliche Frage hätte antworten sollen, weiß ich nicht. Aber in diesem Augenblick öffnete sich die Schlafzimmertür. Livia legte einen Finger auf die Lippen und flüsterte: „Maeve!" Die Geste hatte etwas Verschwörerhaftes an sich, als wolle sie Vertraulichkeiten zwischen uns andeuten, die niemand anders teilen durfte. Mich durchfuhr eine eigentümliche Genugtuung und Freude. Livia stand auf, als Maeve hereinkam, und ging ihr mit offenem Lächeln entgegen. Da beide jetzt in Abendkleidern waren, sah ich, um wie vieles größer sie war als Maeve. Maeve hatte noch immer ihre Vorliebe für Rot. Ihr Kleid fiel in langer Linie herab und machte sie so groß, wie es ging. Sie hatte einen spanischen Kamm rückwärts in ihr Haar gesteckt, aber trotzdem wurde sie von Livia überragt.

Maeve hakte Livia ein. Sie standen nun Arm in Arm, das glimmende Rot neben dem tiefen nächtlichen Blau. „Hast du ein Glück, daß du zwei so hübsche Mädchen zum Abendessen ausführen darfst, Onkel Bill", sagte Maeve; und als ich langsam auf die Beine kam, fühlte ich, daß sie recht hatte. „So etwas gibt es heute abend in ganz Manchester nicht wieder", sagte ich. „Holt eure Mäntel und kommt."

*

Wir saßen zu dritt hinten im Wagen. Maeves Arm lag in meinem, und auf der anderen Seite spürte ich die Wärme von Livias Schenkel. Wir waren noch nicht weit, da schoß ein Radfahrer an uns vorbei, dessen Erscheinung mir vertraut vorkam, mit gesenktem Kopf, ohne Hut und in ziemlicher Auflösung. Ich wandte den Kopf rückwärts, um ihm noch durch die kleine Scheibe nachzusehen. „Aber das ist doch . . .", murmelte ich betroffen, „nein, es kann nicht stimmen", aber im gleichen Augenblick preßte Maeve meinen Arm und rief: „Onkel Bill, hast du gesehen? War das nicht Oliver, oder träume ich?"

Ich ließ Martin wenden und wieder nach Hause fahren. Als der Wagen vor der Pforte hielt, führte Oliver gerade sein Fahrrad den langen Gartenweg hinauf. „Bleib hier, Kind", sagte ich zu Maeve, „und Sie auch, Fräulein Vaynol. Ich bin gleich wieder da."

„Nein, ich denke gar nicht daran, hierzubleiben!" rief Maeve. „Großer Gott! Kein Junge kommt doch plötzlich nach Hause gefahren, wenn die Schule meilenweit weg ist, ohne daß was Ernstes passiert ist. Wir wollen lieber sehen, was los ist. Wo liegt übrigens Olivers Schule?"

„Fünfzig Meilen von hier. Und schlechte Wege. Also kommt."

Oliver stand unter der Lampe in der Halle. Sein Gesicht war blaß und abgespannt, und das goldene Haar hing ihm in die Stirn. Er trug weder Hut noch Mantel, und seine Kleider waren kotbespritzt. Er sah fürchterlich aus. Von Kind auf – und jetzt war er fünfzehn – war er sehr eigen in seiner Kleidung gewesen. Ich hatte ihn nie in einem solchen Zustand gesehen. Ich war tiefbestürzt. Wir standen betroffen im Halbkreis um ihn herum, die Mädchen in ihren hellen Mänteln und ich in meinem gepflegten Anzug. Er trug Flanellhosen und eine alte Tweedjacke. Er steckte die Hände in die Jackentasche und grinste uns ziemlich dumm an. „Hallo, Papps! Hallo, Maeve!" rief er. „Eigentlich – geniere ich mich. Ihr seht alle so elegant aus."

„Das ist mein Sohn Oliver – Fräulein Vaynol", sagte ich. Diese Formalität jetzt war geradezu sinnlos.

Oliver und Livia Vaynol sahen sich unbewegt an, und ich hatte das eigentümliche Gefühl des Ausgeschlossenseins – Maeve und ich waren beide ausgeschlossen von diesem Blick. Oliver hatte die Farbe wiederbekommen. Seine lange Hand strich befangen die Haare aus der Stirn zurück. Ein Lächeln stieg in seine blauen Augen. Dann faßte er zu meiner

Überraschung das in Worte, was ich gedacht hatte, als Livia an diesem Abend aus ihrem Zimmer gekommen war: „Sie sehen aus wie ein Mondmädchen, Fräulein Vaynol. ‚Wie traurig steigst du, Mond, am Himmel auf.' Das steht bei Palgrave."

Das war noch sinnloser, einfach ungeheuerlich. „Oliver", sagte ich, „dein Hiersein bedarf einer Erklärung." Ich nahm ihn am Arm und ging mit ihm zur Treppe. „Maeve, würdest du bitte diese Nummer anmelden?" Ich gab ihr die Telefonnummer von Olivers Schule. Dann gingen wir beide in mein Arbeitszimmer hinauf. Auf dem Treppenabsatz blieb ich stehen und sah hinunter. Maeve war am Telefon. Livia Vaynol stand wie angewurzelt da und sah Oliver nach, der sich die Treppe hinaufschleppte. Er lächelte zu ihr hinunter, aber sie erwiderte das Lächeln nicht. Sie stand nur da, hielt mit einer Hand ihren Mantel und sah ihn an.

„Das ist ein fabelhaftes Mädel, Papps", sagte er, als er ins Zimmer kam.

„Setz dich", unterbrach ich ihn und war nicht imstande, meine Gereiztheit zu verbergen. „Willst du mir nicht lieber mitteilen, was dich hierherführt? Oder wollen wir bis morgen warten? Du bist sicherlich todmüde."

„Ich bin sehr müde", sagte er. „Ich bin stundenlang geradelt. Es hat tüchtig gegossen."

„Soll das heißen, daß du heute abend nicht mehr erzählen möchtest? Das kann ich verstehen. Willst du lieber gleich zu Bett?"

„Ich habe großen Hunger", sagte er, „und ich würde gerne baden."

„Dann bade lieber gleich und komm mit uns. Wir gehen auswärts essen."

„Oh, darf ich mit?" rief er. „Das hatte ich nicht erwartet. Das ist sehr lieb von dir."

In Wirklichkeit wollte ich ihn nur an diesem Abend nicht aus den Augen lassen. Ich erinnerte mich seines mitgenommenen Aussehens unter der Lampe. Jetzt war nicht die Zeit, ihn zu quälen oder ihn seinen eigenen Anwandlungen zu überlassen.

„Also los ins Bad", sagte ich. „Und denk daran, daß wir dieses morgen früh zuallererst besprechen, verstanden?"

Er schien erleichtert, nickte und ging ins Badezimmer.

Während er badete, kam das Ferngespräch durch. Ich sagte dem Schulleiter, daß Oliver zu Hause sei, und bat ihn, mir die telefonische Erörterung einer so ernsten Angelegenheit zu erlassen. Der Schulleiter äußerte sich dunkel und schien nur widerstrebend damit einverstanden.

Die Mädchen warteten unruhig und verstört in der Halle. Ich nahm sie in mein Arbeitszimmer, wo Feuer im Kamin war. „Was für ein schöner Junge!" sagte Livia und sank in einen Stuhl.

„An ihn brauchst du dein Mitgefühl nicht zu verschwenden", fiel Maeve mit überraschender Schärfe ein. Sie kam herüber zu meinem Stuhl, kniete nieder und nahm meine beiden Hände in die ihren. „Armer Lieber", sagte sie. „Du hast Kummer. Als ob du nicht schon genug durchgemacht hast in der letzten Zeit. Hoffentlich ist es nichts Schlimmes. Oh, Lieber! Ich hätte keinen ruhigen Augenblick um Oliver! Verzeih, daß ich das sage."

Ich nickte, drückte ihre Hände und starrte recht niedergeschlagen in das Feuer. Wir sprachen nicht mehr. Wir saßen da, bis Oliver ins Zimmer kam. Mit der glücklichen Leichtigkeit der Jugend hatte er sein Gleichgewicht und sein Aussehen wiedergewonnen. Er strahlte; sein Haar, das er ziemlich lang trug, war so lange gebürstet, daß es im Licht spiegelte. Er hatte einen grauen Flanellanzug angezogen mit zweireihiger Jacke, dazu eine leuchtende Krawatte und braune Schuhe. Sofort wandte er sich an Livia Vaynol, als wäre sonst niemand im Zimmer. „Vater sagt, ich darf mit Ihnen zum Essen ausgehen."

Sie antwortete ihm nicht, sagte aber zu uns übrigen: „Gut, wollen wir gehen?"

Sie stand auf, und Oliver sprang hinzu, um ihr in den Mantel zu helfen. Mein Bein war ein bißchen steifer geworden. Maeve half mir beim Aufstehen.

Am nächsten Morgen um neun war ich in Zweibuchen. Maeve war in meinem Arbeitszimmer. „Ist Oliver noch nicht auf?" fragte ich sie.

„Nein, Livia hat ihm gerade das Frühstück ans Bett gebracht."

„Der Glückliche."

„Findest du?" fragte Maeve trocken.

Oliver saß mit zerzaustem leuchtendem Haar im Bett. Livia Vaynol hockte auf der Bettkante und sah ihm beim Essen zu, das ihm herzhaft schmeckte. Sie stand auf, als ich hereinkam. „Kommt jetzt das Verhör?" fragte sie verdrießlich. Ich nickte, und sie ging zögernd aus dem Zimmer.

Ich setzte mich in den Lehnstuhl, wo ich vor langen Jahren

die „Kuckucksuhr“ versteckt hatte, die Oliver damals Rory gestohlen hatte. Die Erinnerung daran durchzuckte mich schmerzhaft, und ich hatte Angst vor dem, was nun kommen würde. Oliver half mir nicht. Er bohrte weiter in der Schale seines braunen Eis.

„Livia hat dies Frühstück ganz allein gemacht“, sagte er. „Sie hat es mir erzählt. Es schmeckt gut.“

„Livia?“

„Fräulein Vaynol. Sie sagte, ich dürfe sie Livia nennen.“

Ich ließ es durchgehen. „Nun . . .?“ begann ich etwas lahm.

„Grimshaw ist schuld“, sagte er. „Ich habe dir von ihm erzählt. Ich kann ihn nicht leiden.“

„Ja, du hattest mir von ihm erzählt, und ich habe ihn auch gesehen. Erinnerst du dich, vor den letzten Ferien? Er mußte den Eltern einiges von den Arbeiten erklären, die seine Klasse gemacht hatte. Ich hielt ihn für gescheit. Er ist Freischüler, nicht wahr?“

„Ja. Sein Vater ist Metzger in Wigan.“

„Da solltest du dich eigentlich gut mit ihm verstehen, denn dein Vater war Bäckerjunge in Hulme.“

Oliver wurde rot, und sein Gesicht verfinsterte sich. „Also weiter. Was war los mit dir und Grimshaw?“

„Er fängt immer an.“

„Er fängt an? Soviel ich mich erinnere, ist er ein kleiner, schwächlicher Junge.“

„Ja, das ist es gerade. Er denkt, ihn haut doch keiner.“

„Aha. Ihr habt euch geprügelt?“

„Nicht gerade. Er fing wieder an, und da sah ich rot, und bevor ich wußte, was ich tat, gab ich ihm einen Fußtritt . . .“

„Du hast ihm einen Fußtritt gegeben? Diesem armen Unglückswurm?“

Da brach Oliver los. „Ja, verstehst du das denn nicht? Ich habe es doch gar nicht gewollt. Er brachte mich zur Raserei. So fängt er immer an.“

Ich stellte mir den kleinen, bebrillten Grimshaw vor. Er verstand mit seiner scharfen Zunge offensichtlich, Oliver zu reizen.

„Nun, und?“ half ich ihm weiter.

„Wir standen alle oben auf dem Treppenabsatz – an der Treppe, weißt du, die in den kleinen Hof hinter dem Gymnasium hinunterführt. Ich trat ihn ans Schienbein, und er fiel rückwärts die Treppe ’runter. Rawson war dabei, und er sagte: ‚Um Gottes willen, Essex, du hast den kleinen Krebs umgebracht.' Er lag ganz still unten auf den Stufen, und sein Gesicht war voll Blut."

Mir wurde schwarz vor Augen. Ich nahm das Tablett von der Bettdecke, nur, um irgend etwas zu tun, und setzte mich dann wieder.

„Dann kamen alle angelaufen. Sie brachten ihn in die Krankenstube, und der alte Foxey" – das war Fox, der Schulleiter – „tobte auch hin. Ich hatte mich nicht vom Fleck gerührt, und als Foxey zurückkam und an mir vorbei, sagte er: ‚Komm in zehn Minuten in mein Zimmer.' Das brachte ich nicht fertig. Das ist alles."

„So. Das ist alles. Du bist also ausgerissen, ohne zu wissen, ob Grimshaw noch lebte oder tot war." (Ich glaubte nicht, daß es schlimm stand um Grimshaw, sonst hätte Fox es mir am Telefon gesagt.)

„Ich bringe dich heute vormittag zur Schule zurück", sagte ich. „Was meinst du dazu?"

„Das ist mir sehr recht. Ich bin genauso weggerannt, wie ich ihm den Tritt gegeben habe. Ich kam gar nicht zum Nachdenken; aber nun will ich es durchstehen."

Mein Herz schlug unvernünftig froh, als Oliver das sagte und mich mit seinen offenen blauen Augen dabei ansah. Ich bedachte gar nicht, daß ihm keine andere Wahl blieb, ob er wollte oder nicht. „Ich freue mich, daß du das sagst", antwortete ich. „Das ist der erste anständige Zug in einer faulen Geschichte."

„Aber du glaubst mir, nicht wahr", bettelte er, „daß ich nur kopflos war?"

„Ich muß es wohl glauben, wenn du es sagst."

„Und du erzählst Livia nichts davon?"

Ich wollte ihm nicht alles ersparen. „Ich müßte mich dessen schämen", sagte ich. „Zieh dich jetzt lieber an. Wir fahren um zehn."

Die Unterredung mit Fox war nicht einfach. Er war nicht übermäßig klug und hatte eine oder zwei unausgebackene soziale Ideen, die er in der Unterhaltung zu Tode zu reiten pflegte. Er war stolz darauf, oder gab es wenigstens vor, daß die meisten seiner Freischüler Söhne von Kleinbürgern waren, und bei jeder Gelegenheit betonte er laut, daß alle seine Jungen gleich behandelt würden. Warum es überhaupt nötig war, darauf hinzuweisen, daß ein Metzgerssohn ein ebenso achtbarer junger Dachs sei wie der Sohn eines Börsenmaklers oder sonstigen gerissenen Schwindlers, konnte ich nicht herausbekommen.

Fox setzte sich tief in seinen großen Lehnsessel und ließ seinen Kneifer in einer Art baumeln, die er einem Staatsmann abgesehen haben mußte. „Die Sache ist die, müssen Sie wissen, Herr Essex, daß Oliver von sich glaubt, er sei ‚jemand'."

„Darin sehe ich nichts Schlechtes", sagte ich. „Meines Erachtens ist in diesem Fall das schlimme, daß er noch nicht genügend ‚jemand' ist. Ich höre, daß der junge Grimshaw ihn dahin zu bringen weiß, daß er sich klein fühlt – also ist er eher ein Niemand als ein Jemand."

„Ja", stimmte Fox mit einem befriedigten Lächeln zu, „ich habe festgestellt, daß mein Vertrauen in die Söhne kleiner Leute meist berechtigt ist. Im Fall Grimshaw ist dem Jungen sicherlich eine Rednergabe mitgegeben, um die ihn die Knaben jeder Gesellschaftsschicht beneiden könnten. Aber worauf ich hinauswill", fuhr er fort, setzte sich den Kneifer auf und sah mich darüber hinweg mit alberner Feierlichkeit an, „Oliver scheint anzunehmen, daß er als Sohn eines berühmten Mannes sich einiges herausnehmen darf gegenüber einem Jungen, der in weniger günstigen Verhältnissen lebt."

„Ich bin durchaus anderer Ansicht", sagte ich. „Ich glaube nicht, daß es überhaupt etwas damit zu tun hat. Und wenn es der Prinz of Wales gewesen wäre, Oliver hätte ihm den gleichen Tritt versetzt. Wir wollen uns hier nicht in Theorien verlieren. Die Tatsachen sind einfach: da ist ein Junge mit scharfer Zunge; Oliver hält seinen Sticheleien nicht stand, gerät aus dem Häuschen und versetzt ihm einen Tritt. Immerhin, wie scharf auch die Herausforderung gewesen sein mag, ein Fußtritt ist eine Gemeinheit; aber was mir noch schlimmer scheint als der Fußtritt, ist das Davonrennen, ohne sich darum zu kümmern, welche Folgen sein Tritt gehabt hat."

„Ach, Sie wissen ja, der Schaden war glücklicherweise leicht. Eine Beule am Schienbein, eine Schramme am Kopf und eine kurze Ohnmacht."

Jemand klopfte an die Tür, wir wurden unterbrochen. Es war der Vater des jungen Grimshaw, der eine Alarmnachricht von dem Vorfall erhalten hatte und nun sichtlich erleichtert schien, daß seinem Sohn nichts weiter fehlte. Herr Grimshaw war ein untersetzter, kerngesunder Kerl, und ich gewann den Eindruck, daß er ein besserer Mann war, als sein Sohn es zu werden versprach. Er gab mir ohne Zögern die Hand. „Ich habe mir das Bürschchen mal vorgeknöpft", verkündete er mir und Fox, der offensichtlich kühler im Umgang mit den kleinen Leuten selbst war als mit deren Söhnen, „und ich habe ihm gesagt, wenn er sein ungewaschenes Maul nicht halten kann, stecke ich ihn in die Metzgerei. Er war immer mit der Schnauze vorneweg. Mit mir hat er es auch ein- oder zweimal versucht. Aber da habe ich ihm eine gelangt, und seitdem ist Ruhe. Ich denke, Ihr Junge hat nun auch Ruhe vor ihm, Herr Essex."

Ich dankte Herrn Grimshaw für diese wirklich sehr noble Art, die Sache abzutun, und erklärte ihm, daß Herr Fox es vielleicht nicht in einem so einfachen Licht sehen könne. „Als Sie nämlich kamen, Herr Grimshaw, war unsere Unterhaltung gerade an dem Punkte angelangt, zu überlegen, welche Strafmaßnahmen notwendigerweise getroffen werden müßten."

Fox ließ den Kneifer baumeln und spitzte feierlich die Lippen, aber Grimshaw platzte dazwischen: „Na, das wäre ja noch schöner, wenn man um eine Keilerei zwischen den Bengeln noch groß angeben würde . . ."

Fox unterbrach ihn gemessen: „Es ist Herrn Essex' Sohn, der zur Debatte steht, Herr Grimshaw. Wenn Sie uns erlauben würden . . .", und er erhob sich und brachte Grimshaw aus dem Zimmer. „Na, machen Sie nur keine Dummheiten", hörte ich diesen Biedermann noch sagen, bevor er im Korridor verschwand.

Ich merkte bald, daß Fox trotz seiner strengen Richtermiene gar keine Dummheit zu machen beabsichtigte. Es war schon die Rede davon gewesen, daß ich in den Vorstand der Schule eintreten sollte. Ich nehme an, mein Name hätte sich auf den Prospekten ganz gut gemacht. Wie dem auch sei, als ich geradeheraus fragte: „Wollen Sie Oliver hinauswerfen, oder ist es Ihnen lieber, wenn ich ihn von der Schule nehme?", verwahrte er sich in beredten Worten dagegen und wies jede übereilte Handlung weit von sich. Etwas straffere Zucht, zweifellos, würde genügen. Als ich fortging, überlegte ich mir nicht, ob Oliver für Fox genüge, sondern ob Fox für Oliver ausreiche.

Oliver selbst stand im Schulhof und erklärte einer Gruppe staunender Jungen, unter denen auch der junge Grimshaw mit einem ganzen Stern von Heftpflastern auf dem Kopf war, das dort wären seines Vaters Auto und seines Vaters Chauffeur.

19

Es gab eine Zeit in meinem Leben, wo mich die Vorstellung, sechs Monate und mehr außerhalb Englands zu verbringen, die Taschen voll Geld und nur zu meinem Vergnügen, begeistert hat. Das ist jetzt vorbei. Ich habe es genossen und bin froh, wenn ich daheim bleiben kann.

Zweibuchen war ich los. Den Winter hatte ich in einem ruhigen Hotel in London verbracht, in den Osterferien hatte ich Oliver mit nach Reiherbucht genommen, und als er wieder auf der Schule war, dampfte ich ab. An der Spanienallee hatte ich ein Haus mit Blick über die Heide gefunden, und Dermot sollte es einrichten und ausstatten. Das war das Ende des alten Moscrop. Soweit ich auch in meinem Leben zurückdachte, überall stieß ich auf ihn. Jetzt verschwand er.

Aufgeregt wie ein Kind betrat ich den Viktoriabahnsteig, auf dem es bei dem Maiwetter fröhlich durcheinanderwimmelte. Ich war noch nie im Ausland gewesen. Ins Ausland zu reisen hätte für Nellie immer etwas Unmoralisches an sich gehabt, und zu ihren Lebzeiten wäre ich nie auf den Gedanken gekommen, eine größere Reise allein zu machen. Meine Gedanken wanderten gerade zurück zu Nellie, den grauen Straßen von Hulme und dem weiten, bedrückenden Acker des Südfriedhofes von Manchester, als ich Livia Vaynol sah, die lebhaft und aufreizend den Bahnsteig entlanglief. Maeve folgte ihr langsamer, und noch langsamer kam Dermot daher, Shaw immer ähnlicher, in seinem fuchsroten Tweedanzug, und schließlich – ein wenig atemlos – Sheila; ich bemerkte zum erstenmal einen Anflug von Fülle an ihr, der sie gesetzter und würdiger erscheinen ließ. Ich sah von ihr zu Maeve und dachte: Mein Gott, Maeve geht auf die Zwanzig, und Sheila könnte schon gut Großmutter sein. –

„Eine ganze Deputation", spottete ich, freute mich aber im Innern, daß sie da waren und daß es ein paar Menschen auf der Welt gab, denen es nicht gleichgültig war, daß sie mich sechs Monate lang nicht sehen würden.

Die Türen wurden zugeschlagen, und ich stieg in mein Abteil und lehnte mich aus dem Fenster. Livia schob mir ein Dutzend Zeitungen und Zeitschriften zu. Sheila und Dermot gaben mir die Hand, und als ich mich hinausbeugte, um zu winken, stellte sich Maeve plötzlich auf die Fußspitzen und gab mir einen Kuß. „Auf Wiedersehen, Onkel

Bill", sagte sie. Da schob Livia Vaynol sie beiseite und rief: „Mir auch einen!" Und als der Zug aus dem Bahnhof war und zwischen den elenden Hinterhöfen und den wackligen Schornsteinen schneller zu fahren begann, setzte ich mich in meine Ecke und dachte, als gäbe es kein Mädchen namens Maeve auf der Welt: Livia hat mich geküßt. –

Ich hatte weder eine Reiseroute noch einen Fahrplan. Wo es mir gefiel, blieb ich, solange es mir gefiel, und dann reiste ich weiter. Zu Land und zu Wasser besuchte ich die meisten Länder Europas und auch einige in Asien, und in Konstantinopel beschloß ich plötzlich, zu Schiff nach Hause zu fahren. Die üblichen Touristenwege hatte ich vermieden und war nach Möglichkeit mit Frachtdampfern gefahren. Das tat ich auch auf der Heimreise. Ein einziger Passagier war noch an Bord, und wir trafen uns beim Abendessen in der Kapitänskajüte. Der Kapitän stellte uns vor – „Herr William Essex – Herr Josef Wertheim" –, aber für mich hätte es keiner Vorstellung bedurft. Ich hätte Josef Wertheim überall erkannt. Sein feistes, blasses dunkles Gesicht, die Glatze und die nachdenklichen, schwermütigen Augen waren jedem aus den Zeitungen und Wochenschriften vertraut. Ich konnte seine Anwesenheit auf dem Schiff gut verstehen. Einmal der Öffentlichkeit zu entrinnen, mußte für Wertheim ein Genuß sein.

Das Schiff hatte einen kleinen Salon, und nach dem Essen saßen wir dort und rauchten. Ich hatte einen Whiskysoda vor mir und rauchte meine Pfeife, Wertheim trank keinen Alkohol, aber man sah ihn selten ohne eine dicke Zigarre im Mund. Er galt als Tyrann, und es hieß, daß er seine Artisten bis aufs Blut ausnutzte. Er war ein Genie im Auftreiben seiner Leute: die neueste spanische Tänzerin, der zukünftige Weltschwergewichtsmeister, der größte Riese und der kleinste Zwerg, Taschenspieler, Kunstradler und Pferdeakrobaten: es ging Wertheim gar nicht darum, was sie waren, solange sie nur die besten auf der Welt waren. Ich fragte ihn, ob er Asien nach exotischen Entdeckungen abgesucht habe, und er verneinte; er habe seine Mutter besucht, die, wie ich hörte, in einem Vorort von Konstantinopel ein kleines Haus besaß. Er sprach mit tiefer Verehrung von ihr, und ich fühlte mich hingezogen zu dem Mann, dessen Kindheit – das spürte ich deutlich – bei allem Unterschied der Umgebung der meinen ähnlich gewesen sein mußte. Ich sah mir Wertheims plumpen, schwerfälligen Körper an, der sich in einem Stück zu bewegen schien, wenn er sich überhaupt bewegte, und ich konnte mir nur schwer die Tage vorstellen, auf die er hier und da hindeutete, wo sein Jungenkörper auf den hochgereckten Füßen seines Vaters schwebte, in die Luft geworfen und wie ein Faß herumgewirbelt wurde, während sein Vater rücklings auf einem Läufer lag und seine kleine Schwester die Almosen eines geizigen Straßenpublikums einsammelte.

Solche Erinnerungen stimmten Wertheim nicht sonderlich heiter. Er lächelte nie. Nur in wenigen Andeutungen kam die Geschichte tropfenweise zutage, dann klingelte er; den aufwartenden Steward würdigte er keines Blicks, sondern deutete nur wortlos auf mein leeres Glas.

Er fragte mich, was ich von der „Fahrt in den Himmel" halte, der Revue, die er im Palladium-Theater laufen hatte. Als ich erwiderte, ich hätte sie nicht gesehen, entschuldigte er sich umständlich und höflich, daß er mich so lange mit seinen Sachen belästigt habe, und fing an, mich über meine Bücher auszuholen. Mehrere davon hatte er gelesen und zeigte ein Verständnis für das Leben in Nordengland, das mich überraschte. Er hatte einige große Revuen in Manchester herausgebracht und versicherte mir, daß er vor dem dortigen Publikum Angst habe. Wenn man mit den Leuten fertig würde, sei man in Ordnung.

Ich erzählte ihm, daß ich das Gefühl hätte, über Manchester alles gesagt zu haben, und daß ich nach London zöge, um mich an ein Theaterstück zu machen.

„Ein Theaterstück", sagte er und blickte nachdenklich auf die weiße Asche seiner Zigarre; „das ist schon etwas heute." Er kam ins Grübeln und setzte nach einer Weile hinzu: „Ich habe nie ein Stück herausgebracht. Das würde mir Spaß machen. Revue, Zirkus, Boxer – jawohl, das ist alles ganz lustig, und wenn man es richtig anfängt, springt viel Geld dabei heraus. Aber ein Stück – damit könnte man Geld machen und zugleich etwas da drinnen zufriedenstellen – was?" Er klopfte sich auf seine gewaltige Brust. „Ich habe schon immer daran gedacht, eines Tages so etwas zu machen."

„Sie brauchen es nur bekanntzugeben, Herr Wertheim", sagte ich, „und Sie haben jeden Morgen hundert junge Genies vor Ihrer Tür."

„Ach, ich weiß, ich weiß", seufzte er laut und breitete verzweifelt seine Hände aus; ich mußte an all die Geschichten denken, die über Wertheims Plagen umliefen. Er konnte in keinem Hotel absteigen, hieß es, ohne daß die Stubenmädchen sich als verkappte Tanzgirls entpuppten und darauf bedacht waren, ihm zugleich mit dem Morgentee die Schönheit ihrer Beine zu servieren.

Erst am letzten Tag der Reise nahm Wertheim unser Gespräch wieder auf. Wir kamen sehr gut miteinander aus, wohl hauptsächlich deshalb, weil wir uns tagsüber aus dem Wege gingen und nur abends zusammentrafen. Sein Körper war genauso träge, wie sein Geist beweglich war. Er lag fast den ganzen Tag in der Koje, eine Hornbrille auf der Nase und ein Buch in der Hand. Nach dem Essen unterhielten wir uns bis Mitternacht miteinander und kamen uns unbefangen näher. In der letzten Nacht sagte er: „Wissen Sie, Essex, ich habe darüber nachdenken müssen, was Sie sagten – von all den jungen Genies vor meiner Türschwelle mit ihren Stücken in der Tasche. Sie haben hier tagelang bei mir auf der Schwelle gelegen und nicht versucht, mich für das Stück zu gewinnen, an dem Sie schreiben.“ Er stand auf, um in seine Koje zu gehen und legte mir seine schwere Hand auf die Schulter. „Das gefällt mir. Zeigen Sie mir das Stück, wenn es fertig ist.“

Er watschelte in seinem schwerfälligen Gang davon, und ich ging zu meiner Kabine, um einen Blick auf das Skelett des Stückes zu werfen, an dem ich, seit ich an Bord war, geruhsam gearbeitet hatte.

Wir kamen nachts in London an. Wertheim ging sofort an Land, ich übernachtete an Bord. Ich hatte keinem geschrieben, daß ich nach Hause käme, und am nächsten Morgen ging ich glücklich und unbeschwert in London spazieren, das für mich noch immer den Reiz der Neuheit besaß.

Es war ein grauer nebliger Novembertag, aber zur Heimkehr war mir jeder Tag recht, und das einzige, was mir zum Glück noch fehlte, war eine angenehme Begleitung zum Mittagessen. Mit dieser Idee im Kopf liefen meine Füße ganz von selbst durch die Regent Street in die Oxford Street und weiter durch die Orchard Street in die Baker Street. In einer Seitenstraße zur Rechten lag das Haus, wo Maeve und Livia zusammen wohnten. Was konnte ich der Freude der Heimkehr Schöneres hinzufügen, als Maeves und Livias Gesellschaft beim Mittagessen?

Ich stieg die Treppen bis zum obersten Stockwerk hinauf und klopfte an die Tür der Wohnung, in der ich vor meiner Abreise schon mehrmals gewesen war. Man trat gleich in ein längliches Zimmer mit einem großen Oberlicht. Als sich niemand meldete, öffnete ich die Tür und sah Livia unter dem Oberlicht an einer Staffelei stehen. Sie trug einen grünen Kittel. Der Strahlenkranz ihres Haares leuchtete in dem Licht auf, das von oben hereinfiel, und wölbte sich unwahrscheinlich über ihr wie die Haube des Löwenzahns. Mit einem Pinsel voll Sepiawasserfarbe war sie gerade dabei, „mit Farben zu gurgeln", wie Sheila es genannt hatte: sie malte auf ein Blatt Papier, das auf ein großes Brett geheftet war, eine Reihe fließender und irgendwie seltsam miteinander verbundener Linien. Maeve war nicht in dem Raum, und obwohl ich mir den ganzen Weg über bis zur Wohnungstür gesagt hatte, ich wollte Maeve und Livia zum Essen einladen, durchfuhr es mich doch freudig, daß ich Livia allein antraf.

„Guten Morgen", sagte ich, und Livia fuhr überrascht herum. Als sie mich sah, warf sie ihren Pinsel in einen Topf und stürzte durch das Zimmer. „Oh, der braune Mann!" rief sie, legte mir eine Hand auf die Schulter und musterte mich von oben bis unten. „Was so ein bißchen Ferien alles ausmacht! Höchstens etwas magerer geworden. Und grauer – aber vom kleidsamsten Grau. Und braun wie ein Zigeuner. Wie ein gut aussehender Oberst, der frisch vom Dienst aus dem Osten zurückkommt – stimmt alles, bis zum kurzen Schnurrbart."

„Vielen Dank! Es ist das erste Mal, daß mir jemand sagt, ich sähe gut aus, und ich muß sagen, ich höre es ganz gern."

„Zumindest sind Sie mager", schränkte sie ein, zog mich in das Zimmer und nahm mir Hut und Mantel ab. „Ich habe immer die Empfindung, ein Mann, der von Haus aus nicht schön ist, muß wenigstens mager sein."

Ein gutes Feuer brannte im Kamin, und ein Sofa stand einladend davor; ich setzte mich, und Livia brachte Sherry zum Vorschein. Sie setzte sich neben mich. „Wissen Sie, daß das wirklich sehr reizend ist", sagte sie. „Ich hatte keine Ahnung davon, daß Sie auf der Rückreise waren, geschweige denn zu Hause."

„Ich bin erst heute nacht die Themse heraufgekommen und habe an Bord geschlafen."

„Dann bin ich also die erste, die Sie aufsuchen."

„Sie und Maeve. Ich suchte auch Maeve auf, wissen Sie, obwohl sie nicht zu Hause ist. Ich wollte Sie beide zum Essen abholen. Aber ich störe Sie wohl bei der Arbeit." Ich warf einen Blick auf die Staffelei.

„Ach, das! Pff!" Damit gab Livia ihrem Haar den drolligen Stoß, der mich in Manchester belustigt hatte. „Warten Sie nur, bis Sie Ihr Haus zu sehen bekommen", sagte sie geheimnisvoll.

„Hat man Ihnen erlaubt, widerrechtlich fremdes Eigentum zu betreten?"

„Ich habe einiges gesehen. Ich habe sogar einiges entworfen", setzte sie stolz hinzu, „die Vorhänge."

„Das freut mich zu hören", sagte ich, wirklich erfreut. „Dermot hat sie wohl in Auftrag gegeben?"

„Ja. Ihm gefallen einige von den Sachen" – mit einer Handbewegung zur Staffelei –, „und er ließ sie mich auf Leinen machen. Sie sehen reizend aus."

„Davon bin ich überzeugt. Hoffentlich hat er sie gut bezahlt."

„Wenn ich bedenke, daß er Ihnen einen ‚Originalentwurf von O'Riorden' auf die Rechnung setzt, werden Sie hoffentlich nicht denken, er muß mir zuviel zahlen", sagte sie mit einem hämischen Lächeln.

„Ich freue mich wirklich, etwas von Ihnen im Hause zu haben", versicherte ich noch einmal. „Und nun, wie steht es mit dem Essen? Hat es Zweck, auf Maeve zu warten? Wird sie mitkommen?"

„Nein", sagte Livia. „Sie wird nicht. Die Revue, in der sie auftrat, ist vorige Woche abgesetzt worden. Sie hat das ganze Jahr gearbeitet und kaum einen Tag frei gehabt, und jetzt hat sie Ferien genommen. Sie hat es redlich verdient."

„Oh, sie ist verreist?"

„Nach Irland. Sie will ihren Bruder besuchen."

„Rory. Wie geht es ihm?"

„Ich weiß nichts über ihn. Ich habe ihn ja nie gesehen. Alles, was ich Ihnen sagen kann, ist, daß Maeve eine närrische Sehnsucht nach ihm hat. Sie schreiben sich zwei- bis dreimal die Woche, und vor kurzem wurde ich Zeuge eines ganz anständigen Krachs zwischen Maeve und ihrem Vater. Sie will den Jungen zurückholen."

Ich seufzte. „Ja, davon weiß ich, es ist eine uralte Geschichte. Gut, also essen wir allein. Café Royal?"

Livia stand auf und schüttelte den Kopf. „Ach nein – bitte nicht", sagte sie. „Eben habe ich Sie nach monatelanger Wüstenwanderung wieder, und nun soll ich meine Freude mit einer schwatzenden Menge teilen. Essen Sie doch bei mir. Ich wollte mir gerade etwas machen. Ich muß noch so viel wissen – wo Sie gewesen sind, was Sie selbst erlebt haben, was Sie getrieben haben . . ."

Ich folgte ihr in die Küche. Sie legte ein Tuch, Gläser und Bestecke auf ein Tablett. „Hier, decken Sie den Tisch im Atelier. Ich mache inzwischen ein Omelett."

Sie machte ihr Omelett ganz ausgezeichnet, dazu gab es knuspriges Weißbrot mit Butter und hinterher Obst und Kaffee; es war eine leckere Mahlzeit.

„Stecken Sie sich die Pfeife an", sagte sie.

Ich tat es und fühlte mich behaglich wie zu Hause. Livia trug das Geschirr in die Küche. Das gefiel mir. Ich hasse es, wenn die abgegessenen Teller im Zimmer herumstehen. Während sie draußen war, wurde der Himmel, der schon den ganzen Tag bewölkt gewesen war, immer dunkler. Außer dem Oberlicht war noch ein Fenster im Zimmer, das auf ein Gewirr von Dächern und Schornsteinen hinausging, und auf dieses Zerrbild einer Landschaft begann jetzt ein schwerer, bleierner Regen zu fallen. Es prasselte auf das Oberlicht herunter; wenn ich aufblickte, konnte ich sehen, wie es darüber hinströmte, und ich kam mir vor wie unter einem Bach, der über die Ufer getreten war.

Livia kam aus der Küche. Sie hatte ihren Kittel ausgezogen und trug einen grauen Rock und einen rotwollenen Pullover, der ihr straff am Körper anlag. Sie langte nach einer Schnur und zog eine Rollgardine schräg vor das Oberlicht. „Ich kann dies Wetter nicht ausstehen", sagte sie, „und ich kann es nicht ausstehen, wenn die Sterne oder der Mond durch das Oberlicht sehen. Nachts ziehe ich es immer zu. Maeve lachte mich aus, aber ich hasse es, eine Unendlichkeit über mir zu empfinden und selbst eingeschlossen zu sein. Und dann noch dies hier", fügte sie hinzu und zog die Vorhänge vor das Fenster. „Puh! Die grauen Dächer im Regen!"

Sie schüttete Kohlen auf das Feuer und setzte sich auf einen bequemen Stuhl zu meiner Rechten. „Ist es nicht schöner so?" fragte sie. „Gemütlicher und menschenwürdiger?"

Das Zimmer lag behaglich im Dämmer, nur von den züngelnden Flammen belebt. „Und jetzt los", forderte sie mich auf, „erzählen Sie mir von seltsamen Städten und unbekannten Meeren."

Viel lieber hätte ich ihr erzählt, wie froh ich darüber war, bei ihr zu sein, und wie entzückend ich ihre Gesellschaft fand, aber ich hielt an mich und gab ihr nach besten Kräften einen Reisebericht. Als ich ihr von der Begegnung mit Wertheim erzählte, wurde sie aufgeregt und rief: „Diesen

Mann kennen Sie? Das wäre etwas. Für eine Wertheim-Revue Entwürfe zu machen, Kulissen und Kostüme, können Sie sich etwas Schöneres vorstellen?“

„Armer Wertheim!“ lachte ich. „Kein Wunder, daß er blaß und traurig aussieht und auf Frachtdampfern fährt. Alle wollen sie etwas von ihm. Also, Sie wollen Entwürfe für ihn machen. Ich brannte darauf, über mein Stück mit ihm zu sprechen, hielt es aber für klüger, es nicht zu tun. Und vor allem soll er Maeve sehen und sie groß herausbringen.“

„Vielleicht fällt uns für Oliver auch noch etwas ein, da wir gerade dabei sind“, sagte sie spöttisch. „Was kann Wertheim für Oliver tun?“

„Ich weiß noch nicht, ob Oliver eine Begabung hat, die Wertheim gebrauchen kann. Sie und Maeve haben eine. Ich auch. Aber wie steht es mit Oliver? Erzählen Sie mir, wie sind Sie mit ihm ausgekommen?“

Während meiner Abwesenheit hatte Dermot Oliver in den Sommerferien unter seine Fittiche genommen. Rory war in Dublin geblieben; Maeves Stück lief noch; so war der Kreis in Reiherbucht klein: Sheila, Dermot, Eileen, Oliver und Livia Vaynol. Aus den Briefen hatte ich ersehen, daß Oliver Livia eingeladen hatte.

„Wer könnte mit Oliver nicht auskommen?“ fragte sie. „Er ist der beste Gesellschafter, der mir je begegnet ist. Wertheim ist vielleicht nicht der richtige Mann für ihn. Sie sollten ihn in die diplomatische Karriere stecken.“

Als sie einmal im Fahrwasser war, sprach sie lange von Oliver. Es gab da ein Erlebnis, das ihr offenbar vor allem anderen lebendig geblieben war. Oliver hatte sie nach dem Abendessen auf der „Maeve“ mit hinausgenommen und, obgleich Sam Sawle vor der Ebbe gewarnt hatte, Unfug angerichtet. Er war mit dem Boot bei Ebbe den Percuilfluß hinaufgefahren – in der Tat ein tolles Stückchen. Sie hatten vor Anker gehen und im Beiboot an Land rudern müssen.

„Es war eine wunderbare Nacht“, sagte Livia. „Ein riesiger Mond stand am Himmel, und Sie wissen ja, am Abend ist es still wie ein Grab auf dem Fluß.“

„Das kann ich mir denken“, sagte ich. „Namentlich bei Ebbe. Und vermutlich wird es keinem eingefallen sein, euch dort zu so später Stunde zu stören.“

Livia sah mich scharf an. „Sind Sie böse?“

„Es scheint mir etwas unbedacht gewesen zu sein“, sagte ich und merkte, daß ich in der Tat sehr böse auf ihn war.

Ich wollte von dem weiteren Verlauf dieses Abenteuers nichts mehr hören und konnte doch um alles in der Welt nicht davon loskommen.

„Während Sie an Land waren, ist dann die Tiefebbe eingetreten, nicht wahr?"

„Mit dem Beiboot ging es noch", sagte Livia. „Wir kamen bis zur ‚Maeve' und hatten noch Wasser, aber die ‚Maeve' ist ja ziemlich schwer und saß im Schlick. Wir mußten wieder an Land. Zufällig hatten wir reichlich Decken mit."

„Zufällig? Es sieht mir eher nach Absicht aus", sagte ich und blickte in den dunklen Raum, in dem der Regen auf das Oberlicht trommelte und der Kamin flackerte. Livia stutzte von neuem bei dem Ton meiner Stimme.

„Ja, absichtlich!" wiederholte ich. „Vorsorglich. Mit Vorbedacht. Vorbereitet – und was Sie sonst noch wollen."

„Sie glauben ... Sie denken, daß Oliver ..."

„Nun, für gewöhnlich richtet man sich nicht auf eine Nacht im Freien ein, wenn man nach dem Abendessen noch ein bißchen ausfährt", sagte ich grob. „Sie müssen doch die ganze Nacht dort geblieben sein. Bis zum Morgen haben Sie doch kein Wasser heraufbekommen."

„Nein", sagte sie patzig. „Die Flut kommt bekanntlich nur zweimal am Tag." Sie plusterte sich das Haar auf und schüttelte den Kopf, als ginge ihr meine Hartnäckigkeit auf die Nerven. „Natürlich waren wir die ganze Nacht da. Man kann es sich da ganz behaglich machen. Der Abhang ist über und über mit Farnkraut bedeckt, und damit und mit unseren Decken fühlten wir uns unter einem Gebüsch ganz wohl. Das war ein Mond! Es war fast gar nicht dunkel, und warm hatten wir es auch." Sie schien jetzt mehr für sich zu sprechen, als ob sie alles noch einmal durchlebte und genösse.

„Dermot und Sheila müssen sich sehr aufgeregt haben."

„Das werden sie wohl."

„Ich weiß ziemlich genau, wo Sie kampiert haben müssen. Wissen Sie, daß Sie dort hinter dem Abhang an eine Landstraße gekommen wären und Häuser mit Telefon gefunden hätten? Oliver hätte sehr gut nach Reiherbucht zurückkommen können. Er weiß das alles selbst, was ich Ihnen da sage. Er kennt die ganze Gegend dort wie seine Tasche. Ich nehme an, daß Dermot seinen Wagen mithatte, nicht wahr?"

Sie nickte.

„Gut, es wäre also ein leichtes für ihn gewesen, Sie zu Land abzuholen.“

„Es hört sich mehr und mehr an wie – vorbedacht!“ sagte sie lächelnd.

Aber mir war gar nicht zum Lachen zumute. Je mehr ich davon erfuhr, um so weniger. Ich legte meine Pfeife hin, ging hinüber und setzte mich zu ihr auf die Stuhllehne. „Wissen Sie, Livia“, sagte ich, „daß mir das ein ziemlich törichtes Abenteuer gewesen zu sein scheint?“

Das Lächeln verschwand aus ihrem Gesicht. Sie stand auf und setzte mich mit meiner Armlehne ziemlich unbeholfen aufs trockene. Das Blut stieg ihr in den Kopf, als sie mich vom Kaminläufer her ansah. „Mir aber nicht“, sagte sie. „Ich bin kein Kind mehr. Ich weiß, was ich tue.“

„Aber Oliver ist noch ein halbes Kind.“

„So, meinen Sie?“ Ihre Brauen zogen sich in die Höhe, und es klang vielsagend, daß ich erschrak. „Dann muß er ein gut Teil erwachsener geworden sein, ohne daß Sie es bemerkt haben. Ich habe mich bei Dermot und Sheila für die Ungelegenheiten entschuldigt, die ich ihnen gemacht habe, und es tut mir wirklich leid. Im übrigen aber bereue ich nichts von allem, was geschehen ist – gar nichts.“

Die Leidenschaft, die in dem zweimaligen „nichts“ lag, schnürte mir das Herz zusammen. Ich ließ mich in den Stuhl gleiten, den sie geräumt hatte, und zündete mir die Pfeife wieder an. Der Regen hatte aufgehört, und die plötzliche Stille des Zimmers bebte vor Spannung. Livia brach sie, indem sie rasselnd die Vorhänge vom Fenster zurückzog, so daß das Gewirr der nassen, blanken Dächer wieder auftauchte, dann ließ sie auch die Rollgardine vor dem Oberlicht zurückschnappen. Der Tag flutete wieder ins Zimmer und verdunkelte das Licht der elektrischen Lampe. Livia drehte den Schalter mit einem herausfordernden Knips ab, und als das kühle, gleichmäßige Tageslicht den Dingen wieder ihr richtiges Maß und Gewicht zurückgab, fühlte ich, wie ich aus einem bösen Traum voller Verwicklungen zu mir kam, die mich um so mehr quälten, weil sie so vage und ungewiß waren.

„Laß dich ansehen“, sagte ich, und ich war befriedigt von dem Anblick. Oliver hatte gesagt, er wolle mir über den Flur pfeifen, wenn er fertig sei; er hatte gepfiffen, und ich war in sein Zimmer gegangen, um ihn in seinem ersten Smoking zu begutachten. Um in sein Schlafzimmer zu gelangen, mußte ich durch sein Wohnzimmer, und hinter dem Schlafzimmer lag dann sein Bad. Es war sehr zweckmäßig so. Er brauchte niemand zu stören und blieb selbst ungestört. In dem Haus in Hampstead wollte ich mich nun endgültig einrichten. Ich hatte das Umziehen satt, und indem ich für mich sorgte, hatte ich auch Oliver zu seinem Recht verholfen. Dies hier war ohne Zweifel ein zweckmäßiger und notwendiger Teil der Maschinerie seines Lebens. Bald sollte er nach Oxford oder Cambridge. Dann mußte er sich auch entscheiden, was er werden wollte, und während der Ferien und später nach der Universität konnte er sich hier darauf vorbereiten. Ich stellte mir einen Studenten der Rechte oder der Medizin vor oder vielleicht auch einen jungen Schriftsteller, der seinem Schicksal dankbar sein würde, daß es so ausgezeichnet für seine Ruhe und Abgeschlossenheit gesorgt hatte.

Nichts fehlte. Ein bequemer Schreibtisch, mit allem, was dazugehört, Papier, Feder, Tinte und Löschblatt. Die Bücherregale an beiden Seiten des Raumes nur bis zur Hälfte der Wand, ein schönes Stück aus Dermots Werkstatt. Ich hatte manchen Gedanken auf ihren Inhalt verwandt. Da stand alles, was die Phantasie eines Jungen meiner Ansicht nach wecken, ihm Anregungen geben und ihn aufschließen könnte. Mit sechzehn müßte eigentlich etwas vorgehen im Wesen eines Jungen. Manchmal, wenn Oliver fort war, ging ich in sein Zimmer und hoffte, auf dem Tisch oder im Stuhl vergessen ein Buch zu finden, das mir Aufschluß über die Richtung seines Strebens geben konnte. Wie wäre ich einem solchen Funken nachgegangen und hätte ihn genährt und angefacht! Aber sofern ich überhaupt Bücher bei ihm fand, waren es immer nur solche, die ich nicht angeschafft hatte, Romane mit aufreizenden Bildern auf dem gelben Umschlag: Guy Boothbys „Dr. Nikola", Richard Marsh „Große Narren" und dergleichen. Das und ähnliches schien Olivers ganze Lektüre auszumachen, außer einer Fülle von Wochenmagazinen mit vielen Abbildungen von Rennpferden und hübschen Schauspielerinnen. Auch jetzt, wo Oliver für die Weihnachtsferien nach Hause gekommen war, hatte ich keinerlei andere Anzeichen geistiger Regungen entdeckt. Mit Vorliebe rekelte er sich in seinem bequemen Lehnstuhl, die Füße auf dem Schreibtisch, den Blick über die Heide verloren und gelegentlich eine Zigarette im Mund.

Kommt Zeit, kommt Rat, tröstete ich mich, hier in dieser

Umgebung mußte er sich ja eines Tages finden. Und was hatte ich selbst mit sechzehn getrieben? Ich wohnte in Ancoats bei den O'Riordens. Ich verdiente mein Brot selbst. Ich war von Dermots Begeisterung angesteckt. Ich fraß mich durch all die guten Sachen in O'Riordens Bücherschrank. Ich träumte davon, mein Glück zu machen. Ich fing mit dem Geschreibsel an.

Sich vorzustellen, daß Oliver auch nur eines dieser Dinge täte? Nein, nein, und das sollte er ja auch gar nicht. Das kommt noch früh genug. Aber alles das, was ich in seinem Alter nicht tat, versteht er großartig: er zieht sich piekfein an, er raucht und macht den Mädchen Augen. Ob er es weit damit bringen wird?

Oliver drehte sich vor seinem Ankleidespiegel nach mir um. Er schoß unglaublich in die Höhe, er war fast ein Meter siebzig groß, schlank, und gewachsen wie eine Tanne. Er hatte viel Sorgfalt auf sich verwandt. Sein langes, gelocktes Haar glänzte von der Bürste. In den blauen Augen lag eine fast kindliche Schüchternheit, als er mich fragte: „Kann ich mich so sehen lassen?"

„Laß dich ansehen", sagte ich. „Ja. Du kannst es im Smoking mit jedem aufnehmen."

„Wer kommt denn heute abend?"

„Onkel Dermot und Sheila. Dann ein gewisser Wertheim – ich habe dir wohl schon von ihm erzählt – und seine Frau. Ich kenne sie nicht, sie war Schauspielerin. Das sind die einzigen, die du nicht kennst. Dann bin ich noch da, Livia Vaynol, du und Maeve. Bist du jetzt fertig? Dann komm!"

„Ja. Weißt du, woran ich beim Anziehen gedacht habe?"

„Nein."

„Du errätst es nicht und hast die ganze Sache sicher längst vergessen."

„Nun?"

„Entsinnst du dich noch des schwarzen Schlafanzuges, den du mir einmal gekauft hast, als ich noch klein war? Du kamst mit nach oben und zogst ihn mir an. Es war mein Geburtstag oder sonst etwas. Maeve, Rory und Eileen waren zum Tee da. Wir gingen Hand in Hand hinunter, und alle lachten mich aus."

„Ich weiß es noch ganz genau. Und den Schlafanzug hast du nicht wieder angezogen, niemals, nicht ein einziges Mal. Schade um das viele Geld. Nun, heute abend wird dich keiner auslachen."

„Das will ich meinen! Ich sehe eigentlich sehr anständig aus.“ Er betrachtete sich im Spiegel. „Doch!“

„Also los! Wir müssen unten sein, wenn einer kommt.“

Wir gingen durch sein Wohnzimmer, und ich faßte ihn beim Arm und hielt ihn einen Augenblick zurück. „Bist du zufrieden damit? Kannst du hier arbeiten?“

„Tipptopp“, sagte er beiläufig.

„Ich sehe, du hast gelesen. Was war es denn?“

Ich nahm das Buch auf, das umgeschlagen auf dem Schreibtisch lag. Es war wieder ein Roman des überaus fruchtbaren Boothby: „Der schöne weiße Teufel“.

„Du scheinst den Kerl zu mögen.“

„Er ist famos“, schmunzelte er. „Ich wünschte, du würdest mal ein solches Buch schreiben.“

„Weißt du denn, was ich da schreibe? Hast du schon mal etwas von mir gelesen?“

„Ich habe es versucht.“

„Bist aber nicht weit gekommen?“

„Nicht sehr weit.“ Er wechselte plötzlich das Thema und sagte: „Übrigens, Alter Herr, es ist bald Weihnachten. Ich wünsche mir ein gutes Zigarettenetui von dir.“

„Gold? Mit Brillanten besetzt?“

„Mach dich doch nicht lustig! Irgend etwas Anständiges. Du hast doch nichts dagegen, daß ich rauche? Ich rauche ja nicht viel.“

„Solange es in vernünftigen Grenzen bleibt, nicht. Dachtest du dabei etwa an heute abend?“

Er nickte.

„Gut, steck dir das hier in die Tasche. Es ist voll. Ich schenke es dir jetzt schon.“

Ich gab ihm mein goldenes Zigarettenetui.

„Nicht doch“, wehrte er ab. „Ich kann es dir doch nicht wegnehmen!“

„Nimm nur. Es macht mir nichts aus, den Leuten eine Zigarette aus der gelben Packung anzubieten. Wenn sie sie nicht mögen, sollen sie es bleibenlassen.“

Er steckte das Etui in die Tasche. „Für täglich“, gab er zu, „hast du natürlich recht. Aber im Smoking ist es doch etwas anderes, nicht wahr?“

Ich grunzte etwas vor mich hin, und wir gingen zusammen nach unten.

Dermot ging im Empfangszimmer auf und ab und steckte den roten Bart prüfend in alle Ecken. Er hielt die Hände auf dem Rücken und den Körper vorgebeugt, so daß der rote Bart förmlich in die Gegend stach. Hier und da fuhr er mit der Hand über eine Platte, befühlte die Vorhänge und betrachtete ein Bild aus der Entfernung.

„Entsinnst du dich noch meiner ersten Machwerke, Bill?" fragte er plötzlich. „Die Bücherständer für Vater und den Eßtisch für Mutter, mit den schauderhaft geschwollenen Beinen? Gott, wie weit bin ich seitdem gekommen, wie weit!"

„Stell ihn auf einen Stuhl", sagte Maeve. „Gleich kräht er."

„Ich habe auch Grund zum Krähen, Mädchen", sagte Dermot, „vergiß das nicht. Und versteh mich richtig. Wenn ich sage ‚weitergekommen', denke ich dabei nicht an schmutzigen Gewinn, sondern an Geist – Seele – Phantasie und das alles." Er fuchtelte mit seinen langfingrigen weißen Händen unbestimmt herum. „Diese jungen Leute heute wissen nicht mehr, was das ist, seitdem sie alles fertig vorgesetzt bekommen."

Sheila lächelte ihm liebevoll zu und klopfte Maeve, die zu ihren Füßen saß, beruhigend auf die Hand. „Laß ihn nur", sagte sie. „Das ist so seine Art. Er hat immer gern Reden gehalten."

Sheila war schon recht grau. Sie erhob auch keinen Anspruch mehr, jung zu sein, sondern kleidete sich als ältere Dame. Gesicht und Gestalt wurden voller, aber die Augen hatten ihre ernste Schönheit behalten. Sie wärmte sich die Hände am Kamin.

Die beiden Mädchen waren ganz aufgeregt über die Aussicht, Wertheim zu treffen. „Wie geht man wohl einem reichen Juden um den Bart, der alles zu vergeben hat, was man sich wünscht?" fragte Livia. „Soll man zu ihm sagen: ‚O Jude! Reich bist du, die Gaben deiner Magd werden dich noch reicher machen, wenn du dich gnädig ihrer annehmen willst'? Ist das der Stil, oder einfach und geradezu: ‚Sieh her, Isaakleben, meine Zeichnungen haben es in sich, damit läßt sich Geld machen'?"

„Wenn Sie Wertheim sehen", antwortete ich, „werden Sie von beiden Stilen nicht viel halten. Da ist er ja."

Dunkel, ernst und unförmig trat Wertheim ins Zimmer, seine Frau klammerte sich an seinen Arm. Anklammern ist das richtige Wort. Ich hatte gehört, daß Wertheim eine Schauspielerin geheiratet habe, später erfuhr ich dann die näheren Umstände.

Josephine Robbins war ein New Yorker Mädchen. Sie war in einem Warenhaus angestellt, dem ersten, das Dermots Onkel Con O'Riorden gegründet hatte. Josephine hatte den Theaterfimmel, sie arbeitete wie der Teufel und stand schließlich eines Tages in der ersten Reihe der Tanzgirls. Dort blieb sie auch. Sie hatte eine hübsche Figur, aber das unscheinbarste und hausbackenste Gesicht, das man sich vorstellen konnte. Tanzen konnte sie, sonst nichts, und auch das nur im Ensemble. Aber Wertheim sah sie, verliebte sich in sie und heiratete sie. Er sagte, sie erinnere ihn an seine Mutter. Von da an ließ sie sich nur ungern an ihre „Girl-Zeit" erinnern, und Wertheim legte ebenfalls keinen Wert darauf. Sie kleidete sich mit betonter Ehrbarkeit und war im Wesen ernst und gemessen. Wertheim nannte sie Josie und sie ihn Jo, und sie führten eine zärtliche und glückliche Ehe miteinander. An jenem Abend trat sie am Arm ihres Gewaltigen wie ein kleiner, unscheinbarer Bärenführer auf, den man in Gegenwart seines brummigen Riesen kaum beachtete.

Es war die erste Abendgesellschaft in meinem neuen Haus, und ich saß wie auf Kohlen, daß alles klappen würde und daß vor allem meine Gäste gut bei Wertheim abschneiden würden. Bei der Vorstellung sorgte ich dafür, von jedem das einfließen zu lassen, was ihn interessieren konnte.

„Dermot O'Riorden, mein Jugendfreund. Sie kennen wohl sein Geschäft in der Regent Street?"

Wertheim nickte mit dem Kopf. „Doch, nicht wahr, Josie? Sehr teuer. Sehr teuer. Aber schön!"

„Dies Zimmer hat Herr O'Riorden entworfen", sagte ich weiter, „mit allem, was darin ist."

„Nicht mit allem", sagte Wertheim und ging auf eine Winterlandschaft von Vlaminck zu, die über dem Kamin hing. „Dies hier wohl nicht, wie?"

„Ich habe es ausgesucht", sagte Dermot, „und Essex ein schönes Stück Geld dafür aus der Tasche gelockt. Ich bin schon ziemlich früh an diese Burschen geraten und habe sie noch billig bekommen."

„Da ist noch etwas, was er ausgesucht, aber nicht selbst entworfen hat", sagte ich und entfaltete die Vorhänge. Wertheim betrachtete sie genau, und seine Hände folgten in der Luft den Linien des Musters. „Ja, nicht übel", sagte er beifällig, „das ist wirklich gut. Da steckt Phantasie drin. Originelle Begabung. Ich könnte mir das im Großen vorstellen. Auf der Bühne, wie? Vorhänge – nicht unwichtig."

„Es ist eine Arbeit von Fräulein Vaynol hier", fügte ich hinzu, und Livia vergalt es mit einem „Gott segne dich, mein Kind" im Blick.

„Wir haben hier ja alle Begabungen beieinander", sagte Wertheim und gab ihr die Hand.

„Vor allem aber Maeve O'Riorden, die Schauspielerin", sagte ich. „Sie wurde bei Mary Latter ausgebildet und hat jetzt die ganze Zeit in der ‚Weihnachtsernte' mitgespielt."

„Jaja. Wir haben es uns dreimal angesehn, nicht wahr, Josie?"

Josie nickte. Ihre einzige Rolle war anscheinend die, ihrem Mann beizupflichten. Aber das schien nur so; als ich sie besser kannte, merkte ich, daß sie zugleich ein sehr wachsamer Drache für ihn war, der ihm alles Unangenehme vom Leibe hielt.

„Ein reizendes Stück", sagte Wertheim, „und wir erinnern uns noch deutlich an Ihre Rolle, Fräulein O'Riorden. Und dies ist zweifellos Fräulein O'Riordens Mutter", fügte er hinzu und steuerte zu Sheila hinüber, die sich scheu im Hintergrund gehalten hatte. „Das sieht man sofort. Wenn Fräulein O'Riorden in ein paar Jahren so aussehen wird, kann sie von Glück sagen."

„Aber Jo!" sagte Josie scharf.

„Ja, Josie?"

„Beherrsche dich."

„Da haben wir's", stöhnte er in drolliger Verzweiflung. „Sie hält mich für östlicher, als ich bin. Sie hat über Disraeli und die Königin Victoria gelesen. Ach! Wann bekommen wir endlich ein Stück: Disraeli, Gladstone und Victoria. Poesie, Prosa und das Herz einer Frau. Das wäre etwas für Sie, Essex! – Und hier – der Apoll in schwarzen Hosen – wessen Sohn ist das?"

Er nahm Oliver bei der Hand und sah ihm ernst in das leicht errötende, lächelnde Gesicht.

„Meiner", sagte ich nur.

„Ach Gott!" sagte Wertheim, ließ Olivers Hand los und schlug die Augen zur Decke. „Jung sein und schön sein! Ich bin keins von beiden gewesen."

Ich saß am Kopf des Tisches, Wertheim zur Linken und Frau Wertheim zur Rechten. Neben Frau Wertheim saß Oliver, dann kam Livia. Während des Essens war er sehr um Livia bemüht, sprach mit Frau Wertheim nur wenige Worte und hatte kaum einen Blick für Maeve, die ihm gegenübersaß. Ich fürchte, die arme Maeve war zwischen ihrem Vater und Wertheim ziemlich verzweifelt. Wertheim kam nämlich auf die französischen Impressionisten zu sprechen, von denen Dermot eine prachtvolle Sammlung besaß, teils in seiner Wohnung, teils in den Ausstellungsräumen, die er im Geschäft in der Regent Street eröffnet hatte. Das war nun wieder ein Gebiet, auf dem Wertheim gründlich beschlagen war, und die beiden unterhielten sich rücksichtslos über Maeves Kopf hinweg. Schließlich ließ Dermot auch den letzten Schein von Höflichkeit fallen. „Komm, Maeve, wir tauschen die Plätze", sagte er und warf damit meine sorgsam ausgetüftelte Tischordnung über den Haufen. Aber jetzt war offenbar jeder glücklich. Dermot und Wertheim tauschten Anekdoten über die Künstler aus, die sie in den Pariser Ateliers kennengelernt hatten, als sie die Bilder, die jetzt als Meisterwerke galten, noch für ein Butterbrot hatten aufkaufen können. Maeve und Sheila plauderten um so lieber zusammen, weil sie sich damals selten zu Gesicht bekamen. Livia und Oliver hatten Gott weiß welche süßen Geheimnisse miteinander. Blieben nur Josie Wertheim und ich.

Sie überraschte mich, als sie sagte: „Jo erzählte mir, Sie schrieben ein Stück für ihn. Es liegt mir viel daran, daß er Stücke inszeniert, verstehen Sie? Die große Revue ist ganz schön und gut, aber ich glaube, daß er das Zeug dazu hat, etwas Besseres zu machen als einen hübschen Hintergrund für Mädchenbeine."

Das war allerhand für Josie, denn sie besaß wunderbare Beine und hatte mit ihnen, wie ich später erfuhr, ihr Glück gemacht. Und Wertheim brummte denn auch dazwischen: „Essex, lassen Sie sie nicht das Schönste herabwürdigen, was Gott gemacht hat – die Beine einer Frau. Mir haben sie einst den glücklichen Fußtritt gegeben, der mich ins Park-Lane-Theater und von da immer weiter geführt hat."

Josie wartete, bis er wieder im Gespräch mit Dermot vertieft war, und sagte dann: „Im Ernst; jetzt, wo er von selbst darauf gekommen ist, helfen Sie mir, ihn bei der Stange zu halten. Er hat mir in letzter Zeit viel von Ihnen erzählt. Sein Leben lang hat er sich damit beschäftigt, das Neue aufzuspüren, und auch jetzt, wo er an die Bühne denkt, will er nichts von den Leuten wissen, die schon eine lange Liste von Bühnenerfolgen aufzuweisen haben. Er will einen neuen Bühnendichter entdecken, und warum sollen Sie das nicht sein? Wie steht es mit dem Stück? Wie wird es heißen?"

„Es ist fertig. Ich weiß noch nicht, wie es heißen soll."
„Sie sind ja ein Schnellarbeiter."
„O nein. Ich hatte sechs Monate Ferien. Und dabei habe ich mir die Sache durch den Kopf gehen lassen und schon etwas skizziert. Auf der Heimreise habe ich es in großen Zügen ausgearbeitet, und seit meiner Rückkehr war ich die ganze Zeit ungestört und hatte nichts anderes zu tun."
„Darf ich fragen, um was es sich handelt?"
Ich erzählte es ihr, und Josie sagte: „Sie müssen es ‚Straßauf und straßab' nennen."
„Das ist großartig! Das paßt glänzend!"
„Sind Sie morgen frei?" fragte sie, suchte in der Handtasche auf ihrem Schoß herum und zog ihr Notizbuch hervor: „Um elf Uhr?"
Ich sagte, es würde mir passen.
„Also gut!" Sie notierte es sich. „Bringen Sie das Stück mit."
Mir gefiel ihre zugreifend sachliche Art. Mir gefiel es auch, als ich sie am nächsten Tag im Vorraum zu Wertheims Arbeitszimmer sitzen sah; die Fenster gingen auf einen Garten, in dem eine Platane die winterlich kahlen Äste zum Himmel reckte.
„Sie bleiben ungestört", versicherte sie mir, öffnete die Tür, und ich sah Wertheims Rücken vor mir; er stand da, die Hände nach hinten verschränkt, und schaute grübelnd in den grauen mißmutigen Tag hinaus. Ich war überzeugt, daß wir vor jedem Eindringling sicher waren, solange Josie Posten stand.
Ich hatte mir vorgestellt, daß Wertheim und ich eine Stunde über das Stück plaudern würden, daß ich ihm hier und dort eine Stelle vorlesen und es ihm dann dort lassen würde, damit er es sich durch den Kopf gehen ließe. Aber ich kannte Wertheim noch nicht. Er sank in einen großen Ledersessel am Kamin, eine Zigarre im Mund, und forderte mich auf, zu beginnen. Ich hatte noch nicht zwei Sätze der Bühnenanweisung für den ersten Akt vorgelesen, da unterbrach er mich mit einem scharfen „Nein!" und setzte mir sofort auseinander, wie wenig ich die Gegebenheiten der Bühne kannte.
„Essex", sagte er, „ein Freund von mir hat einmal ein Manuskript bekommen, das begann so: ‚Der Vorhang geht in dem Augenblick hoch, wo der Tag anbricht. Ein Hahn kräht auf einem Misthaufen. Dicht daneben legt eine Henne emsig gackernd ein Ei. Ein Knecht kommt herein und

nimmt ihr das Ei weg.' Nun versuchen Sie einmal, Ihre Bühne wirklich vor sich zu sehen mit allem, was darauf geschehen soll. Mir scheint, diese Bühnenanweisung müssen wir ändern. Sie muß etwa so lauten ..."

Wir nahmen es von Anfang bis zu Ende durch. Das Mittagessen wurde hereingebracht, ich blieb zum Abendessen, und nach dem Abendessen saßen wir wieder darüber. Es war elf Uhr, als ich mir ein Taxi nahm und zur Spanienallee fuhr, einen Haufen Notizen in der Tasche und eine ungeheure Hochachtung vor Wertheim im Herzen. Er hatte das Stück bis ins letzte durchgesiebt, sich aber geweigert, mir auch nur ein einziges Wort für den Dialog vorzuschlagen. Das sei meine Sache, sagte er. Aber er bestand erbarmungslos darauf, daß der Dialog an gewissen Stellen gestrafft würde. Er konnte sich in die Seele des Zuschauers versetzen und sich ein Stück so vorstellen, als wenn er selbst im Zuschauerraum säße und zuhörte, und ich spürte, daß er recht hatte. Es war ein aufreibender Tag, an dem mir viele Lichter aufgingen. „Und jetzt, Essex", sagte er und legte mir seine schwere Hand auf die Schulter, als wir durch den Vorraum gingen, wo Josie saß und einen Roman las, „jetzt sind wir auf dem Wege, etwas daraus zu machen."

Und es war so. „Straßauf und straßab" kam im nächsten Frühjahr – 1913 – heraus und lief, bis der Krieg ausbrach und es abwürgte. Aber inzwischen wußte Wertheim, was Maeve konnte, und das war die Hauptsache.

20

Wenn ich zurückblicke über den Abgrund des Grauens – des allgemeinen wie des persönlichen – auf die Jahre vor dem Krieg, so leuchtet jener April 1913 in besonderem Glanze auf. Heute scheint es, als habe das Unheil bereits in der Luft gelegen. Vielleicht waren wir alle zu glücklich und hatten den Neid der Götter herausgefordert. Maeve war wohl die einzige, die sich schon mit trüben Ahnungen trug.

Wir konnten es nicht fassen: da saßen wir nun wirklich, sie und ich, und aßen im Café Royal zu Nacht. Wir lösten das alte Gelübde ein, zusammen zu dinieren, wenn sie zum erstenmal in dem Stück auftreten würde, das ich für sie geschrieben hatte. Wir mußten früh essen, damit sie pünktlich ins St.-Johns-Theater kam, wo „Straßauf und straßab“ sein Glück versuchen sollte. Die frühe Stunde des Diners hatten wir seinerzeit nicht bedacht. Was wußten wir damals vom Theater. Erst jetzt lernten wir die Anfangsgründe. Es war schwer gewesen, sich frei zu machen. Jeder wollte mit uns zusammen sein: Jo und Josie, Livia, Sheila und Dermot, Rory und Maggie Donnelly. Die beiden waren zum erstenmal, seit Rory in Irland erzogen wurde, nach England herübergekommen.

Aber Maeve und ich waren ihnen entwischt. Nach dem Theater wollten wir ohnehin alle gemeinsam essen, um den Erfolg zu feiern oder uns über den Durchfall zu trösten. Wir lehnten uns in den roten Plüsch zurück. Der Kaffee stand vor uns. Ich gab Maeve eine Zigarette und zündete sie ihr an.

„Nervös?“

Sie schüttelte den Kopf: „Glücklich?“

„Sehr – aber ich habe Angst bei aller Freude. Mir zittern die Knie.“

„Hast du ‚Straßauf und straßab‘ wirklich für mich geschrieben?“ Maeve legte ihre Hand plötzlich auf meine und sah mir in die Augen.

„Ja. Ist die Annie Hargreaves dir nicht auf den Leib geschrieben?“

„Ich liebe die Rolle. O Mann, ich bin ja so glücklich – so stolz, daß es nun soweit ist. Aber weißt du ...“, sie lächelte tapfer, und die scharlachroten Lippen zeichneten sich scharf in ihrem blassen Gesicht ab, „ich hatte nicht gedacht, daß du dann mit einer anderen Frau verlobt sein würdest.“

„Liebes Kind ...“, war alles, was ich sagen konnte.

Sie drückte hastig ihre Zigarette aus. „Komm, wir wollen gehen.“

War meine Verlobung mit Livia schmerzlich für Maeve, so war sie für mich einfach unglaubhaft. Es war alles so unerwartet gekommen. An dem besagten Abend, als ich ein paar Leute zu Gast hatte, wurde mir klar, daß ich Livia liebte. Ich hatte bis dahin keine Frau geliebt. Maeve hätte es sein können. Ich kannte sie so lange, und sie war mir zutiefst vertraut, aber eben das Gleichmaß einer herzlichen Zuneigung pflegt beim Manne die Leidenschaft auszuschließen.

Als wir unsere Zigarren geraucht hatten und ins Wohnzimmer zu den Damen gingen, wurde mir bewußt, daß ich zuerst Livias Augen suchte und daß Livias Augen Oliver suchten. Er ging ohne weiteres auf sie zu, nahm die Zigarettendose aus seiner Tasche und öffnete sie sachverständig. Sie nahm eine Zigarette; er zündete sie ihr an, und sie klopfte mit leichter Hand neben sich aufs Sofa. Er setze sich zu ihr und zog sich wie ein Dandy die Bügelfalten hoch. „Apoll in schwarzen Hosen." Nicht schlecht von Wertheim.

Oliver hatte keinen Wein getrunken, das erlaubte ich nicht. Aber sein Gesicht war rot und erregt; seine Augen glänzten, und sein welliges Haar sprühte vor Lebendigkeit. Jeder mußte seine außerordentliche körperliche Anziehungskraft spüren, und dieser Gedanke durchfuhr mich wie ein Blitz. Körperlich? Nie zuvor, auch nicht in meinen geheimsten Gedanken, hatte ich Olivers Wesen so bei Namen genannt.

Aber was kannte ich von ihm außer der äußeren Schale, die sich meinem Auge bot? Wenn ich mir nichts vormachen wollte, mußte ich zugeben, daß wir uns auseinanderentwickelt hatten. Solange er noch Kind war, wuchs ich gleichsam herab zu ihm. Es war eine Art Gleichaltrigkeit, als hätte ich die glückliche Eigenschaft besessen, alle meine Jahre wieder abzuschütteln. Ich genoß unsere gemeinsamen Spiele und die Gedankenflüge unserer „Unterhaltungen", wie er es nannte, ebensosehr wie er.

Aber „Unterhaltungen" gab es seit langem nicht mehr. Mir schien es an der Zeit, daß mein Herabwachsen zu Oliver aufhören und er versuchen mußte, sich zu mir emporzurecken und Fühlung zu halten. Er war kein Kind mehr. Ich wartete mit schmerzhafter Bereitschaft auf das erste Zeichen, daß er meiner auf einer breiteren, männlicheren Ebene bedürfe. Aber davon zeigte sich nichts. Das Kind Oliver war mein Kamerad gewesen. Der Jüngling Oliver war mir fremd geworden. Mit vernichtender Klarheit sah ich ihn plötzlich vor mir, wie er war, schön, eitel und durchschnittlich.

Es ist furchtbar, wenn die eine Liebe mit der anderen im Kampfe liegt. Ich beobachtete ihn mit Livia. Ich hörte nicht, was sie sprachen, aber ich sah die Zwiesprache ihrer Augen und die Hingabe ihres Lächelns, und ich litt Folterqualen angesichts ihrer verschwiegenen Geheimnisse und gemeinsamen Erlebnisse. Mein Herz krampfte sich zusammen, weil ich plötzlich wußte, daß ich Livia Vaynol für mich selbst haben wollte und daß es dieses Begehren und nichts anderes war, was Oliver in meinen Augen herabsetzte.

In jener Nacht erfuhr ich an mir selbst, was es heißt, eine Frau zu begehren. In der Theorie kannte ich es lange genug. Gernhaben, Zuneigung, selbst das kurze Aufflammen der Leidenschaft, das den Mann in die Arme einer Frau treibt: seit Nellies Tod hatte ich all das erlebt. Aber dies hier war etwas Unberechenbares, Tyrannisches, das dunkle Ineinanderfließen von Körper und Seele in der Begierde nach Besitz.

Dermot neckte Josie Wertheim mit einer Geschichte, die ihm kürzlich zu Ohren gekommen war. Sie waren draußen in ihrem Landhaus gewesen, und Josie hatte im Garten gearbeitet. Ein Mädchen hatte versucht, in die Ruhe des Wertheimschen Wochenendes einzubrechen, und Josie hatte sie mit der langen Mistgabel die Dorfstraße hinuntergejagt. „Ein Pik und gleich vier Stiche!“ lachte Dermot begeistert. „Wie konnte ein Mädchen mit einem solchen Achtersteven zum Ballett wollen? Eine ganze Mistgabel voll Schinken!“

„Viermal zugepikt und nur einmal gestochen“, verbesserte Josie. „Da sieht man mal wieder, was die Leute reden.“

Wertheim erzählte Sheila von seiner Mutter in Konstantinopel. Sie hörte ihm in ihrer ruhigen Art zu, als wäre sie seine Mutter und Wertheim ein kleiner Junge.

Ich setzte mich neben Maeve. Sie legte ihre Hand auf die meine, wie sie es von Kind auf immer getan hatte. „Ach, Mann“, sagte sie, „es ist ein reizendes Haus, und es war ein reizendes Essen, und ich danke dir sehr und hoffe, du wirst hier glücklich sein!“

„Ich denke doch“, sagte ich und erzählte ihr von dem Stück, das ich für sie geschrieben, und wie Josie mir Mut gemacht hätte.

„Freust du dich darauf?“ Ich streichelte ihre Hand und sah auf ihr blasses Gesicht, das aus dem scharlachroten Samt herauswuchs. Kein bißchen Farbe. Weiße abfallende Schultern – vielleicht etwas zu schmal –, der Hals stolz zwischen ihnen, das schneeweiße Gesicht mit seinem energischen kleinen Kinn, die Augen dunkelblau wie Pflaumen, der Mund rot und ebenmäßig und das schwarze Haar ohne eine Spur von Blau darin.

„Lieber Bill“, sagte sie – sie nannte mich jetzt nicht mehr Onkel Bill –, „ich freue mich sehr darauf. Aber jetzt muß sich Herr Wertheim noch damit befreunden, daß ich die Hauptrolle spiele, nicht wahr, wenn er das Stück überhaupt mag.“

„Wenn es ihm gefällt, so bekommt er es nur unter der Bedingung, daß Maeve O'Riorden die Annie Hargreaves spielt."

„Du hast immer an mich gedacht und für mich gedacht. Ohne dich wäre ich nie zur Bühne gekommen."

„Und du bist noch immer der Ansicht, daß es das Richtige ist?"

„O Mann, wie kannst du fragen!" Der Blick und der Klang machten mich glücklich. Etwas hatte ich also doch geschafft, das nicht in Zweifel gezogen werden konnte.

„Livia scheint mit sich zufrieden", sagte Maeve plötzlich und brachte meine Gedanken wieder auf das Eigentliche zurück, um das sie gekreist hatten. Ich sah hinüber. Oliver hatte etwas gesagt und lachte frech und nicht ganz sicher, ob er etwa zu weit gegangen war. Livia zauste ihm statt aller Antwort das Haar. Die ganze Szene brannte sich in mir ein: der lange weiße Arm, der plötzliche Ruck der halb entblößten Brust, die Finger, die in Olivers Locken fuhren, und das strahlende zärtliche Lachen auf ihrem Gesicht. Meine Hand griff hart nach Maeve, und sie blickte überrascht auf.

„Was hältst du eigentlich von Livia?"

Ihr Erstaunen wuchs. Eine steile Falte stand für einen Augenblick zwischen ihren Brauen, und die gerunzelte Stirn erinnerte mich unversehens an Nellie. „Sie ist leichtfertig."

„Großer Gott, welch altmodisches Wort!"

„Es gibt auch modernere dafür." Maeve stand plötzlich auf, ging zu Josie hinüber und unterhielt sich mit ihr.

Ich warf den Rest der Zigarre ins Feuer und ging durch das Zimmer. Oliver erhob sich vom Sofa. „Ich glaube, Sheila würde dich gerne mal sprechen", sagte ich. „Du hast sie in diesen Ferien nicht oft gesehen."

Er tauschte ein strahlendes Lächeln mit Livia und ging. Als ich mich zu ihr setzte, spürte ich, daß mein Herz klopfte und ich meine Stimme nicht in der Gewalt hatte. Ihre Gegenwart übermannte mich; der Duft ihrer Haare, die lange weiße Linie ihrer Arme, die jetzt mit gefalteten Händen im Schoß ruhten, die Rundung ihrer Brust und die Form ihrer Schenkel, die sich unter dem Druck ihrer Hände scharf unter dem schweren Stoff ihres Kleides abzeichneten.

„Ich möchte Sie heute abend nach Hause fahren", sagte ich, und es klang unnatürlich und halb erstickt. Sie schien es nicht zu bemerken: „Ich habe mir ein Taxi bestellt."

„Für Sie und Maeve?"

„Nein. Maeve geht diesmal mit ihren Leuten nach Hause."

Das Zimmer mit allem, was darin war, schien plötzlich zu versinken. Ich sah nur Livias Hand in ihrem Schoß und hörte ihre ruhige Stimme: „Maeve geht diesmal mit ihren Leuten nach Hause."

Wie von ferne hörte ich mich sagen: „Taxis können auch wieder weggeschickt werden."

„Oder auch zu zweit benutzt."

Jäh flammte die Erwartung in mir auf, und ich kam wieder zu mir selbst: „Sie meinen . . .?"

Als einzige Antwort lachte sie hellauf. Eine fürchterliche Sekunde lang glaubte ich, sie würde mein Haar zausen, wie sie Olivers Locken gezaust hatte. Dann kam ein Hausmädchen ins Zimmer und meldete: „Das Taxi für Fräulein Vaynol."

Sie stand auf. „Auf Wiedersehen. Und tausend Dank. Es war ein reizender Abend."

Während Olivers Ferien hielt mich Wertheim mit dem Stück in Atem. Ich sah Oliver fast nur bei den Mahlzeiten. Wir gingen zusammen zu einer Pantomime, aber es war eine armselige Sache, verglichen mit den Pantomimen in Manchester; und ein- oder zweimal gingen wir zusammen in der Heide spazieren. Aber wir kamen uns nicht näher. Er war in einem Zustand, mit dem ich nichts anfangen konnte. Ich konnte ihn nicht mehr als Kind behandeln, denn er war kein Kind mehr; und er war anscheinend keinen Schritt weitergekommen, um mir auf meiner Ebene zu begegnen.

Wir liefen durch den knorrigen Dorn mit seinen trockenen Winterbeeren und beobachteten die grauen Eichhörnchen, die von Zweig zu Zweig sprangen. Seine Augen glänzten genauso ruhelos wie die ihren, und es war ebenso schwer, an ihn heranzukommen.

„In ungefähr einem Jahr bist du mit der Schule fertig, Oliver."

„Feine Sache."

„Wie steht es mit der Universität? Hast du mal darüber nachgedacht? Ist dir Oxford oder Cambridge lieber, oder willst du auf keine von beiden?"

„Pogson geht nach Oxford."

„So, und du?"

„Weiß nicht. Eilt es denn so?"

„Ja, ich möchte etwas klarer sehen. Vielleicht liegt dir

das überhaupt nicht. Nur zum Spaß sollte man nicht auf die Universität gehen."

„Du meinst, dahin gehören nur die alten, ehrlichen Büffler?"

„Nun – ich meine, wenn wir wissen, was du willst, können wir auch sehen, wie man es am besten anfängt. Vielleicht gehst du lieber auf die Technische Hochschule in Manchester."

„Da sei Gott vor! Manchester! Ausgerechnet!"

„Schön. Jura? Medizin ...?"

„Aber es ist doch noch so viel Zeit, mir das zu überlegen."

Dabei mußte ich es lassen.

Der Weg fiel schroff ab in eine kleine Mulde. Sie war an jenem Dezembernachmittag mit durchweichten braunen und gelben Blättern bedeckt, und die Bäume sahen in dem dichten Nebel aus wie verhutzelte Zwerge. Ein junger Mensch, die karierte Mütze schief auf dem Kopf, saß auf einem gefällten Baumstamm und hielt unbeholfen sein Mädchen umfaßt, dessen Haar mit glänzenden Perlen betaut war. Wir tauchten so plötzlich in ihrer Gespensterwelt auf, daß das Mädchen überrascht hochfuhr und mit verängstigten Rehaugen ihr Gesicht am Hals des Jungen barg. Ich machte, daß ich weiterkam, und schlug bei jedem Schritt mit meinem Stock in die Blätter und Steine. Oliver aber zögerte, als wir am jenseitigen Rand der Mulde angekommen waren, und sah zurück, und ich merkte, daß er stehengeblieben und die beiden angestarrt hätte, wäre ich nicht dabeigewesen. Es gab also doch etwas, was ihn interessierte.

Er saß noch immer viel in seinem Zimmer. Ich stellte fest, daß Oppenheims „Der geheimnisvolle Herr Sabin" und Bram Stokers „Dracula" zu seinen Büchern hinzugekommen waren. Gelegentlich kam Pogson im Auto vorbei. Sie rauchten Zigaretten in Olivers Zimmer, man hörte ihr brüllendes Gelächter, und dann gingen sie fort. Fragte ich Oliver bei Tisch, wo sie gewesen seien, so antwortete er: „Ach, nur so herumgesaust! Poggy holt allerhand 'raus aus der Karre."

Pogson mit seinen Pickeln und dem Flaum auf der Oberlippe war der Sohn eines Brauers. Ich mochte ihn nicht. Er war auf Olivers Schule und sollte zum Schluß des Sommersemesters abgehen. Von mir aus hätte er schon längst abgehen sollen.

Ich habe mich nie danach erkundigt, wie oft und wo Oliver Livia sah. Als die Ferien vorbei waren, erschien sie auf dem St.-Pancras-Bahnhof, um sich von ihm zu verabschieden. Ich war überrascht, sie dort zu sehen. Oliver stellte sie mit stolzer Besitzermiene vor, und sie starrte Pogson an, als wäre er ein Haar, das sie in der Suppe gefunden habe. Oliver flüsterte ihr beleidigt ins Ohr: „Das ist doch Pogson von Pogsons Vollbier!", als wäre das ebenso bedeutsam wie Hodson von Hodsons Whisky. „Zum Teufel, das ist mir doch egal, ob er voll ist oder nicht", sagte Livia heftig, „im übrigen, ich würde das letztere vorziehen." Olivers blaue Augen wandten sich verärgert ab. Da wurde sie wieder freundlich zu ihm, und schließlich fuhr er ab, glücklich und strahlend, und Pogsons widerwärtige Physiognomie – Hyperion und der Satyr – schielte hinter ihm aus dem Wagenfenster.

Es dröhnte gerade ein Zug heran, als Livia und ich die rauchgefüllte Bahnhofshalle verließen. Zum erstenmal seit jenem Abendessen hatte ich wieder Gelegenheit, sie zu sprechen. Ich hätte die Gelegenheit eher herbeiführen können, aber ich hatte es mir versagt. Ich sagte mir, es sei besser, zu warten, bis Oliver fort wäre. Jetzt war es soweit, er war nicht weiter fort als durch den Tunnel jenseits des Bahnhofs, aber er war fort – und Livia ging neben mir.

„Ich habe mit Wertheim über einem Theaterstück gesessen", sagte ich.

„Ja, Maeve hat mir davon erzählt."

„Was man zu zweit herausholen kann, haben Wertheim und ich getan. Jetzt muß ich es allein fertigmachen. Ich rechne mit vierzehn Tagen."

„Fein. Hoffentlich schlägt es ein!"

„Ich nehme es morgen mit nach Reiherbucht. Ich war noch nie im Winter dort. Hätten Sie Lust mitzukommen?"

„Sie würden nicht arbeiten, wenn ich da bin."

„Doch! Alles Nötige mache ich zwischen neun und ein Uhr vormittags. Schreiben ist nämlich eine bequeme Sache, wissen Sie, obwohl die Schriftsteller gern das Gegenteil behaupten."

Wir standen an meinem Wagen und tauschten Belanglosigkeiten aus; und mein Herz schlug so wild, daß ich mich fragte, ob es Martin nicht hören müsse, der neben uns stand und sich wohlerzogen abgewandt hatte.

„Ich habe immer soviel von schöpferischen Nöten gehört?" setzte Livia das Spiel fort.

„Alles Unsinn. Ein Schriftsteller vom Bau, der nicht

tausend Worte in ein paar Stunden zu Papier bringt, ist ein schlechter Arbeiter. Nun überlegen Sie, was das heißt. Tausend Worte am Tag; dreihundertfünfundsechzig Tage im Jahr. Lassen Sie dem armen Schwerarbeiter fünfundsechzig Tage zum Vergnügen – das sind zwei Monate Urlaub im Jahr, und er produziert noch immer 300000 Worte! Das bedeutet drei Romane – mehr als man den Lesern zumuten darf. Nein, der erfolgreiche Romancier ist weich gebettet."

Sie lachte ein wenig verlegen auf: „Vielen Dank für den Blick in die Werkstatt. War der junge Pogson nicht widerwärtig?"

„Ich fange an, mir über Olivers Bekanntschaften Sorge zu machen."

Sie warf gespannt den Kopf hoch: „Wollen Sie mich in Cornwall haben, um festzustellen, ob ich seiner würdig bin? – Ich weiß nicht recht, ob ich mitkommen soll. Mein Ruf ist schon schlecht genug."

Ich nahm sie am Ellbogen und ging mit ihr vom Wagen fort den Fußsteig entlang. „Würde nicht alles viel einfacher, wenn wir uns verlobten?"

Sie blieb stehen und fuhr unangenehm berührt zusammen.

„Schicken Sie doch den verdammten Wagen weg", sagte sie, „wir können doch nicht über all das reden und hier wie die Irren herumlaufen in diesen – diesen scheußlichen . . ." Hilflos hob sie die Hand zu dem häßlichen Ungeheuer der Bahnhofsfassade.

Ich schickte Martin fort, und wir gingen weiter in die Euston Street, die auch nicht gerade ermutigend war. Autobusse ratterten, Taxis hupten, und das schmutzige Durcheinander des Verkehrs brandete an uns heran. Ein grauer staubiger Wind wehte uns entgegen, und der Himmel lag fleckig wie schmutziges Zinn auf den Dächern. Wir gingen nach Marylebone zu.

„Den größten Teil des letzten Jahres", sagte ich, „habe ich mich an den schönsten Stellen Europas herumgetrieben. Wenn Sie bei mir gewesen wären, hätte ich Ihnen diesen Antrag auf dem Pont d'Avignon oder an den Ufern des Genfer Sees oder in einem Olivenwäldchen am Mittelmeer oder an einem See in Schweden oder an den Gestaden des Bosporus gemacht. Nun muß ich es in einem grimmigen Januarwind auf der Euston Street tun, angesichts dieser fürchterlichen Karyatiden, die die Kirche dort drüben hochstützen."

„Hör zu, Bill“, sagte sie und nahm meinen Arm fester, „laß mal das hübsche Drum und Dran fort und betrachte die nackten Tatsachen. Ich wollte dich von Anfang an gern haben. Weißt du noch, als du in Manchester in der Klinik warst und ich im Auto mit Maeve heraufgefahren war?“

Ich nickte.

„Gut, ich hatte dich auch gern. Ich kannte deine Werke und mochte sie. Du hast an jenem Tag den Mund nicht oft aufgemacht, weißt du. Und geglänzt hast du nicht gerade, und auch das gefiel mir. Ich hasse die Leute, die bei jedem Satz so tun, als wäre er das einzige Bonmot, das Oscar Wilde Whistler zu sagen vergaß. Mit so einem könnte ich nicht leben.“

„Da habe ich ja Glück.“

„Aber versteh mich recht, das war nur der erste, flüchtige Eindruck. Schließlich waren wir nur ein paar Stunden zusammen, und dann kam Oliver.“

„Und das änderte alles.“

„Das änderte alles.“

„Bist du – bist du – in Oliver verliebt?“

„Ich denke den ganzen Tag daran, wie schön er ist. Ich weiß nicht, ob ich in ihn verliebt bin, aber sein Bild verfolgt mich.“

„Hast du ihn oft in den Ferien gesehen?“

„Sehr selten. Ich bin nicht so schlecht, wie Maeve glaubt.“ Das klang ziemlich bitter. „Ich habe versucht, ohne ihn fertig zu werden.“

Wir liefen weiter und schwiegen eine Zeitlang. In dem scharfen, staubigen Wind dachte ich plötzlich an einen weit zurückliegenden Abend. Dermot und ich saßen bis spät in die Nacht unter der Hängelampe in seiner Werkstatt, und wir beschlossen über das Schicksal unserer ungeborenen Söhne. „Wenn ich einen Sohn bekomme“, sagte ich, „so will ich, daß er alles hat. Ich will mich schinden und plagen, um ihm jeden Quark zu verschaffen, den er haben möchte. Und wenn ich sehe, daß er sich freut, dann freue ich mich mit ihm und fange mein Leben von vorne an.“ Die Worte raschelten mir dürr durch den Sinn wie die schmutzigen Papierfetzen, die der Wind durch den Rinnstein fegte. Diese Erinnerung stimmte mich nicht froher. Nun wollte Oliver Livia haben, und ich freute mich nicht.

Wollte er sie haben? Gut, dann war der Punkt erreicht, wo es aus war mit dem Geben, Geben und noch mal Geben, wo seine Forderung geprüft werden mußte. Daß Oliver in sie verschossen war, ließ sich nicht leugnen. Die Nacht auf dem Percuilfluß, die strahlenden Blicke zwischen den beiden, alles sprach dafür. Aber was hatte das schließlich zu bedeuten? Primanerliebe. Die üblichen Erklärungen kamen mir gehorsam zu Hilfe. Laß ihn warten, bis er ein Mädchen seines Alters findet.

Wenn es ihm aber ums Ganze ging? Wenn es nun wirklich so war, daß ich ihm den ganzen Überfluß und Luxus, den er bisher genoß, hätte verweigern können, daß hier aber etwas aufgetaucht war, was ich ihm nicht ohne Gefahr abschlagen konnte? Gefahr für ihn und für mich? Etwas, das alles aufs Spiel setzte, was je zwischen uns bestanden hatte? Ich wagte nicht, diese Frage zu Ende zu denken. Damals noch nicht. Inzwischen habe ich sie zu Ende gedacht. Ich bin im Geist den trostlosen Weg zurückgewandert, und die Seelen von Maeve und Rory und Oliver wehten neben mir im schneidenden Wind. Auch die Seele jenes Mannes, den ich niemals kennengelernt habe; denn wenn unsere Handlungen wirklich Einfluß haben auf das Geschehen, dann war auch das Schicksal jener vierten Seele von diesem Tage an vorausbestimmt.

Lange Zeit liefen wir schweigsam dahin. Ihre Hand lag auf meinem Arm, und die Berührung war mir unsagbar teuer und kostbar. Einmal zog sie die Hand fort, und ich nahm sie mir wieder, streichelte sie und sagte: „Laß sie liegen."

Sie war groß und schlank und schritt dahin wie ein junges Reh. An diesem Tag trug sie einen braunen Rock. Hut und Mantel waren aus Astrachan, sie sah wie eine Russin aus. Der Wind hatte ihr Farbe in die Wangen getrieben, und die Erregung des Augenblicks hatte sie wohl verstärkt.

Schließlich sagte sie: „Ich wußte nicht, daß es dir so ernst damit ist." Ihre Worte kamen heiser und mühsam, als habe das, was mir die Kehle zusammenschnürte, sich auch ihrer bemächtigt.

„Ich bin in meinem ganzen Leben noch nie so ernst gewesen", sagte ich mit unsicherer Stimme. „Ich bin erschreckend verliebt in dich, Livia. Ich habe noch nie eine Frau geliebt. Glaubst du das? Ich habe nie etwas von dem erfahren, was ich mir unter einer Ehe vorstelle."

„Eine verteufelte Situation", sagte sie mit unsicherem Lachen. „Warum glaubst du von mir, daß ich dir all das geben kann, was du entbehrt hast?"

„Ach, frag nicht danach! Meine erste Ehe war eine reine Vernunftheirat, weißt du."

„Du kennst mich nicht. Du weißt nicht, was für ein schlechtes Frauenzimmer ich bin."

„Sprich nicht so."

„Ich muß so sprechen. Laß mich ehrlich sein. Wenn du schon auf dem Mond lebst, dann laß mich wenigstens Farbe bekennen."

„Nein, nein. Nimm mich oder laß mich. Ich nehme dich, wie du bist."

„Ich bin schrecklich empfänglich für Männer. So, nun ist es heraus."

„Ich habe es nicht gehört."

„Um so dümmer bleibst du."

„Willst du mich heiraten, auch wenn ich so dumm bin?"

„Wenn ich dich heirate, täte ich es, weil ich dich gern habe und weil du ein berühmter Mann bist. Ich bin eitel, aber auch ehrlich, wie du siehst. O Gott", fügte sie hinzu, „wärest du doch nur nicht Olivers Vater!"

„Kannst du Oliver nicht vergessen? Oder anders an ihn denken?"

„Ich weiß ja nicht, wie ich an ihn denke. Warum wartest du nicht? Wir sind in einer Zwickmühle. Es wird sich von selbst klären, wenn du mir Zeit läßt. Warum tust du es nicht? Siehst du, dein Antrag ist so ungeheuer verlockend. Du erpreßt mich. Das ist nicht fair."

„Verzeih", sagte ich, „vergib mir." Ich rief ein Taxi und setzte sie ein paar Augenblicke später an ihrer Haustür ab. Sie sah erregt und mitgenommen aus, als sie mir bis zur Baker Street nachwinkte.

Martin fuhr mich am nächsten Tag nach Reiherbucht. Welch Unterschied zur ersten Reise! Damals hatten wir die ganze lange Strecke von Manchester an in der Bahn gesessen. Nellie, Sheila, Dermot, all die Kinder, die Dienstmädchen, das Gepäck. Was für eine Wirtschaft! „Auf Wiedersehen, Bellevue!" Natürlich – es war Sommer, Ferien, sorglose Zeit. Welch Unterschied!

„Ein schlechter Tag, Herr Essex", sagte Martin, als ich nach einem sehr zeitigen Frühstück an den Wagen trat. Das stimmte. Es regnete trostlos auf die Heide, und die Wolken hingen einem fast bis auf den Kopf herunter. Ganz England lag unter einem Trauerschleier; es blieb so, als wir westwärts fuhren.

Ich setzte mich nicht wie sonst neben Martin. Ich saß hinten und blickte durch die rieselnden Fenster auf überschwemmte Gräben und kahle, triefende Bäume. Graue Dörfer huschten zusammengekauert vorüber, die Hügel lagen stumpf und schwermütig da, und die Nebel krochen über sie hin.

Die ganze Welt schien sich gegen mich verschworen zu haben. Als wir im letzten verwaschenen Tageslicht nach Cornwall kamen, war es ein verlorenes Fabelland, das jede Störung übel vermerkte. Ich hatte in Plymouth übernachten wollen, aber Martin setzte seinen Stolz darein, Reiherbucht in einem Tag zu erreichen. Die Scheinwerfer fraßen sich in das Dunkel, und durch ihren Schein schüttete der Regen unaufhörlich seine Pfeile von Finsternis zu Finsternis. Ich starrte gebannt nach vorne, bis ich müde wurde, dann zog ich die Scheibengardine vor mir zu. Nun saß ich wie in einem schwarzen Käfig und raste durch das Chaos.

Es kam Wind auf. Er verstärkte sich schnell und schleuderte den Regen in böigen, harten Stößen gegen die Fenster. Ich spürte den Anprall des Sturmes gegen den Wagen, der sich trotz seiner Schwere und Größe nur mühsam durchsetzte. Ich war zutiefst verloren und durcheinander. Auch die hellen Fenster eines Landhauses oder die zerstreuten Lichter eines Dörfchens, die ab und zu kurz durch die dunklen Scheiben aufleuchteten, waren kein Trost für mich. Ich empfand sie unheimlich wir Irrlichter und war froh, ihnen zu entrinnen.

Ich gab mich auf und überließ alles Martin. Obwohl der Sturm weiterheulte und der Regen unvermindert herunterprasselte, muß ich etwas geschlafen haben. Als die Reifen durch den Kies knirschten und wir langsam aus der Bewegung in die Ruhe glitten, schrak ich mit einem Ruck hoch. Martins Gesicht stand in der offenen Wagentür – nach diesen fürchterlichen Stunden unverändert bis auf ein Lächeln voll ruhigen Stolzes. „Wir sind da, Herr Essex“, sagte er. „Der Wagen ist prachtvoll.“

„Ein prachtvoller Wagen ohne einen prachtvollen Fahrer hätte herzlich wenig genutzt. Ich bin froh, daß wir nicht in Plymouth geblieben sind. Vielen Dank.“

Die Haustür war offen, und Sam Sawler stand unter der Laterne. „Bringen Sie Wasserstiefel und das Ölzeug!“ rief ich. Sie lagen immer unmittelbar hinter der Tür. Sam brachte sie heraus, und ich zog sie auf der Stelle an. „Schön, daß Sie kommen, Herr Essex“, sagte er.

„Ich freue mich auch. Ich bin gleich wieder hier. Stellen Sie den Wagen ein, Martin, und lassen Sie sich etwas Heißes geben.“

Ich patschte durch den nassen Rasen nach der steinernen Balustrade. Ich wollte mir mein Cornwall an diesem Winterabend ansehen – dem ersten, den ich dort verbracht habe. Ich stützte meine Hände auf den kalten Stein, den ich immer nur warm und weich wie Honig in der sommerlichen Reife gespürt hatte. Der Regen pladderte auf meinen Ölmantel. Der Wind heulte durch den dunklen Abgrund unter mir, durch die kahlen Bäume und über das schwarze Wasser, das ich nicht mehr erkennen konnte. Ich sah, wie die Äste über mir, schwärzer als die Nacht, hin und her gepeitscht wurden, und kein Stern leuchtete über ihrem rasenden Tanz. Unten auf dem unsichtbaren Wasser aber lagen zwei orangefarbene Lichtquadrate nebeneinander, unbegreiflich ruhig im Aufruhr der Elemente. Welcher Aufruhr mochte wohl heute nacht hinter diesen sanften Fenstern in Kapitän Judas' Hirn toben!

Ich wandte mich um, um zurückzukehren, und blieb wie angewurzelt stehen. Ich sank zurück und griff mit beiden Händen rückwärts nach der Balustrade. Ich hatte sie zuletzt blaß und müde winken sehen, als ich in die Baker Street einbog. Die apokalyptische Fahrt dieses Tages schien einen Abgrund zwischen jenem Augenblick und dem jetzigen aufgetan zu haben, der nicht leicht zu überbrücken war.

„Das ist doch nicht möglich!" stammelte ich fassungslos. Der Regen klatschte mir ins Gesicht, der Sturm heulte, und am Rand des Uferwaldes war es stockfinster, so daß ich die Züge des Gesichtes, das mir von dort blaß entgegenschimmerte, wirklich kaum erkennen konnte.

„Doch", sagte Livia.

„Aber Kind – Liebes – in solcher Nacht! Du hast ja gar nichts an!"

Ich streckte die Hand nach ihr aus und fühlte das leichte, dünne Kleid, das pitschnaß an ihrem Körper klebte.

„Großer Auftritt! Hochdramatisch!" Sie lachte leise und aufreizend. „Ich wollte dich überraschen. Ist es gelungen?"

Da nahm ich sie in meine Arme, zog sie an mich und riß sie an das knarrende Ölzeug. Sie warf den Kopf zurück, und ich preßte meinen Mund auf ihre nassen Lippen, ihr Haar und ihre Kehle. Sie troff wie eine Waldnymphe, und ich küßte ihr den Regen aus den Augen. Dann hob ich sie auf und watete unbeholfen in meinen großen Stiefeln durch das nasse Gras. Sie war leicht trotz ihrer Größe. Ich setzte sie in der Halle nieder und sah, daß ihre Augen unnatürlich glänzten. „Um Gottes willen, geh und zieh dich um", sagte ich, „du kannst dir den Tod holen!“ In ihren nassen Kleidern schillerte sie glatt wie eine Robbe. Sie schleuderte die durchweichten Schuhe von den Füßen und lief nach oben.

Ich zog Gummistiefel und Ölmantel aus, und Sawle brachte mir Hausschuhe. Das Geschehen hatte mich betäubt. Ich folgte Sawle ins Arbeitszimmer. Ein Holzfeuer prasselte im Kamin, die Vorhänge waren zugezogen, und ich fühlte mich glückselig wie ein Kind, dem eine unverhoffte Freude zuteil wird.

„Wann ist Fräulein Vaynol angekommen?“

„Sie ist schon eine ganze Zeit hier, Herr Essex. Sie ist mit der Bahn bis Truro gefahren und von dort mit dem Auto. Sie hat sich eins gelacht. Im Zug, sagte sie, nehme sie es auf die Dauer immer noch mit jedem Auto auf.“

„Sie war zu leicht angezogen. Sie hätten sie nicht so hinauslassen sollen!“

„Von Frauenkleidern verstehe ich nicht viel, und was das Ausgehen betrifft, so wußte ich gar nicht, daß sie draußen war.“

„Na schön. Aber hier haben Sie es sehr behaglich gemacht.“

„Und ein Bad ist auch fertig, aber es hört sich ganz so an, als habe es Ihnen jemand weggeschnappt.“

Wohl bekomm's! Soll sie baden. Ich war ganz trocken. Ich ging hinauf, um mich zu waschen, und währenddessen packte Sawle meinen Koffer aus.

„Wie finden Sie unseren Winterbesuch?“ fragte ich ihn. „Etwas ungewohnt für Sie, nicht?“

„Ich schaffe es schon, Herr Essex“, sagte er zuversichtlich, „obwohl ich zwei nicht erwartet habe. Ich rechnete, ich hätte nur für Sie zu sorgen, und das hätten Martin und ich schon gekonnt, mit Kochen und so. Aber mit Fräulein Vaynol ist es anders. ‚Schätze, Sie können mir das Kochen abnehmen‘, habe ich ihr gesagt.“

„Ganz recht. Und was meinte sie dazu?“

„Sie sagte: ‚Wenn Sie nur für das Frühstück sorgen wollen, das andere mache ich schon. So früh komme ich nämlich nicht aus den Federn.‘ Nun, das ist mir auch ganz recht so. Schätze, das bißchen Frühstück kriege ich schon zusammen.“

„Sicher.“

„Und für heute abend habe ich das meiste selbst gekocht, aber Fräulein Vaynol hat noch so allerhand Leckereien dazugemacht.“

„Zum Beispiel?"
„Ich habe eine Lammschulter gebraten, und sie hat eine Zwiebelsauce dazugemacht. Dann meinte ich, Sie äßen sicher Brot und Käse gern, aber sie sagte, Keks und Käse – und davor noch etwas, was sie ‚Charlotte russe' nannte. Sie hat lange darin herumgerührt und etwas von unserem guten Kognak dazu stibitzt. Und dann wollte sie auch den Kaffee lieber selbst machen. Ich war ganz überrascht, daß sie so versessen aufs Kochen war. Im Sommer war sie gar nicht so ... Wissen Sie, als Sie nicht hier waren, Herr Essex. Bei Frau Essex war das ja was anderes. Die hat sich immer um die Küche gekümmert." Er sah mich scheu an. „Es hat mir so leid getan."
Erst jetzt ging mir auf, daß ich Sawle seit Nellies Tod nicht gesehen hatte. „Frau Essex, die war in Ordnung", sagte er. „Und der Donnelly, der hat es mit ihr verstanden!"
Er lungerte noch eine Weile bei mir herum, schlug die Bettdecke auf und verzog sich dann, indem er verkündete, seine Lammschulter würde nun wohl gar sein.
Ich setzte mich und horchte auf das Heulen des Sturmes. Jetzt, wo Sawles bedächtige, gleichmäßige Stimme schwieg, war nur noch der Regen zu hören, der wütend gegen die Fenster prasselte, und der Wind, der durch die Bäume raste. Aber das machte mir jetzt nichts mehr aus. Im Gegenteil. Behaglich genoß ich den Gegensatz zwischen draußen und drinnen. Draußen tobte das Wetter, im Hause aber war es friedlich, und Sam Sawle und Martin waren um mich in ihrer zuverlässigen und unaufdringlichen Art, und – Livia war da.
Sie war schon im Arbeitszimmer. Als ich hinunterkam, stand sie am Kamin, den nackten weißen Arm auf dem Sims und den Fuß auf dem Vorsatz, und sah in das Feuer. Sie trug das nachtblaue Kleid mit Silbersternen, das sie in Manchester angehabt hatte, und die Schleppe floß in schöner Linie über den Kaminteppich.
Bei meinem Eintritt wandte sie sich um und begrüßte mich mit einem Lächeln. „Es ist jetzt länger als ein Jahr her", sagte ich, „daß ich dich zum ersten und einzigen Male in diesem Kleid sah. Ich finde es schön, daß du deine Kleider nicht so schnell ablegst. In diesem hier werde ich dich immer lieben."
Sie warf ihre Schleppe zurück und sah befriedigt an ihrem schlanken Körper hinab bis zu den zierlichen Silberschuhen, die unter dem Saum des Kleides hervorguckten.

„Selbst entworfen und selbst gemacht“, sagte sie. „Ich glaube, ich könnte mir mein Brot auch als Schneiderin verdienen.“

„Es gibt wenig, womit du dir nicht dein Brot verdienen könntest.“ Ich reichte ihr ein Glas Sherry.

„Ja, aber ich bleibe nicht bei der Stange.“ Sie seufzte. „Du siehst, ich bin unbeständig.“ Sie hob ihr Glas. „Auf die Beständigkeit! Die bewundere ich am meisten.“

„Auf Livia und die Beständigkeit!“

Sam Sawle kam herein und meldete: „Das Lamm steht auf dem Tisch, Herr Essex. Essen Sie, solange es heiß ist.“

„Ich liebe Dienstboten, die keine Lakaien sind“, sagte Livia.

Ich stimmte ihr bei. Wir gingen zu Tisch.

Ich stopfte mir die Pfeife und setzte mich in einen Kaminsessel. Livia schenkte den Kaffee ein, der auf einem kleinen Tisch zwischen uns stand. Eine hohe Stehlampe mit einem lose herabhängenden gelben Seidenschirm warf ihr mildes Licht in den Schein der Flammen, die im Kamin flackerten. Hin und wieder übertönte eine Regenbö das Feuer und erinnerte uns daran, daß der Sturm noch nicht vorüber war; aber er legte sich etwas. Nur manchmal grollte er noch tief durch die Nacht.

„Seitdem ich Reiherbucht besitze“, sagte ich, „habe ich mir ausgemalt, wie es wohl im Winter hier wäre. Nur Sam Sawle um mich und den ganzen Tag arbeiten. Und an den langen Abenden ausspannen und allein hier unter der Lampe sitzen und all die Bücher lesen, zu denen ich nie gekommen bin. Nun sitze ich unter der Lampe. Aber ich bin nicht allein. Wie kommt das?“

Livia schlürfte ihren Kaffee. „So seid ihr Männer! Hast du mich nicht eingeladen?“

„Ich hatte den schmerzlichen Eindruck, daß meine Einladung abgewiesen worden sei.“

„Aber ich habe dir doch erzählt, daß ich eine unbeständige und wankelmütige Frau bin. Du darfst mich nie beim Wort nehmen. Wenn ich gleich ja gesagt hätte, wäre es dir schon wieder über, und du würdest jetzt sicherlich lieber deinen Herzenswunsch erfüllen und all die Bücher lesen, die man lesen müßte, aber niemals liest: Grotes Griechenland, Gibbons Rom, Motleys Niederländische Freistaaten, ach, und all diese kleinen schmutzigen Bände des ‚Spectator‘, die man zusammen für dreißig Schillinge antiquarisch kriegt . . . Pff!“ Sie fuhr sich mit den Fingern ins Haar. „Kann ich eine Zigarette haben?“

Ich zündete ihr eine an. „So – die Vorrede ist nun glücklich beendet. Nun sage mir wirklich – warum hast du deine Ansicht geändert und bist doch gekommen?“

Sie sog den Rauch ein, stieß ihn langsam und bedächtig wieder aus und sah mich nachdenklich an. „Du gehörst auch zu den Männern, die sich nicht mit einer vollendeten Tatsache abfinden können. Sie müssen immer die Gründe wissen. War das vorhin im Garten keine vollendete Tatsache, als du mich in deinen Armen hattest? Oh, mein Lieber! Ein Mann in Ölzeug hat mich noch nie geküßt! – Ich möchte keine Seemannsbraut sein.“

„Du nimmst mich nicht ernst“, sagte ich verstimmt.

Livia sprang auf und warf ihre Zigarette ins Feuer. „Ernst?“ rief sie und sah plötzlich todernst aus. „Warum sollte ich ernst sein? Kann man das überhaupt ernst nehmen? Ist es nicht selbstverständlich, wenn ein Mädchen die Wahl hat zwischen einem Schuljungen von sechzehn, aus dem vermutlich nichts wird und den sie nur arrogant wie den Teufel und gierig wie die Hölle findet – wenn sie zu wählen hat zwischen so einem und einem Mann, der reich und berühmt ist – ich frage dich, ist es nicht selbstverständlich, daß sie den Mann wählt? Dann laß sie aber auch in Frieden und kümmere dich nicht um ihre Gründe. Was für Gründe können da schon groß sein? Manchmal sollte man denken, du hast Angst, daß Oliver dir etwas antun könnte. Das ist doch nicht der Fall, nicht wahr?“

„Nein“, sagte ich, „von Angst ist da keine Rede . . .“

„Gut, das ist die Hauptsache. Hier bin ich. Ich gehöre dir. Nun ist es an dir, mich zu halten.“

Ich war ebenfalls aufgestanden, nahm sie in meine Arme und fühlte ihren Kopf an meiner Schulter. Sie begann haltlos zu weinen. Ich hielt sie fest und redete ihr leise zu. Es zerriß mir das Herz, daß sie sich so quälte. „Kümmere dich doch nicht um die Gründe“, schluchzte sie. „Ich brauche Ruhe – Sicherheit.“

„Die sollst du haben, die sollst du haben“, murmelte ich. „Alle Sicherheit, die die Liebe geben kann.“

Sie blickte zu mir auf, und ihre Augen standen voll Tränen. „O Bill, ich hab’ dich so gern! Wenn ich dich liebte, wäre es wundervoll.“

„Du wirst mich lieben, du wirst!“ versprach ich ihr.

Sie lächelte gezwungen und reichte mir die Lippen zum Kuß. „Laß mich jetzt schlafen gehen. Ich bin müde.“

*

Am nächsten Morgen erinnerte nichts mehr an den Sturm. Es hatte aufgehört zu regnen, und der Wind hatte sich gelegt. Ich sah vom Schlafzimmerfenster aus durch den Wald auf den Fluß hinunter. Die Bäume lagen noch im Nebel, die Luft war still, und man hörte nur die fallenden Tropfen.

Ich dachte über meine Lage nach, und tausend Gedanken an Livia schwirrten mir durch den Kopf. Ich war mit mir zufrieden und fand, daß sich alles wunderbar gefügt hatte. Sie hatte Schutz verlangt. Den sollte sie haben. Gab es einen größeren Schutz als eine Ehe mit einem gutsituierten Mann wie mir? Und was mich betraf, ich brauchte diese Frau – brauchte sie im wahrsten Sinn des Wortes. Sie beherrschte mein Denken wie keine andere Frau zuvor. Wie sie ging, wie sie aussah, wie sie sprach, die Art, ihr Haar zu tragen und den Hut aufzusetzen – alles an ihr, vom größten bis zum geringsten, hatte mich in ihren Bann geschlagen und ungeheuerlich von mir Besitz ergriffen. Da gab es kein Entrinnen mehr.

Und Oliver? Für Oliver war es auch am besten so, tröstete ich mich. Der Gedanke, daß Oliver mit sechzehn Jahren ein Mädchen von einundzwanzig liebte, war verrückt. Wenn ich dazu beitragen konnte, ihn von seiner frühreifen Romantik zu heilen, um so besser.

Ich ging zum Frühstück hinunter und fand Livia schon eifrig bei Kaffee und Spiegeleiern mit Speck. Sie küßte mich etwas pflichtschuldig, wie ich fand. „Nein", neckte ich sie und hielt sie fest, „etwas wärmer, bitte."

Sie setzte sich wieder an den Tisch. „Sei froh, daß du überhaupt einen Kuß bekommst", sagte sie, „wenn du so spät zum Frühstück kommst. Soll ich dir Kaffee einschenken? Ich dachte schon, ich würde dich gar nicht mehr sehen, bevor ich gehe."

„Gehen?" fragte ich bestürzt. „Was soll das heißen – gehen?"

„Ausreißen. Partir. Durchbrennen. Verschwinden", erwiderte sie und strich sich Butter aufs Brot. „Kannst du Martin entbehren, damit er mich nach Truro bringt?"

„Aber was willst du zu dieser Tageszeit in Truro?"

„Der Zug nach London hält dort."

„Aber heute! Am ersten Tag nach unserer Verlobung! Ich dachte, wir würden zusammen sein – uns etwas ansehen."

„Siehst du, ich habe es dir ja gleich gesagt, du würdest nicht arbeiten, wenn ich bei dir bin. Nein, sobald ich weg bin, wirst du an deinem Schreibtisch sitzen und arbeiten.

Bitte, sieh dir den Tag an: herrlich trostlos. Wie geschaffen zum Arbeiten."

„Gewöhn dir nur nicht an, immer gerade dann fortzulaufen, wenn ich dich brauche", sagte ich unglücklich.

„Ich bin der unberechenbarste Mensch auf der Welt. Ich gewöhne mir nie etwas an. Siehst du, deswegen wirst du mir auch nie zur Gewohnheit werden. Darüber sollte sich ein Ehemann eigentlich freuen!"

Sie sagte es reizend, aber ich war verstimmt. Da drohte sie mir mit dem Finger vor der Nase. „William Essex", sagte sie, „du bist ein schrecklich großer Mann und so; und ich habe dir offen gesagt, daß das für mich, und als du mich zur Frau wolltest, mitgesprochen hat. Aber – deswegen erlaube ich meinem berühmten Mann noch lange nicht, daß er verärgert ist und die Stirn runzelt, wenn ich etwas tun will. Das lasse ich mir von dir ebensowenig gefallen wie vom Portier von Covent Garden. So, und jetzt: wie steht es mit Martin? Meine Koffer sind fertig, und ich habe gerade noch Zeit, den Zug zu kriegen."

Ich bestellte den Wagen. Sie küßte mich wärmer als beim erstenmal, und einen Augenblick später war sie fort.

Ich war mir nie darüber klargeworden, aber immer, wenn ich die Frage einer Wiederverheiratung für mich erwog, stand es fest, daß die andere Frau das genaue Gegenteil von Nellie sein mußte. Es schien, als hätte ich nun, was ich wollte. Gerade die ihr eigentümliche leichte Art, ihre Unberechenbarkeit bezauberten mich, als ich in mein Arbeitszimmer ging und die Notizen zum ersten Akt von „Straßauf und straßab" vor mir ausbreitete.

„Jetzt können Sie über den Fluß sehen, Herr Essex", sagte Sawle, als ich vom Mittagessen aufstand, „und Kapitän Judas' Ankündigungen lesen."

Ich schlitterte den Weg zum Landungssteg hinunter. Der schwarze Rumpf der „Jesabel" ragte undeutlich in die stille, diesige Luft. Am Heck des Schiffes las ich in scharlachroten Buchstaben: „Es wird kommen der Tag des Herrn! Jauchzt – ihr Lämmer! Ihr Böcke – ha-ha-ha!"

Das grimmige Gelächter am Schluß gefiel mir nicht. Ich hörte den alten Mann förmlich schmatzen vor Behagen bei dem Gedanken an die Qual der unerlösten Seelen. Ich hatte vorgehabt, ihn zu besuchen, aber diese neue Wendung nahm mir die Lust dazu.

„Haben Sie den Kapitän in letzter Zeit mal gesehen?" fragte ich Sawle, der mich bis ans Wasser begleitet hatte.

„Selten, nur wenn er über der Reling hing und die Buchstaben anmalte."
„Ich habe ihn lange nicht gesehen."
„Freilich, aber mit Oliver war er im vorigen Sommer ziemlich viel zusammen, als Sie nicht hier waren. Sie hielten wie Pech und Schwefel zusammen. Einmal nachts kam Oliver nicht zurück. Er war aufgelaufen. Sie haben sicher davon gehört, Herr Essex?"
Ich nickte kurz.
„Nun ja, wir waren alle ein bißchen aus dem Häuschen. Der alte Judas hörte noch in der Nacht davon, daß die beiden ausgeblieben waren. Wir erfuhren erst am nächsten Tag, daß der alte Narr die ganze Nacht auf dem Wasser gewesen war. Wie finden Sie das? Die ganze Nacht draußen, in einem kleinen Boot auf dem Wasser. In seinem Alter! Es war Mondschein."
„Ich hörte davon."
„Ja, und er ist von hier bis zum Percuilfluß gerudert. Durch die ganze Reede, um das St.-Mawes-Kastell herum und dann direkt den Fluß hinauf! Bei seinem Alter! Er war aber auch fertig, kann ich Ihnen sagen. Und er fand Oliver wirklich. Was sagen Sie dazu? Ich nenne so was tierischen Instinkt. Sie haben ihn an Bord der ‚Maeve' genommen und sein Boot im Schlepp mitgeführt. Ich war hier unten, als sie ankamen. Er stand aufrecht im Bug, schwenkte den Hut und schrie: ‚Es kommt der Gesalbte des Herrn. Wir haben den Gesalbten des Herrn gefunden.' Herr O'Riorden meinte, das Salben würde er am liebsten selber besorgen."
„Das wäre vielleicht das beste gewesen", gab ich zu, und Sawle grunzte: „Das kann schon sein."
Wir starrten über das Wasser auf die rätselhafte „Jesabel". „Es war überhaupt nicht viel los mit allen im letzten Jahr", sagte Sawle schließlich. „Ohne Sie und Frau Essex und Rory und Maeve. Mir hat Maeve gefehlt. Sie soll ja schon ganz berühmt sein."
„Sie ist auf dem Weg dazu."
„Die ist in Ordnung, das ist sie. Goldrichtig. Sie hat mir am meisten gefehlt. Diesen Herrn Donnelly hätte ich auch ganz gerne wiedergesehen. Das war eine großartige Nummer. Rory soll ja jetzt bei ihm in Irland sein. Komische Idee."
Aber ich hatte keine Lust, die Komik dieser Idee mit Sam Sawle weiter auszuspinnen. „Ich werde wohl hinüber-

fahren zu Kapitän Judas", sagte ich. „Er hat sicher schon heraus, daß ich hier bin, und wartet auf mich."

Im Schweigen des grauen stillen Nachmittags ruderte ich das Boot hinüber. Man sah kein Lebenszeichen an Bord, die Strickleiter war eingezogen, die Fenster waren geschlossen. Es war so still, daß ich nicht rufen wollte. Ich betrachtete mir unschlüssig die Möwen, die wie ein Fries die Reling schmückten, und beschloß, Judas die Anlage einer Glocke nahezulegen, mit einem langen Tau daran, das über Bord herabhinge. „Sollte jemand versuchen, Sie zu überrumpeln und am Tau heraufzuklettern, klingelt es von selbst, sehen Sie. Sind es unwillkommene Besuche, so kappen Sie einfach das Tau und lassen die Leute ins Wasser fallen." So würde ich es ihm beibringen.

Schließlich mußte ich doch rufen. Die Möwen flogen schreiend auf, meine Stimme hallte in der nebligen Schlucht des Flusses zurück. Judas kam heraus, Haar und Bart üppiger denn je, und das Auge schien noch wilder zu funkeln. Vorsichtig wie ein scheues Tier, das die Gegenwart eines Feindes wittert, spähte er über die Reling.

„Hier Essex!" rief ich. Ich stand im Boot, mit einer Hand an der „Jesabel", und sah hinauf zu dem wilden, apokalyptischen Haupt, das sich weiß vom unbestimmten Grau des Himmels abhob. Das ängstliche Gesicht verklärte sich, seine Stimme klang dünn wie immer, aber er hieß mich herzlich willkommen. Die Tür in der Reling wurde aufgestoßen, die Leiter rollte herab, und einen Augenblick später kletterte ich an Bord. Er zog die Leiter ein, schloß die Tür und faßte mich bei beiden Händen. Er reichte mir kaum bis zur Schulter, aber er stand da wie ein Kampfhahn, streithaft und fröhlich, und sah mich mit dem einen Auge durchdringend an. Wie immer war er tadellos sauber, und ein weißes Taschentuch sah dreieckig aus der Brusttasche seines Marinejacketts hervor.

Er hatte von meinen Reisen gehört, und sobald wir unten saßen, war er erpicht darauf, von den Häfen zu hören, die ich besucht hatte. Alles andere interessierte ihn nicht, aber bei Le Havre und Marseille, Stockholm und Kopenhagen, Konstantinopel und Neapel merkte ich, wie in seinem Geist alte Saiten anschlugen und Melodien spielten, die ihn glücklich machten.

Ich war zum erstenmal im Winter an Bord der „Jesabel", und ich konnte das Quartier des alten Kapitäns nur aufrichtig loben. Die große Stube war so gemütlich wie die

Ofenecke eines alten Wirtshauses, das Feuer brannte hell, und die gepolsterten Bänke zu beiden Seiten sahen einladend bequem aus.

„Ich glaube fast, hier könnte ich besser arbeiten als drüben in Reiherbucht“, sagte ich.

„O ja, hier läßt sich's arbeiten“, stimmte er bei. „Aber wann wird man fertig? Es ist noch so viel – so viel. Es geht nicht recht vorwärts mit dem Griechischen.“

Ich drückte ihm mein Bedauern aus und versicherte ihm, daß ich es überhaupt nicht kenne, ohne allerdings zu sehen, wie ihn das trösten sollte.

„Aber jetzt wird es allmählich“, sagte er. „Ich bin mit dem Feind ein Bündnis eingegangen.“

Er sah mich listig an. „Stecken Sie sich die Pfeife an und hören Sie zu“, begann er und erzählte, wie er sich Buch auf Buch gekauft habe, aber die verfluchte Sprache habe ihre Geheimnisse nicht hergeben wollen. So habe er schließlich in Truro einen Geistlichen ausfindig gemacht, der froh war, sein zweifellos elendes Gehalt durch griechischen Unterricht etwas aufzubessern. Dies betrieb er nun seit einem Jahr zweimal wöchentlich. „Armer Narr, denke ich, du hast ja keine Ahnung, mit wem du dich da eingelassen hast. – Aber ich sitze ganz still und sauge ihn aus, und alles ist hochgradig explosiv – lauter Dynamit!“ Der Kapitän lachte in seinen Bart.

„Knall! Bums! Krach! Aber . . .“, setzte er verzagt hinzu, „es dauert lange.“

Er war zu dem Schluß gekommen, daß er eine eigene Übersetzung des Neuen Testamentes aus dem Griechischen anfertigen müsse. Er zeigte mir auch die Arbeit, die noch nicht sehr weit in das erste Kapitel des ersten Evangeliums vorgedrungen war. Aber schon hatte er anscheinend unerhörte Unstimmigkeiten zwischen dem griechischen Text und der anerkannten Übersetzung aufgedeckt, und es war schließlich nicht meine Sache, nachzuforschen, ob die Fehler nicht auf seiner Seite lagen.

„Matthäus, Markus, Lukas und Johannes“, sagte er. „Aber wo ist Petrus? Dieser Bursche hat kein geschriebenes Wort hinterlassen. Petrus! Dieser Fischhändler! Vielleicht konnte er gar nicht schreiben. Aber das werden wir sehen! Das werden wir sehen! Den kriegen wir noch. Der alte Judas ist ihm auf der Spur. Dann Halali der dreifachen Tiara. Entschuldigen Sie einen Augenblick. Das muß ich aufschreiben. Das ist eine gute Kapitelüberschrift.“

Er schrieb eine Zeitlang in ein Buch, das er aus seiner Brusttasche genommen hatte, und fragte dann: „Und wie befindet sich Gott der Herr? Hat Er den Tag Seiner Wiederkehr verkündet?"

Ich sah ihn kalt an, und er schüttelte den Kopf. „Es ist ihm noch nicht geoffenbart worden", murmelte er. Dann sprang er mit der ihm eigenen vogelartigen Behendigkeit auf die Füße und schob alles von sich. „Tee!" rief er. „Kommen Sie mit und sehen Sie sich die Kombüse an!" Und gesund wie nur irgendwer in der Christenheit zeigte er mir stolz die anständige Pinselarbeit, mit der er selbst die Wände der Kombüse hell gestrichen hatte.

In weniger gehobener, aber vernünftigerer Stimmung tranken wir Tee. Durch das Fenster blickten wir hinaus auf den winterlich grauen Fluß, wo ein paar weiße Möwen tauchten und vorüberschossen, und auf den kahlen Wald an der gegenüberliegenden Seite. Da kam ich ihm mit meinem Klingelplan. Er erwog den Gedanken sehr vernünftig und wies darauf hin, daß er das Verdeck anbohren müßte, um das Tau zu einer Glocke im Wohnzimmer zu führen, und daß dann der Regen durchkäme. Aber das ließe sich mit einem Draht beheben. Dazu sei nur eine winzig kleine Öffnung nötig. Der alte Mann war so erpicht auf alles, was seinen Geist im Bereich des gesunden Menschenverstandes beschäftigen konnte, daß er am nächsten Tag bereits die ganze Anlage fertiggestellt hatte. Ich war auf dem Fluß in meinem kleinen Boot und sah ihn am Fuß der Strickleiter an dem Tau ziehen und konnte durch das offene Fenster die Glocke antworten hören.

Ich hatte mir vorgenommen, jeden Morgen um neun am Schreibtisch zu sitzen, bis eins durchzuarbeiten, nachmittags draußen zu sein und nach dem Abendessen zu lesen. Aber es kam ganz anders. Jeder Tag begann mit einem Brief an Livia. Ich fand, daß ich ihr ungeheuer viel zu sagen hatte; ich brauchte gewöhnlich eine Stunde zu diesem Brief. Alles, was ich getan und gesehen hatte, das Fortschreiten der Arbeit: all das mußte berichtet werden. Ich fand, es war erst dann vollendet, wenn auch Livia es wußte. Und wenn der Brief fertig war, ging mir Livia nicht aus dem Sinn, so daß ich nicht vor elf an die Arbeit kam. Auf diese Weise fand ich schließlich gar keine Zeit zum Lesen. Nach dem Abendessen mußte ich aufarbeiten, was ich morgens versäumt hatte.

Livia antwortete regelmäßig Tag für Tag. Bei jedem ihrer Briefe hatte ich das Gefühl: eine Antwort hatte ich nun, aber das war auch alles. Sie sprach nie von sich und ging nie aus sich heraus. Sie griff meine Mitteilungen auf, beantwortete sie oder machte ihre Bemerkungen dazu. Sie war glücklich, daß das Wetter nicht allzu schlecht sei. Sie war froh, daß das Stück Fortschritte mache. Sie war entsetzt, daß meine Briefe an sie meine Arbeit unterbrächen. So etwa lauteten ihre Briefe: immer kurz und immer unterschrieben „Herzlichst stets Deine".

Es gab nur zwei Dinge, von denen Livia mir berichtete: „Übrigens findet Maeve unsere Wohnung reichlich klein. Sie meint, sie müsse etwas für sich allein haben. Ich habe ihr natürlich von uns erzählt. Du wolltest es doch sicher, nicht wahr? Herzlichst stets Deine Livia."

Das war das eine. Ich hatte irgendwie das Gefühl, ich hätte es Maeve lieber selbst gesagt. Das war ich ihr schuldig.

Die zweite Sache war die: „Übrigens habe ich gerade einen Brief von Oliver bekommen, aus dem hervorgeht, daß er nichts von unserer Verlobung weiß. Willst Du es ihm sagen, oder soll ich es tun? Persönlich wäre mir lieber, Du tätest es. Herzlichst stets Deine Livia."

„Mein lieber Oliver. – Livia Vaynol und ich haben uns verlobt . . ."

Schauderhaft schroff! „Du wirst überrascht sein, daß Livia und ich . . ."

„Mein lieber Oliver. – Seitdem Du Livia Vaynol kennst, habe ich bemerkt, wie herzlich Du für sie empfindest, und daher, glaube ich, wirst Du erfreut sein, zu erfahren . . . "

Erfreut! Großer Gott! Oliver erfreut!

„Es ist nun schon über ein Jahr her, daß Deine Mutter starb . . ."

Auch das habe ich zerrissen.

„Meine liebste Livia. – Du sagst, in Deiner Gegenwart würde ich nur schwer arbeiten können. Ich überlege mir, ob Du wohl weißt, wieviel schwerer es mir durch Deine Abwesenheit fällt? Wenn Du hier wärst, könnte ich aufblicken und zu mir sagen: Da ist sie – sie sitzt in diesem Stuhl und liest dieses Buch. – Und dann könnte ich mich wieder über meine Arbeit beugen, und es ginge voran wie mit der Feuerwehr. Oder ich wüßte, daß Du auf dem Fluß bist oder nach Truro gefahren und Einkäufe zum Abendessen machst oder Kapitän Judas besuchst und ihm einen Vorgeschmack von der ewigen Seligkeit gibst.

So aber bin ich nicht imstande, auch nur eine Stunde durchzuarbeiten, ohne mich mit hundert Fragen zu quälen. Ist sie schon auf? Bürstet sie sich das liebliche, komische, anbetungswürdige und so bezaubernde Pff-Haar? Macht sie Einkäufe in der Oxford Street? Gott im Himmel! Laß sie achtgeben an den Ecken! Daß sie mir ja nicht überfahren wird. Hat sie auch ein kleines Gedankenkörnchen für den demütigen Spatzen aufgespart, ihren Knecht – denkt sie an ihn, wie er an seinem Schreibtisch sitzt und sein möglichstes tut, damit es gut wird und damit die Menge am Abend der Premiere aufspringt und ihm zujubelt – und Livia sich freut?

Ach, mein Liebling, glaube mir, tagaus, tagein schwirren mir tausend, nein Millionen solcher verliebter, törichter, zärtlicher Gedanken an Dich im Kopf herum. Guter Gott! Welches Schicksal für einen großen Romanschriftsteller, ein – Vogelkäfig zu werden! Das bin ich nämlich wirklich, Liebste, ein verrückter Käfig voll piepender, zwitschernder, flatternder Gedanken um Livia Vaynol. Mit einem einzigen Kuß könntest Du den Tumult beschwichtigen; aber so bist Du: Du ahnst nichts von Deiner Macht, mich zu beruhigen, und Du glaubst, Dein Fernsein hielte mir den Kopf frei. Im Gegenteil! Ich werde keinen Frieden finden, bis ich wieder zu Hause bin und meine Liebste in den Armen halte.

Ich freue mich, daß Du Oliver nichts von unserer Verlobung gesagt hast. Ich hatte vor, es selber zu tun, aber ich habe mich entschlossen, lieber zu warten, bis ich ihn wiedersehe. Ich wüßte nicht, warum er es sofort erfahren muß. Die Osterferien kommen ja doch bald, meinst Du nicht auch?

Das Stück geht gut weiter. Nachdem ich es erst einmal skizziert und so gründlich mit Wertheim durchgesprochen hatte, war es nur eine Kleinigkeit, an Hand der Notizen niederzuschreiben, was ich schon so deutlich im Kopf habe. Ich sandte Wertheim den ersten Akt, und er gefiel ihm sehr gut. Der zweite geht heute an ihn ab. Den dritten werde ich heute abend anfangen. Abends arbeitet es sich hier wundervoll. Kein Laut, nur das Feuer knistert, und ab und zu stöhnt der Wind. Wann ich auch aufhöre, ich gehe immer noch fünf Minuten an die Luft, bevor ich zurückkomme und von Livia träume. Judas, mein Schreibkumpan, bleibt noch länger auf als ich. Heute war es ein Uhr morgens. Seine Lichter brannten ruhig. Welche erstaunliche Konzentration, wenn alles um den Brennpunkt des Irrsinns kreist.

Aber hurra! Und dreimal Hoch auf die herrliche Gesundheit meiner Liebe zu Livia Vaynol!

Immer und immer Dein Geliebter, Dein Knecht und Gatte Bill.“

„Mein lieber Bill. – Ja, vielleicht ist es doch besser, Du sagst es Oliver, wenn Du ihn nächstens siehst. Es freut mich zu hören, daß Reiherbucht Dir für Deine Arbeit so zusagt und daß der erste Akt Herrn Wertheim gefällt. Sicher gefällt ihm auch der zweite, und mit dem dritten bist Du gewiß bald fertig.

Es fällt mir schwer, zu glauben, daß so viel davon abhängt, ob ich bei Dir bin oder nicht, und Du kannst übrigens sicher sein, daß ich mich vor jedem Autobus gehörig in acht nehme. Armer Kapitän Judas! Es ist wirklich traurig für ihn. Manchmal ist er ganz gesund, und er liebt Oliver so sehr! Er vergöttert ihn förmlich.

Maeve hat eine Wohnung gefunden und zieht morgen um. Sie fragte, ob wir bald heiraten. In diesem Fall wäre sie wohnen geblieben und hätte die Wohnung nach meinem Auszug übernommen. Aber ich sagte ihr, daß wir nichts übereilen wollen. Meinst Du nicht auch? Herzlichst stets Deine Livia.“

„Mein lieber Vater. – Hoffentlich bist Du nicht enttäuscht über diesen Brief. Ich wollte Dich nämlich fragen, ob Du etwas dagegen hast, wenn ich in den Osterferien nicht nach Hause komme. Du weißt ja, daß Pogson vor den großen Ferien abgeht, die kommenden Osterferien sind also wohl die letzten, in denen er mich gebrauchen kann. Denn wenn er nach Oxford geht, kommt er ja doch mit Älteren zusammen. Er ist ja auch schließlich zwei Jahre älter als ich.

Seine alten Herrschaften haben einen Besitz in Schottland, und Pogson möchte gern, daß ich jetzt in den Ferien mit hinaufkomme. Es hätte keinen Zweck für mich, zuerst nach Süden zu fahren, weil Pogsons alte Herrschaften ihn hier im Wagen abholen.

Die alten Pogsons haben nämlich da oben in Schottland eine Jacht, und Pogson fährt immer in den Osterferien hinauf und hilft beim Überholen für den Sommer, weil er ausgebildeter Seemann ist und alles gern selber macht. Nicht etwa, weil er es sich nicht leisten könnte, es machen zu lassen, aber es ist ihm lieber so.

Ich möchte sehr gern mit Pogson hinauf nach Schottland und die Jacht sehen und ein bißchen bei Pogson lernen, wie man Jachten überholt. Es ist eine Dampfjacht, und ich weiß ja nur mit Segelbooten und Motorbooten Bescheid. Pogson sagt, wir könnten sogar vielleicht ein bißchen mit der Jacht kreuzen, wenn das Wetter schön ist und seine Alten nichts dagegen haben.

Wenn Du einverstanden bist, sei doch bitte so gut und lasse mir meinen Smoking schicken, sobald ich Dir die Adresse angeben kann, denn Pogson sagt, man zieht sich da abends um. Wieviel Geld Du mir schicken mußt, wirst Du ja wissen, und vielleicht könntest du mir auch ungefähr sagen, wieviel Trinkgeld ich geben muß, wenn ich erst heraus habe, wieviel Dienstboten Pogsons haben.

Da ist noch etwas, und ich schäme mich, es Dir zu schreiben, aber es bleibt mir nichts anderes übrig. Ich wollte eigentlich das goldene Zigarettenetui mitnehmen, das Du mir netterweise geschenkt hast. Dummerweise habe ich es in den Weihnachtsferien versetzt, weil ich ziemlich knapp bei Kasse war und Dich damit nicht belemmern wollte. Ob du es wohl wiederbekommmst? Dann schick es doch bitte mit. Ich würde Dir ja gern das Geld schicken, aber ich bin ziemlich knapp. Den Pfandschein findest Du in einem Briefumschlag mit der Aufschrift ‚Pfandschein' in dem Einband von ‚Durch die ganze Welt für eine Frau' von Guy Boothby im linken oberen Schreibtischfach in meinem Zimmer.

Ich entnehme Deinem letzten Brief, daß Dein erstes Stück ungefähr zu Ostern in London aufgeführt wird. Ich wäre gern dabeigewesen, aber es wird doch wohl sicher so lange gegeben, daß ich dieses Vergnügen noch in den Sommerferien und sogar Weihnachten haben kann.

Das wäre alles, nur muß ich noch sagen, wie sehr leid mir die Geschichte mit dem Zigarettenetui tut, aber Du siehst doch sicher ein, wie sehr es jetzt darauf ankommt, daß ich es habe. Gruß Oliver."

Ich war schon wieder in Hampstead, als Olivers Brief kam. Sofort ging ich in sein Zimmer und fand den mit „Pfandschein" bezeichneten Umschlag. Dann fuhr ich in die Stadt und löste das Zigarettenetui ein.

„Mein lieber Oliver. – Natürlich bin ich enttäuscht, Dich in den Osterferien nicht zu sehen, um so mehr, als ich mich sehr darauf gefreut hatte, Dich bei der Erstaufführung von

‚Straßauf und straßab' bei uns zu haben. Aber dies ist wohl eine Gelegenheit, die Du nicht ungenutzt vorübergehen lassen solltest. Du kannst da etwas über Maschinen lernen und neue Bekanntschaften machen. Beides ist der Mühe wert.

Ich schicke Dir Deinen Anzug und etwas Geld. Nach den Trinkgeldern frage nur Pogson. Du brauchst gar nicht so zu tun, als wärest Du es gewohnt, in Häusern mit viel Personal zu verkehren. Pogson ist sicher nicht dumm und wird es schon begreifen.

Ich habe das Zigarettenetui eingelöst. Du kannst es jederzeit haben, sobald Du mir das Geld wiedergibst, das ich dem Pfandleiher bezahlt habe. Ich verschweige Dir nicht, daß mir die Geschichte schmerzlich ist, wenn ich mich auch freue, daß Du mir davon geschrieben hast. Wenn Du knapp mit Geld bist, laß es mich wissen. Brauchst Du es zu vernünftigen Zwecken, so weißt Du, daß Du es bekommen kannst. Ich bin auch nicht kleinlich in der Auslegung des Wortes vernünftig. Aber laß Dich nicht auf Darlehen ein, weder bei Pfandleihern noch bei sonst jemand. Inzwischen wirst Du, fürchte ich, meine wenig vornehme Angewohnheit übernehmen müssen, Zigaretten aus der Packung anzubieten. Dir bleibt aber auch die Möglichkeit, eine Zeitlang überhaupt keine anzubieten.

Du siehst, ich werde zum Moralisten und zum Geizhals! Daran ist nun nichts zu ändern.

Ich habe es unten in Reiherbucht sehr schön gehabt und habe an meinem Stück gearbeitet. Kapitän Judas kam an dem Morgen meiner Abreise noch zu mir zum Frühstück und hat mir wohl ein dutzendmal auf die Seele gebunden, Dich von ihm zu grüßen.

Herzliche Grüße auch von mir. Immer Dein treuer Vater."

So kam es, daß die Osterferien vorübergingen, ohne daß Oliver etwas von meiner Verlobung mit Livia erfuhr.

21

Wir fuhren früh von Reiherbucht ab, und Martin brauchte dieses Mal weniger Zeit als auf der Hinfahrt. Wir waren um vier Uhr zu Hause, und ich rief sofort bei Livia an. Sie bat mich, sie abzuholen und mit ihr auswärts zu essen. Als ich in ihrer Wohnung ankam, war sie schon fertig und saß am offenen Flügel. Sie ließ sich nicht stören und nickte mir zu, ich möge mich setzen. Ihr Gesicht trug einen Ausdruck stärkster Konzentration. Zuweilen wiederholte sie eine Stelle, spielte sie wieder und wieder. Dann ließ sie die Hände in den Schoß sinken. „Ich komponiere“, sagte sie lächelnd.

„Wieder ein neues Talent.“

„Ja, aber bitte, sag das nicht so: das klingt ja nach den Aquarellmalereien der viktorianischen höheren Töchter. Gesellschaftliche Talente nannte man so etwas, nicht wahr?“

„Ich glaube, ja.“

„Nun, dies hier ist alles andere als gesellschaftlich. Es ist ein Chanson. Ich saß gerade über der Zeile ‚Aber mit dir ist’s wunderbar‘. Findest du das nicht gut für ein sentimentales Lied?“

Sie fing wieder zu spielen an und sang mit ihrer leisen, belegten Stimme:

„Mit den andren ist’s grad’ nur comme ci, comme ça,
Nehm’ ich mir’s, lass’ ich’s, was tut’s.
Aber bist du da, ist’s wunderbar.
Aber bist du’s, dann ist’s gut.“

Sie stand vergnügt auf. „So, das wäre das! Fertig mache ich es später. Vielleicht verkauf’ ich’s an Wertheim, und er macht es zum Hauptschlager für eine seiner Revuen. Jetzt ist Schluß! Nimm dir eine Zigarette.“

Sie wies mit der Hand auf einen silbernen Kasten auf dem Kamin. Daneben lag ein Brief, unverkennbar Olivers Schriftzüge. Ich fuhr zusammen, als ich ihn sah.

„Du hörst noch von Oliver?“ fragte ich beiläufig.

„Ich bin erst froh, wenn er weiß, daß wir verlobt sind“, antwortete sie kurz.

Ich ließ meine Zigarette, ging durch das Zimmer und legte den Arm um sie. Sie bot mir das Gesicht zum Kuß, als fiele ihr gerade ein, daß es sich so gehöre. Ich setzte mich und zog sie auf meine Knie.

„Du hast Maeve gesagt, mit dem Heiraten eile es nicht. Und du hast mich gefragt, ob ich damit einverstanden sei. Nein, das bin ich nicht.“ Ich küßte ihre Augen. „Süßes Herz, worauf warten wir denn? Wir wollen bald heiraten.“

Sie rollte meinen Jackettaufschlag mit ihren Fingern und schüttelte langsam den Kopf. „Lieber, ich habe so schreckliche Angst, daß es dir leid tun könnte.“ Sie sah mich nicht an, als sie sprach.

„Ist das der einzige Grund? Wenn ja, dann schlag ihn dir gleich aus dem Kopf. Oder ist da noch mehr?"

„Er ist einer der Gründe?"

„Und der andere?"

„Ach, ich will meiner selbst sicher sein!" rief sie und sprang auf. „Ich will spüren, daß es daran nichts zu zweifeln gibt." Sie hatte den Brief vom Kaminsims genommen. Bei dem Wort „zweifeln" riß sie ihn aufgeregt durch und warf die Fetzen in das Feuer. Dann kam sie zu mir, setzte sich auf die Armlehne und strich mir über das Haar – es war sehr grau jetzt, das Haar eines alternden Mannes. Aber sie sprach zärtlich, als wolle sie mich und sich selbst überzeugen. „Werde ich dich lieben können, Bill? Glaubst du es? Glaubst du es?"

„Kleiner Liebling", ich hielt ihre ruhelose Hand fest zwischen den meinen, „ich liebe dich von Herzen. Das ist alles. Und ich werde warten, bis du dich lieben läßt."

„Ach, alter Schatz", sagte sie, glitt herüber auf meine Knie und legte mir die Arme um den Hals: „Wir wollen warten, ja? Eines Tages werde ich dich sicher ganz schrecklich liebhaben. Wo wollen wir essen?"

Maeve schrieb mir. „Lieber Bill. – Ich gratuliere zur Verlobung. Die Proben zu ‚Straßauf und straßab' beginnen morgen. Du wirst dochdabei sein? Wenn ja, hole mich bitte ab. Es ist nur eine sentimentale Anwandlung, aber ich möchte den ersten Schritt in Deinem Stück nur in Deiner Gesellschaft tun. Schließlich haben wir dieses Stück doch seit Jahren mit uns herumgetragen, nicht wahr? Außerdem sollst Du jemanden bei mir treffen. Komm also zeitig. Und ich möchte auch, daß Du Dir meine neue Wohnung ansiehst. Du wirst staunen. Ich habe auch gestaunt, sage ich Dir. Ich hatte mir nie träumen lassen, in solchem Luxus zu leben. Ich mußte auf fünf Jahre mieten. Das ist bis 1918. Wer weiß, was bis dahin alles passiert! Da ich aber nun bald einundzwanzig werde, hat mir Vater als vorzeitiges Geschenk diese Wohnung mit den feudalsten Sachen aus O'Riorden & Co's hochfeudalem Laden in der Regent Street eingerichtet. Daher der Glanz, der Deiner wartet! Aber schließlich ist es wohl in der Ordnung, wenn die Hauptdarstellerin in William Essex' großem Bühnenwerk so und nicht anders lebt, findest Du nicht? Natürlich ist es das! Und es ist ein großes Stück, Bill. Ich habe schon in vielen gespielt, und ich muß es wissen. Wertheim hat mir das ganze Manuskript zu lesen gegeben, ich fand es herrlich. Aber ihn auch. Der rührende Mann riskiert zwanzig Pfund wöchentlich auf meinen Kopf!

Wie findest Du das? Und wie alles andere Gute, so kommt auch das durch Dich, lieber Bill. Viele Grüße Maeve."

Ich war Wertheim von Herzen dankbar. Für ihn war es allerdings nur Geschäft. „Warum bleiben eigentlich Ihre großen Stars bei Ihnen?" hatte ich ihn einmal gefragt auf das Gerücht hin, daß seine Schauspieler ihn nie verließen. „Deshalb", sagte er mit unbeweglichem Gesicht und klimperte mit dem Geld in der Tasche. Nun, hoffentlich fand er Maeve ihr Geld wert. Ich war eigentlich davon überzeugt.

Maeves neue Wohnung lag in der Bruton Street. Ich stieg zwei Treppen hinauf und fand eine tiefrot gestrichene Tür mit dem Namen Maeve O'Riorden auf einem blanken Messingschild. Ich klingelte und starrte die stattliche rosige Person groß an, die die Tür öffnete, konnte mich aber nicht gleich auf sie besinnen.

„Nun sehen Sie mich man nicht so an, Herr Essex", sagte sie, „Sie haben mich ja doch vergessen!"

„Einen Augenblick, sagen Sie nichts – ach ja – natürlich – Annie, ich habe Sie doch irgendwo vor hundert Jahren gesehen. Sie haben sich kein bißchen verändert."

Annie Suthurst strahlte. Wie lange war es her, seit Dermot und Sheila das Haus in der Mauldethallee bezogen? Mein Gott! Es mußten gut zwanzig Jahre sein, und Annie Suthurst war ihr erstes Dienstmädchen gewesen. Sie war jung verwitwet und hatte ihren Mann glorreich im Burenkrieg verloren. Sie war bei O'Riordens geblieben, bis sie nach London übersiedelten. Davor hatte sie allerdings Angst gehabt. „London, nee, das ist mir zu dumm. Nach London zieh' ich nicht mit", erklärte sie bestimmt. „Und nun bin ich doch da, Herr Essex", setzte sie mir auseinander und führte mich in die kleine Halle. „Nun bin ich doch noch gekommen. Aber nur, weil Fräulein Maeve es durchaus wollte. Sonst wär' ich für keinen gekommen, nur für sie. Und London ist auch nicht so aufregend, wenn man erst näher hinsieht. Ich finde die Oxford Street auch nichts Besseres als unsere Marktstraße in Manchester. 'n bißchen breiter."

Schnatternd wie eine aufgeregte Henne, die ein verlorenes Küken wieder eingefangen hat, ließ mich Annie Suthurst in der Halle stehen. So hatte ich Zeit, mir den schönen Teppich auf dem Boden zu betrachten, die Kupferstiche an den Wänden, die Garderobe und die Besuchssessel. Es war eine hübsche, zweckentsprechende kleine Halle, alle Türen waren so rot wie die Eingangstür, und die Wände und der Teppich grau.

Maeve kam mir stolz entgegen. „Ist es nicht wundervoll?" fragte sie, und als ich es nach dem vorläufigen Eindruck bestätigte, führte sie mich herum. Ihr Schlafzimmer – „mit zwei Betten, damit mal jemand bei mir übernachten kann" – hatte noch einen Seitenblick auf den Garten des Berkeleyplatzes. „Jetzt ist nicht viel zu sehen", sagte Maeve, zog den dunkelroten gesteppten Vorhang zurück und blickte auf die kahlen Stämme der Platanen und das winterlich braune Gras, „aber wie gut das für ermüdete Augen ist, wenn erst alles grün ist!"

„Mögen Maeves Augen nie müde werden!" Ein frommer Wunsch.

„Wenigstens erst, wenn sie so alt sind wie die von Frau Bendall", erwiderte Maeve. „Erinnerst du dich, Bill?"

O ja, ich erinnerte mich gut. Sarah Bendall war jetzt tot, aber ich entsann mich der lieben alten Dame und der kleinen Maeve, die ihr den Tee einschenkte.

„Sieh mal", Maeve öffnete eine Schublade. Ein kleiner Kasten aus Zedernholz stand darin, und in dem Kästchen lagen verstaubte Rosenblätter. „Das ist die Rose, die sie mir an dem Abend damals geschenkt hat. Und sieh mal hier." Sie reichte mir eine Karte, die unter den welken braunen Blättern lag. „Von Sarah Bendall in Liebe für Maeve O'Riorden." Es war in der großen zittrigen Handschrift einer alten Frau geschrieben.

„Findest du es frech von mir?" fragte Maeve. „Ich schrieb ihr damals, sobald wir in Reiherbucht waren, und erzählte ihr, daß ich ihre Rose mein Leben lang aufbewahren wolle. Da sandte sie mir dieses Kästchen, um sie hineinzulegen. Ich habe bisher keiner Menschenseele etwas davon gesagt. Es ist mein Talisman. Auf allen Reisen habe ich es bei mir gehabt. Sarah Bendalls Liebe in einem kleinen Kästchen. Ich glückliches Mädchen! Sarah Bendalls Liebe, Mary Latters Schule und Bills Stück zum Spielen!"

Sie ließ das Kästchen zuschnappen und stellte es wieder in das Schubfach. Dann setzten wir unseren Rundgang fort. Annie Suthursts Schlafzimmer. „Das einzige Zimmer in dieser Wohnung, das nicht neu ist. Vater hat mir erzählt, daß Annie, als sie zuerst in Manchester zu uns kam, ihr eigenes Schlafzimmer mitgebracht habe. Sie hat damals gesagt. ‚Da bin ich 'reingestiegen, als sie uns getraut haben, und da sollen sie mich 'raustragen, wenn sie mich einsargen.' Sie hat alles wieder mit hierhergebracht. Sie haßt die einfach gestrichenen Wände, deshalb hat sie eine Tapete mit rosa Girlanden bekommen."

Wir standen in der Tür und spähten schuldbewußt auf Annies Heiligtümer. Ein Doppelbett mit Messingknöpfen an Kopf und Fuß, jeder so groß wie eine Ananas. Über dem Kopfende die vergrößerte Fotografie des gefallenen Soldaten William Suthurst in einem mächtigen Eichenrahmen, mit hochgedrehtem Schnurrbart, einem aufgeschlagenen Afrikanerhut und einem jungen Gesicht, das nun für alle Ewigkeit seine hoffnungsfrohe Zuversicht bewahrt, während Annie weiterlebt. Eine einfache weiße baumwollene Bettdecke über dem Bett und drei Bücher auf dem dreibeinigen Nachttisch. Ich wagte mich auf Zehenspitzen hinein, denn ich kann niemals der Versuchung widerstehen, zu sehen, was andere Leute lesen. Die Heilige Schrift, Charles Dickens' „Weihnachtserzählungen" und Conan Doyles „Großer Burenkrieg". Groß! Guter Gott! Wieso? Warum?

In Annies Kamin brannte ein lustiges Feuer, es war ihr Schlaf- und Wohnzimmer. Daneben stand ein bequemer Rohrstuhl mit einem niedrigen Schemel davor, auf den sie sicherlich „die Füße ein bißchen hochlegte". Auf dem Kamin prangte eine wunderbare Uhr, die außer dem Zifferblatt noch ein paar aufbäumende Hengste aus einem Metall vorwies, das sich für Bronze ausgab. Ein kleines Schild darunter trug die Inschrift: „William Suthurst zur Hochzeit von den Kollegen des Lagerhauses Heywood & Atkinson AG." Zwei blaue Porzellanvasen zu beiden Seiten der Uhr, in denen verblichene Papierblumen steckten. Die Vasen waren wohl auch Hochzeitsgeschenke. Am Fenster eine Nähmaschine, denn jede richtige Hausfrau aus Lancashire muß ihre eigene Nähmaschine haben.

„Über dieses Zimmer könnte ich heulen", sagte ich zu Maeve, „wenn ich Annie nicht kennen würde."

„Ja", meinte Maeve, „Annie ist eine Perle. Hier hat sie sich nun alle ihre Hausgötter angebändigt und ist glücklich mit ihnen und stärker, weil sie sie um sich hat."

„Ein Glück, daß du sie hast. Es macht mich sehr froh. Als du mir schriebst, du hättest mir jemanden zu zeigen, wäre ich auf Annie zuallerletzt verfallen."

Maeve öffnete die Tür zu ihrem Wohnzimmer. „Annie? – Was du glaubst! Nein! Hier ist meine Überraschung."

Rory kam mir mit einem strahlenden Lächeln entgegen, und hinten im Zimmer stand Maggie Donnelly.

„Rory, mein guter Junge!" Ich legte meine beiden Hände auf seine Schultern. Das war nicht schwer, denn er war nicht so in die Höhe geschossen wie Oliver, der jetzt so groß war wie ich. Rory sah zu mir auf. Er war in die Breite gegangen wie eine Eiche und sah aus wie ein junger Stier. Mit den Schultern konnte er Türen eindrücken, seine Handgelenke waren so stark wie meine und seine Hände breit und tüchtig. Das ernste Gesicht mit den grauen Augen hatte sich nicht sehr verändert, es war höchstens noch ernster geworden. Im Augenblick freilich zeigte er sein altes scheues Lächeln mit dem kleinen Faltenkreuz um die Augen. Ich faßte mit meiner Hand in seinen wilden Haarschopf, der sich rauh wie Draht anfühlte.

„Das ist Maggie Donnelly", sagte er etwas schüchtern. „Du hast sie doch nicht vergessen, seit sie in Reiherbucht war?"

„Ich habe sie nicht vergessen", versicherte ich, „aber es wäre keine Schande, wenn ich sie in diesem jungen Mädchen hier nicht wiedererkennen würde."

Und das war wirklich so. Auch sie hatte noch den alten Ernst, der sie schon als Kind gekleidet hatte und der nun ausgezeichnet zu ihren grauen Augen und ihrem dunkelbraunen Haar paßte. Aber wie Oliver war sie in die Höhe geschossen; sie stand ernst und entschlossen vor mir und war doch von einer sehr weiblichen Schönheit, groß und schlank, mit langen Beinen und schmalen Hüften, einer jungen, schwellenden Brust und einem braungebrannten Gesicht.

„Ich bin zum erstenmal in London", sagte sie mit einer Stimme, die mir so anziehend gar nicht im Gedächtnis geblieben war.

„Vater läßt Sie grüßen, Herr Essex. Er hat Reiherbucht nie vergessen und Kapitän Judas und Kapitän Jansen."

„Das waren schöne Zeiten", sagte ich wehmütig. Wie lange war das her! Damals waren sie alle noch Kinder.

„Ich bleibe über Ostern", sagte Rory, „und freue mich schrecklich darauf, Oliver wiederzusehen. Ich habe jetzt einen Beruf und stehe mehr oder weniger auf eigenen Füßen, da werden wir uns viel zu erzählen haben."

„Ich fürchte, Oliver hat an einen Beruf noch nicht einmal gedacht", erwiderte ich. „Was machst du denn, Rory? Ich komme mir ganz alt vor neben dir."

„Unsinn“, unterbrach Maeve heftig. „Du bist der jüngste Mann, den ich kenne, Bill. Laß dir doch kein dummes Zeug in den Kopf setzen! Findest du ihn nicht schön und jung, Maggie?“

„Er ist keinen Tag älter als Vater“, sagte Maggie, „und Vater schlägt uns bei der Arbeit und beim Sport noch immer um eine Pferdelänge, nicht wahr, Rory?“

„Freilich“, bekräftigte Rory voller Hingabe im Blick. „Und er beschämt uns alle durch die Gefahren, die er auf sich nimmt.“

„Gut“, sagte ich und zog mein Zigarettenetui heraus – zufällig war es das goldene, das Oliver so in die Nase stach – und bot Rory an. „Was treibst du also?“

„Ich rauche nicht, danke, Onkel Bill. Nun, die Arbeit fängt erst nach den Ferien an, dann gehe ich als Lehrling in die Druckerei, in der Herr Donnelly arbeitet. Setzer sind jetzt sehr gesucht in Irland, nicht wahr, Maggie?“

Maggie nickte. „Aber Herr Essex will von den unzufriedenen Iren nichts wissen“, lächelte sie.

„Schade“, sagte ich, „daß du Oliver nicht triffst, Rory. Er kommt zu Ostern nicht. Wenn du ihm nur geschrieben hättest, daß du hier bist, dann hätte er sicher seine Pläne geändert. Er ist nach Schottland eingeladen zu Bekannten.“

„Aber ...“, ein Schatten flog über Rorys Gesicht, „na gut. Dann ein andermal.“

„Maggie, komm, setz dir den Hut auf“, sagte Maeve. „Onkel Bill ladet uns alle zum Mittagessen ein.“ Sie nahm sie mit sich ins Schlafzimmer.

Ich ging durch das Zimmer und sah aus dem Fenster, aus dem man wie im Schlafzimmer gerade noch einen Blick auf den Berkeleyplatz hatte. Ich drehte mich nicht um, als ich fragte: „Es tut mir leid, Rory, wolltest du sagen, Oliver habe gewußt, daß du herkommst?“

Impulsiv kam er zu mir, hängte sich in meinen Arm und sah neben mir in den Garten. „Ach, das hat doch nichts zu sagen! Es ist eine gute Gelegenheit für Oliver. Nach Schottland kommt man nicht alle Tage. Hat Maeve nicht Glück mit ihrer Wohnung und diesem bißchen Aussicht überhaupt?“

„Nun hör mir einer den Jungen an! Du sprichst ja Dialekt wie ein Ire auf der Bühne!“

„Warum nicht?“ schmunzelte Rory. „Warte noch ein bißchen, und ganz Irland wird ein großes Theater sein. Du wirst schon sehen.“

*

Nach dem Mittagessen verließen uns Rory und Maggie. „Sie hat keine Ahnung von London", sagte Rory, „und ich kenne nur das, was wir auf der Durchreise nach Reiherbucht gesehen haben. Das wird ein großartiger Nachmittag!"

Sie gingen zusammen hinaus, Maggie war einen halben Kopf größer als er. „Die armen Dinger", sagte Maeve. „Sie sind schrecklich ineinander verliebt."

„Oje! Wieviel Jahrzehnte billigt Maeve denn diesen beklagenswerten jungen Geschöpfen zu?"

„Ich weiß, es ist albern von mir", lächelte sie. „In Wirklichkeit bin ich ja nur vier Jahre älter als Rory. Aber sie stimmen mich ganz traurig. Sie nehmen alles so schrecklich ernst und sind auch so schrecklich verliebt, und ich glaube, sie wissen es noch gar nicht. Hoffentlich bleibt es noch lange so. Ich finde, solche Kinder dürfen nicht bis über die Ohren in einer ‚Sache' stecken. Weißt du, gestern abend haben sie wahrhaftig lange erwogen, ob ein gewisses Haus in Dublin sicher genug sei für ein heimliches Waffenlager oder nicht. So etwas bringt mich auf. Ich hasse all das. Sie sehen aus wie gezeichnet, die beiden."

„Dein Vater hat in Rorys Alter auch bis über die Ohren drin gesteckt. Ich war fünfzehn, als ich ihn kennenlernte. Er war nur wenig älter als ich – ein paar Jahre, glaube ich. Er muß damals siebzehn gewesen sein. Er war besessen davon, die Märtyrer von Manchester zu rächen und all so was. Sheila machte auch mit. Jetzt sind sie herausgewachsen. So wird es bei Rory auch werden."

„Glaubst du?" fragte sie kurz. „Dann kennst du Rory nicht, wie ich ihn kenne. Und Vater soll herausgewachsen sein? Ja, er ist herausgewachsen wie Abraham, als er Isaak auf dem Altar opfern wollte."

„Aber Gott hat eingegriffen", tröstete ich sie.

„Der gute alte Gott", sagte sie trübe. „Kannst du dir vorstellen, daß er heute eingreift? Ich nicht. Lieber Bill, ich mag die Welt nicht, in der wir leben. Lord Roberts gießt Öl ins Feuer, die Deutschen auch. Ich habe das Gefühl, wenn heute jemand sein Opfer auf den Altar legt, kann er sich nicht mehr darauf verlassen, daß Gott eingreifen wird. Das Opfer wird angenommen. Vielen Dank für das schöne Brandopfer. Ein feiner Autor bist du übrigens. Läßt deine Hauptdarstellerin eine halbe Stunde vor der Probe sich in eine solche Stimmung hineinreden. Komm, du solltest dich schämen."

*

Jetzt waren die Proben in dem trostlosen Saal einer Nebenstraße vorüber; auch die großen Proben im St.-Johns-Theater lagen hinter uns; und Maeve und ich erhoben uns vom Tisch und gingen hinaus auf die Regent Street. Sie glänzte im Licht, auf dem Bürgersteig drängten sich die Menschen, und der Verkehr brandete über den Asphalt.

„Verzeih, Kind", sagte ich, „ich habe Martin pünktlich auf die Sekunde herbestellt. Scheußlich, daß du gerade heute abend in dieses Gedränge gerätst."

„Das macht nichts", sagte sie, „aber weißt du, was ich von dir möchte? Wenn wir im Wagen sitzen, erzähle mir den ganzen Weg bis zum Theater von jener Nacht in Reiherbucht, als die Schwäne zum Mond flogen."

„Das will ich", sagte ich, „es war eine schöne Nacht."

„Es war die schönste Nacht meines Lebens. Ihre Flügel schlugen so mächtig, sie knarrten wie Weidenruten. Ich höre es noch immer, wenn ich daran denke. – Da kommt Martin."

„Verzeihung, Herr Essex", entschuldigte sich Martin, „es ist eine halbe Minute später. Fräulein Vaynol hielt mich unterwegs an."

Ich hatte nicht erwartet, Livia im Wagen zu finden. Wir hatten uns im Theater verabredet. Als wir einstiegen, rief sie: „Ich konnte einfach nicht anders, ich mußte Martin auflauern, um mit dem berühmten Mann am Theater vorzufahren. Du bist mir doch nicht böse, Maeve, mein Liebling?"

„Keine Schwäne, Bill."

„Keine Schwäne."

„Schwäne?" fragte Livia, als der Wagen in den Verkehrsstrudel von Piccadilly-Circus einbog. „Wovon redet ihr?"

„Wollen wir es ihr erzählen, Bill?"

„Nein", sagte ich kratzbürstig.

„Eins von unseren Geheimnissen", lachte Maeve. „Es liegt schon lange zurück."

„Das will ich hoffen!" Livia wurde plötzlich giftig, so daß ich überrascht war. „Du hast ja dein Leben lang für Bill geschwärmt."

Wir schwiegen erschrocken und sahen uns alle drei im Halbdunkel des Wagens an, durch das die grellen Lichtbündel der Laternen und Verkehrslampen zuckten. Maeve, ohnehin blaß, schrumpfte zu einem Schatten zusammen. In der sonst so lebendigen Livia schien eine Feder bei ihren Worten gesprungen zu sein. Sie sprach zuerst wieder: „Entschuldigt bitte." Aber es klang dünn.

Wir schwiegen lange. Dann sagte Maeve rasch und heftig: „Meinetwegen, dann sollst du es wissen und du auch, Bill. Ich habe ihn geliebt – immer und immer. Und das ist der Unterschied zwischen dir und mir, Livia. Ich weiß, was ich will. Hoffentlich weißt du es dieses Mal auch. Weißt du es? Weißt du es?"

Livia antwortete nicht. Dann waren wir am Theater.

Es ging gut. Kaum war der Vorhang hoch, da wußte ich, daß es gut gehen würde. Wertheim hatte mich die ersten Sätze sieben- oder achtmal umschreiben lassen. Jedes Wort mußte sitzen. Die ersten zehn Minuten eines Stücks, unterstrich er immer wieder, sind von entscheidender Bedeutung. Man muß gegen die Nachzügler kämpfen und gegen die Gleichgültigkeit des Publikums. Man muß es schnell packen. Ich saß mit Livia, Rory und Maggie Donnelly in meiner Loge und wußte, daß wir es gepackt hatten. Gleich im ersten Satz war ein Witz, und er wurde belacht. Das Publikum kam schnell zur Ruhe und zischte über die störenden Nachzügler. Ich stellte mit Genugtuung fest, daß sehr bald die ganz große Stille über dem Hause lag, die besagte, daß jeder einzelne vom Parkett bis ganz hinten zur Galerie hinauf von dem Spiel ergriffen war und gespannt auf jedes Wort lauschte.

Ich atmete auf und sah mich um. In der Loge gegenüber saßen Dermot, Sheila und Eileen mit Josie Wertheim. Wertheim selber, ein etwas beleibter unruhiger Geist, stand bald hinten in der Loge, bald war er fort. Ich bekam ihn in voller Größe auf einem Eckplatz im Parkett zu sehen, dann war er auch da wieder fort und tauchte hinten im ersten Rang auf. Ich hatte schon von seinen Premierenwanderungen gehört, in denen er die Stimmung des Hauses auskundschaftete und prüfte, ob die Schauspieler gut zu verstehen seien. Gegen Ende des ersten Aktes öffnete sich leise meine Logentür, und seine schwammige, schwere Hand legte sich mir auf die Schulter. Sie blieb dort liegen, als der Vorhang fiel, und der Griff wurde fester, als der Beifall losbrach. Dann ließ er ermattet los und trat zu uns. Der Beifall war redlich verdient. Das Ensemble hatte den Akt wunderbar herausgebracht, und Maeve hatte alle unsere Erwartungen übertroffen. Ich klatschte mit; Rory und Maggie folgten hingerissen, während Livia etwas mehr Zurückhaltung wahrte.

Ich brauche den Abend nicht in allen Einzelheiten zu

schildern. Auch heute ist „Straßauf und straßab“ noch wohlbekannt. Man sagt, es sei mein bestes Stück gewesen. Es war von Anfang an ein Erfolg. Als zum Schluß der Vorhang fiel, blieb das Publikum im Theater und jubelte immer wieder von neuem Beifall. Es war eine Kundgebung, die jedes Dichters Herz erfreut und alle Zweifel beiseite schiebt. Wertheims bleiches Gesicht war schwach gerötet, als er mich auf die Bühne schob. Ich zeigte mich dem Publikum zuerst mit dem erschöpften Ensemble, das sich lächelnd verneigte, dann allein mit Maeve. Ich nahm ihre Hand, und sie preßte sie fest zur Bestätigung. „Jetzt ist es soweit, Bill“, flüsterte sie, „jetzt ist der Augenblick gekommen nach all den vielen Jahren. Jetzt sprich was. Die wird nie wiederkommen – die Premiere deines ersten Stücks.“ Ich hielt die kleine, warme Hand fest, die ich schon gehalten hatte, als sie und ich vor langer Zeit Henry Irving und Ellen Terry in Manchester gesehen hatten. Und ich erzählte es dem Publikum: wie ich Maeve zum erstenmal in ihrem Leben mit ins Theater genommen hätte, wie ich sie hätte aufwachsen sehen in der Liebe zur Bühne, wie ich ihr versprochen hätte, eines Tages ein Stück für sie zu schreiben, und dies sei nun das Stück. Und als eine laute Stimme von der Galerie herunterrief: „Und ein verdammt gutes noch dazu!“, und als das Publikum vor Lachen raste und von neuem zu applaudieren anfing, wurde mir klar, daß ich mit meinen Worten ganz aus Versehen das Richtige getroffen hatte.

Wertheim fand es auch. Er packte mich an der Schulter, als ich gerade hinter den Kulissen verschwinden wollte, und rief: „Gott, Essex! Was für eine Erzählung! Das druckt ja jedes Blatt in London! Sie sind doch ein Fuchs!“ Aber es war keine Absicht dabei gewesen. Alles war ganz einfach und von selbst gekommen; trotzdem geschah, was Wertheim vorausgesagt hatte. Jede Zeitung druckte die Erzählung. Einige nannten sie „Roman eines Dramatikers und einer Schauspielerin“ und brachten Fotografien von mir und Maeve. Reporter kamen, um uns beide zu interviewen, und obwohl ich alles gesagt hatte, was es zu sagen gab, mußten wir es immer wieder sagen, und es wurde immer wieder gedruckt. Diese „Roman“atmosphäre kam dem Stück sehr zugute und sicherte ihm volle Häuser, bis „Straßauf und straßab“ ein gesetzteres Dasein begann und aus eigenem Verdienst weiterlebte.

*

Wertheim nahm Maeve um die Taille und führte sie im Triumph davon. „Jo, beherrsche dich!" sagte Josie streng. Die anderen Schauspieler waren schon weg. Ich blieb einen Augenblick allein auf der Bühne, ernüchtert und mir selber fremd. Durch das Loch im Vorhang sah ich, daß das Theater schon leer und dunkel war. Mein Gott, wie grausam philosophiert es sich in einem leeren Theater! Ich schüttelte mich und ging rasch nach Maeves Garderobe.

Da wimmelte es von Menschen. Ich kannte kaum eine Seele außer Livia, Maggie, Wertheims und O'Riordens. Trotzdem wurde ich schon an der Tür laut willkommen geheißen, beglückwünscht und auf den Rücken geklopft. „Sie haben es geschafft, Essex." – „Noch nie war ich bei einer Premiere meiner Sache so sicher!" Der Alkohol floß reichlich, mir wurde zugetrunken, Maeve wurde zugetrunken, jemand, den ich in meinem Leben nicht gesehen hatte, kreuzte plötzlich vor mir auf und verkündete: „Ich habe es ja immer gesagt, daß du es in dir hast, alter Junge!"

„Ich hatte immer gedacht, nur wo Aas sei, sammeln sich die Geier", sagte Livia und nahm mich beim Arm. „Das Sprichwort muß geändert werden."

Wir drängten uns durch die Menge zu Maeve. Rory stand mit rotem Kopf neben ihr und gab sich Mühe, im Frack ein unbefangenes Gesicht zu machen, während ihm Stolz und Glück aus den Augen leuchteten. Die kleine dicke Eileen – die Arme, vornehm sollte sie ihr Leben lang nicht aussehen – stand neben dem Stuhl, und plötzlich kam mit Gewalt die schmerzliche Erinnerung über mich, daß ich Maeve auf dem grünen Rasen von Zweibuchen genauso zwischen den beiden Kindern hatte sitzen sehen, als sie die Königin Maeve spielte und hofhielt. Auch Oliver war dabeigewesen, schlank und schön und hochmütig, der einzige, der nicht mit Leib und Seele mitgespielt hatte.

Fast war es, als ob meine Gedanken an eine gleichgestimmte Saite in Rorys Herzen rührten, denn er sagte: „Schade, daß Oliver heute abend nicht hier ist, Onkel Bill. Er hätte das Stück genossen. Maggie und ich haben eine Riesenfreude daran gehabt. Und wir sind so stolz auf Maeve."

Ich fühlte mich sehr einsam – alle O'Riordens waren da, und von meiner Familie niemand –, ich wandte mich ab, um an Livias Arm Trost zu suchen. Aber Livia war zu Maeve herangetreten und sagte: „Es war eine gute Aufführung. Sie macht dir alle Ehre, Maeve."

Maeve gab ihr keine Antwort. Sie konnte es sich leisten, ein so lautes Lob zu überhören. Bekannte und Unbekannte umlagerten sie, baten sie stürmisch zu trinken, was sie ablehnte, luden sie ein und sagten ihr Komplimente. Sie saß mit einer Unnahbarkeit da, bei der ich an Frau Bendall denken mußte. Und dabei mußte ich laut auflachen, weil ich plötzlich genau wußte, daß auch Maeve an die alte Dame dachte und daß sich das kleine Ding so zu geben versuchte wie sie.

„Darf ich Ihnen den Tee einschenken, gnädige Frau?" neckte ich sie. „Und wenn ich's täte, schenken Sie mir auch eine Rose?"

Sie blickte lächelnd zu mir auf.

„Tee?" fragte Livia.

„Das verstehst du nicht", sagte Maeve. „Wieder eins von unseren kleinen Geheimnissen."

22

Von meiner Seite der Heide aus konnte ich Dermots Haus zu Fuß erreichen; ich ging dann quer über die Parlamentsfelder. Seit etwa einem Monat lief mein Stück. Inzwischen war es Mai geworden, und Rory und Maggie Donnelly mußten bald nach Dublin zurück. Ich hatte sie oft gesehen und wollte in Dermots Haus noch einmal Tee mit ihnen trinken.

Ich schritt durch den grünen Weißdorn dahin. Es war ein herrlicher Tag. Der Himmel war blau, und eine Lerche flatterte aus dem Gras auf. Es gab damals noch keine Sommerzeit, und vier Uhr nachmittags im Mai war vier Uhr und nicht wie jetzt drei; es wehte schon recht kühl. Ich freute mich deshalb, als ich oben im ersten Stock in Dermots Arbeitszimmer trat, wo ein Kaminfeuer brannte und einige seiner schönsten Sachen beieinander standen. Den ersten Gauguin, den er seinerzeit erworben hatte, hatte er nie verkauft; er hing als einziges Bild im Zimmer über dem Kamin. Ich ging zum Fenster und sah in den kleinen Garten hinunter. Graue Eichhörnchen sprangen auf den Bäumen herum, die innerhalb der Gartenmauer standen. Jenseits der Mauer lag die Abendsonne auf dem jungen Grün der Parlamentsfelder und machte es unwirklich hell.

Ich wandte mich um und sah nach, ob Dermot den Brief zu Ende gelesen hatte, den er bei meinem Eintritt in der

Hand hielt. Mit Befriedigung stellte ich fest, daß er bereits eine Brille zum Lesen brauchte. Meine Augen waren so gut wie je, aber dafür war ich grau geworden, während Dermots fuchsrotes Haar in alter Fülle prangte und lediglich etwas nachgedunkelt war; „tizianrot" hatte es Sheila genannt.

Er saß da und hatte das eine Bein elegant über die Sessellehne geschlagen. „Von Onkel Con", sagte er und legte die Brille samt dem Brief auf den kleinen Tisch neben sich.

Onkel Con war der eine von den beiden kleinen Jungen, die der alte Fanatiker Michael Flynn bei der Hungersnot von 1845 auf einem Schubkarren nach Cork befördert hatte. Der andere, Dermots Vater und mein alter Freund, war vor zwei Jahren gestorben. Conal O'Riorden aber, steinalt und, wie ich hin und wieder von Dermot hörte, sehr rüstig, lebte noch. Der größte Teil der Geschäfte war auf Dermots Bruder übergegangen, während sich Onkel Con seit einigen Jahren eingehend mit der amerikanischen Politik befaßte.

„Er ist noch immer gut beisammen, der Alte", sagte Dermot.

„Er sieht, was kommt."

„Was kommt denn?" fragte ich ahnungslos.

Dermot sprang schnell auf die Füße und sah mich an; er stand mit dem Rücken zum Feuer und hielt den Kopf vorgestreckt. „Wo und in welcher Märchenwelt lebst du eigentlich um Gottes willen, Bill? Da ist der alte Kauz an die Achtzig oder darüber und fünftausend Meilen entfernt und weiß mehr, was in der Welt vorgeht, als du hier mit den Tatsachen vor der Nase. Seit einem Jahr kläffen die verräterischen Hunde, hast du sie denn nicht gehört?"

Ich hatte Dermot lange nicht mehr Feuer fangen sehen. Jetzt brannte er lichterloh; das Gesicht war blaß, die Bartspitzen zitterten, und in den Augen sprühten die alten Funken.

„Wenn du etwa die dicke Luft in Ulster meinst, darauf habe ich nicht viel gegeben."

„Dicke Luft! Dicke Luft, verdammt noch mal!" Dermot ballte die Fäuste. „Von mir aus kann sich Asquith sein Home-Rule-Gesetz an den Hut stecken. ‚In diesem Gesetz fehlt die Anerkennung der irischen Nation.' Das sagt Arthur Griffith, und das ist auch meine Meinung. Die Liberalen und Redmond, der gemeine Hund, sollten sich erst einmal über den Sinn dessen klarwerden, was ihr Home-Rule-Gesetz wirklich bedeutet."

Er zündete ein Streichholz an, warf plötzlich Streichholz und Zigarette ins Feuer und fuchtelte mit den Händen in der Luft herum.

„Aber was soll denn das Geschrei?" fragte ich besänftigend.

„Wer schreit denn? Carson und Genossen. Da wird dieser elende und faule Vorwand von Selbstregierung erfunden, und eine Viertelmillion Menschen fängt an zu schreien und will ein Manifest unterzeichnen. Ein Manifest, in dem der Regierung gesagt wird: ‚Geh zum Teufel! Wir machen, was wir wollen, und greifen zu den Waffen. Wir glauben nicht an Gesetz und Ordnung, wir haben unser eigenes Gesetz und unsere eigene Ordnung und richten uns nach den Buchstaben unserer alten Gesetzbücher.' Und es wird ihnen, weiß Gott, erlaubt, stell dir das vor! Sie brauchen das nicht etwa heimlich zu tun – sie haben die Erlaubnis, sich zu bewaffnen und zu exerzieren. Hast du nie von der Volksverratsakte von 1887 gehört?"

„Nein."

„Das sieht dir ähnlich. Hör den alten Con hier." Er nahm den Brief vom Tisch. „‚Täglich strömen Waffen nach Ulster. Bonar Law hat, wie ich sehe, erklärt, daß die Unionisten sich lieber von einer fremden Macht als von den Nationalisten regieren lassen wollen. Von Deutschland vermutlich. Lieber Dermot, es steht im Augenblick ziemlich faul zwischen England und Deutschland, die Deutschen hier reden ganz offen davon. Und da wollen uns diese unionistischen Patrioten ihre Einheit dadurch kundtun, daß sie absplittern und den mächtigsten und gefährlichsten Feind des Landes vom Kontinent zu Hilfe rufen. Warum macht Asquith von der Volksverratsakte von 1887 keinen Gebrauch? Unzählige irische Patrioten sind durch sie für sogenannte staatsfeindliche Äußerungen ins Zuchthaus gekommen. Ist das Heer, das die Unionisten sammeln, weniger staatsfeindlich? Bestimmt nicht! Also ins Zuchthaus mit ihnen!'"

„Wer soll ins Zuchthaus?" fragte Rory, der mit Maggie Donnelly gerade ins Zimmer trat.

„Diese verdammten Carsons, Craigs und Smiths!" schrie Dermot.

Rory blieb ruhig. Er schob einen Stuhl für Maggie zurecht und wartete, bis sie saß; dann wandte er sich zu seinem Vater und sagte: „Laß sie nur machen."

„Machen lassen! Vielleicht liest du einmal, was dein Großonkel schreibt."

Rory schüttelte den Kopf. „Nein. Mit den irischen Patrioten in Amerika habe ich nicht viel im Sinn – bis auf ihre Scheckbücher. Laß nur! Mit den Leuten wird abgerechnet, wenn es soweit ist, nicht wahr, Maggie?"

Maggie nickte. „Wir schlafen nicht", sagte sie.

Ich hatte die beiden bisher noch immer als Kinder betrachtet; jetzt erschütterten sie mich. Die Dollars des alten Con O'Riorden kamen mir plötzlich erbärmlich vor, und die Aufregung Dermots leer und theatralisch. Hellsichtig erkannte ich, daß ich hier die wirklichen Akteure der irischen Tragödie vor mir hatte, wie auch immer sie abrollen würde. Dermot und ich kamen mir vor dem entschlossenen und reifen Denken der beiden recht jugendlich vor. Wir redeten nur, die beiden aber hatten die Worte hinter sich und verstanden zu handeln.

Das ging mir auf, als ich dort mit dem Rücken gegen die Dämmerung am Fenster stand und die kleine Gruppe vor dem Kamin betrachtete. Rory, der neben seinem hochgewachsenen Vater klein wirkte, nahm Dermot beim Ellbogen und schob ihn zu seinem Stuhl. Es war fast so, als ob er mit dieser Geste sagen wollte: Laß jetzt bitte die Finger davon. Du hast mir die Suppe eingebrockt, und ich stecke bis über beide Ohren drin, jetzt mußt du sie mich auch auslöffeln lassen." –

„Onkel Bill!" – Ich trat zu den anderen an den Kamin, und der Tee wurde hereingebracht. Maggie Donnelly schenkte ein, und sie und Rory erzählten in ihrer ruhigen Art über Irland. Einige Helden tauchten flüchtig auf: Jim Larkin und James Connolly und die Gräfin Mackievicz. Sie sprachen über die Gedichte von MacDonogh und Plunkett; es verlautete auch etwas davon, daß Rory in grüner Uniform in den Wicklowbergen herummarschierte und mit anderen in einer Organisation ausgebildet werde, die „Fianna" heiße. Ich hörte den Namen an diesem Nachmittag zum erstenmal. Was sie sagten, klang ernst und entschlossen, sie warfen sich die Bälle zu, und mir fiel ein, was Maeve vor einiger Zeit von den beiden gesagt hatte.

„Seht ihr", sagte Rory schließlich, „es liegt doch so: Wenn sie wegen eines so kümmerlichen Gesetzes schon soviel Aufhebens machen, was werden sie erst dann tun, wenn wir die Freiheit fordern, die uns allein zufriedenstellen kann. Wir haben es auf friedlichem Wege vergebens versucht, jetzt ist die bewaffnete Gewalt eingesetzt worden und nicht durch uns. Aber wo es nun einmal soweit gekommen ist, sollen sie uns auch nicht unvorbereitet finden, nicht wahr, Maggie?"

Und wieder sah Maggie Donnelly ihn aus ihren ernsten grauen Augen an und nickte ihm bedeutungsvoll zu.

Ich dachte plötzlich an Oliver, an sein goldenes Zigarettenetui und „Pogsons alte Herrschaften", und ich hätte Rory um den Hals fallen und weinen mögen.

Maeve kam und entschuldigte sich wegen der Verspätung; sie war im Tanzunterricht gewesen. Dermot ließ ihr Tee bringen.

„Warum mußt du tanzen?" fragte er verdrießlich. „Du reibst dich auf, Mädchen. Du bist Schauspielerin, warum bleibst du nicht dabei?"

„Ich bin mir nicht so sicher", antwortete Maeve. „Ich weiß nicht, was mein Beruf ist. Ich bin noch jung und habe Zeit und Kraft genug. Ich möchte alles lernen."

„Das habe ich mein Leben lang gewollt", knurrte Dermot, „und es ist mir mißlungen."

Maeve wandte sich zu mir. „Du mußt mir bald eine komische Rolle schreiben, Bill. Hast du bemerkt, wie das komische Intermezzo in der Gesellschaft bei Hargreaves in ‚Straßauf und straßab' eingeschlagen hat?"

„Natürlich habe ich das."

„Wertheim auch. Er kam mehrmals darauf zurück. Daraus ließe sich noch allerhand machen."

Die Gesellschaft bei Hargreaves spielte im zweiten Akt des Stückes. Es war eine Szene, wie man sie sich in jeder Kleinstadtgesellschaft denken kann, wenn eine Tochter wie Annie Hargreaves vorhanden ist. Sie ist streng erzogen worden, und die Familie hat mit dem Theater nichts im Sinn. Seit Jahren aber geht sie heimlich hin und ist vom Kabarett begeistert. Als man sie nun auffordert, etwas zur Unterhaltung der Gäste beizutragen, bekennt sie plötzlich Farbe, setzt sich an den Flügel und kopiert ihre Lieblinge in ihren Chansons – Maidie Scott und Vesta Tilley, Fanny Fields und Marie Lloyd. Die Nachahmung mißlingt natürlich völlig, und die Worte und Anzüglichkeiten, die sonst vom Witz und Geist jener Schauspielerinnen gemildert werden, kommen nun so gemein und zweideutig heraus, wie sie sind.

Es war eine große Szene, und ich war stolz darauf; aber sie war unmöglich, wenn die Schauspielerin versagte. Denn es mußte deutlich werden, daß die arme Annie

Hargreaves wirklich der kümmerlichen Ansicht ist, sie werde es mit übertriebener Frechheit schon schmeißen, während in Wahrheit das Entsetzen um sie herum anwächst. Mitten in einem Song von Maidie Scott „Hätten die Winde nur anders geblasen“ begreift sie plötzlich, daß das Schweigen nicht Bewunderung, sondern etwas Schreckliches bedeutet, bricht mit einer schrillen Dissonanz auf dem Klavier ab und stürzt weinend aus dem Zimmer.

Maeve war es wunderbar gelungen, zugleich komisch und rührend zu wirken, wie es die Szene vorschrieb, und ich war nicht erstaunt, daß ihre Leistung Wertheim besonders aufgefallen war.

„Du siehst also“, sagte sie, „wenn er eine große Revue herausbringt, könnte ich eine gute Rolle bekommen. Aber dazu gehört Singen, Tanzen, Komik und alles übrige. Ich will jedenfalls darauf vorbereitet sein, das ist alles. Aber, lieber Bill“, fügte sie hinzu, lehnte sich zu mir herüber und legte ihre Hand auf die meine, „bis dahin hat es hoffentlich noch sehr lange Zeit. Ich möchte, daß dein Stück noch und noch aufgeführt wird und uns allen einen Sack voll Geld bringt.“

„Du reibst dich auf“, wiederholte Dermot.

„Laß sie nur“, sagte Rory, „sie wird es doch tun. Sie ist genau wie ich. Findest du nicht, daß sie mir ähnlich ist, Maggie?“

„Dein leibhaftiges Ebenbild, bis auf das Aussehen“, bestätigte Maggie.

„Ach, Aussehen!“ lachte Rory. „Als das in der Familie verteilt wurde, hat Maeve alles für sich eingesteckt. Als Kind haben sie mich immer Dickmatz genannt.“

„Dickmatz? Warum?“ fragte Maggie. „Du bist doch nicht dick – du bist nur – nun – stämmig – wie ein Berg.“

„Ach, Frau!“ Rory zuckte abwehrend die Schultern.

„Ach, Frau!“ spottete Maggie. „Das hast du von meinem Vater gelernt.“

„Was hätte ich nicht von ihm?“ Und Rorys Gesicht leuchtete beim Namen des geliebten Führers auf.

Oliver war wieder auf der Schule, Rory und Maggie waren in Dublin. „Straßauf und straßab“ hatte sich zu meiner und Wertheims Zufriedenheit durchgesetzt, und ich hatte eine Menge Zeit für mich.

Oliver hatte seinen Aufenthalt bei den Pogsons in Schottland sehr genossen. Als er wieder auf der Schule war, kam er in seinen Briefen immer wieder darauf zurück. „Pogsons alte Herrschaften haben sogar einen Butler, und es war sehr lustig, von diesem ehrwürdigen Mann mit ‚Mein Herr‘ angeredet zu werden. Sie hatten überhaupt eine ganze Menge Personal, und das Haus sah aus wie ein altes Schloß, obwohl es, wie Pogson sagt, erst von seinem Großvater gebaut worden ist. Allerdings stammt der Stein zum größten Teil von einem alten Haus, das früher auf dem Besitz gestanden hat. Pogsons Großvater hat es damals gekauft, um es abzureißen.

Poggy war so anständig, mir alles zu sagen, was ich wegen der Trinkgelder wissen mußte, und hat mir sogar erlaubt, ihn anzupumpen. Aber ich habe mir nicht viel geben lassen. Der Landsitz ist sehr groß. Wir haben die Maschinen der Jacht planmäßig überholt und sind in der letzten Woche einen Tag mit dem Kapitän an Bord auf See gewesen. Es war sehr interessant, von See aus auf Pogsons Haus mit seinen romantischen Türmen zurückzublicken.

Übrigens werde ich in einigen Tagen siebzehn, und Du schickst mir doch wie immer ein Geschenk. Könntest Du nicht ein wirklich gutes Buch über Dampfjachten auftreiben – etwas, das einem einen brauchbaren Überblick über Anschaffungskosten, Unterhaltungskosten, Handhabung usw. gibt?

Übrigens habe ich lange nichts von Livia Vaynol gehört. Sie schrieb mir doch früher ziemlich oft. Wenn Du sie zufällig einmal sehen solltest, sei so gut und bestell ihr Grüße von mir. Daß Du das Zigarettenetui nur ausgelöst hast, finde ich ganz richtig, und ich werde Dir das Geld, sobald ich kann, zurückzahlen, denn ich möchte das Zigarettenetui sehr gerne wiederhaben.“

Das Nichtstun ist mir niemals schwergefallen, und ein erfolgreicher Bühnenautor ist in dieser Hinsicht noch besser dran als ein erfolgreicher Romanschriftsteller. Das Stück war geschrieben, das Schreiben hatte mich tatsächlich wenig Zeit gekostet, und nun hatten Maeve und sieben oder acht andere Schauspieler sechs Abende und zwei Nachmittage in der Woche zu tun, um mir die Taschen zu füllen, während ich es mir leisten konnte, eine Zeitlang nichts zu tun. Ein Schriftsteller ohne Erfolg führt ein Hundeleben; ein erfolgreicher Schriftsteller sitzt in Abrahams Schoß.

Mir schien es die beste Gelegenheit, meine Bekanntschaft

mit Livia zu vertiefen. Nachträglich klingt es merkwürdig, daß ich mich so ausdrücken muß, aber obwohl Livia und ich verlobt waren, gingen unsere Beziehungen über die von guten Bekannten kaum hinaus. Ich sah sie jetzt täglich, wir aßen regelmäßig mittags oder abends zusammen, wir gingen ins Theater oder – was neu für mich war – auch häufig in Konzerte. Ihre eigenen Kompositionen waren Schlager, die man allenfalls einmal auf den Straßen pfiff, sie selber aber trug eine tiefe Sehnsucht nach guter Musik in sich.

Obwohl wir oft zusammen waren, kamen wir uns doch nicht näher. Von einem tiefen, herzlichen Gefühl zu mir war ihrerseits keine Rede. Wir waren einfach zwei Menschen, die die gleichen Zerstreuungen liebten, und so taten wir es eben gemeinsam.

Ich kaufte Oliver sein Buch über Dampfjachten, obwohl ich nicht recht einsah, welchen Nutzen er davon haben sollte. Ich konnte mich gewiß nicht zu einer Dampfjacht versteigen, und daß Oliver sie sich in absehbarer Zeit selbst würde leisten können, war nicht zu erwarten. Livia war damals mit. „Für Oliver“, sagte ich ihr. „Ich muß es gleich zur Post bringen. Morgen ist sein Geburtstag. Er wird siebzehn.“

„Kupido besaß wohl die ewige Jugend“, lachte sie, „aber wenn er wie andere Sterbliche gewesen wäre, hätte er mit siebzehn fabelhaft aussehen müssen.“

„Ich finde Oliver nicht so fabelhaft“, sagte ich etwas bitter, als wir den Laden verließen. „Ich wünschte, sein Geist würde sich einmal an eine Aufgabe machen.“

„Ja, wenn du von Geist sprichst . . .“ erwiderte sie belustigt.

„Der junge Rory O'Riorden hat mir doch Eindruck gemacht. Es ist zwar schrecklich, wenn man sieht, wie ein solcher Junge von der Politik aufgefressen wird, aber er ist wenigstens kein Kind mehr; er ist ein Charakter. Kennst du ihn?“

„Flüchtig. Ich hatte kein Glück bei ihm. Er wohnte einmal bei Maeve.“

Nein, Maeve hatte sich wohl kaum dazu hergegeben, eine Bekanntschaft zwischen Rory und Livia zu fördern. Sie sah es nicht gern, wenn ihre Freunde gut mit Livia standen; es wäre ihr auch lieb gewesen, wenn Livia und ich ganz auseinandergekommen wären oder ich sie gar nicht erst kennengelernt hätte.

Als ich Livia vor ihrer Wohnung abgesetzt hatte und nach Hause fuhr, fragte ich mich, warum Maeves Urteil, auf das ich sonst viel gab, mir in diesem Fall gleichgültig war. Maeve hätte mich gerne geheiratet, das ließ sich nicht leugnen; aber das war nicht der einzige Grund, weshalb ihr meine Verbindung mit Livia mißfiel. Zuerst hatte sie nett mit Livia gestanden, aber nach näherer Bekanntschaft war sie empfindlich abgekühlt.

Hier ging es jedoch nicht mehr um Urteile, weder um Maeves noch um meines. Es ging einfach darum, daß ich Livias Aussehen, ihr Wesen und ihre Stimme liebte, wenn sie da war, und daß ich krank wurde, wenn sie nicht da war.

Ihr Wesen? Dazu gehörte auch der unerfreuliche Auftritt mit Maeve vor der Premiere von „Straßauf und straßab". Dazu gehörte ihre Leichtfertigkeit, mit der sie mich sitzenließ, wenn ich einmal den Kopf verlor und das Gefühl mit mir durchging. Hätte ich spüren müssen, wie erniedrigend es für mich war, ihr das durchgehen zu lassen? Vielleicht, aber ich spürte es nicht. Ich konnte die Dinge drehen und wenden, ich konnte mir eingestehen, daß Livia mich, um das Kind beim richtigen Namen zu nennen, am Bändel hatte, aber das hatte nichts mit Erniedrigung und nichts mit Urteil zu tun. Nein, es war so: ich spürte nichts Erniedrigendes in mir, wenn ich an Livia dachte.

Jetzt hatte ich Zeit, und ich hatte nur ein Verlangen, so oft wie möglich mit ihr zusammen zu sein. Aber es kam anders, denn sie hatte nicht mehr viel Zeit für mich.

Es mag Mitte Juni gewesen sein. Wir aßen in einem Restaurant zusammen zu Mittag, am Nebentisch saß Wertheim in einem glänzenden Seidenanzug, der bei jeder Bewegung wie Pfauengefieder schillerte. Er hatte ein sehr elegantes Geschöpf bei sich, und ich beobachtete amüsiert, wie beharrlich sie sich durch Melone, kalten Lachs, Erdbeeren, Eiscreme und Eiskaffee aß, während sich ihr Gastgeber mit ein paar Scheiben trockenen Toasts und einem Glas Soda begnügte. Nach dem Essen geleitete er sie feierlich zur Tür wie ein kleiner Vasall, der seiner Fürstin Rechenschaft über sein Herrschaftsgebiet erstattet hat. Sie lächelte herablassend unter dem breiten Hutrand hervor und reichte ihm lässig ihre Hand im weißen Handschuh. Dann kam er eilig an meinen Tisch, setzte sich und wischte sich mit einem seidenen Taschentuch die Stirn. „Das Biest!" sagte er. „Die hätte mich nie erwischt, wenn Josie nicht gerade weggewesen wäre. Ich werde sie nie engagieren.“ Er schnippte einen Krümel vom Tisch, und damit war das entzückende Geschöpf abgetan.

„Aber Sie, Sie möchte ich sprechen. Wo können wir reden?“

„Störe ich Sie?“ fragte Livia. „Meine Wohnung steht Ihnen zur Verfügung. Ich bringe Sie hin und verschwinde.“

„Sehr gut.“ Wertheim war einverstanden. „Wir kommen zu Ihnen, und Sie bleiben da. Bei mir zu Hause werden wir nur gestört. Das sahen Sie ja.“ Er wies mit der Hand nach der Tür, durch die er seine Schöne hinauskomplimentiert hatte.

„Wollen wir nicht zu Fuß gehen?“ fragte Livia boshaft, als wir auf der Straße standen. Es war eine Bruthitze, und das Pflaster kochte. Wertheim winkte einem vorüberfahrenden Taxi mit dem Stock. „Ich gehe nie zu Fuß“, sagte er. Und wirklich, wenn ich es mir recht überlege, hatte ich ihn außerhalb des Zimmers nie zu Fuß gesehen.

In Livias Wohnung sank er seidig schimmernd in einen Lehnstuhl und bat um die Erlaubnis, sich eine Zigarre anzünden zu dürfen. „Ich bitte Sie darum“, sagte Livia, „und du kannst dir die Pfeife anstecken, Bill.“

Mit dem silbernen Zigarrenabschneider an seiner Uhrkette hantierte er umständlich an seiner Zigarre herum und fragte, ohne aufzublicken: „Was halten Sie eigentlich von den großen Revuen, Essex? Sie haben doch wohl einige gesehen?“

„Ja, ein paar, und sie gefallen mir. Ich mag das Tempo und die Farben, einige Szenen waren prachtvoll.“

„Ich habe noch nie eine Revue herausgebracht, und ich möchte etwas machen, was die Welt noch nicht gesehen hat. ‚Die Fahrt in den Himmel‘ war in ihrer Art gut, aber sie erinnerte noch zu sehr an die alte Operette.“ Er zündete seine Zigarre an und blies eine lange Rauchfahne ins Zimmer. „Es muß etwas anderes werden. Ein größerer Chor als je – alles ausgesuchte Girls – bildhübsch. Schöne Kostüme. Schöne Dekorationen. Songs. Hervorragende Tänze. Und dazu einen Star, der alles kann; er muß sentimental und komisch singen können, er muß spielen, und er muß tanzen können. Ich möchte sofort damit anfangen. Ich brauchte ein Libretto und neue Gesichter. Keinen mehr von der alten Garde, auch nicht Doris Trent.“

„Das war Doris Trent, mit der Sie aßen?“

„Ja.“

„Ich dachte es mir. Sie ist ungewöhnlich schön.“

„Ja, aber das ist auch alles. Im Chor kann sie meinetwegen mitmachen, obwohl ihre Beine etwas dünn sind. Haben Sie die einmal gesehen?"

„Nein." – „Aber ich."

Er rauchte eine Weile schweigend vor sich hin, dann sagte er plötzlich: „Passen Sie auf und sagen Sie mir, ob es Blech ist. Sie haben mich da mit einem interessanten Kreis zusammengebracht. Da ist Maeve. Ein vielseitiges Mädchen. In ‚Straßauf und straßab' ist sie als ernste Schauspielerin hervorragend, und plötzlich legt sie Ihnen dann mittendrin diese komische Gesellschaftsszene hin. Ich bin noch nicht sicher, aber ich habe so das Gefühl, das ist mein Star. Dann ihr Vater. Der Mann gefällt mir. Ich habe viel mit ihm gesprochen und mir seine Werkstatt angesehen. Er hat das beste Geschäft dieser Art hierzulande, und dabei wirtschaftet er noch immer selbst mit Hobel und Hohlmeißel herum wie sein letzter Lehrling. Er hat ein sehr feines Empfinden für den modernen Stil. Ich möchte das verwerten. Er könnte mir einige große Dekorationen machen."

„Ein Familienunternehmen?"

„Ja. Und jetzt kommt Fräulein Vaynol an die Reihe."

Livia beugte sich vor und sah ihn mit glänzenden Augen an. „Soll ich mitmachen?" flüsterte sie.

„Jedenfalls sollen Sie eine Chance haben. O'Riorden sagte mir, daß Sie Kleider entwerfen, und sie gefallen ihm. Und was ihm gefällt, muß in Ordnung sein. Wenn wir erst eine Idee für das Libretto haben und wissen, welche Kostüme wir brauchen, will ich mir ansehen, was Sie können. Verstehen Sie mich recht ...", er hob den dicken Finger, „ich verspreche Ihnen nichts. Es ist eine Chance – wenn Sie etwas daraus machen können."

„Bin ich auch dabei?" fragte ich lächelnd.

Wertheim sah mich eine Zeitlang in seiner griesgrämigen Art an. „Ich weiß nicht. Sie sind das schwarze Schaf. Ich würde Sie gerne dabeihaben, weil es mir Freude gemacht hat, Ihr Stück mit Ihnen durchzuarbeiten. Aber ich weiß nicht, beim Libretto bin ich zweifelhaft. Hätten Sie Lust dazu? Glauben Sie, Sie könnten so etwas machen?"

„O Bill, ja, sag ja! Dann bleibt alles in der Familie!" bestürmte mich Livia.

Ich schüttelte den Kopf. „Nein, das ist nichts für mich, Wertheim. Ich möchte mich gerne für einen Alleskönner halten – Romane, Theaterstücke, Revuen –, aber ich sehe es nicht. Es liegt nicht auf meinem Weg."

„Ich danke Ihnen, daß Sie Ihre Grenzen kennen", sagte Wertheim, „das ist selten."

Als dann lange darauf „Herzenswahl" im Palladium herauskam, hatte ich nichts damit zu tun. Das Libretto hatte Clive Seymour geschrieben – glänzend! –, und die meisten Songs und Kostüme stammten von Livia. Aber ich freute mich trotzdem, bei der kleinen Besprechung zu dritt dabeigewesen zu sein, bei der zum erstenmal darüber verhandelt worden war. Denn es wurde ein großes Bühnenereignis, das hell durch die Kriegsjahre leuchtete, dessen Schlager die Soldaten pfiffen und sangen und in den Gräben und Unterständen auf dem Grammophon spielten und das im Gedächtnis von Tausenden und aber Tausenden wie ein Lichtblick auf ihrem Leidensweg fortlebte. Es wäre mir damals anders zumute gewesen, wenn ich hätte voraussehen können, was nicht lange darauf ein alltäglicher Anblick war: die Unterstände, die tropfende, schwelende Kerze, Gewehre und Uniformstücke an der Wand, der Tisch aus Kisten und Brettern mit dem Grammophon darauf, an dem die müden Augen erschöpfter Männer hingen: „Aber mit dir ist's wunderbar."

Und jeder Mann dachte bei dem „Du", er sei gemeint, wenn er sich Maeve im Scheinwerferlicht des „Palladiums" zurückrief, das in bläulichen Bündeln auf sie herabtropfte und sie regungslos wie in einen Mondkreis bannte. Sie trug ein seltsam feierliches weißes Gewand, das Livia entworfen hatte, nur mit einer roten Rose geschmückt, und sie sang in den dunklen, schweigenden Raum hinein, in dem sich Gesicht an Gesicht drängte – mit ihrer verschleierten Stimme verlieh sie den Worten Livias einen Klang, der alle bezauberte: „Aber mit dir ist's wunderbar."

„Ach, Mann! Ich hasse es, ich hasse es! Was müssen sie denken! So viele gehen morgen schon wieder zurück, heute nacht vielleicht schon!"

„Maeve, Liebling, ich weiß es. Ich weiß."

„Ich kann es nicht mehr ertragen. Sie schicken mir Briefe – Blumen . . ."

Sie ertrug es bis ans Ende.

Da hatten wir es nun. Wir waren im Hochsommer 1913, und mein Traum, mit Livia dies oder jenes zu unternehmen – nach Reiherbucht fahren, ins Ausland reisen, vielleicht sogar heiraten –, zerfloß in nichts. Sie war wie umgewandelt. Sie sah jetzt eine Aufgabe vor sich, die ihrem Talent entsprach, und mich brauchte sie nun nicht mehr. Ich durfte sie wohl besuchen und zu einem eiligen Mittagessen mitnehmen, dafür war sie dankbar. Ich durfte sie auch nach einem langen Arbeitstag zu einem Abendessen einladen, aber sie blieb nie lange. Sie wollte nach Hause und gab manches weise Wort über zeitiges Schlafengehen von sich.

Es war ihr gelungen, Wertheims Phantasie anzuregen, und sie machte es sich gründlich zunutze. Sie begann damit an jenem Nachmittag, als Wertheim zum erstenmal von seinen Plänen sprach, die er dann in der „Herzenswahl" so fabelhaft verwirklicht hat. Als damals die Unterhaltung ins Stocken geriet, setzte sie sich ohne ein Wort an ihren Flügel und begann zu singen und zu spielen.

„Allein zu Haus ist die Nacht so lang
Und die steilen Treppen nicht wert.
Aber mit dir zu Haus ist es wunderbar,
Wir steigen zum Mond und den Sternen
Hinauf in goldene Fernen.
Mit den andren ist's grad nur comme ci, comme ça,
Nehm' ich's mir, lass' ich's, was tut's,
Aber bist du's, dann ist's wunderbar.
Du bringst mir die ganze Sternenwelt,
Und wenn ein Stern vom Himmel fällt,
Ist's wie eine Träne der Freude.
Denn du bist bei mir,
Und ich bin bei dir,
Und mit dir zusammen ist's wunderbar
Wie nichts auf der kreisenden Welt."

Ich verstehe etwas davon, warum ein Stück oder ein Roman „geht", aber von der Psychologie des Schlagers verstehe ich nichts. Wenn ich mir die Worte ansehe, wie sie nun geschrieben vor mir stehen, kann ich nichts daran finden. Aber ich weiß – und jeder, der die Kriegsjahre miterlebt hat, weiß es ebenfalls –, daß sie sich einsamen, müden und zerquälten Menschen seltsam ins Herz geschlichen haben. Die Melodie hatte etwas von einem Klagelied an sich und sagte mir mehr als der Text – ein tiefes Ahnen und Sehnen lag darin, das gut in die Zeiten paßte, die uns so unmittelbar bevorstanden.

Als Livia damals das Lied sang, ging es mir keineswegs nahe, auf Wertheim aber wirkte es sofort. Er hatte den Kopf in den Sessel zurückgelegt, hielt die Augen geschlossen und sagte, als Livia geendet hatte, ohne die Augen zu öffnen: „Singen Sie das noch einmal. Ich möchte mir vorstellen, wie es bei einer wirklichen Stimme klingt."

„Besten Dank, mein Herr", sagte Livia grob und steckte ihm heimlich die Zunge heraus. Dann sang sie das Lied noch einmal.

Wertheim ging an den Flügel: „Jetzt, ich – bitte."

Livia stand auf, und Wertheim vertraute seine schillernde Fleischmasse dem zerbrechlichen Klavierstuhl an. Aber seine Finger hatten nichts Massiges an sich. Selbst für das Laienohr gewann das Lied bei seinem Spiel. Es klang weicher, er brachte einen klagenden Unterton hinein, der zu Herzen ging.

Lächelnd stand er vom Flügel auf. „Wir sollten eigentlich morgen zusammen zu Mittag essen, Fräulein Vaynol." Und zu mir: „Sehen Sie, Essex, unser Talent stellt sich von selber ein, wie? Was sagen Sie zu dem Lied?"

„Ich habe leider kein Urteil darüber."

„Aber ich. Und deshalb habe ich Fräulein Vaynol zu morgen mittag eingeladen."

23

Livia war fort. Bald würde Oliver für die Sommerferien nach Hause kommen.

Ich hatte unverhofft bei Livia vorgesprochen und sie beim Packen gefunden.

„Ich gehe fort", sagte sie ziemlich schroff.

„Fort?"

„Ja. Ferien. Ich habe sechs Wochen geschuftet – schwerer als je in meinem Leben. Gönnst du mir etwa meine Ferien nicht, Bill?"

„Doch – aber . . ."

„Aber ich hätte es dir sagen sollen, nicht? Gut, bitte, hier ist der Brief. Heute abend hätte ich ihn am Viktoriabahnhof eingesteckt."

„Aber . . .", fing ich von neuem an.

Sie stand auf, und ich fand sie abgespannt und überanstrengt.

„Wenn ich es dir gesagt hätte, hätte es wieder das Hin und Her gegeben, Auseinandersetzungen, Erklärungen – nicht wahr? Ich wollte dir nicht sagen, warum ich fortfahre. Oliver kommt bald nach Hause."

„Ach so – ich verstehe."

„Das wundert mich. Steh nicht so da und mach nicht ein so gequältes Gesicht. Ich will dir doch helfen. Ich schreibe dir auch. Ich gehe in ein winziges Nest nach Frankreich, wo sonst keiner ist."

Sie stand da und sah mich blaß und feindselig an. Da war nichts mehr zu sagen, außer daß ich sie natürlich zur Bahn bringen würde.

Am nächsten Abend ging ich mit Dermot über die Heide.

„Du siehst ja aus wie sieben Tage Regenwetter, Bill", sagte er. „Du solltest mit nach Irland kommen. Es wird dir guttun."

„Irland? In ein paar Tagen ist Oliver da, und ich wollte ihn eigentlich nach Reiherbucht mitnehmen."

„Komm zur Abwechslung einmal nach Irland und nimm Oliver mit."

Ich dachte darüber nach, und es leuchtete mir ein.

„Maeve kann natürlich nicht mit, aber wie steht es mit Sheila und Eileen?"

Ein Schatten glitt über Dermots Gesicht. „Es ist schlimm, Bill, wenn man in die Jahre kommt. Früher hätte ich zu Sheila sagen können: ‚Komm mit nach Irland, wir kaufen uns jeder ein Gewehr und schießen den ersten besten, der uns in Dublin Castle entgegenkommt, über den Haufen.' Bei Gott, sie hätte es getan. Weißt du noch, wie sie zu unserer Verlobungszeit war?"

„Ich denke noch an den ersten Abend, als du sie heimbrachtest. Sie war so lieb und schüchtern, und als sie ‚Gott strafe England' sagen sollte, weigerte sie sich. Ich sehe es noch vor mir."

„Sie weigerte sich – ja –, aber das wollte nichts heißen. Und dann kam die Zeit, wo die Arbeit meine ganze Kraft erforderte und ich für die patriotischen Maulhelden nichts übrig hatte. Das war ihr nicht recht, Bill, du hast es gemerkt, nicht wahr? Und eine Zeitlang hatten wir es nicht leicht miteinander. Das war gerade damals."

„Das wußte ich nicht."

„Um so besser. Das ist jetzt, Gott sei Dank, vorbei. Aber nun ist es wieder umgekehrt. Und es geht diesmal natürlich nicht um mich, sondern um Rory. Deshalb kommt sie nicht mit nach Dublin. Sie will von Donnelly und dem Leben, das Rory jetzt führt, nichts wissen."

„Und du meinst, das hinge mit den Jahren zusammen und sei schlimm? Vielleicht ist es gar nicht so dumm."

„Na, lassen wir das. Jedenfalls fahre ich deshalb allein nach Dublin – wenn du nicht mitkommen willst."

„Ich komme mit. Ich möchte gern, daß Oliver Rory wiedersieht."

Oliver und Pogson stolperten aus dem Zug und gingen Arm in Arm den St.-Pancras-Bahnsteig hinunter. Pogsons Pickel waren noch immer nicht besser, und unter den hellen Stimmen seiner Kameraden wirkte sein tiefer Baß komisch. Er war wie gewöhnlich reichlich unrasiert. Oliver blieben die Flegeljahre wenigstens körperlich erspart. Er war so groß wie Pogson, etwa ein Meter achtzig, und sah nach dem Sommersemester außerordentlich gut aus. Er trug keinen Hut und hatte sich das lange blonde Haar in einer glänzenden Welle über die Stirn gelegt. Das Gesicht war braun, und die tiefblauen Augen kamen dadurch um so besser zur Geltung. Sein Äußeres verfehlte nie seine Wirkung auf mich. Ich sah ihn jetzt so selten und fand ihn jedesmal verändert und reifer, so daß er mir immer neu erschien. An jenem Tag sah ich ihn als Mann – jung, aber doch als Mann – und so schön, daß sich die Leute nach ihm umdrehten.

Ein neues prunkvolles Auto wartete vorm Bahnhof. Der Chauffeur zog die Mütze. Pogson und Oliver schrien vor Begeisterung über die Schönheit des Wagens und untersuchten sachverständig die Schaltungen und das Armaturenbrett, dann sagte Pogson zum Chauffeur: „Ich fahre selbst. Hatte gar nichts gewußt von dem neuen Wagen."

Der Chauffeur riß den Schlag auf. Pogson schob sich ans Steuer und rief Oliver zu: „Also, ich komm mal bei dir vorbei!"

Meisterhaft fuhr er davon, und Oliver starrte ihm nach, bis er verschwunden war.

Mein Wagen wurde gerade von Martin repariert. „Wir nehmen die Untergrundbahn", sagte ich. Oliver fiel aus allen Himmeln.

Was war in mich gefahren? Mit Genugtuung hatte ich den Gegensatz zwischen Pogsons hochherrschaftlicher Abfahrt und unserer bescheidenen Fahrt in der Untergrund betont. Vor kurzem wäre es noch unmöglich gewesen, daß mir etwas Spaß gemacht hätte, wozu Oliver ein schiefes Gesicht zog. Es wäre auch unmöglich gewesen, daß mich die Aussicht, die Ferien mit ihm allein zu verbringen, unangenehm berührt hätte. Aber ich merkte, daß ich bei dem

Gedanken, mit Dermot zusammen nach Dublin zu fahren, erleichtert aufatmete. Maeve hatte zu tun, Sheila und Eileen verbrachten ihre Ferien anderswo, und Livia war fort. So wären Oliver und ich allein in Reiherbucht gewesen, und ich war froh, daß es nicht dazu kommen sollte. Während die Untergrundbahn nach dem Norden ratterte, saßen wir ziemlich einsilbig nebeneinander, und ich dachte an die Zeiten, wo ein Wort – ein beliebiges Wort genügte, um eine Unterhaltung zwischen uns anzuspinnen.

In Hampstead stiegen wir aus und gingen nach Hause – am Teich vorüber den Hügel hinauf.

„Komm in mein Arbeitszimmer, wenn du fertig bist", sagte ich, „wir wollen Tee trinken."

Mit dem Koffer in der Hand stieg er die Treppe hinauf zu seinem Zimmer; der Koffer war recht schwer, aber er hatte ihn mühelos den Weg bergauf getragen.

Als er wieder herunterkam, war er von Kopf bis Fuß umgezogen und trug jetzt einen grauen Flanellanzug mit blauem Hemd und roter Krawatte. Er ließ sich in einen Sessel fallen und wippte verliebt mit seinen neuen braunen Schuhen. Der Teetisch stand zwischen uns. Während er die Tasse vor sich hielt, sah er sich im Zimmer um und blieb schließlich an einer Fotografie von sich hängen, die auf einem niedrigen Bücherbord stand.

„Du hast mich lange nicht aufnehmen lassen", sagte er und nickte lächelnd zu dem Bild hinüber. Seine Zähne leuchteten weiß aus dem braunen Gesicht.

Er ließ mir keine Zeit zur Antwort. „Ich habe Mutter einmal danach gefragt, weißt du noch, nach der alljährlichen Zeremonie."

Er meinte den Besuch beim Fotografen, der zu Lebzeiten seiner Mutter an jedem Geburtstag fällig war.

„Sie sagte, du glaubtest, ich würde einmal berühmt werden, und du brauchtest die Bilder für meinen Biographen."

Er lächelte diesmal etwas spöttisch. Ich hatte es tatsächlich einmal halb im Scherz zu Nellie gesagt. Olivers Bilder lagen sorgfältig in meinem Schreibtisch verwahrt.

„Wir haben jetzt eine ganze Reihe Jahre ausgelassen, und ich möchte gerne eine neue Aufnahme von mir haben. Ich habe nämlich besondere Gründe dafür."

Sein überlegenes Lächeln fiel plötzlich in sich zusammen, und das Blut stieg ihm in den Kopf. „Ehrlich gesagt – ich möchte Livia Vaynol ein Bild schenken. Ich mag sie furchtbar gern." Es brach hastig aus ihm heraus.

Mir klopfte das Herz. Auf dieses Geständnis war ich nicht gefaßt. – „Sie hat mir die ganzen letzten Monate nicht geschrieben. Sie schrieb sonst immer."

Die Stimme versagte ihm einen Augenblick. Er setzte die Tasse hin, und sie klapperte, als habe ihm die Hand gezittert. Endlich sagte er: „Ich habe mit dir darüber reden wollen, aber es war nicht so einfach. Du glaubst natürlich, ich sei noch ein Junge. Das stimmt nicht. Ich fühle mich ganz erwachsen . . ."

Er geriet wieder ins Stocken, verwirrte sich und fand die Worte nicht, die er suchte.

„Hör zu, Oliver", sagte ich, „glaube nicht, daß ich für das Gefühl eines jungen Menschen kein Verständnis habe. Ich weiß, wie lauter und rein es sein kann und wie weh es tut. Aber es geht vorüber und wandelt sich. Das weiß ich gewiß. Denn sonst könnte ich dir niemals sagen, was ich dir jetzt zu sagen habe. – Livia bat mich selbst, es dir zu sagen: wir werden bald heiraten."

Ich hörte meiner Stimme zu, als spräche ein Fremder: „Wir werden bald heiraten!" Es klang so nüchtern. Ich hatte mir diesen Augenblick, in dem ich es Oliver sagen würde, oft ausgemalt und mir die Szene vorgestellt. Nun war es heraus, plötzlich und unverblümt. Ich hatte mir wohl auch auszudenken versucht, wie er sich benehmen würde: blaß werden, aufbrausen, protestieren. Nichts dergleichen geschah. „Ich fühle mich ganz erwachsen", hatte er gesagt; vorhin am Bahnhof hatte ich ihn plötzlich als Mann gesehen, und er reagierte auch wie ein Mann. Er blieb ganz ruhig, nur die Lippen waren trocken, und er feuchtete sie mit der Zunge an. Dann sagte er: „Ich wußte, daß du Livia gern hattest. Es ist also keine Überraschung für mich. Ich glaube nur, daß du einen Fehler machst."

Die Worte kamen ganz ruhig heraus. Erst an der Blässe seines Gesichtes und dem Klopfen seines Halses sah ich, daß er tief erregt war.

„Was soll das heißen – einen Fehler?" fragte ich und erhob mich halb vom Stuhl. Aber ich fiel wieder zurück. Nein. Auf Erörterungen hierüber konnte ich mich nun doch nicht einlassen. Ich beugte mich zu ihm und wollte ihm die Hand aufs Knie legen. „Oliver, bitte versteh . . .", aber er stand auf und sah auf mich herab, sehr gefaßt und rührend hochmütig. Dann sprach er aus, was ich dachte: „Wir können doch darüber nicht diskutieren, nicht wahr? Wir haben einander nichts zu sagen."

Er zog ein billiges Stahletui aus der Tasche, öffnete es und hielt es mir hin. Ich schüttelte den Kopf und starrte zu Boden. Oliver steckte sich eine Zigarette in den Mund, klappte das Etui betont gleichgültig zu und ging aus dem Zimmer.

Um acht sollten wir essen. Schon um Viertel vor acht stöberte ich im Eßzimmer herum und inspizierte den Tisch. Für Oliver sollte alles untadelig sein. Ich schnauzte das Hausmädchen an, weil ein Salzfaß nicht ganz blank war, und schickte sie barsch hinaus, um es zu putzen. Ich steckte die Blumen um und fingerte an den Bestecken. Mein Herz krampfte sich zusammen. Ich konnte die kleine Geste nicht loswerden, mit der er das Zigarettenetui zugeklappt hatte. Vielleicht war er nur fortgestürzt, um sich auszuweinen, nachdem er die Tür geschlossen hatte.

Etwas vor acht ging ich hinauf, um ihn zu holen. Er war nicht im Zimmer. Ich rief: „Oliver“, und er antwortete aus seinem Schlafzimmer: „Ja. Herein.“

Ich ging hinein. Er saß im Bett, den Hausmantel über dem Pyjama und lächelte mich an. „Hallo! Soll ich was?“

„Du scheinst die Uhr vergessen zu haben, mein Junge“, ich sprach mit dem gleichen falschen Lächeln wie er. „Willst du nicht zum Essen kommen? Was liest du da Gutes?“

„Nicht übel“, damit warf er mir den Schmöker hin, in dem er las. Es war Fergus Humes' „Geheimnis einer Droschke“. „Ich habe es von Poggy.“

„Es ist ganz nett.“ Ich war zum erstenmal darauf bedacht, über die sonderbaren Bücher mit ihm zu sprechen, die er sich aussuchte. „In seiner Art ist es sogar gut.“

„Nun ja, ich bin fast damit durch, dann leg' ich mich lang. Ich bin hundemüde.“

„Willst du denn nichts essen?“

„Nein, danke. Hunger habe ich nicht die Spur.“

„Wie steht es mit einer Platte? Soll ich dir etwas heraufschicken?“

„O nein, wirklich nicht.“

„Aber ...“

„Mach dir keine Umstände.“

„Dann werde ich bestellen, daß man ruhig ist. Ach so, hier, ich wollte dir das wiedergeben.“ Ich zog das goldene Zigarettenetui aus der Tasche.

„Nein – bitte nicht. Ich weiß, wie du daran hängst.

Außerdem habe ich ja jetzt dies hier. Poggy schenkte es mir. Ich habe das alte Ding liebgewonnen." Er nahm das Stahletui von seinem Nachttisch. „Darf ich dir eine anbieten?"

Ich schüttelte den Kopf und hielt das Goldetui ratlos in der Hand; dann ließ ich es in die Tasche gleiten.

„Gut, ich sage ihnen also, sie sollen leise sein."

„Das ist furchtbar nett von dir. Gute Nacht." Er sah in sein Buch, ich war entlassen.

An der Tür zögerte ich und behielt die Klinke in der Hand. „Sehen wir uns zum Frühstück?"

Er sah hastig auf, als hätte er gedacht, ich sei schon fort. „Ach so, Frühstück!" Er lächelte wieder, aber diesmal hart und spöttisch, als ob er sagen wollte: Sieh mal an, wie du nach meiner Pfeife tanzt.

„Zum Frühstück?" Er erwog den Fall. „Das wäre eigentlich eine Gelegenheit für eine hübsche Platte. Sag doch, sie möchten es heraufschicken."

Ich dachte nicht mehr ans Essen. Ich ließ abräumen. Ich hielt es auch zu Hause nicht aus. Ich ließ Martin kommen und fuhr in die Stadt. Da aß ich in einem überfüllten Restaurant und wartete, bis das St.-Johns-Theater aus war. Dann holte ich Maeve ab und begleitete sie in ihre Wohnung in der Brutonstraße. Der Abend war schwül, auch um Mitternacht kühlten sich die Straßen nicht ab. Maeve war erschöpft und ruhte ihren Kopf an meiner Schulter aus. „Deinem alten Stück kann nichts etwas anhaben, Bill", murrte sie leise, „nicht einmal diese Hitze. Manchmal wünschte ich, es wäre anders. Ich bin so müde."

Annie Suthurst war noch auf und fuhrwerkte mit geschlagenen Eiern in Milch herum. „Jetzt machen Sie aber, daß sie fortkommen, Herr Essex", sagte sie vorwurfsvoll. „Ich bringe jetzt Fräulein Maeve zu Bett. Sehen Sie nicht, daß sie fertig ist? Ich dulde nicht, daß Sie die halbe Nacht aufsitzen und mit ihr quatschen."

„Unsinn, Annie", lächelte Maeve und schluckte ihre Milch, „ich sehe Herrn Essex so selten, wir werden uns mal ordentlich ausquatschen." Aber wir sprachen wenig. Wir saßen im dunklen Zimmer bei weit offenen Fenstern, lauschten dem Summen der Londoner Straßen, das nie ganz zur Ruhe kommt, und sahen einsilbig auf die Platanen des Berkeleyplatzes, deren Blätter im Schein der Straßenlaternen glänzten, wie aus Metall gestanzt. Dann gingen wir hinunter und schlenderten Arm in Arm um den Platz herum.

Als wir wieder vor dem Haus standen, fragte sie: „Geht es wieder?"

„Ja."

„Das freut mich. Ich sah dir an, daß es dir schlecht ging."

Es war zwei Uhr. Ein leichter Wind wehte um die Ecke, und Maeve fröstelte. Sie blickte empor, ungewiß, ob ich reden würde. Ich schwieg, und sie schüttelte den Kopf.

„Besinnst du dich auf den alten Dobbin in Thackerays ‚Vanity Fair', Bill – den armen Kerl, der den Mund nicht auftun kann?"

„Hm."

„Genau wie du." Ihre Hand schlüpfte aus meinem Arm, und sie eilte nach oben.

Am Morgen kam ein Brief von Livia aus Tour des Roches in der Provence.

„Hier bin ich nun auf unserem Bauernhof. Wie vertrauensselig Du bist. Du hast mich genommen und weißt noch nicht einmal, daß mein Vater aus dieser Gegend stammt. Ja, er war von hier. Jetzt brauche ich Dir nicht mehr zu erzählen, wie es zugegangen ist – sehr einfach übrigens. Er gab in London Sprachunterricht, ein Mädchen, das ein bißchen Geld hatte, verliebte sich in ihn, vor einigen Jahren starben sie beide, und das bißchen Geld – nur ein kleines bißchen – kam an mich. Die Brüder meiner Mutter sind Börsenmakler, deshalb entschloß ich mich, allein zu leben.

So, jetzt weißt Du wenigstens etwas von mir! Hier wohne ich auf dem Hof meines Onkels. An der einen Ecke steht ein kleiner Turm, und in dem Turm sind zwei runde, kleine Stuben, eine über der anderen. Die untere ist das Wohnzimmer, und von dort klettert man auf einer Leiter ins Schlafzimmer. Diese beiden Stuben sind jetzt mein, und von beiden sehe ich auf die Felsenhügel hinter dem Hof, die mit dem Turm dem Ort den Namen gegeben haben.

Es ist schön, ganz wunderschön, Bill, wenn auch im Augenblick etwas heiß. Wenn Du Dir das Leben hier vorstellen willst, lies Daudets ‚Briefe aus meiner Mühle'.

Ich habe Wertheim nichts gesagt, daß ich aus London fortfahre. Wenn Du ihn siehst, sage ihm, daß ich hier – nach einigen Tagen Ruhe – keineswegs zu faulenzen gedenke. In den Dörfern der Provence stoße ich sicher auf gute Kostümideen, und außerdem will ich mich an einige Chansons machen.

Oliver wird wohl jetzt zu Hause sein. Hast Du schon mit ihm gesprochen? Grüß ihn herzlich von mir – wenn Du es für richtig hältst. Ich bleibe auf jeden Fall hier, bis die Schulferien vorüber sind. Herzlichst Livia"

„Wenn Du es für richtig hältst." Die Frage war nach einer scheußlich schlaflosen Nacht nicht leicht zu entscheiden. Ich goß mir noch mal Kaffee ein und drehte den Brief unschlüssig in der Hand, als das Hausmädchen aufgeregt hereinkam.

„Haben Sie das Frühstück hinaufgebracht?"

„Ja, Herr Essex. Das wollte ich Herrn Essex gerade sagen. Herr Oliver ist nicht da."

„Nicht da? Aber er hat doch gesagt, er wolle im Bett frühstücken. Ist er schon auf? Haben Sie ihn gesehen?"

„Nein, Herr Essex. Ich habe überall nach ihm gefragt. Es hat ihn keiner gesehen. Aber hier ist ein Brief."

Sie gab mir den Brief. Es war Olivers Handschrift, und er war an mich gerichtet. Ich versuchte meine Erregung zu verbergen. „Bringen Sie mir noch etwas Toast, ja, auch noch Kaffee."

Als sie draußen war, öffnete ich den Brief.

„Mein lieber Vater. – Ich bin jetzt über siebzehn Jahre alt – alt genug, um zu wissen, was ich will. Ich bin über die Schule hinausgewachsen. Ich bin groß für mein Alter, größer als die meisten anderen Jungen, und das ist mir unangenehm. Nachdem Pogson abgegangen ist, würde es jetzt nur schlimmer auf der Schule werden. Ich hätte Dich ohnehin gebeten, mich ein Jahr für mich arbeiten oder sonst etwas tun zu lassen, bevor ich zur Universität gehe, aber vielleicht hat sich das jetzt auch geändert, und Du willst mich womöglich gar nicht mehr studieren lassen. Wenn ich eine Stellung finde, die mir zusagt, hat die Universität ja auch keinen Zweck. Ich will mir nämlich etwas suchen. Du brauchst Dir keine Sorgen über mich zu machen. Ich sagte Dir ja gestern abend schon, ich bin jetzt erwachsen, und Du hast Dir in meinem Alter sicherlich auch Dein Brot selbst verdient. Ich habe mir schon dies und das überlegt, wenn ich auch leider nicht dazu erzogen wurde, mit Kopf und Händen viel zu leisten. Sobald ich etwas gefunden habe, gebe ich Dir Bescheid. Ich weiß, daß man ein Vierteljahr vorher kündigen muß, wenn man die Schule verlassen will; so wird Dich der Scherz leider etwa hundert Pfund kosten, aber ich zahle sie Dir sicher bald zurück mitsamt dem Betrag, den Du im Leihhaus für das Zigarettenetui ausgelegt hast. Wie Du weißt, interessiere ich mich sehr für Dampfjachten. Ich habe mich nun seit einiger Zeit eingeschränkt und eine ‚Jachtkasse', wie ich es nenne, gegründet. Das kommt mir jetzt sehr gelegen, weil ich zehn Pfund habe, mit denen ich mich eine Weile über Wasser halten kann.

Dein Oliver"

Kein Wort von Livia. Kein Wort, warum er wirklich fortging. Ich stürzte aufgeregt an dem Hausmädchen vorbei, das Kaffee und Toast brachte, nach oben in seine Räume. Das Wohnzimmer, das Schlafzimmer, das Badezimmer – ich hatte gedacht, daß wir uns hier eines Tages finden würden. Ich hätte in meinem Zimmer gearbeitet und gewußt, daß sich ein junger, wißbegieriger Geist neben mir entfaltete.

Ich wußte plötzlich zutiefst, daß Oliver nie wieder zurückkehren würde. Und so kam es auch.

Auf einmal war mir das Haus mit seinen Dienstboten und seinem vermessenen Überfluß an Zimmern in der Seele verhaßt. Das alles war für eine Zukunft verschwendet worden, die nun vorüber war. Ich setzte mich in Olivers Stuhl und grub den Kopf in die Hände.

Als ich aufstand, fühlte ich, daß ich alt und verbraucht war. Im Kamin lag ein Haufen verkohltes Papier. Die Schreibtischschublade stand offen. Er schien gründlich reinen Tisch gemacht zu haben. Ich stöberte mit dem Fuß in der Asche, hier und da kam ein Fetzen zum Vorschein, unverbrannt, meine Handschrift, Briefe. Nach der Größe des Aschenhaufens mußten es recht viele gewesen sein. Offenbar hatte er alle meine Briefe verbrannt, die er von Kind an aufbewahrt hatte.

VIERTES BUCH

24

Dermot und ich stiegen im Hamman-Hotel an der O'Connell-Straße ab – das große Gebäude mit der glatten Fassade, das nachher bei der Beschießung und der Feuersbrunst zugrunde ging. „Ich hielt mich bei der Armee des Freistaates in einem gegenüberliegenden Hause auf. Das Hamman-Hotel brannte seit langem. Plötzlich sah ich, wie sich die ganze Fassade in einem Stück langsam vornüberneigte, einen Augenblick in der Schwebe hing und krachend auf die Straße stürzte. Dann schlugen die Flammen zum Himmel, und die Hölle brach los."

So wurde mir der Vorgang von einem Augenzeugen geschildert. Durch das Feuer wurden alle, die sich in dem Gebäude verborgen gehalten hatten, wie Ratten ausgeräuchert. Sie stürzten heraus und wurden von denen niedergeschossen, die früher ihre Kameraden gewesen waren.

Das Vorgefühl des Kommenden lastete bereits wie ein Verhängnis über der schönen, berüchtigten Stadt. Anfang August kamen wir an, und Ende Oktober reisten wir wieder ab. Drei Monate lang habe ich dort wie in einem Traum gelebt, dem ein böses Erwachen folgen mußte.

Donnelly, Rory und Maggie sahen wir oft, aber es war ein seltsamer Zustand, nie zu wissen, wann wir sie zu sehen bekamen. Oft hatten wir uns mit einem von ihnen irgendwo verabredet, etwa mit Rory, dann tauchte Maggie auf und erklärte dunkel, daß er plötzlich anderweitig gebraucht werde. Erwarten wir Donnelly, so kam Rory und sagte, Donnelly halte es für „sicherer", sich heute nicht sehen zu lassen.

Eine Wolke von Geheimnis und Verschwörung lag in der Luft, und jeder sah sich seinen Nachbarn zweimal an, bevor er den Mund auftat. Als ich einmal mit Donnelly spazierenging, zischte er plötzlich: „Gehen Sie ruhig weiter", bog links ab und war verschwunden. Zwei Männer kamen mir entgegen, und als sie um die Ecke bogen, wo Donnelly verschwunden war, hörte ich an ihren Schritten auf dem Pflaster, daß sie losrannten. Ich ging weiter geradeaus, wie Donnelly mir gesagt hatte, und zu meiner Überraschung stieß er plötzlich aus einem Zigarrenladen wieder zu mir. „Es ist doch gut, wenn man die Hintertüren kennt", erklärte er lächelnd.

Donnelly war jetzt Witwer. Er wohnte in einem Arbeiterhäuschen, zwei Zimmer unten und zwei Zimmer oben, und schlief mit Rory zusammen. Das Wohnzimmer war mit Möbeln vollgepfropft. Bücherregale, die von den Neigungen eines Gelehrten zeugten, ein großer „Sekretär"-Schreibtisch und ein Klavier. Und – als ob es nicht schon voll genug wäre – ein riesiger Vogelkäfig, zwei Meter lang, ein Meter hoch, in dem sich ein Wellensittichpaar unaufhörlich schnäbelte.

Eines Abends kamen wir hier zu einem der Liederabende zusammen, wie sie Donnelly liebte. Donnelly, Maggie, Rory, Dermot und ich. Es war heiß, und die Vorhänge waren von dem offenen Fenster zurückgezogen. Maggie spielte, und Donnelly warf sorglos den Kopf zurück und sang. Wir sangen alle mit. Volkslieder, Schlager und Kirchengesänge, wie es uns einfiel.

Ich saß in der Fensternische und konnte von dort die Straße überblicken. Ein junger Mensch kam gemächlich auf das Haus zu, hob im Vorübergehen die Hand und warf etwas ins Fenster. Pfeifend ging er weiter.

Donnelly stürzte sich auf den Stein, warf einen einzigen Blick darauf, schleuderte ihn wieder durch das Fenster in den Vorgarten und sagte: „Schnell!"

Was folgte, spielte sich in Sekunden ab. Offenbar waren die Rollen schon vorher verteilt worden. Maggie schloß das Fenster und zog die Vorhänge zu. Donnelly sprang an seinen Schreibtisch und nahm einen Stoß Papiere heraus. Rory war mit einem Schritt am Vogelkäfig und zog den falschen Boden heraus. Kaum fünfzehn Sekunden, und die Papiere steckten im Käfig, der falsche Boden war zu, und Donnelly sagte: „In Ordnung."

Maggie saß am Klavier und hämmerte aus Leibeskräften „Annie Laurie", und das Konzert ging weiter. Wir waren noch bei der ersten Strophe, als es an die Tür klopfte. Donnelly ging zur Tür, Maggie spielte weiter, und die Wellensittiche schnäbelten sich.

Zwei Männer kamen herein und trieben Donnelly vor sich her. Man sah ihnen auf eine Meile an, daß sie Kriminalbeamte waren. Mir und Dermot warfen sie einen finsteren Blick zu und sagten: „Raus mit Ihnen!"

Wir gingen.

Spät in der Nacht kam Donnelly ins Hotel Hamman, um noch einen Schluck mit uns zu trinken. Wir atmeten auf bei seinem Anblick. Er sagte nichts darüber, wie es ausgegangen war. Offenbar nahm er an, seine Gegenwart beweise uns zur Genüge, daß die Wellensittiche ihr Geheimnis bewahrt hätten.

Zum erstenmal im Leben sah ich Blut vergießen. Jim Larkins Riesengestalt hob sich über eine ungeheure Menschenmenge. Sein Pathos spielte virtuos und demagogisch auf dem empfänglichen Instrument, das in einer Stadt, wo einundzwanzigtausend Familien in je einem Zimmer hausen, so leicht zu beschaffen ist. Die Menge wankte und wich, als die Polizei auftauchte und mitten in sie hineinsprengte. Dermot packte mich am Arm. „Um Gottes willen!“ schrie er und zerrte mich aus dem Handgemenge. Wir rissen schimpflich im Strom der Menge aus, die sich in Gassen und Seitenstraßen verlief. Drei Tote blieben am Platz.

Es war eine unheilvolle Stadt, und Jammer gab es genug zu sehen. Die zerlumpten Arbeitslosen, die herausgeworfen worden waren, weil die Arbeitgeber nichts mit den Gewerkschaften zu tun haben wollten, zogen wie hungrige Wölfe durch die Straßen, rotteten sich auf dem Liffey-Kai zusammen und drängten in die Freiheitshalle, wo Maggie in der Volksküche Suppe mit austeilte.

„Suppe! Mein Gott, Gewehre wollen sie und keine Suppe!“ eiferte Dermot. Und bald bekamen wir auch die Gewehre zu sehen.

Da erxerzierte die Bürgerwehr im Croydon-Park. Wir sahen Donnelly in der Uniform eines hohen Offiziers, er lief lebhaft herum, mit scharf blickenden Augen. Und Rory exerzierte als Leutnant seinen abgerissenen Trupp ein, als hätte er in seinem Leben nichts anderes gemacht. Er schrie herum, fluchte und lobte sie, und sie grinsten dabei, gaben es ihm gelegentlich zurück und sahen ihn an, als würden sie für ihn durchs Feuer gehen.

Ich warf Dermot neben mir einen Blick zu; sein Bart zuckte, und die Augen funkelten. „Na, wie gefällt dir das?“

Zum erstenmal im Leben blieb mir Dermot die Antwort schuldig. Er nahm mich unter den Arm und ging wortlos mit mir fort.

Am Abend besuchten wir Donnelly zu Hause. Rory und er saßen in Zivil ohne Rock und mit aufgekrempelten Hemdsärmeln beim Abendbrot, als wären sie von einer Landpartie zurückgekommen. Über das, was im Croydon-Park geschah, verloren sie kein Wort. Sie unterhielten sich über die Aussichten bei einem Hockeyspiel. Als Maggie hereinkam, stand Donnelly auf und legte noch ein Gedeck hin. „Nun, was hat die Frau den ganzen Tag getrieben?" fragte er herzlich.

„Wunden verbunden", antwortete sie.

„Wir wollen uns ein paar Bauten ansehen", sagte Dermot. Es gab schöne Häuser in dem anständigen Stil des achtzehnten Jahrhunderts. Wir hielten uns nicht lange auf und genossen nur hier und da die klaren Proportionen eines Kamins oder die aufregende Schönheit einer Stuckdecke.

Wir hielten uns nicht auf, weil es in den Straßen so widerlich war. Es stank nach Abfällen, jede zweite Fensterscheibe war zerbrochen, die Türen hingen schief in den Angeln oder fehlten ganz, auf den Türstufen saßen schmutzige Weiber, und schreiende Kinder schimpften auf den Fußsteigen herum. Aus den Fenstern hingen alte Vetteln heraus, muffelten und krächzten uns nach, und auf den kahlen Treppen knallten Nagelschuhe. Die schönen Häuser bargen das erbärmlichste Elend, das ich je gesehen habe. „Heiliges Irland!" sagte Dermot mit einem bitteren Lachen.

Es kamen die Tage in den Wicklow-Bergen. Ein Tag war darunter in Howth-Head, wo wir alle fünf schweigend in der Heide lagen, in den klaren Himmel und auf das blaue Meer starrten und die Möwen beobachteten, die über uns dahinkreisten. In einem Bauernhaus tranken wir Tee und aßen gekochte Eier mit Brot, Butter und Honig dazu. Es war so schön, daß ich nicht an eine Welt glauben mochte, in der Donnelly plötzlich neben mir verschwand, Rory sich auf dem Paradeplatz heiser schrie, Tote herumlagen, die die Polizei niedergeritten hatte, Schönheit zu widerlichen Elendsquartieren zerfiel und Maggie Verbände anlegen lernte.

Ich ließ die anderen bei Tisch zurück und ging hinaus auf das Feld hinter dem Häuschen. Von dort sah ich noch einmal das Meer, auf dem jetzt in der Abendsonne lauter Goldstücke aufleuchteten. Während ich dort stand, kamen Maggie und Rory um die Ecke des Häuschens. Sie gingen Hand in Hand, und die Sonne blendete ihnen die Augen, so daß sie mich nicht gleich sahen. Sie schwiegen, aber im Gehen wandten sich ihre Gesichter wie von selbst einander zu. So kamen sie langsam näher, Hand in Hand und Auge in Auge, steten Schrittes und voller Zuversicht, die Sonne im Angesicht und die lichte Weite der See hinter ihren

Köpfen. Als sie mich sahen, ließen sie verlegen ihre Hände los, und mir fielen Maeves Worte ein: „Sie lieben sich, aber sie wissen es noch nicht.“ Nun, jetzt wußten sie es.

Ich erhielt einen Brief von Oliver, der mir aus Hampstead nachgeschickt wurde.

„Mein lieber Vater. – Du wirst Dich freuen, zu hören, daß ich schon eine Stellung habe. Das erste, was ich tat, war, daß ich Pogson meinen Fall vortrug. Er hat sich sehr anständig benommen und bestand darauf, daß ich die Nacht über bei ihm blieb. Von seiner Familie war niemand da. Sie waren nach Schottland gefahren, aber zum Glück hatte Pogson noch einiges in der Stadt zu erledigen, bevor er ihnen nachreiste. Er hatte drei Tage Zeit, und als anständiger Kerl fragte er sofort bei seinem Vater an, ob er in seinem Kontor etwas für mich hätte. Herr Pogson schickte mir darauf ein Empfehlungsschreiben an einen seiner Abteilungsleiter in Holborn. Pogson ging mit mir hin. In dem Brief stand, sie sollten mich vorläufig irgendwo beschäftigen, bis Herr Pogson wiederkäme, dann wollte er sich näher mit der Sache befassen.

Pogson mußte am nächsten Tage abreisen, und ich habe mir ein Zimmer im Norden, in Camden, genommen. Die Adresse schreibe ich Dir nicht, weil Du Dich doch nicht gern hier sehen lassen würdest. Wenn ich erst etwas weiter bin, läßt es sich vielleicht einmal anders einrichten. Hauptsache ist, daß ich erst einmal etwas gefunden habe, obwohl ich mit Geld sehr knapp bin und diesen Sommer ohne Ferien auskommen muß.

Herr Pogson blieb sechs Wochen fort und ließ mich kommen, als er zurück war. Natürlich kannte er mich noch von meinem Besuch in Schottland her und aus Pogsons Erzählungen. Er fragte mich, was ich zu tun hätte, und ich sagte ihm, so allerhand Schreibereien. Und da meinte er, ich sollte vorläufig dabeibleiben, und er wolle abwarten, wie ich mich machen würde. Aber er war sehr anständig und fragte mich, ob ich zufrieden sei. Ich sagte ja, und da sagte er, das sei die Hauptsache, und wer bei Pogsons arbeite, habe auch allen Grund dazu.

Ich bin also noch nicht weit über den Anfang hinausgekommen, aber ich bereue meinen Schritt nicht und bin entschlossen, durch dick und dünn durchzuhalten, obwohl es im Augenblick etwas knapp geht.

Dein Sohn Oliver“

Ich wollte in den nächsten Tagen von Dublin abreisen, aber ich wartete nicht, bis ich zu Hause war, sondern steckte sofort eine Fünf-Pfund-Note in einen Brief und schickte ihn unter Pogsons Holborner Adresse an Oliver. Gleichzeitig sprach ich ihm meine Anerkennung dafür aus, daß er den Mut gehabt habe, selbständig einen Beruf anzufangen, und wünschte ihm Glück für sein weiteres Fortkommen. Ich legte ihm nahe, ob er jetzt, da er auf eigenen Füßen stünde, nicht doch lieber nach Hause zurückkehren wolle, und schrieb ihm, ich würde mich in jedem Falle freuen, wenn er mich in Hampstead besuchen würde.

Bei meiner Rückkehr fand ich einen Brief vor. Er schrieb, in Camden fühle er sich wohler, wenn er nicht immer wieder den Gegensatz zu Hampstead zu spüren bekäme, übrigens wünsche er, nachdem er einmal von Hause fortgegangen sei, völlig auf eigenen Füßen zu stehen. Die Fünf-Pfund-Note lag wieder bei.

Livia war während meines Aufenthaltes in Dublin nach London zurückgekehrt. Ich hatte ihr nichts davon geschrieben, welche Wendung die Angelegenheit mit Oliver genommen hatte. Darüber mußten wir uns persönlich aussprechen, und ich beschloß, sie am Tag nach meiner Ankunft abzuholen und mit ihr zu Mittag zu essen.

Aber zuerst mußte ich Oliver sehen. Ich wollte keinen Versuch machen, ihn zu sprechen; dabei konnte doch nichts herauskommen. Aber mein Herz sehnte sich danach, ihn wiederzusehen – um so schmerzlicher, da ich jetzt so lange mit Dermot und Rory zusammen gewesen war und schweren Herzens mit angesehen hatte, wie stolz Dermot auf seinen Sohn war und wieviel Freude er an ihm hatte.

Nur sehen wollte ich Oliver, weiter nichts. Am nächsten Tag schritt ich zur Essenszeit gegenüber der polierten Granitfassade der Pogson-AG. in Holborn auf und ab. Es war der erste November, aber warm und heiter wie ein später Herbsttag. Lange ging ich dort auf und ab und sah mir jeden, der bei Pogson herauskam, aufmerksam an. Mich interessierten alle diese Gesichter, weil jeder von ihnen Oliver kennen konnte, vielleicht neben ihm arbeitete und eben noch mit ihm gesprochen hatte.

Schließlich ging ich über die Straße. Vielleicht machte es sich doch ganz gut, wenn ich auf der anderen Seite entlangschlenderte, bis ich Oliver erblickte, dann schnell auf ihn zuging und ihn überrascht begrüßte: „Himmel, Junge! Ist das ein Zusammentreffen! Ich hatte ganz vergessen, daß du in Holborn arbeitest. Wie wär's, wenn wir zusammen zu Mittag äßen?"

Zwei bessere Herren kamen aus dem Haus. Ich ging auf sie zu: „Entschuldigen Sie, kennen Sie vielleicht einen Angestellten namens Essex, der hier neu eingetreten ist, und können Sie mir sagen, wann er Tischzeit hat?"

Der Mann, den ich ansprach, sah mich von oben herab an und sagte zu seinem Begleiter: „Kennen Sie Ihre neuen Angestellten alle, Pogson?"

„Nein. Aber wir haben einen Burschen namens Essex. Einen Freund von Philipp. Aber weiß der Teufel, wann der Tischzeit hat. Keine Ahnung."

Das also war Pogson. Er hatte unangenehm aufgelacht bei der Zumutung, er könne die Tischzeit eines Angestellten kennen, und Oliver mit einer Handbewegung abgetan wie eine lästige Verpflichtung, die ihm sein Sohn aufgehalst habe. Jetzt ließ er mich stehen und winkte sich ein Taxi.

Da überfiel mich wieder die Furcht, mit Oliver zusammenzutreffen. Wenn er in diesem Augenblick herauskäme und mich hier herumstehen sähe, würde ich mich totschämen. Mir fiel plötzlich die Fünf-Pfund-Note ein, die er mir nach Hampstead zurückgeschickt hatte. Ich fühlte, wie mir das Blut in die Stirn stieg, und ich ging schleunigst auf die andere Straßenseite zurück. Gegenüber von Pogson war eine Buchhandlung, und vor der Ladentür waren zu beiden Seiten Bücher ausgelegt. Dort konnte ich stehenbleiben und so tun, als wühlte ich in den Büchern, während ich den Eingang zu Pogson im Auge behielt.

Da war er. Angestellte waren zu zweit und dritt herausgekommen, Oliver kam allein. Ganz langsam ging er die paar Stufen hinunter, die von der Drehtür auf die Straße führten. Er war ohne Hut und Mantel, und die milde Herbstsonne, die auf der Straße lag, ließ sein welliges Haar aufleuchten. Er blieb einen Augenblick stehen, sehr aufrecht und elegant, und klopfte sich eine Zigarette auf dem Fingernagel. Wenn ich erwartet hatte, ihn gebrochen und gedemütigt zu finden, so hatte ich mich getäuscht. Die meisten Gesichter, die ich aus jener Tür hatte kommen sehen, trugen den unverkennbaren Stempel der Abhängigkeit. Hastig und verstohlen stürzten die blassen Menschen dort heraus, als wären sie froh, draußen zu sein, und zugleich ängstlich, keine Zeit zu versäumen, um beileibe nicht zu spät zurückzukommen.

Oliver aber stand da in seinem anständigen Anzug, sorglos und ohne Hast. Er machte einen zufriedenen Eindruck. Ich fühlte, daß meine ganze Sorge überflüssig gewesen war, und anstatt mich darüber zu freuen, empfand ich das im Augenblick als das Allerbitterste. Ich hatte einen hübschen, gutgekleideten jungen Mann vor mir, der offensichtlich keiner Hilfe und keines Mitleids bedurfte, sondern im Gegenteil mit sich und dem schönen Tag draußen ungemein zufrieden war. Der Ruck, mit dem er den linken Arm hob, um nach seiner Armbanduhr zu sehen, war mir wohlvertraut, dann sah er zum Himmel, wandte sich nach links und schritt langsam die Straße hinunter.

Nun, der Zweck meines Kommens war erfüllt, ich hatte ihn gesehen. Und was nun? Nichts! Ich konnte nicht mehr tun. Ich war bereit gewesen, ihm alles, was er brauchte, mit vollen Händen zu geben, und er schien nichts zu brauchen, auch mich nicht.

Ich blickte dem schlanken, hochgewachsenen jungen Menschen nach, wie er, den blonden Kopf in der Sonne, die Straße hinunterging, und hatte das Gefühl, als sähe ich vor mir meine eigene Jugend davongehen. Während ich dort stand und ein Buch täppisch in der Hand hielt, das ich mir nicht einmal angesehen hatte, fühlte ich, wie mir die Tränen schmerzhaft hinter den Lidern brannten. Ein abgeschmackter Satz fiel mir ein, der sich mir ins Gedächtnis gegraben hatte. Er tauchte aus jenen längst vergangenen Abenden auf, wo in Ancoats die Vorhänge zugezogen wurden und ich der alten Frau O'Riorden Dickens vorlas: „In unseren Kindern, mein lieber Copperfield, leben wir noch einmal."

Tun wir das? Lieber Gott – tun wir das wirklich?

Mir zitterten die Hände, als ich das Buch zuklappte und in das Regal zurückstellte. Es war, als hätte ich nun alles ertragen, was ich an einem Tag ertragen konnte. Aber in verbissener Selbstquälerei ging ich über die Straße und folgte Oliver auf dem Fußsteig. Unter einer Uhr blieb er stehen und sah sich um. Anscheinend erwartete er jemand „unter der Normaluhr". Ich verbarg mich, so gut es ging, vor einem Schaufenster. Auf wen konnte er warten? Pogson war doch jetzt in Oxford.

Plötzlich fiel es mir wie Schuppen von den Augen, und ich wußte zutiefst, was das glückliche Gesicht, das vorhin zum Himmel sah, und die Haltung eines zufriedenen Menschen, dem die ganze Welt gehörte, zu bedeuten hatten. Ich sah sie kommen. Glückstrahlend eilte sie durch das Gedränge, noch prachtvoll braun von dem langen Aufenthalt in Frankreich und das Haar gebleicht wie reifer Weizen. Ich sah, wie sie sich unwillkürlich beide Hände entgegenstreckten und sich festhielten, und sah sie dastehen und sich in die Augen blicken. Dann winkte Livia einem Taxi, und sie fuhren an mir vorüber. Ich wandte ihnen den Rücken – wie ein Verbrecher, der sein schuldiges Dasein verhehlen muß.

Ob mir Livia von ihrer Begegnung mit Oliver erzählen würde? Sie tat es. Ich rief bei ihr an und fragte, ob ich zum Tee zu ihr kommen dürfe.

„Tu nicht so demütig, Bill", sagte sie. „Natürlich darfst du zum Tee kommen. Komm, wann du willst. Deine Stimme klingt ja fürchterlich. Kommst du vom Zahnarzt?"

„Ich habe gerade einen Schock hinter mir."

„Armer Schatz. Komm und erzähl mir alles."

Sie war herzzerbrechend schön, als ich zu ihr kam. „Noch ganz voll vom warmen Süden" und herrlich braun. Zu mir war sie reizend. Sie schlang die Arme um mich, hob ihr Gesicht und spitzte den Mund wie eine Knospe zum Kuß. Als ich mich zu ihr beugte, duftete mir ihr Haar warm und sonnig entgegen wie frisches Heu.

„Setz dich", sagte sie, „ich will dich verwöhnen. Du siehst ja ganz erschöpft aus. Was ist dir? Ich dachte, du hättest Ferien gehabt. Kommt das alles daher, daß dich Oliver verlassen hat?"

„Du weißt davon?"

„Allerdings. Ich habe gerade mit ihm gegessen. Warum hast du mir denn nichts davon geschrieben?"

Sie sprach so unbefangen und nahm es alles so selbstverständlich, daß mir das Herz aufging. Ich stopfte mir die Pfeife, lehnte mich im Stuhl zurück und atmete zum erstenmal an diesem Tag auf.

„Ich wollte dir die Ferien nicht damit verderben."

„Dafür hast du mir die Rückkehr verdorben. Hier lag schon ein Brief von Oliver mit dem ganzen Stunk. Ich sollte ihn im Kontor anrufen, und dann wollte er mich zum Essen sehen. Ich habe mit ihm zu Mittag gegessen."

„Ich möchte dir keine Vorschriften machen, aber hältst du es für richtig, mit ihm zusammenzukommen?"

„Warum denn nicht? Es ist doch nichts dabei, wenn ich einem armen Teufel, der sehen muß, wie er mit einem Lehrlingsgehalt längskommt, ein anständiges Essen spendiere."

„Das nicht. Aber du bist ihm seit unserer Verlobung so geflissentlich aus dem Wege gegangen, daß es mich doch wundert."

Sie lächelte strahlend. „Stimmt. Mein Widerstand ist zusammengebrochen. Ich mußte ihn eben einfach sehen. Als Stiefsohn macht er mir alle Ehre, obwohl er inzwischen nichts zugelernt hat. Das habe ich ihm auch gesagt und ihm zugeredet, wieder nach Hause zu gehen."

„Und was sagte er dazu?"

„Er meinte, er tauge genausoviel wie du. Du hättest deinen Weg gemacht, und er sähe nicht ein, warum er seinen nicht auch machen sollte. Kurz, er war prachtvoll und ganz obenauf."

Ich rauchte eine Weile schweigend vor mich hin und sagte dann: „Er ist aber nicht deshalb von Hause fort, weil er sich dort eingeengt fühlte und selbständig sein wollte. Er ist deinetwegen fort. Er sagte mir ganz offen, daß du ihm sehr viel bedeutest. Das ist ja auch sein gutes Recht. Hat er dir etwas davon gesagt? Oder soll ich dich lieber nicht danach fragen?"

Sie stand auf und ging unruhig im Zimmer auf und ab. „Nein, laß das bitte. Ich werde schon mit ihm fertig. Sei ohne Sorge."

25

Oliver schrieb:

„Mein lieber Vater. – Leider muß ich Dir nun doch noch meine Adresse schicken, weil ich einige Sachen brauche. Als ich fortging, konnte ich nur so viel mitnehmen, wie in meinen Handkoffer ging. Nun brauche ich vor allem etwas anzuziehen. Würdest Du wohl so gut sein und mir meine ganzen Anzüge schicken, Smoking nicht zu vergessen. Pogson kommt bald für die Weihnachtsferien nach Hause, und es kann sein, daß er hin und wieder mit mir ausgeht. Er hat nämlich öfters geschrieben und gemeint, wir könnten gelegentlich in Westend zusammen essen. Ich freue mich sehr darauf, denn ich habe es noch nie getan. Schicke also bitte die Anzüge. Die Hemdknöpfe und Manschettenknöpfe sind in einer von meinen Schreibtischschubladen. Ich verlasse mich darauf, daß Du mich hier nicht besuchst. Es geht mir gut. Dein getr. Sohn Oliver"

Ich packte alles selber. Dann stand ich in einem Haufen Papier und Krimskrams auf dem Teppich, sah den leeren Kleiderschrank, die herausgezogenen Schubladen der Kommode und die offene Schranktür und war verzweifelt. Was blieb denn noch von Oliver, wenn auch seine Kleider fort waren?

Annie Suthurst rief mich an, und ihre Stimme zitterte vor Zorn. „Hören Sie mal, Herr Essex, wann kriegt Fräulein Maeve endlich mal frei? Sie ist völlig fertig, und wie soll denn so ein junges Blut das auch aushalten, die Abendvorstellungen und die Matineen und Gott weiß was alles? Sorgen Sie mal dafür, daß sie Ferien kriegt!"

Ich kam nicht dazu, ihr zu antworten. Annie hatte den Hörer auf die Gabel geschmissen.

Eine Stunde später rief ich Maeve an. „Wie denkst du über ein paar Tage Urlaub? Wertheim setzt eine ‚leichte Unpäßlichkeit' aufs Programm, und die zweite Besetzung springt heute abend für dich ein. Acht Tage lang gehört dir die Welt."

Maeve hatte mir nie etwas davon gesagt, daß es ihr schlecht ging. Jetzt schrie sie auf vor Freude. „Ach Bill, du denkst doch immer an mich! Ich habe nur noch einen Gedanken im Kopf: Ferien. Wir wollen nett und gemütlich zusammen essen und dann irgendwohin gehen. Was meinst du zum Palladium? Harry Weldon und Klein Tich. Oder weißt du etwas Besseres?"

„Einverstanden, wenn ich dir den Rest der Ferien vorschreiben darf."

„Schießen Sie los, Herr Doktor."

„Morgen früh geht es nach Reiherbucht. Es ist wunderschön dort im Winter. Du nimmst Annie Suthurst mit und faulenzt eine Woche. Ich telegrafiere sofort an Sawle. Abgemacht?"

„Himmlisch. Und heute abend?"

„Ich hol' dich um halb acht ab."

Wir aßen in einem unbekannten Restaurant. Die Abendblätter hatten schon einige Zeilen über Maeves „leichte Indisposition" gebracht, und man durfte sie nicht gerade bei einem vergnügten Diner ertappen. Sie war ausgelassen wie ein Kind, das einen Tag schulfrei hat.

Nur beim Kaffee wurde sie plötzlich ernst. Wir hatten eine Nische für uns in dem altmodischen kleinen Lokal, und es waren nicht viele Gäste da. Als sich Maeve zu mir wandte und meine Hand packte, wußte ich schon, daß sie etwas Ernstes zu bereden hatte. Das konnte ich immer an ihrem blassen Gesicht und ihren blauschwarzen Augen ablesen. Sie schob das rote Schirmlämpchen beiseite, zog sich einen Aschenbecher heran und streifte die Asche von ihrer Zigarette. „Glaubst du wirklich, daß Wertheim seinen Namen ändern muß."

„Warum denn in aller Welt?"

„Er tut es jedenfalls. Heute nachmittag besuchte er mich, um nachzusehen, ob ich ernstlich krank sei. Er ist von einer unbeschreiblichen Güte."

„Das glaube ich auch. Er ist ein feiner Kerl."

„Ja, er blieb fast eine Stunde und erzählte die ungeheuerlichsten Dinge. Er meinte, es gäbe noch in diesem Jahr Krieg."

Sie blickte mich an, und die tiefen Brunnen ihrer Augen trübten sich. „Ist das nicht etwas Schreckliches, ein Krieg, Bill? Siehst du, ich verstehe nichts von diesen Dingen. Ich erinnere mich keines Krieges, nur der Burenkrieg schwebt mir noch undeutlich vor. Und davon haben wir doch nichts gemerkt, höchstens daß wir Plaketten mit den Bildern der Generäle trugen. Ich weiß noch, wie sie hießen: White, Methuen, Gatarce, Buller."

Ich drückte ihr sanft die Hand. „Die Erwachsenen haben mehr davon gemerkt, Kind. Zum Beispiel Annie Suthurst, nicht wahr?"

„Ja, natürlich."

„Aber sag, wie kommt Wertheim darauf? Wieso glaubt er, daß es Krieg gibt?"

„Ach, ich weiß nicht. Er saß nur so da – du weißt ja, wie er dasitzen kann, schwer und unbeweglich –, starrte ins Feuer und sprach wie ein Prophet. Mir lief es kalt über den Rücken. Er ist ja auch immer unterwegs, in Europa und Asien, und sieht die Dinge, wie sie sind, und denkt darüber nach, und er ist sehr klug."

„Das glaube ich sicher."

„Nun, er meint, alles steuere auf einen Zusammenstoß hin, und sagt voraus, es käme noch dieses Jahr dazu. Deshalb will er seinen Namen ändern. Wer einen deutschen Namen trage, sagt er, würde noch vor Ablauf dieses Jahres in England sehr übel daran sein. Er will englischer Staatsbürger werden und seinen Namen in Worthing umändern lassen."

„Sehr merkwürdig."

„Meinst du? Weißt du, Mann, während er sprach, glaubte ich ihm alles aufs Wort. Es war seltsam, wie er seine geschäftlichen Überlegungen von seinen prophetischen Ahnungen abhängig machte."

„Wieso?"

„Nun, er meinte, der Krieg würde entsetzlich werden, und bei all dem Kriegsschrecken würden die Leute große Prachtaufführungen verlangen. Deshalb wollte er seine neue Revue bis ins kleinste fertig haben."

„Merkwürdig", wiederholte ich. Und doch lief es mir plötzlich kalt über den Rücken, als ich von dem gelben Lichtschein der Tischlampe vor mir aufsah und in den dunklen verrauchten Raum des schlecht beleuchteten Lokals blickte. Fünftausend Meilen von hier hatte der alte Con O'Riorden dasselbe vorausgesagt, und jetzt wiederholte Wertheim, der durch die Welt fuhr, sie beobachtete und auf dessen Spürnase ich mich halb und halb verließ, die Warnung.

„Wertheim meint, es komme noch dieses Jahr dazu? Was schreiben wir denn eigentlich?"

„1914. Das klingt wie jedes andere Jahr auch, nicht wahr? Ob es wohl einmal anders klingen wird? Weißt du, da gehen Dutzende und Hunderte von Jahren ins Land, die einem nichts sagen, und plötzlich kommen einige, die anders klingen. 1066. 1660. 1837. Ich bin gespannt, ob 1914 auch einmal seinen besonderen Klang haben wird."

Ich ließ mir die Rechnung vom Kellner geben und zupfte Maeve beim Aufstehen am Ohr. „Glauben wir lieber daran, daß Wertheim sich irrt", sagte ich, „und daß in einer Welt, in der Harry Weldon und Klein Tich auf dem gleichen Programm stehen, alles in Ordnung ist."

Maeve lächelte tapfer und nahm Handschuhe und Tasche. „Ja, wir wollen es versuchen."

Nach dem Palladium fragte ich: „Müde, Kind? Soll ich ein Taxi rufen?"

„Nein, es ist so schön, wir wollen zu Fuß gehen. Bring mich bis zur Tür. Ich nehme dich dann nicht mehr mit hinauf. Annie wird uns aufsässig, wenn ich nicht direkt ins Bett gehe."

So machten wir uns auf den Weg nach der Brutonstraße. Es war eine klare Frostnacht, der Wind ging scharf, und die Sterne glitzerten über den Dächern. Maeve hängte sich in meinen Arm, und wir schoben uns flott durch die Menge. Plötzlich fühlte ich, wie sich ihre Hand um meinen Arm krampfte. Ich beugte mich erstaunt hinab – sie ging mir ja kaum bis zur Schulter. Sie schien stehenbleiben zu wollen. Als sie sah, daß ich ihre Verwirrung bemerkt hatte, beschleunigte sie ihren Schritt. Aber ich war der Richtung ihrer Augen gefolgt und hatte schon gesehen, was sie gesehen hatte. Auf der anderen Straßenseite standen zwei junge Leute im Abendanzug im hellen Licht einer Straßenlaterne: Pogson, den Klapphut schief auf dem Kopf, und Oliver ohne Hut. Pogson lehnte am Laternenpfahl. Er hatte die Hände in den Hosentaschen, und sein Kinn war heruntergesackt. Oliver stand bei ihm, hatte ihn untergefaßt und blickte von ihm zu zwei Mädchen in Riesenhüten und duftigen Faltenröckchen. Soweit ich sah, hatte Pogsons Schlappmachen einen Bummel zu vieren aufgehalten.

„Bleib hier", sagte ich zu Maeve. Aber Maeve dachte gar nicht daran. Sie hing noch immer an meinem Arm, als ich über den Damm ging. Oliver blickte auf und sah uns kommen. Er neigte den Kopf elegant zu Maeve, aber sie schien neben mir erstarrt zu sein und sah ihn an wie ein Gespenst.

„Poggy", Oliver schüttelte Pogson sacht am Arm, „mein Vater."

Bei dem Wort nahmen die jungen Weiber die Röcke in die Hand und rauschten schleunigst um die Ecke.

Oliver schüttelte Pogson weiter, dem der Klapphut immer beängstigender zur Seite rutschte. „Mein Vater", sagte er noch einmal.

Pogson blickte auf, riß sich zusammen, stieß sich mit der Schulter von der Laterne ab, schob sich den Hut in den Nacken und wurde mich und Maeve gewahr. Seine Hand tappte nach dem Hut.

„'n Abend", sagte er. Dann sackte er wieder an die Laterne und sagte nichts mehr.

Ein Taxi fuhr vorüber, und ich winkte dem Fahrer. „Weißt du Pogsons Adresse?" fragte ich Oliver.

„Ja, mein Herr. Ich bringe ihn nach Hause. Ich bin ganz nüchtern."

Das war er sicher. Er sah sogar frisch und elegant aus. Mit Hilfe des Chauffeurs setzte er Pogson in den Wagen. Sie fuhren davon.

Ich ging mit Maeve weiter zur Brutonstraße. Von dem Augenblick, wo sie Oliver sah, hatte sie kein Wort mehr gesprochen, aber auf dem ganzen Heimweg hielt sie meinen

Arm fest umklammert. Auch vor ihrer Haustür hielt sie das Gesicht abgewandt und schwieg. Ich wußte, warum sie sich nicht zu sprechen getraute. Ihre Stimme wäre voller Tränen gewesen – wie ihre Augen.

Ich ging allein weiter um den Berkeleyplatz herum. Ich suchte mich abzulenken. Wie gewaltig war doch die Nacht. Die kahlen Äste der Platanen über mir hoben sich wie gestochen vom Sternenhimmel ab. – Dies war schöne Schmiedearbeit an den Pforten hier, auch die alten Fackelhalter zu beiden Seiten waren ja noch da. – Aber es war umsonst. Mein Geist griff die Dinge nicht auf. Ich ging am Berkeleyhotel vorbei nach Piccadilly, wo nur noch vereinzelte Fußgänger unterwegs waren. Es war nach Mitternacht. Ich wandte mich nach links zum Piccadilly-Circus, aber während des ganzen Weges, so weit ich auch lief, wurde ich die Begegnung unter der Laterne nicht los.

„Ja, mein Herr." Das war am schwersten zu verwinden, schwerer als die Weiber und Pogsons kläglicher Zustand. Die eisige Förmlichkeit stak mir noch immer wie ein Messer im Herzen. So hatte Oliver noch nie zu mir gesprochen. Er stempelte mich zu einem Fremden, zeigte mir die Wand zwischen uns und hieß mich auf meiner Seite bleiben.

Aber, um Gottes willen – es mußte doch etwas geschehen. Ich konnte mich doch von einem siebzehnjährigen Jungen nicht so kaltblütig und entschlossen aus seinem Leben weisen und soviel Hoffnung, Liebe und Mühe zunichte machen lassen. Plötzlich brach ein ganzer Schwarm von Erinnerungen aus der Zeit, da Oliver sich noch nicht allein helfen konnte, über mich herein. Oliver im Bad, so gründlich eingeseift, daß er mir wie eine Forelle aus der Hand glitt; Oliver so klein, daß ich ihn mit den Händen unter die Achseln fassen, aufheben und mit den Beinchen im Nacken auf meine Schultern setzen konnte, während mir die Füßchen auf der Brust herumtrommelten; Oliver, ein kleiner Knirps im roten Sweater und mit den neuen Fußballstiefeln, der in drolligem Eifer zwischen den Torpfählen stand; Oliver am Eingang des Internats, als ich ihn im ersten Schuljahr ablieferte und er mir bis zur Biegung der Einfahrt nachsah, hinter der ich verschwinden mußte: wie er sich das Herz aus dem Leibe winkte, als könne und dürfe er das schicksalsschwere Band nicht zerreißen lassen, das uns so lange miteinander verbunden hatte.

Ein Taxi kroch an der Bordschwelle entlang. Ich hielt

den Chauffeur an, gab ihm Olivers Adresse in Camden und trieb ihn zur Eile an.

„Ich verlasse mich darauf, daß du mich hier nicht besuchst.“ –

Verlaß dich, worauf du willst, mein Junge: ich kann das nicht alles aufgeben, ich kann nicht zusehen, daß das, was so gut angelegt wurde, so jämmerlich verkommt.

Ich wußte, daß Pogson in Sydenham wohnte. Ein Taxi brauchte eine ganze Weile dorthin. Das Haus in Camden konnte ich leicht vor Olivers Heimkehr erreichen. Ich wollte mich nicht in seine Wohnung eindrängen, denn ich verstand seinen Wunsch, mir zu verbergen, wie er hause. Aber er hätte keine Angst zu haben brauchen, daß mir das etwas ausmachen würde. Ich hatte die Shelleystraße, Hulme und Ancoats gekannt. Und die Straße in Camden, die wir entlangfuhren, sah einer Hulmer Straße nicht unähnlich. Der Mond lag wie silberner Reif auf den Schieferdächern und machte die eine Straßenseite taghell, während die andere stockfinster war. Leblos und einförmig zog sich die Häuserreihe hin. Im Erdgeschoß jedes Fenster mit Erker, darüber nur flache Fenster und die Schornsteine in gleichen Abständen; gegen den kalten Nachthimmel sahen sie aus wie die regelmäßigen Türmchen einer langen Gefängnismauer.

Es war ein Uhr. Weit und breit rührte sich nichts, nur Papierabfälle raschelten trocken im Rinnstein, und eine Katze strich ab und zu von der hellen Mondlichtung in das dunkle Dickicht zur Linken. Kein Fenster war offen. Alle Leinengardinen waren zugezogen, und im weißen Widerschein sahen die Fensterscheiben unwirklich aus und als ob sie unter Wasser lägen.

In dieser toten, mondsüchtigen Schlucht wartete ich auf Oliver und wußte von vornherein, daß ich umsonst wartete. Es lag etwas in der Luft, das sich mir kalt aufs Herz legte und mir zuflüsterte, daß ich ebensogut in den Mondkratern auf lebende Wesen aus Fleisch und Blut hätte warten können.

Wir standen gemeinsam im Bann des Ortes, der Chauffeur und ich. Wir sprachen ernst und leise miteinander. Er fragte nicht ohne Überraschung, ob es hier richtig wäre, und ich bejahte es. Ich sagte ihm, wir müßten etwas warten, und gab ihm ein Goldstück. Ich blieb im Wagen, er stieg aus und schlug sich leise mit den Armen warm. Es fror, und der Rauhreif glitzerte wie Silberstaub auf den Dächern. Wir hielten an einer Ecke vor einem kleinen Kramladen.

Ich zeigte ihm das Haus, wo Oliver wohnte, und bat ihn, mir Bescheid zu sagen, wenn ein junger Mann im Abendanzug käme, denn ich war unsagbar müde, erschöpft von der Aufregung und fürchtete, daß ich einschlafen würde.

Und so kam es auch. Ich sah und hörte nichts mehr, bis mich der Chauffeur leise schüttelte und mir sagte, es sei vier Uhr früh.

„Hier ist keiner ins Haus gegangen, Herr, und jetzt fangen sie an aufzuwachen."

Ich stolperte aus dem Wagen und war betäubt und abgestumpft. Von einem Erwachen war nicht viel zu merken. Der Mond war verschwunden und mit ihm der Frost. Der Morgen war rauh, feucht und dunkel. Aber doch, da knallten Nagelstiefel auf das Pflaster, und hier und da flammten bleiche Lichter in den Fenstern und über den Haustüren auf. Vom stumpfen Grau des Himmels hob sich das hellere der Rauchwolken ab, die jetzt aus den Schornsteinen quollen.

„Frühaufsteher sind sie hier", fing der Chauffeur an; er sprach jetzt wieder laut, nachdem die geheimnisvolle Welt versunken und das graue Elend wiederaufgetaucht war. „Scheint mir zwecklos, hier weiter 'rumzulungern. Oder ich muß 'n Schluck heißen Kaffee haben."

Ich pflichtete ihm bei. Hier gab es nichts mehr zu warten. Ich konnte mir den betrunkenen, großmütigen Pogson ausmalen. „Und Essex soll die Nacht hierbleiben. Essex, du altes Haus!"

Wir hielten bei einer Kaffeeschenke, und dann fuhr mich der Chauffeur heim nach Hampstead. Und allen Schuhnägeln zum Trotz, die schon durch Camden hallten, war es noch dunkel, als ich ins Bett fiel und sofort einschlief.

26

Das war im Januar 1914. Im Mai kam Olivers Geburtstag heran. Ich hatte ihn inzwischen nicht gesehen und war drauf und dran, zu schreiben und ihm ein Geschenk zu schicken. Aber ich dachte an die fünf Pfund, die ich ihm von Dublin aus gesandt und zurückbekommen hatte, und konnte mich nicht entschließen. Daß Livia ihn öfters sah, ahnte ich, ich hatte sie jedoch nur einmal danach gefragt. Sie antwortete ziemlich gereizt: „Natürlich sehe ich ihn manchmal, wenn er es für nötig hält, mich anzurufen. Ich kann doch nichts daran ändern, nicht wahr, oder . . .? Ab und zu einmal ein Mittagessen."

Jedenfalls wußte sie sicher mehr über Olivers Verfassung als ich, daher beschloß ich, sie wegen des Geburtstagsgeschenkes um Rat zu fragen. Ich suchte sie auf und fand sie mitten in Kostümentwürfen für die Revue, die Wertheim jetzt mit Nachdruck vorbereitete. Sie küßte mich pflichtschuldig und ohne besondere Herzlichkeit und fragte mich, ob ich rauchen und warten wolle, bis sie fertig sei.

Ich steckte mir die Pfeife an. „Stört es dich, wenn ich bei der Arbeit mit dir rede?"

„Sprich dich nur ruhig aus. Dann kann ich hm oder ah sagen, wie es gerade kommt. Aber bitte nichts Ernstes!"

„Aber es ist ernst. Ich möchte über Oliver mit dir reden. Er wird diese Woche achtzehn."

Sie legte den Bleistift hin und zündete sich eine Zigarette an.

„Ja, Freitag."

„Ob das nicht eine Gelegenheit ist, wieder in Fühlung mit ihm zu kommen – vielleicht durch ein Geschenk oder einen Brief? Hast du ihn in letzter Zeit mal gesehen? Hast du eine Ahnung, wie er jetzt über mich denkt?"

„Bitter", sagte sie kurz. „Ich glaube, du kannst nichts machen – im Augenblick."

Da riß mir die Geduld, und ich faßte in Worte, was mir schon lange auf der Seele lag. „Wie kommt das eigentlich? Von mir wendet er sich ab, weil ich dich heiraten will, und mit dir ist er befreundet, obwohl du mich heiraten willst."

Livia drückte ihre Zigarette aus und stand auf. „Schließlich", sagte sie leichthin, „bin ich wohl der Zankapfel."

„Zankapfel!" schrie ich fast. „Was heißt Zankapfel. Dann wollen wir doch, um Gottes willen, heiraten und dieses Unding ein für allemal aus der Welt schaffen. Wir hätten schon vor Monaten heiraten sollen. Sobald wir verheiratet sind, kommt Oliver zur Vernunft. So geht es einfach nicht weiter."

Ich sprang auf und lief aufgeregt im Zimmer auf und ab. Dabei kam ich vor einen hohen Wandspiegel und fuhr zusammen, als ich plötzlich vor meinem Spiegelbild stand. Elend und abgezehrt von den Sorgen des letzten halben Jahres, ein hagerer Mann mit hohlen Wangen und zerfurchtem Gesicht, an den Schläfen fast weiß und das dunkle Haupthaar stark ergraut – das war ich. Ich dachte an den blonden Jungen, der sich vor dem Kontorhaus in Holborn die Zigarette am Fingernagel glatt klopfte und siegessicher wie ein junger Gott zum Rendezvous unter der Normaluhr schlenderte, und drehte mich betroffen zu Livia, die aussah, als ahne sie, was mir in der Seele brannte. Ich wollte zu ihr sagen: Du liebst mich nicht. Du hast mich nie geliebt. Du liebst Oliver, und er liebt dich. Und das ist in der Ordnung. Das hat seine Richtigkeit. – Aber ich sagte es nicht. Ich konnte es nicht. Ich riß sie plötzlich begierig in die Arme wie nie zuvor, und ihr ganzer Widerstand, den ich bisher hingenommen hatte, reizte mich jetzt zu dem verzweifelten Wunsch, sie zu besitzen. Sie blieb eine Zeitlang starr, fast abwehrend. Aber dann riß meine Glut sie mit fort. Ihr Körper gab nach, und sie erwiderte Kuß um Kuß. Sie warf selbst ihren Kittel ab und führte meine Hand unter dem losen Pullover bis an ihre warme, straffe Brust. Mit ihrem ganzen Leib preßte sie sich gegen mich, ganz Leben und Leidenschaft. Das war Livia! So war sie also! Heiser sagte sie: „Schließ die Tür ab.“ Als ich zurückkehrte, zog sie sich schon den Pullover über den Kopf.

Im Schlaf hatte Livia sich umgedreht. Als ich aufwachte, sah ich die gelbe Haube ihres Haares dicht vor mir. Meine Nase versank fast darin, und der warme Heuduft umfing mich. Ganz sachte, um sie nicht aufzuwecken, zog ich die Decke fort und verschlang den süßen Anblick ihres braunen glänzenden Rückens. Mit dem Finger zog ich ihr Rückgrat nach und streichelte sie mit der flachen Hand bis hinunter an die weiche Haut der Kniekehle. Dann tastete ich prüfend den Schenkel hinauf bis an die sanfte Wölbung des Leibes. Sie regte sich im Halbschlaf, preßte meine Hand an sich und führte sie aufwärts, bis sie ihre Brust umschloß. Dann drückte sie sie fester, seufzte selig erschöpft und schlief weiter. Mit ihrer Brust in der Hand schlief auch ich wieder ein.

Als ich zum zweitenmal wach wurde, war es bereits dämmrig im Zimmer, und ich lag allein im Bett. Die Fensterrahmen hinter den Gardinen sahen wie ein schwarzes Kreuz aus. In den Ecken des Zimmers war es schon dunkel. Entspannt und glücklich lag ich auf dem Rücken und fühlte mich unendlich wohl.

Die Tür öffnete sich. Livia knipste die rosa Nachttischlampe an und zog die Vorhänge vor, es wurde warm und traulich im Zimmer. Sie rollte einen Teetisch heran, der Kessel summte über der Spiritusflamme, das Porzellan klapperte lustig, und auf einer Platte mit silbernem Deckel lagen Brötchen. Sie setzte sich auf die Bettkante und goß den Tee auf.

„So wirst du dich erkälten, du alter Esau“, beschwor sie mich, als ich mich nackt, wie ich geschlafen hatte, im Bett aufsetzte. „Zieh dir dies an.“

Sie hängte mir ein lächerliches Fähnchen von Morgenrock um die Schultern, aber ich kam mir durchaus nicht lächerlich vor, ich war in Siegerlaune. Glücklich lachte ich auf, und Livia lachte mit. Sie beugte sich über mich, legte mir die Arme um den Hals und die Lippen ans Ohr und flüsterte: „Ich mag dich nicht dabei ansehen, wenn ich es dir sage. Es war wundervoll!“

Ich drückte sie an mich und flüsterte: „Wie sollte es nicht, du Süße. Es war das erstemal mit einer Frau, die ich liebe.“

Als ich sie in den Armen hielt, fühlte ich, daß sie unter dem Morgenrock nackt war. Ich zog ihr die Ärmel aus, und sie setzte sich auf: aus der blauen Seide, die der Gürtel festhielt, wuchs ihr goldbrauner Oberkörper empor.

„So habe ich mir Hebe vorgestellt“, sagte ich. „Nun laß uns den Göttern opfern.“

Sie blieb so auf dem Bettrand sitzen und reichte mir Tee und Brötchen. Bald wandte sie sich zur Seite, und ich sah die eine straffe Brust im Profil; bald wandte sie mir beide Rosenknospen direkt zu. Ab und zu streckte ich die Hand aus, um ihren weichen Leib zu berühren und sanft die weißen rosig angehauchten Kuppeln zu drücken, die sich von ihrem braunen Körper abhoben. Kein Laut drang zu uns herein. Nur die Uhr tickte auf dem Nachttisch, der Deckel klapperte leise auf dem Kessel, und unsere Stimmen flüsterten. Die Welt mit all ihren Sorgen, die in letzter Zeit so schwer auf mir gelastet hatten, schien versunken. Die Uhr zeigte halb sieben.

„Ich hatte keine Ahnung, du Süße, daß ich so lange geschlafen habe!“

„Du hast noch fast eine Stunde geschlafen, nachdem ich aufgestanden bin. Bevor ich den Tee machte, habe ich noch gebadet.“

Ich legte den Arm um sie, zog sie an mich und grub mein Gesicht zwischen ihre Brust. „Du duftest himmlisch.“

„Das ist das Badesalz.“

„Livia-Hebe, Hebe-Livia!“

„Und was hat der Allbezwinger Jupiter heute abend vor?“ fragte sie, setzte sich aufrecht und stützte sich mit beiden Händen aufs Bett.

„Was hilft es mir, daß ich ein Gott bin, wenn ich keine Schnüre aufziehen darf?“ Ich nahm die Quaste ihres Gürtels und zog. –

Ich sagte schon, daß Livia ein gutes Omelett backen konnte. Es war gegen Mitternacht. Ich dämmerte so im Halbschlaf dahin und hielt Livia im Arm. Plötzlich setzte sie sich auf und sagte: „Ich mache jetzt ein Omelett. Ich weiß nicht, wie du darüber denkst, aber ich sterbe vor Hunger.“

„Ob ich Hungers sterbe oder nicht, weiß ich nicht“, grunzte ich. „Mir ist alles gleich, ich bin glücklich.“

„Ist dir eigentlich klar, daß wir ohne Mittagbrot ins Bett gingen? Es ist auch schon lange her seit dem Tee, und zu Abend haben wir überhaupt nicht gegessen. Jetzt gibt es Omelett, und damit basta.“

Sie sprang aus dem Bett und riß mich am Haar. „Komm mit. Aber zieh dir was an. Es ist kalt.“

Wir gingen in die Küche und wärmten uns am Gasherd. Während Livia das Omelett machte, deckte ich den Küchentisch für uns beide und legte eine schwarz und rot karierte Decke auf. Ich freute mich über unser intimes Mahl zu zweien und ordnete sorgfältig Messer, Gabeln, Teller und Tassen. Sie fuhr mir dazwischen und nahm Tassen und Untertassen fort. „Nein, keinen Tee. Zur Feier des Tages mal etwas anderes.“ Sie stellte dünne hohe Weißweingläser auf den Tisch und holte eine Flasche Rheinwein. „Hier, zieh sie auf.“

Ich nahm den Korkenzieher und zog sie auf. Als der Korken mit einem Knall herauskam, fuhr ich zusammen. „Was war das?“

Hatte es geklopft, oder war es nur der Korken gewesen? Aber Livia hatte es auch gehört. Sie drehte das Gas ab, und als das Sausen des Kochens aufhörte, hörten wir es wieder klopfen.

Von der Tür aus konnte man uns in der Küche nicht hören, weil das Wohnzimmer dazwischenlag – aber unwillkürlich sprach ich leise. „Wer kann das sein um diese Zeit? Mach lieber nicht auf.“

Wieder klopfte es, lauter und eindringlicher.

„Laß es klopfen“, sagte ich noch einmal. „Man sieht nicht, daß Licht in der Küche ist.“ Aber Livia schüttelte stumm den Kopf. Sie war blaß geworden, und die Gabel in ihrer Hand klapperte plötzlich gegen den Gasherd. Nach einer Weile sagte sie: „Das ist Oliver. Er geht nicht wieder fort. Ich lasse ihn herein."

Beim Sprechen gewann sie ihre Fassung wieder. Ihr Gesicht bekam wieder Farbe. Ruhig legte sie die Gabel neben den Herd und hatte im Nu alles vom Tisch geräumt, was auf eine Mahlzeit zu zweit hindeutete – Messer, Gabeln, Teller, Gläser, alles kam schleunigst wieder an seinen Platz. Während sie noch flink damit herumhantierte, sagte sie: „Geh ins Schlafzimmer, nimm den Schlüssel und schließ von innen ab."

Ich war niedergeschmettert, ernüchtert und gedemütigt. Vor Oliver mußte ich also mein Privatleben verbergen und mein schönstes Erlebnis als Mann roh abbrechen! Der Aufzug, in dem ich herumlief, sah plötzlich beleidigend komisch aus, Hemd ohne Kragen, Hose und Mantel. Mir war jämmerlich zumute, und ich kauerte mich in einen Sessel.

Oliver war jetzt im Wohnzimmer, jenseits der Tür, neben der ich saß. Seine Stimme klang ziemlich unverschämt. „Du scheinst ja einen tiefen Schlaf zu haben, Livia."

„Verzeih, Lieber", sagte sie, „ich war in der Küche und machte mir mein Abendbrot. Die Gasflamme saust so, du kannst dein eigenes Wort nicht verstehen. Und überhaupt", ihre Stimme zitterte ängstlich, „weißt du eigentlich, wie spät es ist? Es ist halb eins. Ich wäre schon seit einer Stunde im Bett, wenn ich nicht soviel Arbeit liegen hätte. Um diese Zeit erwarte ich keine Besuche."

Nach einer langen Pause sagte Oliver: „Kann ich heute nacht hierbleiben? Ich weiß sonst nicht wohin."

„Aber Lieber, was soll das heißen? Warum kannst du denn nicht nach Hause?"

„Weil ich vorigen Sonnabend die Miete nicht bezahlen konnte. Bis jetzt habe ich mich herausgeredet, aber heute abend hat mich die alte Schlampe 'rausgeschmissen. Sie sagte, sie wollte sich nicht von vornehmen Hungerleidern ausnehmen lassen, und meine Sachen könnte ich holen, sobald die Miete bezahlt sei. Hübsch, was?"

Den hochfahrenden, herausfordernden Blick dazu konnte ich mir vorstellen. Ich hörte das Streichholz, mit dem er sich eine Zigarette ansteckte.

„Aber du hättest es doch nie so weit kommen lassen dürfen", sagte Livia. „Du dummer Junge, deine Miete hätte ich dir doch bezahlen können."

„Du hast schon genug bezahlt", erwiderte er und bestätigte mir, was ich schon längst geahnt hatte. „Und da könntest du lange blechen. Ich habe nämlich meine Stellung verloren. Sonst hätte ich es selbst bezahlen können."

„Aber davon weiß ich ja gar nichts. Du hast mir doch gar nicht gesagt, daß du gekündigt hast. Und sie können dich doch nicht ohne Kündigung von heute auf morgen 'raussetzen. Oder?"

Wieder entstand eine lange, vielsagende Pause. Ich konnte mir Oliver vorstellen, wie er dasaß, die Hände zwischen den Knien, und die Zigarettenasche auf den Teppich streute. Plötzlich bekannte er Farbe und sagte unverschämt: „Unter Umständen doch. Es ist da einiges vorgefallen, weshalb ich nicht auf der Kündigungsfrist bestehen konnte."

„Ach so", Livias Stimme klang halb erstickt. „Du willst damit sagen, daß du etwas getan hast, wodurch dein Vertrag hinfällig wurde?"

„Aber zum Donnerwetter" – Oliver brauste auf –, „das war ja auch kein Leben dort! Ich bin froh, daß ich es hinter mir habe. Der alte Pogson blies sich auf, daß mir schlecht wurde. Er tat fast so, als wäre ich ein Dieb. Wenn ich nicht der Freund seines Sohnes wäre ... und so ... aber die Freundschaft müsse jetzt endgültig aus sein! Mein Gott, und das alles um lumpige zehn Schillinge, die ich am Ende der Woche wieder zurückgetan hätte ..."

Ich hätte schwören können, daß Livia jetzt auf den Knien vor ihm lag, so inständig und vorwurfsvoll klang ihre Stimme. „Oliver, Lieber, Liebster! Warum hast du das getan? So wenig – so lächerlich wenig! Das hätte ich dir doch zwanzigmal geben können."

„Nein", sagte er scharf. „Ich habe es satt, bei dir zu schmarotzen. Ich habe genug davon."

„Aber was soll denn jetzt werden?"

„Ich suche mir was Neues. Es gibt ja noch andere Stellungen."

„Ich weiß nicht, ob das leicht sein wird – nach alldem."

„Ach, du meinst, Pogson gibt mir kein Zeugnis? Ich frage das alte Schwein gar nicht erst danach. Ich sage einfach, ich hätte noch keine Stellung gehabt. Jung genug sehe ich ja aus."

„Aber bis du etwas findest?"

„Könnte ich nicht hierbleiben?"

„Da siehst du nun, wie unlogisch du bist, mein Lieber. Erst sagst du, du habest das Schmarotzen satt, und jetzt willst du hierbleiben. Auf das bißchen Geld, das du brauchtest, wäre es mir nicht angekommen, aber jetzt soll ich dir Zeit und Selbständigkeit opfern. Das ist mir mehr wert als Geld."

Wieder entstand ein Schweigen. Dann begann Oliver von neuem – diesmal in anderem, zärtlichem Ton. „Verzeih, Livia, Liebe, Süße. Gott, ich tauge zu nichts! Ich weiß es – glaube nicht, daß ich es nicht selbst weiß. Ich verstehe nicht, warum du noch immer zu mir hältst. Aber bitte – schick mich bitte jetzt nicht fort. Ich bin schon den ganzen Abend durch die Straßen gelaufen und habe mir den Kopf zerbrochen, wo ich bleiben könnte, ohne dich zu behelligen, aber mir ist nichts eingefallen – überhaupt gar nichts. Laß mich heute nacht hier. Morgen denken wir uns etwas aus. Wir gehen zu deinem Bekannten, dem dicken Wertheim – oder zu sonst irgendeinem. Es muß doch Arbeit geben!"

Livia schien nachzudenken. Es blieb eine ganze Weile still. Dann sagte sie schließlich: „Du solltest noch etwas essen. Ich wollte mir gerade mein Abendbrot machen. Geh in die Küche und iß, was da steht. Ich bin zu aufgeregt, um zu essen. Dann kannst du dort auf der Couch schlafen. Um acht stehe ich auf und erwarte, daß du bis dahin fort bist. Wenn du willst, kannst du dir Frühstück machen, bevor du gehst. Ich treffe dich um ein Uhr im Café Royal zum Mittagessen. Verstanden?"

Sie sprach barsch, fast streng. Dann schluchzte sie plötzlich auf und weinte herzzerreißend. Sie war völlig zusammengebrochen, und ich sah sie vor mir, wie sie dasaß, tränenüberströmt und mit zuckenden Schultern. „Livia – Süße – Liebling!"

„Weg!" Sie schrie fast. „Faß mich nicht an. Hinaus! Manchmal hasse ich dich."

Ich hörte, wie Oliver sich widerstrebend in die Küche begab, und im nächsten Augenblick stand Livia vor der Schlafzimmertür. Ich schloß auf, und sie schloß wieder hinter sich ab. Ich wollte sie in die Arme nehmen, aber sie schüttelte unwillig den Kopf und ging ganz gebrochen ins Bett. Wir wagten nicht zu sprechen. Ich zog ihr die Decken über die Schultern, wickelte sie fest ein, blieb neben ihr stehen und sah auf ihren schluchzenden Körper. Dann drehte ich das Licht aus, setzte mich wieder in meinen Sessel und versuchte, in den Mantel gehüllt, vergeblich zu schlafen.

Am Morgen hörte ich Oliver nebenan rumoren. Es war ein grauer bedeckter Tag. Im Schlafzimmer war es kalt und unfreundlich. Ich hatte die Nacht im Halbschlaf dahingedämmert, gefroren und den Mantel fester um mich gezogen. Als ich jetzt aufstand, war ich steif, die Zähne klapperten mir, und ich fühlte mich wie ein alter Mann. Der Spiegel tröstete mich nicht. Ein abgespanntes, müdes Gesicht mit hohlen Wangen und grauen Bartstoppeln starrte mir entgegen, so daß ich entsetzt zurückwich. Mir war flau, und ich hatte Hunger.

Livia schlief. Auf Zehenspitzen trat ich ans Bett und sah sie an. Sie lag auf dem Rücken, den einen Arm auf der Bettdecke, das Gesicht voll dunkler Tränenspuren und zum Erbarmen hilflos. Ich hatte ihr Gesicht noch nie im Schlaf gesehen; als ich gestern nachmittag neben ihr aufwachte, lag sie mit dem Rücken zu mir. Ihr Gesicht war ganz glatt, jung und unberührt von den Jahren. Wie Gold erschien sie mir, ungemünztes Gold, in das die Zeit weder Stempel noch Schrift eingeprägt hatte. Erst mit der Zeit graben die Tränen sich Furchen, einstweilen hinterließen sie nur Flecken. Unter meinem Blick lächelte sie plötzlich, drehte sich auf die Seite und seufzte. Aber sie wurde nicht wach.

Draußen war es eine Zeitlang still gewesen. Oliver war wohl in die Küche gegangen, um sich Frühstück zu machen. Jetzt hörte ich seinen Schritt im Wohnzimmer. Ich hielt den Atem an, als die Klinke der Schlafzimmertür vorsichtig niedergedrückt wurde. Aber der Schlüssel war umgedreht. „Livia! Liebling!" flüsterte Oliver. Mir war, als müßte er mein Herz klopfen hören; ich stand dicht vor ihm und sah deutlich vor mir, wie sich der blonde Kopf zum Schlüsselloch niederbeugte. „Liebling! Liebling!" Seine Stimme klang diesmal ganz entrückt, als spräche er zu sich selbst und nicht zu Livia. Dann ging er fort. Ich hörte, wie er die Wohnungstür leise hinter sich zuzog.

Ich kleidete mich schnell an, warf noch einen Blick auf Livia, die noch schlief und im Traum vor sich hin murmelte, und verließ die Wohnung. Es ging über meine Kraft, mich in meinem jetzigen Zustand vor ihr sehen zu lassen.

Im Taxi fuhr ich zum Paddington-Bahnhof, wo ich mich rasieren ließ und badete. Dann ging ich in den Speisesaal des Hotels und bestellte Frühstück. Als ich heißen Kaffee getrunken und etwas gegessen hatte, fühlte ich mich besser. Entschlossen verscheuchte ich die Gespenster, die mich in diesem Raum heimsuchen mußten: es war der Speisesaal, wo wir oft miteinander gefrühstückt hatten, Nellie und ich, Dermot und Sheila, Maeve, Eileen, Rory und Oliver;

immer in großer Eile, weil der Zug zehn Uhr dreißig nach Falmouth schon draußen stand. Ich mochte dagegen angehen, wie ich wollte, die Gespenster fielen doch über mich her. Mit einemmal fühlte ich mich kreuzunglücklich dort, von aller Welt verlassen und mutterseelenallein. Ich zahlte und atmete auf, als ich auf der Straße stand.

Es war noch immer nicht später als halb neun. Um neun war ich wieder bei Livia. Sie saß so frisch beim Frühstück, als hätte sie ruhig und ungestört die ganze Nacht durchgeschlafen. Sie küßte mich, aber von der Leidenschaft unseres gestrigen Zusammenseins war nichts mehr übrig. Sie fragte höflich, ob ich gefrühstückt hätte, und als ich es bejahte, setzte sie sich wieder und klopfte sich ein Ei auf.

„Livia, wenn ich jetzt Martin anrufe, ist er in einer Stunde mit meinen Koffern hier. Kannst du in einer Stunde fertig sein?"

Sie lachte belustigt auf. „Aber Bill, du siehst ja finster entschlossen aus. Was hast du denn ausgeknobelt?"

„Es ist höchste Zeit, daß wir heiraten. Wir fahren nach Reiherbucht, gehen aufs nächste Standesamt und fertig."

„Du alter Puritaner", sagte sie spöttisch und aß seelenruhig ihr Ei. „Du hast wohl das Gefühl, du müßtest jetzt eine anständige Frau aus mir machen?"

„Sei, zum Donnerwetter, ernst, Livia!" fuhr ich auf. „Ich will eine glückliche Frau aus dir machen und aus mir einen glücklichen Ehemann. So geht es nicht weiter, das ist Wahnsinn. Es ist unrecht gegen mich und unrecht gegen Oliver. Begreifst du denn nicht, mein ganzes Leben steht auf dem Spiel, alles, wofür ich gearbeitet und gestrebt habe, wenn Oliver in solche Schwierigkeiten kommt wie jetzt!"

Sie blieb gefährlich ruhig. „Du willst doch damit nicht etwa andeuten, daß Oliver stiehlt, um mich auszuführen?"

„Aber nein! Verdreh mir nicht das Wort im Munde. Aber der Junge ist völlig durcheinander. Er ist bockig, widerspenstig und außer sich. Ich glaube kaum, daß er weiß, was er tut oder was mit ihm geschieht. Wenn wir heiraten, kommt er wieder zu sich. Wir könnten uns dann gemeinsam um ihn kümmern und ihn wieder zurechtbiegen. Vielleicht könnten wir ihn doch noch zum Studium bewegen. Wir müssen uns jetzt klarwerden. Wenn du nicht sofort heiraten willst, dann laß uns wenigstens die Hochzeit festsetzen. Er muß vor eine vollendete Tatsache gestellt werden."

„Denkst du dabei an ihn oder an dich?"

„Ich denke an uns beide und auch an dich. Wir wissen alle drei nicht, woran wir sind, und das ist schlimm. Dabei kann für keinen etwas Gutes herauskommen."

„Ich bin nicht der Ansicht", sagte sie aufreizend ruhig. „Ich habe alle Hände voll zu tun, für Wertheim und ..."

„Pfeif auf Wertheim!" Es fuhr mir so heraus. „Hätte ich dich doch nie mit ihm bekannt gemacht!"

„Das ist sehr egoistisch von dir, Bill. Es könnte dir wohl so passen, daß ich ganz und gar von meinem berühmten Gemahl abhinge. Ich lehne es zwar ab, mit diesen pferdeköpfigen Frauenzimmern durch die Straßen zu ziehen, Fenster einzuschmeißen und mich in Westminster ans Gitter binden zu lassen, aber wenn es sich um mich selbst handelt, bin ich für die Rechte der Frau."

Ich hätte vor Wut mit den Zähnen knirschen können, aber ich nahm mich zusammen.

„Willst du heiraten, wenn du mit der Arbeit für Wertheim fertig bist?"

„Ja."

Die Antwort überraschte mich doch. Ich merkte erst jetzt, daß mir der Schweiß auf der Stirn stand. Ich nahm mein Taschentuch und fuhr mir übers Gesicht.

„Wann soll das sein?"

„In zwei Monaten könnte ich fertig sein – sagen wir Mitte Juli. Im August können wir heiraten."

Unglaublich, wir verabredeten es wie eine Autofahrt. Ich konnte es noch nicht fassen, als ich durch den Maimorgen über den Portlandplatz ging. „Im August können wir heiraten!"

27

Abends sah ich Livia noch einmal in Tränen. Sie rief mich an und wollte mit mir zu Abend essen. „Ich muß dir von Oliver erzählen", sagte sie.

Er hatte den Morgen über in einer öffentlichen Bücherei gesessen und auf Annoncen für Bürogehilfen geschrieben. Mittags war er dann sehr elegant im Café Royal erschienen – „du weißt, Bill, sein Haar glänzte, seine Augen waren so blau, und er war angezogen – ich weiß nicht, wie er es in dem schrecklichen Haus in Camden fertigbringt, seine Sachen so gut zu halten."

„Du hast es also gesehen?"

„Ja, aber er weiß nichts davon."

„Ich auch."

Wir schwiegen und dachten an den langen grauen Durchblick in die mörderische Straße.

„Ich verstehe nicht, wie er dabei noch so vergnügt und strahlend aussehen kann", sagte Livia. „Überall blickt man ihm nach, weißt du, und ich bin noch nie mit einem Mann im Restaurant gewesen, der so gut bedient wird, ohne ein Wort zu verlieren und ohne die Kellner auch nur anzusehen." Sie lächelte in Gedanken, offenbar hatte sie es öfter erlebt. „Bist du in Olivers Alter auch so gewesen?"

„In Olivers Alter war ich überhaupt noch nie im Restaurant und wenn, dann hätte ich sicher nicht gewußt, wie ich mich vor dem Kellner benehmen sollte."

„Ich kann mir nicht helfen, ich bewundere ihn", fuhr Livia fort. „Wenn ich mich in seine Lage versetze – ohne Arbeit, ohne einen Pfennig und mit allen Leuten überworfen –, ich wäre fertig."

Ich drängte sie nicht. Ich ließ sie auf ihre Weise erzählen, und bald kam sie denn auch auf die bitteren Tatsachen hinter dieser glänzenden Fassade. Oliver war fest überzeugt, daß er bald Arbeit finden würde. Inzwischen aber war er, wie sie schon sagte, ohne einen Pfennig. Sie hatte das Geschäftliche so kühl mit ihm verhandelt, wie ich es von ihr erwartet hatte: zunächst müsse er seine Schulden bei der Wirtin bezahlen und das Zimmer als Basis für die Stellungsuche behalten. Sie hatte ihm fürs erste zwei Pfund die Woche versprochen. Er hatte dazu gelächelt. „Nicht schenken, Livia, leihen." Meinetwegen, nennen wir es Darlehen. Wieviel er wohl brauche, um aus der Patsche zu kommen? Er meinte, fünf Pfund reichten aus, und zog einen Schuldschein darüber aus der Tasche, den er bereits unterschrieben hatte.

Als Livia an diesen Punkt gekommen war, zog sie ihr Taschentuch und weinte verstohlen. „Siehst du, er hatte ihn schon vorbereitet. Er war also mit der festen Absicht gekommen, sich das Geld von mir zu leihen."

Sie gab mir den Schuldschein aus der Handtasche und blinzelte mich unter Tränen an. Empört zerriß ich ihn und warf die Fetzen in den Aschenbecher. Dann nahm ich ihre Hand und streichelte sie: „Livia, nein, Liebste, das darfst du nicht. Für Oliver bin ich verantwortlich. Solange er Geld braucht, soll er es haben – aber von mir. Darf ich das übernehmen?"

„Willst du das wirklich?"

„Unbedingt. Weiß Gott, ja. Es ist wenig genug. Aber er darf nicht erfahren, daß es von mir kommt."

Sie tupfte sich die Augen und versuchte zu lächeln. „Dann ist das also in Ordnung." Und mit einem seltsamen Blick fügte sie hinzu: „Zwei so schwarze Schafe wie mich und Oliver hast du nicht verdient."

Am nächsten Tag ging ich die Regent Street hinunter. Es war ein schöner Sommertag, und ich hätte eigentlich guter Dinge sein können. Aber ich war es nicht. Das Datum meiner Hochzeit lag fest, und es war nicht mehr allzu fern. Das hätte mich fröhlich stimmen oder mir wenigstens das Gefühl nehmen sollen, daß mir auf Schritt und Tritt ein grauer Nebel folgte. Ich blickte hinauf zu den dünnen Wolkenschleiern am Himmel, ich spürte den frischen Wind, der sich übermütig in die Röcke der Frauen setzte, und atmete tief durch, aber der Gedanke an Oliver war stärker, er ging mir nicht aus dem Kopf und lag mir schwer auf der Seele.

Drüben vor Dermots Schaufenstern drängten sich wie immer die Leute. Er hatte schöne Sachen im Fenster: Möbel, Stoffe, Bilder, Glas, Porzellan, alles einzig in seiner Art. Ich blieb in Gedanken stehen und dachte an den Laden in Manchester, wo er nach seiner Kopenhagener Reise kühn den Gauguin ausgestellt und soviel Kopfschütteln hervorgerufen hatte, den Laden, über dem das Kontor unserer Spielzeugfirma gelegen hatte. Das war schon lange her und gehörte einer goldenen Zeit an, in der das Leben schwerer und leichter zugleich war und in der man sich noch jung fühlte.

Ich ging hinüber und trat durch die gläserne Drehtür. Drinnen herrschte tiefe Stille, und die Füße versanken in dicken Teppichen. Dermots Geschäft hatte nichts Marktschreierisches an sich und nichts von dem Tumult des gewöhnlichen „Kaufhauses". Das Auge blickte durch lange Zimmerfluchten und blieb an schönen, kostspieligen Gegenständen hängen, die hervorragend zur Geltung kamen. Die Verkäufer sahen aus wie Attachés, die Abteilungsleiter wie Botschafter. Der Fahrstuhl mit einer Gittertür von herrlicher Schmiedearbeit brachte mich schnell und lautlos in den obersten Stock, wo Dermot ein Privatkontor hatte, wie man es ihm zutraute. Der Fußboden war mit schönem Velours ausgelegt, und jedes Stück im Raum kam nicht nur aus seiner Werkstatt, sondern war von ihm selbst gemacht. Ein kleiner, behaglicher Raum, weder aufdringlich noch überladen. Die leinenen Vorhänge stammten von Livia. Über dem gemauerten Kamin, wo trotz des warmen Tages ein Feuer brannte, hing eine Landschaft von Monet. Dermot saß an seinem geräumigen Schreibtisch, aber es lag kein Blatt darauf.

Er sprang auf und kam mir mit ausgestreckter Hand entgegen. „Wenn du mich von der Arbeit abhalten wolltest, hast du dich getäuscht", sagte er und wies mit der langen, knochigen Hand auf den leeren Schreibtisch.

„Ich suche Gesellschaft. Ich fühle mich plötzlich so einsam, und weil ich gerade vor deinem Laden war, bin ich heraufgekommen."

Er sah mich prüfend an, die Bartspitze hob sich, und die spitze Nase witterte förmlich zu mir herüber. Ich wußte, daß seinem Scharfsinn wenig von meinem Tun und Treiben verborgen blieb. Herzlich wie seit langem nicht legte er mir die Hand auf die Schulter: „Weißt du, Bill, seitdem du in London lebst, bist du nie ganz glücklich gewesen – nicht von Herzen glücklich."

Er wußte, daß Oliver mich verlassen hatte, obwohl wir nie darüber gesprochen hatten. Er wußte – wieweit war mir nicht ganz klar –, daß zwischen Livia und mir nicht alles in Ordnung war. Ich spürte an seinen Augen, seiner Stimme und den feinfühligen Fingern auf meiner Schulter, daß er um all das wußte und angesichts unserer alten Freundschaft mit mir fühlte. „Alter Freund" – er hatte dieses Wort noch nie gebraucht –, „alter Freund, es täte dir gut, wenn du dich einmal aussprächest."

Durch das Telefon auf seinem Schreibtisch bestellte er Kaffee und bot mir eine Zigarre an – „die Sorte nehmen wir, wenn der Abschluß hundert Pfund übersteigt" –, und wir tranken unseren Kaffee draußen auf dem kleinen Balkon, auf den eine Glastür hinausführte. Ein paar Rohrstühle standen dort, ein gestrichener eiserner Tisch und einige Kübel mit Lorbeerbäumen und blühenden Pflanzen. Wir saßen hoch über London: eine graue rauchende Ebene von Dächern lag vor unseren Augen, unterbrochen von hohen Spitzgiebeln, Türmen und Kuppeln. Der Straßenlärm drang gedämpft und fast melodisch zu uns herauf.

Wir schwiegen eine Weile, bis Dermot sagte: „Ich habe dir nichts zu sagen, aber ich höre. Also los, fang an."

Und ich fing an. Zuerst verlegen, dann immer offener und leichter. Ich spürte, wie ich es mir von der Seele redete.

Das hatte ich gebraucht. Zuviel hatte sich in mir aufgespeichert. Und nach einer Stunde war mir besser und leichter denn je.

„Und du hast das alles allein mit dir abgemacht?“ fragte Dermot. „Nun, das meiste habe ich geahnt.“

„Etwas habe ich auch Maeve erzählt. Weißt du, Dermot, wenn ich mein Leben so überdenke, ich habe nur drei Freunde gehabt: den alten Pastor Oliver, von dem ich dir erzählt habe, dich und Maeve.“

„Maeve“, sagte er nachdenklich. „Aber heiraten willst du die Vaynol. Nun, so geht es im Leben, und ich will nicht mit dir rechten. Aber dann heirate sie auch – um Gottes willen, heirate schnell. Bis August darfst du nicht warten. Und – wegen Oliver ...“

Er wurde wieder nachdenklich, drehte die Spitze seines Bartes hoch und knabberte gedankenvoll daran herum. „Du kannst ihn nicht so beschäftigungslos herumlaufen lassen, Bill. Das bringt ihn auf den Hund. Eine wöchentliche Unterstützung von einer Frau – Gott im Himmel, Mann! Rory schösse sich eher eine Kugel vor den Kopf.“

Ich zuckte unter der unbarmherzigen Wahrheit dieser Worte zusammen, und Dermot legte seine Hand auf die meine – so, wie es Maeve immer tat. „Verzeih, Bill, das ist mir so entfahren. Schick mir den jungen Esel. Ich stell' ihn an. Hast du die jungen Schnösel da unten herumstolzieren sehen? Ich gebe etwas auf gutes Aussehen, und das hat er wenigstens. Ja, schick ihn her.“

„Es steht nicht in meiner Macht, ihn herzuschicken.“ – Es ist schlimm, wenn man so etwas zugeben muß.

„Ach nein, das geht ja nicht. Gut, paß auf: ich werde im ‚Daily Telegraph‘ inserieren. Sieh zu, daß das Frauenzimmer ihn darauf aufmerksam macht und ihn dazu kriegt, daß er antwortet. Dann haben wir ihn. Und heirate das Weib! Heirate es bald!“

Wir standen auf und gingen ins Zimmer. Er nahm eine Zeitung vom Stuhl und tippte mit den Fingern auf die erste Seite. „Hast du das gesehen? Gott strafe England! Noch ein Nagel zu seinem Sarg.“

Ich nahm die Zeitung und überflog die Spalte. Dermot stand mit gesträubtem Bart neben mir. Es handelte sich um den Zusatzantrag, nach dem Ulster von dem Home-Rule-Gesetz ausgeschlossen werden sollte.

„Fabelhaft, was?“ knurrte Dermot. „Alle diese feudalen Herren aus England, all die Offiziere im Curragh-Lager bei

Dublin, die dem König den Eid geschworen haben, haben dem König auch gesagt, wie weit er gehen darf. Wir tun, was uns befohlen wird, solange wir es selber wollen, Herr König. Aber unterstehen Sie sich, uns auf den Fuß zu treten. Vergessen Sie nicht, die Kanonen haben wir. Das ist gerade das Richtige für die aufsässigen Iren, so bringt man ihnen die Königstreue bei, was, Bill? Und da sagt nun diese reizende liberale Regierung, und der Hund Redmond gibt seinen Segen dazu: ‚Meine lieben Jungens, wir wollen euch um alles in der Welt nicht zu nahetreten. Wenn ihr Ulster nicht dabei haben wollt, ist es uns auch recht. Ihr habt das letzte Wort.'"

Ich dachte, er würde ausspucken, doch das war nicht seine Art. Er sträubte sich nur wie ein Igel und sprühte Zorn, daß es förmlich knisterte.

„Aber ist das das letzte Wort?" fragte er, und der Fanatismus glühte aus seinen Augen. „Das will ich dir sagen, Bill: es ist das letzte Wort, das noch fehlte, um den Süden zusammenzuschweißen. Sie sind einander nicht sonderlich gewogen, glaube mir, aber auf die Liebe kommt es jetzt nicht an. Sie haben jetzt alle den gleichen Haß, und der tut es geradesogut. Liebe zur gleichen Sache schafft noch keine Bundesgenossen, das tut nur der gemeinsame Haß."

„Und wenn der Kampf vorüber ist, fällt der Haß zwischen die Bundesgenossen. Ich verstehe nicht viel von Politik, Dermot, aber das eine ist mir klar: wenn die Dinge so liegen, wird in Südirland noch lange der Teufel los sein."

„Inzwischen wird sich viel ereignen, und Rory wird allerhand erleben." – „Das glaube ich auch."

Dermot hatte gut reden. „Heirate das Weib sofort." Das Weib ließ sich nicht sofort heiraten. Aber was er mit Oliver vorhatte, schlug gut aus. Livia erzählte mir, Oliver habe sogar eine besondere Freude dabei gehabt, weil er sich einbildete, es gelte seiner eigenen Person. Er schrieb an die Chiffre, unter der die Annonce erschienen war, und als die Antwort O'Riordens kam, schreckte er zuerst davor zurück. Aber dann leuchtete es ihm ein. „Stell dir doch vor! Angestellter bei seinem besten Freund! Das läßt sich hören, Livia, wie?"

Dermot erzählte mir von der Unterhaltung in seinem Kontor – „nun, du weißt ja, Bill, mehr Engel als Engländer und, wie alle die jungen Kerls, von einem modernen Schneider tadellos angezogen."

Es beruhigte mich, daß Oliver bei Dermot und nicht mehr bei Pogson arbeitete und daß Dermot auch nichts gegen die alte Anrede „Onkel Dermot" einzuwenden hatte, weil er dadurch sein Vertrauen zu gewinnen und womöglich eine Aussöhnung mit mir herbeizuführen hoffte. Aber damit kam er nicht weit, wie er mir bekümmert gestand. „Er ist reizend! Bei Gott, Bill, reizend wie ein Frühlingsmorgen, aber sobald ich den Pferdefuß blicken lasse und deinen Namen nenne, wird er eisig wie ein Wintertag."

Ich hoffte noch immer, daß es mit der Zeit besser würde, und im Lauf des Sommers wurde ich im ganzen glücklicher – zuversichtlicher, daß sich ein Weg aus der Sackgasse finden lasse, in die meine Angelegenheiten geraten waren.

Dermot war der Ansicht, daß ein letzter Versuch gemacht werden müsse, Oliver und mich zusammenzubringen. „Du hast den Jungen ja nie gesehen, Bill, nur das eine Mal, als du ihn auf der Straße mit seinem betrunkenen Genossen ansprachst. Das war wohl kaum die Gelegenheit zu einer Aussprache. Jetzt sollst du ihn bei mir treffen."

Er lud Oliver zum Abendessen nach Hampstead, sagte ihm aber nicht, daß ich auch dasein würde, und lud auch Livia nicht ein. Es sollte ein Sonntag sein, damit Maeve kommen konnte, und Sheila und Eileen waren auch da. Dermot hoffte, daß es gerade im engsten Familienkreise gelingen würde.

Es gelang nicht. Als ich ins Zimmer trat, war Oliver schon da. Er saß mitten unter den O'Riordens. Er beherrschte sich meisterhaft. Ein flüchtiges Erstaunen huschte über sein Gesicht und verschwand sofort. Vergnügt und ungezwungen sprang er auf und drückte mir die Hand, warm und fest wie bei einem Freunde. Es berührte mich eigenartig, denn Oliver und ich pflegten uns sonst nie die Hand zu geben. „Guten Abend", sagte er mit einer Förmlichkeit, die mir entsetzlich war. Ich hätte schwören können, daß seine offenen blauen Augen dabei spöttisch funkelten. Ich blickte an ihm vorbei zu Maeve, die ihre beiden Hände in die Sessellehnen krampfte, als hätte sie Mühe, sitzen zu bleiben. Ich sah, wie die bange Ungewißheit dieses Augenblickes sie quälte. Sie war Schauspielerin, aber selbst sie hätte diesen Augenblick nicht mit jener unverschämten Gleichgültigkeit gemeistert wie dieser lächelnde Junge.

Den ganzen Abend über nannte er Dermot „Onkel Dermot" und redete die anderen wie alte Freunde an. Mir gegenüber aber wahrte er eine eisige Förmlichkeit und sprach nur dann mit mir, wenn ich das Wort an ihn richtete. Sie gaben sich alle die größte Mühe, freundlich und guter Dinge zu sein, als wäre alles ganz natürlich. Nur beim Essen griff Maeve einmal unter dem Tischtuch nach meiner Hand und preßte sie herzlich und verständnisvoll.

Als Sheila, Maeve und Eileen aufstanden, sagte Oliver: „Wollt ihr mich entschuldigen, wenn ich jetzt gehe? Ich habe noch eine Verabredung in der Stadt."

Sie versuchten, es ihm höflich auszureden, aber er ließ sich nicht abhalten und ging mit liebenswürdigen Entschuldigungen. Drei viertel Stunden später bat ich darum, das Telefon benutzen zu dürfen, und rief Livia an. Sie antwortete nicht. Und ich dachte mir ein ganzes Schock Gründe aus, warum sie nicht dasein konnte.

Es war im Juni – Sonntag, den 21. Juni –, als dieses demütigende Essen bei Dermot stattfand. Vielleicht ist das Wort nicht gut gewählt. Ich grämte mich und war verletzt und bekümmert, aber bis zuletzt fühlte ich mich nie durch das, was mir Oliver antat, gedemütigt. Noch weniger durch das, was mir Livia angetan hatte und noch antun sollte.

Wir unterhielten uns nach Olivers Fortgang noch lange. Niemand erwähnte das Geschehene, aber alle umgaben sie mich mit größerer Fürsorge und Freundschaft als sonst, und das tat mir wohl.

Es war ein warmer Abend. Wir waren alle miteinander in Dermots Arbeitszimmer im ersten Stock hinaufgegangen, weil wir von dort über die Heide sehen konnten. Die Vorhänge waren ganz zurückgezogen, und wir saßen im Halbkreis um das offene Fenster. Der Himmel war von einem unwahrscheinlich durchsichtigen Grün. Im Zimmer war es dunkel. Dermot rauchte eine Zigarre, ich meine Pfeife, Maeve eine Zigarette. Eileen rauchte nicht. Sie saß auf einem Schemel und hatte den Kopf auf Sheilas Schoß gelegt. Sheila strickte etwas für Rory.

Es ist eines jener klaren Bilder, wie die Seele sie aufnimmt und für immer bewahrt, unversehrt in dem Verfall der Jahre. Ich sehe es bis ins kleinste vor mir: die glühenden Punkte der Zigarre und der Zigarette und das klare Grün des Himmels über der Heide. Ich höre noch die Stille, die wir bei dem Geklapper von Sheilas Stricknadeln doppelt empfanden, bis sie durch Maeve unterbrochen wurde: „Der längste Tag", sagte sie leise. „Nun geht es bergab."

„Das will ich nicht hoffen", lachte Dermot und verjagte

die feierliche Stimmung, die über uns gekommen war. „Ich möchte lieber ein bißchen Ferien machen. Wie steht es mit dir, Bill? Wollen wir dieses Jahr nicht mit vereinten Kräften nach Reiherbucht? Ich bin in acht Tagen reisefertig."

„Ich fürchte, meine Kräfte fallen etwas schwach aus. Aber ich komme gern mit", sagte ich. „Im Augenblick hält mich nichts in London. Vielleicht kommt Livia auch – aber sie muß natürlich erst ihre Arbeit fertig haben. Sie meinte, Mitte Juli wäre es soweit."

„Dann sind wir noch dort. Ich möchte ziemlich lange Ferien machen, bis weit in den August. Und du?"

„Das wäre schön", sagte ich, verschwieg aber, was ich vorhatte. Wenn wir im August heirateten, konnten wir uns in der St.-Justinus-Kirche trauen lassen, die mitten im Wald an einem verlassenen Wasserarm lag. Ich hätte Dermot, Sheila und Eileen gern dabeigehabt. Aber ich sah Maeves blasses Gesicht, das unverwandt auf den letzten verschwimmenden Schein über der Heide blickte, durch den dunklen Raum schimmern und sagte nichts davon.

„Ich freue mich so darauf, einmal wieder mit euch allen Ferien zu machen", sagte Maeve, ohne den Kopf zu wenden. „Wie lange ist das alles her, lieber Bill, daß Mary Latter bei Kapitän Judas zu Besuch war, die Schwäne im Mond vorüberzogen und du mich in meinen Beruf brachtest!" Sie stand auf. „Ich muß gehen. Der längste Tag tut weh wie alles, was endet und an das Ende erinnert . . ." Wir erhoben uns alle. „Bring mich noch über die Parlamentsfelder, Onkel Bill. In Hampstead nehme ich dann die Untergrundbahn."

„Ich lasse dich von Martin nach Hause bringen."

„Ich mag ihn nicht bemühen. Laß ihm seinen Feierabend. Aber bring mich über die Felder. Du hast ja den gleichen Weg."

Ich ging mit Maeve über die Felder. Der Abend war warm, und in der herrlichen Beleuchtung, die sich immer noch am Horizont hielt, waren viele Leute unterwegs. „In solcher Nacht sollte man das Leben eigentlich nicht so schwernehmen", sagte sie, „aber ich kann nicht anders. ‚Von nun an geht es bergab!' Wie kann man so etwas sagen! Was für ein dummes Gerede!"

Ich brachte sie an die Bahn und ging langsam heim. Der österreichische Thronfolger dachte an diesem Abend an den bevorstehenden Besuch in Bosnien. Zwei Tage später trat er die Reise an.

*

Livia wollte, sobald es ging, in Reiherbucht zu uns stoßen, wahrscheinlich so in drei Wochen. Ich reiste mit Dermot, Sheila und Eileen am Sonntag, dem 28. Juni, ab. Martin war schon einige Tage vorher mit dem Gepäck der beiden Familien vorausgefahren, das heißt: als Familie konnte ich mich ja kaum bezeichnen. Wir fuhren an jenem Sonntag in Dermots Wagen, er steuerte selber, und wir ließen uns Zeit. Es gab immer neue Vorwände, haltzumachen; zum zweiten Frühstück, zum Mittag, zum Tee. 1914 waren noch nicht so viele Wagen unterwegs, und wir waren alle sehr guter Dinge. Ich sah zum erstenmal wieder zuversichtlicher in die Zukunft. Oliver war unter Dermots Obhut sicherer aufgehoben als früher, und ich durfte annehmen, daß Livia noch vor der Heimreise meine Frau sein würde. Ich dachte schon an die neue Arbeit, die ich im nächsten Winter, wenn wir uns beide häuslich eingerichtet hätten, in Angriff nehmen wollte.

Als wir an diesem Hochsommertag die Landstraßen entlangsausten, freute ich mich über alles. Damals besaßen sie noch ländlichen Charakter, mit ihren Hecken und Ulmen und dem Geißblatt, Fingerhut und Sumpfschierling darunter. „Was haben wir nur mit dem Kerl aufgestellt, Sheila?“ fragte Dermot. „Man könnte ihn fast für die kleine Rotznase Bill Essex halten, die wir in Manchester kannten.“

Sheila saß hinten mit mir und hatte des aufgeschlagenen Verdecks wegen den Hut mit einem Schleier unter dem Kinn festgebunden. Sie lächelte mir nur stumm zu. Sie brauchte auch nichts zu sagen. Sheila war immer glücklich, wenn ihre Umgebung glücklich war, und jetzt strahlte sie bis auf den grauen Grund ihrer Augen vor Zufriedenheit. Ihr Mund war schön, die Haarsträhnen, die unter dem Schleier hervorwehten, schimmerten zwar grau, aber sie war noch immer eine anziehende Frau.

Die Glocken der Kathedrale läuteten zum Abendgottesdienst, als wir uns durch die häßlichen Straßen von Truro hindurchschlängelten. Eine halbe Stunde später bogen wir in den Kiesweg der Einfahrt ein, fuhren zwischen den Bäumen hindurch und bekamen den frischen Wind vom Fluß in die Nase. Dermot hielt. „Wir sind da!“ rief er stolz und ließ das Steuer los. „So langsam seid ihr noch nie von Hampstead nach Reiherbucht gekommen. Das ist meine Auffassung vom Autofahren.“

Wir kletterten aus dem Wagen. Während wir uns noch die steifen Beine auf dem Weg vertraten, tönten plötzlich vom Fluß her einige heisere Akkorde mißtönig herauf. Ich wandte mich fragend an Sam Sawle, der zu unserem Empfang herausgekommen war. „Das ist Kapitän Judas, Herr Essex. Diesen Sommer hält er jeden Sonntagabend Gottesdienst an Bord. Was Sie da hören, ist sein Harmonium."

Wir drängten uns alle an die Balustrade und starrten in das dichte Laubwerk des Uferabhangs. Sehen konnten wir die „Jesabel" nicht, aber bald hörten wir die Stimme des Kapitäns, die sich dünn wie eine Rohrpfeife vom Röcheln des Harmoniums abhob.

„Hebt Herz und Stimme auf zum Herrn,
Wer lobte seinen Gott nicht gern?
Wo Werk und Wesen lauter Licht,
Wird uns zur Lust die Dankespflicht."

„Das wäre etwas für Donnelly", sagte Dermot. „Der würde sicher schon unten sein und mitsingen."

„Er macht es auch alles in der richtigen Reihenfolge durch", erklärte Sawle. „Sämtliche Lieder und Gebete und eine kurze Predigt. Und bei den Gebeten fällt er zwischendrin immer selbst mit ‚Halleluja' und ‚Preis und Ehre' ein. Dann verliest er die Ankündigungen von der Kanzel und hält aus eigener Tasche Kollekte."

„Und was hat er denn anzukündigen?" fragte ich.

„Immer dasselbe, Herr Essex. ‚Der Jüngste Tag ist nahe herbeigekommen, und es naht das Gericht des Herrn. Das Datum wird in nächster Zeit hier von der Kanzel verkündet werden.'"

Wortlos sahen wir uns an, als Judas' Stimme nach dem Gesang zu uns drang und sich im Gebet zu seinem Gott hob und senkte.

„Der arme Mann", sagte Eileen leise und ging auf das Haus zu. Wir folgten ihr seltsam beklommen.

Am nächsten Morgen aber lebten wir wieder auf. Es tat nach all den Zweifeln und Ängsten der letzten Monate gut, sich mit Dermot zusammen der klaren Einfachheit dieser Morgenstunde hinzugeben. Wir beide standen vorn auf dem Steg und blickten auf den Fluß, der murmelnd vorüberfloß. Noch war der Nebel nicht ganz verflogen, aber die Sonne drang immer klarer durch und versprach einen glühendheißen Tag. Ein Reiher flog hoch über uns dahin, ruhig und in lässiger Kraft, die Vögel zwitscherten im Wald, und weit und breit war kein lebendes Wesen zu sehen. Auf dem schwarzen Rumpf der „Jesabel“ rührte sich nichts. Das Beiboot, die „Maeve“ und die beiden Segelboote schwankten auf den Wellen.

Der Augenblick war zu vollkommen, um zu sprechen. Wortlos ließen wir uns ins Wasser gleiten, schwammen um die Boote herum und stiegen wieder ans Land. Eine Viertelstunde später saßen wir mit Sheila und Eileen beim Frühstück. Es gab ausgezeichneten Petersfisch, den Sawle irgendwo aufgetrieben hatte, guten kalten Schinken mit Brot, Butter, Marmelade und Gelee und Kaffee und Tee in Hülle und Fülle. Sawle wollte die Ferien gut anfangen. Als ich ihn nach der Morgenzeitung fragte, sagte er, Martin hätte sicher eine von Truro mitgebracht. In dem Augenblick kam Martin auch schon mit den „Western Morning News“ herein. Dermot riß sie ihm aus der Hand, aber ich ließ mich nicht stören. Wenn Sheila mir Tee eingoß und Eileen mir Petersfisch auftat, kam die Zeitung noch immer zurecht. Erst als ich den ersten Hunger gestillt hatte, fragte ich: „Nun, was geht in der Welt vor?“

„Nichts von Bedeutung. Vorbereitungen für das große Kricketspiel und für das Rennen in dieser Woche. Ach ja, und ein österreichischer Erzherzog ist gestern, während wir so gemütlich herfuhren, ermordet worden. In Sara... Sarajewo. Hast du den Namen je gehört?“

„Nein.“

„Ich auch nicht.“

„Leg die Zeitung hin und iß“, sagte Sheila. „Dort unten wird ja alle naselang einer ermordet.“

„Keine Nachricht – gute Nachricht“, sagte Dermot und warf die Zeitung quer durchs Fenster.

Livia kam am Sonnabend, dem 18. Juli. Am selben Tag begann Olivers Urlaub. Vor acht Tagen hatte Dermot zu mir gesagt: „Es wäre wirklich ganz gut, Oliver die Möglichkeit zu geben, zu uns zu kommen. Wahrscheinlich ist es nicht, daß er kommt, aber auf alle Fälle schreibe ich ihm, daß er sich zwei Wochen Urlaub nehmen könne. Was hältst du davon?“

Ich wollte nichts unversucht lassen, mit Oliver wieder ins reine zu kommen. Dermot sollte ihn auch darauf hinweisen, daß Livia am Achtzehnten käme und daß das Wetter herrlich wäre und zwei Segelboote auf Fahrt warteten. Er tat es denn auch in eigenem Namen.

Oliver dankte ihm herzlich für den Urlaub – „den ich

nach so kurzer Zeit gar nicht verdient habe" –, aber von Cornwall oder seinen sonstigen Plänen schrieb er nichts.

„Das wäre denn wohl im Augenblick alles", sagte Dermot etwas betreten.

Am Achtzehnten fuhr ich mit der „Maeve" nach Falmouth, um Livia abzuholen. Ich hätte ihr auch den Wagen nach Truro schicken können, aber es machte mir Spaß, mit dem Motorboot herumzugondeln, vor allem, seit ich mich im Auto nicht mehr ans Steuer setzte. Ich war immer froh, wenn ich nach Falmouth fahren, Einkäufe machen oder jemanden abholen konnte, jeder Vorwand kam mir gelegen.

Livia sah angegriffen aus. Sie fühlte sich überarbeitet und war froh, daß es nun überstanden war. Für Wertheim hatte sie alles geschafft. „Und es ist mir ganz lieb, ihn nicht mehr zu sehen." Sie machte es sich in den Kissen bequem, während ich mit dem Boot vor der Landungsbrücke manövrierte, um das freie Fahrwasser im Hafen zu gewinnen. Sie sah auf das blaue Meer und den klaren Himmel, die grünen Hügel, die zum Wasser abfielen, und die vielen bunten Dampfer und Segelschiffe, die an uns vorüberzogen. „Ach, es ist so friedlich hier", sagte sie und zog die frische Luft in vollen Zügen ein, „hier kann man einfach nicht daran glauben, daß es Krieg geben wird."

„Krieg!" fuhr ich auf. „Warum, in aller Welt, soll es denn Krieg geben?"

„Das stammt von Wertheim. Deshalb bin ich froh, daß ich fort bin. Ich glaube, er ist verrückt."

„Der Kerl hat nichts als Krieg im Kopf", beruhigte ich sie. „Schon im Januar hat er davon geredet."

„So. Er behauptet, jetzt wäre es soweit, es handle sich nur noch um Wochen."

Wir waren draußen in der weiten Bucht von Falmouth, und ich mußte plötzlich laut auflachen. Livias Gesicht hellte sich auf. Sie sah mich fast dankbar an für das herzhafte Gelächter. „Gott sei Dank, Bill. Du glaubst gar nicht, wie mir der Mann auf die Nerven geht. Alles wegen Sarajewo – du hast davon gelesen, nicht?"

„Ja, irgend so ein Erzherzog."

„Aber bedenkst du auch, daß es immerhin der österreichische Thronfolger war?" An der Art, wie sie mir ins Wort fiel, spürte ich, daß sie es von Wertheim aufgelesen hatte.

„Du lieber Himmel, was gehen uns Österreich und Serbien an?"

„Das habe ich ihn auch gefragt, und Wertheim hat es

mir erklärt, weißt du, mit den Salz- und Pfeffernäpfchen und einigen Stücken Brot. Er erzählte grauenhaft überzeugend, wie alles auslaufen würde. Rußland müsse Serbien beistehen, und Deutschland könne nicht dulden, daß Rußland sich einmische, und Frankreich würde mobil machen, sobald Deutschland auch nur einen Mann und ein Gewehr von der Stelle rühre. Ich habe ihn dann gefragt, was das alles mit dem armen Kerl zu tun habe, den sie in Sarajewo erschossen haben. Er sah mich nur mitleidig an und sagte: ‚Nichts, mein liebes Fräulein Vaynol, überhaupt nichts. Sie sind doch schon seit Jahren soweit. Was wir in Sarajewo knallen hörten, war nur der Startschuß.'"

Mein Gesicht sah jetzt so ernst und trübe aus wie Livias vorhin. Ein Schatten schien sich plötzlich über die Sonne zu legen. Was Wertheim sagte, war gar nicht so abwegig. Ich sah ihn vor mir, unförmig und unbewegt, wie er Livia gegenübersaß und ihr den Weltuntergang mit Brotstücken überzeugend darlegte. „Aber zum Donnerwetter!" rief ich ärgerlich. „Was denken denn die anderen? Was sagt man in London dazu?"

„Kommt es darauf an, was man in London sagt?" Ihre Stimme klang plötzlich verächtlich. „Nein, das habe ich nur von Wertheim. Alle anderen machen so weiter wie immer."

Wir waren ziemlich aus dem Verkehr heraus auf der Carrick-Reede. Ich ließ die „Maeve" mit ganzer Kraft laufen. „Ach was, wir sind hier weitab vom Krieg, und solange er uns nicht empfindlich näher rückt, will ich davon nichts mehr hören."

Vor uns fuhr ein Dampfer mit der Flut flußaufwärts nach Truro.

„Was ist das für eine Flagge?" fragte ich Livia.

„Die dänische."

Etwas an dem Schiff kam mir bekannt vor, und plötzlich fiel mir der Abend in Truro ein mit Dermot, Donnelly und Kapitän Judas. Wir waren jetzt nahe genug, um feststellen zu können, ob ich recht hatte. Am Heck des Schiffes, das eine schwere Holzladung führte, las ich „Kay – Kobenhavn", und auf der Brücke tauchten die hohe Gestalt und der sonnverbrannte Wikingerkopf von Kapitän Jansen auf.

„Den kenne ich von früher. Ein Freund von Kapitän Judas."

„Und wie geht es dem verrückten Alten?" Livia fragte ohne sonderliches Interesse.

„Verrückter denn je. Er verkündet das Jüngste Gericht."

„Wie Wertheim."

„Hör auf mit Wertheim", sagte ich wütend.

Am Ausgang der Carrick-Reede wendeten wir nach rechts, ein gutes Stück vor der „Kay". Der Fluß hatte reichlich Wasser und war nicht sehr befahren. Die „Maeve" war in großer Form, und die dichten Waldufer mit den Weidenlichtungen dazwischen flogen nur so an uns vorüber. Ein paar Reiher strichen langsam davon, als wir näher kamen. Der verwunschene Fluß enthüllte bei jeder Biegung schönere Ausblicke, und in voller Fahrt bogen wir um die letzte Landzunge. Ich drosselte den Motor und hielt mit der „Maeve" auf den Landungssteg zu, auf dem Dermot, Sheila und Eileen standen und nach der „Jesabel" starrten. Gleichzeitig schlug deutlich die Glocke im Wohnraum der „Jesabel" an, die Judas auf meinen Rat hin angelegt hatte. Ein kleines Motorboot schaukelte längsseits des schwarzen Schiffsrumpfes. Mittschiffs am Steuer saß ein Mann, und neben ihm stand ein hochgewachsener Bursche und hielt die Hand am Glockentau. Wir waren noch zu weit ab, aber irgend etwas an der eleganten, aufrechten Gestalt war mir so vertraut, daß mir das Herz schneller schlug. Ich sah Livia an. Sie war kreidebleich. „Er muß mit meinem Zug gekommen sein", sagte sie gepreßt, „und er hat sich in Truro ein Boot gemietet und sich herbringen lassen. Gestern abend rief er mich an. Er sagte, daß er es tun wolle. Ich dachte, er mache nur Spaß."

„Aber ich freue mich doch. Ich bin ja so froh, daß er hier ist. Das werden ganz große Ferien."

Sie sah mich gequält an. „Meinst du? Ach Bill, du wirst auch nicht klüger! Er ist nicht hierhergekommen, um dir Freude zu machen, es ist doch nichts als reiner Hohn. Er läutet nicht zum Spaß bei Judas. Er will bei ihm wohnen."

Ich konnte es nicht glauben. „Bei Judas wohnen! Wo wir auf dem gegenüberliegenden Flußufer ... Das wäre ja ungeheuerlich. Ausgeschlossen!"

„O nein, durchaus nicht", antwortete sie und setzte wütend hinzu: „Warum kann er denn aber nicht anderswo hingehen! Herrgott, warum läßt er mich nicht in Ruhe. Ich habe ihm doch verboten zu kommen."

Sie flog und klammerte sich so fest ans Dollbord, daß die Handknöchel weiß wurden.

Ich hatte den Motor abgestellt, und in der Stille ertönte noch einmal die Glocke der „Jesabel". Unverkennbar klar schallte Olivers Stimme über den Fluß: „Judas ahoi! Judas! Komm 'raus! Ich bin es – Oliver!"

Ich nahm das Fernglas von der Bank und sah Judas erscheinen und über dieReling blicken. Es war das erste Mal, daß ich ihn in diesen Ferien zu Gesicht bekam. Ich sah nur sein hageres Gesicht, das noch mehr zusammengeschrumpft zu sein schien, die eingefallenen Wangen und den Wust von weißen Haaren. Es war das Gesicht eines wahnsinnig gewordenen Fanatikers. Ich sah, wie es aufleuchtete, als er Oliver unten im Boot stehen sah, der ihn unverschämt anfuhr: „Hallo, Alter! Laß den Herrn nicht so lange warten!"

Mit zitternden Händen ließ Judas die Strickleiter herunter. „Ich komme, Herr! Ich komme schon", stammelte er.

Oliver holte einen Rucksack aus dem Motorboot, warf ihn sich über die Schulter und stieg die Leiter hinauf. Das Motorboot legte ab und fuhr nach Truro zurück. Oliver mußte die „Maeve" auf dem Fluß sehr gut bemerkt haben, auch die kleine Gruppe auf dem Steg von Reiherbucht. Er würdigte uns keines Blickes. Sobald er an Bord war, zog Judas die Leiter ein, und sie verschwanden.

Die „Maeve" tackte langsam auf den Steg zu. Sheila und Eileen waren fort, sie hatten es mir wohl ersparen wollen, mich in meiner Schmach zu begrüßen. Aber Dermot war noch da, und als er mir an Land half, drückte er mir fest die Hand.

„Das ist das Ärgste, Bill", murmelte er.

Ich nickte, unfähig zu sprechen. Aber es sollte noch ärger kommen.

Am nächsten Morgen in aller Frühe, ehe einer von uns erwachte, war die „Rory", Olivers Boot, schon bei uns vom Steg losgemacht und drüben im Schatten der „Jesabel" vertäut worden.

Dermot, der mit mir zum Landungssteg hinuntergegangen war, verfärbte sich vor Zorn, und Sam Sawle, der ins Haus gekommen war und uns den Vorfall berichtet hatte, stand ernst und bekümmert daneben. Er fragte, ob er im Beiboot hinüberrudern und die „Rory" wiederholen solle. Ich tat, als dächte ich einen Augenblick nach, und sagte dann: „Nein, die ‚Rory' gehört ihm. Er kann damit machen, was er will."

Ich wandte mich auf der Stelle um und ging fort. Dermot folgte mir. Er bemühte sich vergeblich, zu unterdrücken, was ihm auf der Zunge lag. „Dieser verfluchte Hund, dieser Knirps . . .", platzte er los.

Ich hob die Hand. Er war einen Augenblick still, dann brach es aus ihm heraus. „Er ist entlassen! Ich will ihn nicht mehr sehen. Er soll sich zum Teufel scheren!“

Eine Stunde später saß er noch immer auf dem Landungssteg, rauchte finster vor sich hin und starrte über den Fluß auf die „Jesabel“ und die „Rory“, die längsseits schaukelte.

In der nächsten Woche gab es Augenblicke, wo ich am liebsten Schluß gemacht hätte und abgefahren wäre. Die Situation war qualvoll und überhaupt nur dadurch zu ertragen, daß Dermot sie auf die Spitze trieb und dadurch ins Lächerliche zog. Er hatte Oliver geschrieben, daß ihm bei der Firma O'Riorden gekündigt sei, und einen Wochenlohn beigelegt. Sam Sawle brachte den Brief im Beiboot hinüber. Man ließ ihn an Bord, wo Oliver unbestrittener Herr des Schiffes war. Judas war in der Kombüse und kochte. Oliver warf sich in einen Sessel, las das Schreiben und rief: „Judas! Tinte! Feder!“ Der Alte trabte aus der Kombüse, wischte sich die Hände an der Schürze und holte ehrerbietig, was Oliver verlangt hatte.

„Das ist alles“, sagte Oliver, und Judas verbeugte sich und verschwand.

Oliver zwinkerte Sawle zu. „Setz dich, Sam“, forderte er ihn leutselig auf. „Ich gebe dir die Antwort mit.“

„Ich werde an Deck warten“, erwiderte Sawle.

Der Antwortbrief enthielt das Geld, das Oliver wieder beigelegt hatte. „Ich habe Geld genug, und im übrigen nehme ich die Kündigung der Firma O'Riorden nicht an. Sie haben mir keine Gründe angegeben, die sich auf meine geschäftliche Führung beziehen. Sollten Sie auf Ihrer Kündigung bestehen, so sehe ich mich gezwungen, Sie wegen ungesetzlicher Kündigung gerichtlich zu belangen.“

Dermot wurde weiß vor Wut. „Kann er denn das? Kann er denn das?“ donnerte er.

Ich wußte juristisch ebensowenig Bescheid wie er, und er wollte sofort nach Truro zum Anwalt stürzen. Ich redete es ihm aus.

„Es wäre mir lieber, du ließest es auf sich beruhen, Dermot.“

Er lenkte sofort ein. „Verzeih, Bill. Wieder einmal meine verfluchte Empfindlichkeit.“

Wieviel Dermot Sheila und Eileen erzählt hatte, weiß ich nicht. Sie merkten, daß Oliver und ich auseinander waren, aber ich hatte keinen Grund zu der Annahme, daß sie Livia damit in Zusammenhang brachten. Trotzdem waren sie ihr gegenüber unzugänglich und zurückhaltend. Sie ahnten wohl, was gespielt wurde; als Gast behandelten sie sie aufmerksam und höflich, aus der Kameradschaft der übrigen aber schlossen sie sie aus.

Eines Tages stiegen wir alle in die „Maeve" und fuhren zum Molunan-Strand. Es hätte vollkommen sein können. Das Wasser war herrlich, und das ruhige Blau des Meeres ging hier und dort ins Violette, ja ins Rötliche über. Scharen von Möwen flogen herum und stießen schreiend ins Wasser. Eileen erinnerte uns daran, daß das auf Fischschwärme schließen lasse. Sam Sawle fahre mit dem Boot immer über die Stellen, wo die Möwen niedergingen, und ziehe die Leinen stets voll herauf. „Ich weiß noch, wie wir ihm dabei einmal alle halfen – ich, Maeve, Rory und Oliver. Wir zogen eine Leine nach der anderen aus dem Wasser und konnten gar nicht so schnell mitkommen."

Ich, Maeve, Rory und Oliver – als sie die Namen aufzählte, klang es wie ein Lied aus alten Zeiten. Unglaublich ferne Zeiten voll Frieden, Jugend und Hoffnung und nicht wie jetzt voller Unsicherheiten und Zweifel. Wir ertappten uns dabei, Dermot, Sheila und ich, wie wir uns scheu ansahen, und als wir spürten, daß auch der andere unwillkürlich an die drei abwesenden Kinder dachte, wandten wir uns wieder dem Nächstliegenden zu, etwas gedämpfter vielleicht und auch etwas älter.

Wir ankerten dicht vorm Strand und fuhren in zwei Partien im Beiboot an Land. Das Frühstück nahmen wir mit. Dermot und ich sammelten trockenes Treibholz und schichteten es für das Feuer auf. Dann gingen wir alle ins Wasser, und ein Bad am Molunan-Strand im Hochsommer läßt einen alle Sorgen der Welt vergessen. Meine Zehen griffen in den heißen Sand und krampften sich zusammen; wie blaue Seide glänzte das Meer vor mir in der Sonne, und der Himmel brannte so grell herunter, daß ich nicht hinaufschauen konnte. Ich stand wie gebadet in Licht und Wärme und sah Livia, Sheila und Eileen zur weißen Brandung hinunterlaufen. Dann kam Dermot auch hinter seinem Felsen vor, und wir rannten den anderen nach. Mit großem Geschrei stürzten wir uns alle ins Wasser und planschten bis zur „Maeve" und wieder zurück.

„Ich habe genug, Bill!" rief Dermot. „Ich sorge für das Feuer!" Er lief den Strand hinauf, und die anderen folgten ihm. Ich blieb noch und schwamm langsam bis dort, wo es tief wurde. Durch das kristallklare Wasser konnte ich unter mir das Sonnenlicht sehen, wie es kühle, flimmernde Muster auf den gelben Sand warf. Hier und dort glänzte ein durchsichtiger Seestern auf, ein Tangwedel wogte hin und her, wie eine Magnetnadel feinsten unsichtbaren Strömungen gehorsam. Dann kam das, worauf ich gehofft hatte, das fesselndste Schauspiel in diesen Gewässern: in langem schmalem Zug, zehn oder zwölf in einer Reihe, kam wie ein kleines Seeheer ein Schwarm Silberfischchen angeschwommen. Endlos flitzten sie vorüber und wechselten nie die Formation; sie schwenkten nach rechts und nach links, aber immer sorgfältig ausgerichtet, als würden sie von einem Willen zusammengehalten. Eine leichte Wolke zog vor die Sonne. Das Wasser blieb durchsichtig, aber es wurde grau und mit ihm die Fischchen. Ich sah sie immer noch: ein endloses graues Heer, das über den dunklen Meeresboden in unbekannte Schlachten zog.

Das Feuer prasselte, und der Wasserkessel, den wir mitgebracht hatten, summte bereits, als ich den Strand hinauflief. Sie hatten sich alle rasch angezogen, und Sheila und Eileen packten den Frühstückskorb aus. „Ich werde Ihnen helfen", sagte Livia. „Geben Sie mir die Teller und das Geschirr. Ich werde im Sande decken."

„Setzen Sie sich nur hin und machen Sie es sich bequem", antwortete Sheila. „Wir werden schon allein fertig."

Livia ging beiseite und stöhnte tief auf. „Mein Gott!" sagte sie leise, warf ihre Zigarette fort und zertrat sie im Sande.

Nach dem Essen lehnten wir uns gespannt gegen die Felsen. Dermot und ich rauchten unsere Pfeifen. Eileen saß zwischen uns. Sheila und Livia lagen der Länge nach im Sand und hatten die Augen geschlossen. Plötzlich rief Eileen: „Seht, die ‚Rory'! Das muß Oliver sein!"

Livia fuhr hoch. „Oliver? Wo?" Sie schien völlig durcheinander.

So ging das eine Woche lang. Wohin wir auch gingen, überall tauchte Oliver auf. Judas sahen wir nie. Sam Sawles Bericht, nachdem er den Brief an Oliver abgegeben hatte, war das einzige, was wir von seinem Tun und Treiben erfuhren. Eines Abends kam sein Freund Jansen zu Schiff von Truro und stieg an Bord. Die ganze Nacht durch hörten wir Gesang und Gelächter, und die mächtige Stimme des Dänen dröhnte über den Fluß.

Oliver sahen wir dauernd. Nach ein paar Tagen hatte die Sonne seine natürliche Schönheit verstärkt. Das tiefe Braun seines Körpers ließ die blauen Augen und die weißen Zähne noch stärker hervortreten, und sein Haar war von der Sonne gebleicht und hing ihm wirr um den Kopf. Ich kam des öfteren so nahe an ihn heran, daß ich solche Einzelheiten gewahrte. Unversehens tauchte er plötzlich vor uns auf und übersah lässig unsere Anwesenheit. Er hatte sich ein Sprungbrett gebaut, das an der Seite der „Jesabel" in Tauschlingen herabhing. Sobald einer von uns zufällig in die Nähe des Schiffes kam, erschien er ostentativ in seiner Badehose, stellte seinen prachtvoll gewachsenen goldbraunen Körper zur Schau und zeigte in aller Unverfrorenheit seine Tauch- und Schwimmkünste.

Das alles war natürlich auf Livia gemünzt, und es verfehlte auch nicht seine Wirkung. Sie wurde reizbar und launisch und erklärte schließlich, sie könne keine Ausflüge mehr mitmachen, weil sie die Situation nicht ertrüge, die uns Oliver aufgezwungen hätte. Sie kam trotzdem mit. Als wir aber am Freitag eine größere Unternehmung nach Helston vorhatten, erklärte sie mir plötzlich, sie fühle sich nicht imstande mitzukommen. Es war im letzten Augenblick, einige von uns saßen schon im Boot, und der Rest stand neben dem Beiboot und verstaute Frühstück und Badezeug. Sam Sawle saß im Beiboot und hielt es am Steg fest, Livia stand auf den Stufen und rief es mir über das Wasser zu: „Nein, Bill, ich kann wirklich nicht. Es wird mir zuviel. Ich muß mich ausruhen."

Sam Sawle wandte sich zur „Maeve" und wartete auf meine Weisungen. Dermot, der mit mir an Bord war, sah mich fest an und sagte: „Sam kann die ‚Maeve' steuern. Bleib bei ihr."

„Ich gehe wieder an Land, Livia!" rief ich. „Du sollst nicht den ganzen Tag allein bleiben."

Ihre Stimme klang sehr laut über das Wasser. „Nein, nein. Das will ich nicht. Ich werde euch doch nicht den Ausflug verderben."

Dermot sah zur „Jesabel" hinüber und wiederholte leise: „Bleibe bei ihr."

Ich war unschlüssig. Da lief Livia leichtfüßig die Stufen hinunter, setzte ihren Fuß an den Bug des Beibootes und stieß es ab. „Los, Sawle!" sagte sie.

Dermot sah mich ernst an, sagte aber nichts mehr. „Gut, Sam", rief ich, „kommen Sie an Bord!"

Erst da ließen mich Dermots Augen los, er wandte sich ab, als sei die Spannung vorüber und eine wichtige Entscheidung gefallen. Er blickte von mir auf Livia, die uns nachwinkte, sich dann plötzlich umwandte und den Pfad zum Haus hinaufschritt. Das Gebüsch verschlang sie sofort. Dermot starrte eine Zeitlang auf die leere Stelle. Dann sagte er: „Weg."

Heute begegneten wir mit der „Maeve" Oliver nicht. Wir kamen erst kurz vorm Abendessen wieder nach Reiherbucht, und Livia erwartete uns am Steg. Sie war vergnügt und guter Dinge und wollte alles wissen, was wir getan und erlebt hatten. Sie sagte, die Ruhe hätte ihr gutgetan. „Morgen will ich in Truro Einkäufe machen. Kann ich den Wagen ganz früh bekommen, Bill? Ich möchte um zehn Uhr dort sein."

Ich war glücklich, daß sie so gut aufgelegt war, und sagte Martin, er möge den Wagen bereithalten. Sie machte sich eine Liste von allem, was wir brauchten: Tabak für mich, Wolle und Stricknadeln für Sheila und so weiter.

Am Morgen war sie fort, ohne daß ich etwas davon wußte. Ich war mit Sawle auf der „Maeve" gewesen und hatte den Motor überholt, und als ich nach Hause kam, sah ich den Wagen gerade noch in die Landstraße einbiegen. Es war ein langweiliger Morgen. Wir hatten kein gemeinsames Programm gemacht. Ich ging also zum Ufer zurück und setzte mich mit der Pfeife ans Wasser, kurz darauf setzte sich Dermot daneben und las Zeitung. Wir sprachen flüchtig über die Spannung zwischen Österreich und Serbien, die im Lauf der Woche gestiegen war. Uns selbst schien die Sache nicht weiter ernst zu sein.

„Wertheim ist überzeugt, daß es Krieg gibt", bemerkte ich, als spräche ich vom festen Termin eines Kricketspiels.

„Zwischen Österreich und Serbien sicher", antwortete Dermot. „Das österreichische Ultimatum läuft heute ab."

Auch er sprach, als handele es sich um das groteske Treiben irgendwelcher unzivilisierter Stämme, das uns nicht im entferntesten berühren konnte. Dann redeten wir nicht mehr darüber. Er streckte sich auf dem kurzgeschorenen Rasen am Steg in der Sonne aus, und ich rauchte meine Pfeife und blickte bald träge in die Zeitung, bald über den Fluß, der sich bei der Flut in seiner ganzen Schönheit zeigte.

Durch den verschlafenen Morgen drang der Lärm einer Schiffsschraube. Die „Kay" aus Kopenhagen, die ihre Aufgabe in Truro erledigt hatte, bog um die Ecke und fuhr seewärts. Jansen stand auf der Brücke, und als sie sich der „Jesabel“ näherte, zog er die Dampfpfeife. Kapitän Judas kam an Deck, nicht in der Schürze, wie ihn Sawle geschildert hatte, sondern so schmuck, wie ich ihn kannte. Er hatte die Hand an der Mütze, als die „Kay“ vorüberfuhr. Damals wußte ich noch nicht, daß sie den Sarg mit sich führte, in dem alles, wofür ich gelebt und gearbeitet hatte, bestattet lag. Livia und Oliver waren an Bord der „Kay“. Livia hatte endlich ihre Entscheidung getroffen ... Der Zankapfel ... Sie schrieb mir von Kopenhagen aus.

Aber damals wußte ich noch nichts davon. Ich wunderte mich nur flüchtig, daß Oliver nicht neben Judas erschien, aber die Frage beunruhigte mich nicht weiter. Die „Kay“ interessierte mich nicht mehr als irgendein anderes Schiff auf dem stillen Fluß. Ich sah ihr nach, bis sie außer Sicht kam, und wandte mich wieder der ruhigen, gedankenlosen Betrachtung von Himmel und Wasser zu.

28

Als es Abend wurde an diesem Samstag, wußten wir alle – Dermot, Sheila, ich und sogar die kleine Eileen –, daß die dünne Eisschicht, der ich mich monatelang anvertraut hatte, eingebrochen war. Lügen, Ausflüchte, Betrug, Hoffnung und Furcht: das alles war nun vorbei. Es mag verrückt klingen, aber zuerst empfand ich so etwas wie Erleichterung. Ich wußte jetzt wenigstens, woran ich war.

Gegen Mittag schon fragte Martin telefonisch aus Truro an, ob Livia auf einem anderen Weg nach Hause gekommen sei. Sie hatte ihn mit dem Wagen bei der Kathedrale warten lassen, und er hatte dort gestanden, bis er unruhig wurde und schließlich bei uns anfragte.

Ich war gerade oben im Haus, als das Telefon klingelte, und meldete mich selbst. Als ich begriffen hatte, was Martins besorgte Nachfrage zu bedeuten hatte, setzte mein Herz einen Augenblick aus. Ich wußte sofort, daß Livia nicht zurückkommen würde.

„Sie brauchen nicht länger zu warten“, sagte ich und hängte an. Dann blieb ich in dem kühlen Schatten der Halle stehen und sah in den Sonnenglanz vor der Tür. Sheila ging langsam vorüber, eine weiße Gestalt auf dem leuchtenden Gelb des Kieses. Ich rief leise ihren Namen. Sie kam herein und blinzelte in die Dämmerung der Halle. Dann schrie sie auf. „Bill! Was ist dir? Bist du krank?“

Ich hatte den Pfeifenkopf in der Hand und den Stiel zwischen den Zähnen. Erst als sie sprach, wurde mir bewußt, daß der Stiel klapperte. Unsicher legte ich die Pfeife auf den Tisch. „Es war Martin. Er rief aus Truro an. Livia ist nicht zum Wagen zurückgekommen.“

„Vielleicht ist ihr etwas zugestoßen?“

„Nein. Ich glaube nicht, daß wir Livia wiedersehen werden.“

„Lieber!“ Sheila nahm meine fliegende Hand in die ihren und drückte sie fest. Verhaltene Tränen glänzten in ihren Augen.

„Ich werde nicht daran zugrunde gehen“, sagte ich mit einem gespenstischen Lächeln. „Seid so gut und eßt heute ohne mich zu Mittag. Und erzähl Dermot, was geschehen ist.“

„Es ist wohl ... Oliver?“

„Ja, ich nehme es an.“

Alles, was ich tat, war sinnlos. Ich suchte mein Arbeitszimmer auf wie ein verwundetes Tier sein Lager, ich saß bei geschlossenen Vorhängen im Stuhl, dann wieder ging ich ruhelos auf und ab und sah durch den Spalt zwischen den Vorhängen nach, ob die sonnige Alltagswelt draußen noch existierte. Natürlich war sie noch da. – Du bist nicht der erste Narr, der betrogen wurde, sagte ich mir, und wirst auch nicht der letzte sein. – Aber was änderte das an der Sache? Ich blieb ein Narr und war betrogen worden.

Um vier kam Dermot mit einem Teebrett. „Verdammt noch mal“, sagte ich, „ich werde doch nicht hier drinnen Tee trinken wie ein krankes Kind, das von der Amme verwöhnt wird! Nimm es mit hinaus in die Sonne.“

Dermot nahm es mit auf den Tisch an der Balustrade, wo Sheila und Eileen schon beim Tee saßen. Ihre hellen Kleider leuchteten vor dem dunklen Grün des Waldes.

Das bekam mir besser, und sie hatten auch den Takt, mich nicht zu bemitleiden. Dem ernsten, respektvollen Wesen von Sawle und Martin dagegen spürte ich ihr Mitleid an, soweit ich sie an jenem Tag noch zu sehen bekam. Daß sie völlig im Bilde waren, erkannte ich allerdings erst abends spät, als Sawle mich fragte: „Soll ich jetzt die ‚Rory‘ wieder herüberholen, Herr Essex?“

Das eine Wort „jetzt“ sagte alles.

Martin stand mit uns am Steg. Er hatte mit den anderen den Tag über an der „Maeve" herumgebastelt. Mir war der Gedanke unangenehm, daß die beiden Männer, die mir lieb und wert waren, durch den törichten Standesunterschied von meinem Unglück ausgeschlossen sein sollten. „Ja, holen Sie sie herüber", sagte ich. „Sie scheinen zu glauben, daß mein Sohn fort ist?" Sawle nickte.

„Und ich nehme an, Sie haben sich auch mit Martin schon Gedanken darüber gemacht, warum er fort ist?"

„Das geht uns nichts an, Herr Essex", sagte Martin rauh. „Aber wir haben uns natürlich auch unsere Gedanken gemacht."

„Wollen Sie so gut sein und sie für sich behalten", sagte ich. „Ich wäre Ihnen dankbar dafür."

Es ging alles sehr glatt und förmlich vor sich, aber sie schienen sich zu freuen, daß ich gesprochen hatte. Dadurch entstand ein besonderes Verhältnis zwischen uns; und ich bin froh darüber, denn sechs Monate später fiel Martin und nach einem Jahr Sawle, der eine zu Lande, der andere zur See.

Und jetzt trieben wir rasch dem großen Unheil entgegen. Auch an jenem Samstag, zehn Tage vor dem Ausbruch des Krieges zwischen England und Deutschland, wehrten Dermot und ich uns noch gegen den Gedanken, der sich immer wieder an uns heranmachte und uns aufzuwecken drohte. Aber am Montag rief Wertheim an und wollte, daß Livia sofort nach London zurückkäme.

„Sie ist abgereist", sagte ich, „ohne eine Adresse zu hinterlassen."

Mir wurde heiß, als ich mir dabei Wertheims trauriges Gesicht mit den klugen Augen vorstellte, wie es diese Nachricht verarbeitete und sich einen Vers darauf machte. Viel ließ er nicht laut werden. „Hart für Sie, Essex", sagte er, „ich glaube, die Ferien werden Ihnen jetzt nicht mehr so guttun." Ich wußte genau, wie er es meinte.

„Hören Sie", fuhr er fort, „‚Straßauf und straßab' wird abgesetzt. Ja – ganz abgesetzt. Jetzt kommt die Revue an die Reihe, und dafür brauche ich Maeve."

„Warum haben Sie sich denn so plötzlich dazu entschlossen?"

„Plötzlich? Sagen Sie, Essex, wo leben Sie eigentlich – auf dieser Erde oder auf dem Mond? Lesen Sie die Zeitungen nicht? Haben Sie nicht gemerkt, daß Österreich und Serbien Krieg führen – zumindest von morgen an?"

„Doch, aber das liegt doch so weit ab.“

Wertheim stöhnte verzweifelt auf und hängte an.

Am nächsten Tag waren Österreich und Serbien im Krieg, am Samstag Rußland und Deutschland, und am Sonntag kam Dermot mit sehr ernstem Gesicht zu mir.

„Bill, dieser verdammte Wertheim hat recht. Ich muß nach Hause, um nach dem Geschäft zu sehen.“

„Eure Entschlüsse kommen alle so plötzlich“, sagte ich verstimmt. „Wann willst du fahren?“

„Jetzt – sobald es geht. Sheila packt schon.“

Wir sahen uns ungewiß an. Zu sagen gab es nichts mehr, aber es blieb vieles unausgesprochen. Martin fuhr mit Dermots Wagen vor, und Sawle trug einen Handkoffer zur Haustür hinaus. Diese belanglosen Dinge gingen mir nahe. Daß Dermots Wagen so unerwartet reisefertig dastand und Sawle die Koffer hinaustrug, verlieh dem Augenblick eine Schwere, die mich stärker berührte als Wertheims Voraussagen und die wachsende Zuspitzung in den Zeitungen. Sorgfältig aufgebaute Pläne brachen mit einem Schlag zusammen, Freunde wurden jäh auseinandergerissen, das verstand ich – und das alles geschah, weil von Österreich aus eine dunkle Wolke über die Welt zog.

Dermot nahm mich beim Arm und ging mit mir den Weg zum Fluß hinab. Wir stolperten im Schatten der Bäume den holprigen Weg hinunter, wie wir es so oft getan hatten, und standen plötzlich im grellen Licht des Flusses. Einen Augenblick blieben wir stehen und blickten uns um. Unberührt und in tiefem Frieden lag der sommerliche Nachmittag da.

„Wir haben schöne Zeiten hier verlebt, Bill“, sagte Dermot. „Ich werde sie nie vergessen. Die Kinder . . . Was für Spaß haben wir hier gehabt mit Oliver und Rory, ich werde immer daran denken.“

„Und Maeve. Die Sommernacht, als ich mit ihr den Fluß hinaufruderte, der Vollmond, und die Schwäne flogen vorüber – alle in einer Reihe.“

„Ich denke besonders an Oliver und Rory. Das liegt jetzt alles hinter uns, weißt du, aber ich werde gern daran zurückdenken. Wir haben schöne Zeiten mit den beiden verlebt.“

„Ja, das haben wir.“

„Diese ganze verfluchte Welt geht in Scherben, Bill. Ist dir das klar? Das ist das Große, was jetzt geschieht. Diesmal ist es kein Burenkrieg.“

Ich schwieg, und nach einer Weile sagte er, als wolle er das zwischen uns klarstellen: „Bill, du hast oft ‚Gott strafe England' aus meinem Mund gehört. Jetzt aber sage ich ‚Gott helfe England', und es ist ein Gebet."

Erstaunt und ergriffen sah ich ihn an. Er stand da mit vorgestrecktem Bart und blassem Gesicht, und seine Backenmuskeln arbeiteten. Er sah mich nicht an, sondern er blickte über den Fluß hinüber zur „Jesabel", aber ich glaube kaum, daß er sie gesehen hat.

„Ich freue mich, daß du das sagst, Dermot. Es ist kein schlechtes Land."

„Kein schlechtes Land", wiederholte er. „Ich habe hier gelebt und weiß es. Wenn dieses Land mit hineingerissen werden sollte – und ich sehe keine andere Möglichkeit –, wird es seine Leute nötig haben. Ich möchte, daß auch Rory mitgeht. Und bei Gott", flammte er auf, „mit euch machen wir es dann später aus."

„Ist das dein Ernst? Du möchtest, daß Rory . . ."

„Ja."

„Für dich ist es zu spät, Dermot."

„Für dich auch, Bill."

Er sagte es ohne Groll und ohne Spott. Er sagte nur die Wahrheit.

Dermot hatte mich an den Fluß mitgenommen, damit wir miteinander der Wahrheit ins Gesicht sehen konnten. Und die Wahrheit war: wir hatten unsere Söhne verloren.

Dieser Spätsommer war der schönste, den ich erlebt habe. Ich glaube nicht, daß mir das Heimweh nach dem verlorenen Paradies den Blick trübt. Ich sehe das alles ganz klar vor mir. Ein Tag schöner als der andere, ein Abend gleich dem andern, wenn der Tag wie verzaubert in der blauen Dämmerung hängenblieb, und herrliche Sonnenaufgänge von unerschöpflicher Gnade. Sommer und Herbst waren das Werk eines Gottes, der mit seiner Schöpfung offenbar sehr zufrieden sein mußte, wenn er soviel Gnade an sie verschwendete.

Dieses Wetter war nicht zu ertragen. Hätte der Sturm an jenem Sonntag nach Dermots Abreise unter Blitz und Donner das Laub von den Bäumen gerissen, ich hätte erleichtert aufgeatmet, weil es zu allem übrigen gepaßt hätte. Als ich aber in dem leeren Haus aufwachte, das alle Freunde verlassen hatten, schien die Sonne durchs Fenster, die grünen Bäume standen in erhabener Unberührtheit da und rauschten leise mit den Zweigen, und ich fühlte mich hoffnungslos verlassen.

Als ich hinunterkam, bat ich Sawle und Martin, sie möchten mit mir frühstücken. Sie setzten sich verlegen zu mir, und es gelang daneben. Das Ungewöhnliche des Augenblicks kam uns nur noch stärker zum Bewußtsein.

Aber das Alleinsein wurde zur Qual. Ich ging zum Steg hinunter, setzte mich und rauchte meine Pfeife. Der Wald hinter der „Jesabel" leuchtete schon hier und da braun, gelb und rot auf, die ersten Funken des Brandes, der bald von einem Ende des Uferwaldes bis zum anderen reichen würde. Es war herzbrechend schön, der Himmel blau wie Seide über den Bäumen und die Sonne in tanzenden Tropfen auf dem Fluß.

Vor mir am Ufer lagen die Boote über ihren blau-weißen Spiegelbildern. Nun brauchten wir sie nicht mehr. Sie rissen alte Wunden auf: die erste Reise, Nellie lebte noch, die Boote waren nagelneu, und die Kinder sahen sie zum erstenmal: „Boote! Gehören sie wirklich uns?"

Nellie mit ihrer schüchternen, ehrlichen Art zog mir freundlich durch den Sinn. Ich nahm mir vor, Sawle zu sagen, er solle zusehen, die Boote außer der „Maeve" und dem Beiboot loszuwerden. Sie taten mir zu weh.

Dann war da Livia. Was mochte sie jetzt treiben? Ich dachte an den Abend in ihrer Wohnung, wo ich beim Erwachen die zierlichen Wirbel ihres Rückgrates gezählt hatte; wie der Gebirgszug einer verlockenden Landschaft lagen sie vor mir, deren Eroberung und Besitz mir nur kurz beschieden waren.

Ich stand auf und schüttelte mich. Wenn das so weiterging, würde ich schwermütig werden. Ich ruderte zur „Maeve" und fuhr mit ihr den Fluß hinab. Auf der Carrick-Reede raste ich in voller Fahrt durch das ruhige Wasser, wo die Möwen tauchten und kreischten, raste durch den göttlich fühllosen Tag vor der Einsamkeit und der Verzweiflung davon, die sich erst wieder finster neben mich auf die Bank setzten, als das Rattern des Motors in ein Schnurren überging und die „Maeve" sich langsam den weißen Köpfen der Ankerbojen näherte.

Den ganzen Montag über gingen Sawle und Martin mit ernsten Gesichtern ihrer Arbeit nach. Wir drei lebten dort in der Abgeschlossenheit von Reiherbucht wie in einem leeren Raum. Am Tag sahen wir keine Menschenseele.

Das Wetter war noch immer heiß und windstill. Die großen Bäume standen regungslos da, als sammelten sie Kraft für das Kommende. Martin war früh nach Truro gefahren und brachte alle Zeitungen mit, deren er habhaft werden konnte. Sie hallten wider vom Marschschritt der Armeen. Serbien, Österreich, Rußland, Deutschland, alles in Bewegung. Die Deutschen waren in Luxemburg eingefallen und zogen nach Westen.

Ich hatte bisher mit Martin und Sawle kein Wort über den Krieg gesprochen. Aber als ich nach dem Frühstück hinaustrat, trieb sich Martin unruhig in der Nähe der Haustür herum. „Meinen Sie, daß wir mitmachen, Herr Essex?"

„Ja." Er schob die Lippen nachdenklich vor und ging mit durchgedrückten Schultern davon.

Am Mittwochmorgen wußten wir dann, daß wir mitmachten. Martin fragte: „Fahren wir bald nach London, Herr Essex?", und ich wußte, was er damit meinte. Wenn ich nicht nach London wollte, würde er ohne mich fahren. Sein sorgenvolles Gesicht hellte sich auf, als ich antwortete: „Ja, heute fahren wir, sobald Sie fertig sein können."

Ich hatte keine Veranlassung mehr, in Reiherbucht zu bleiben. Eine letzte, irrsinnige Hoffnung in mir hatte mich gedrängt, dort zu bleiben, bis es sich entschieden hätte, ob Livia zurückkäme. Jetzt wußte ich, daß sie nicht mehr zurückkam. Sie hatte mir heute morgen geschrieben.

Sie schrieb nicht mehr „Lieber Bill", der Brief enthielt überhaupt keine Anrede. Sicherlich hatte sie sich lange den Kopf zerbrochen, wie sie mich unter den veränderten Umständen anreden solle, bis sie dann ohne Umschweife mit der Tür ins Haus fiel.

„Ich habe es getan, weil ich es tun mußte. Du fragtest mich einmal, ob ich Oliver liebte, und ich sagte, ich wüßte es nicht. Ich habe mir wohl schon damals etwas vorgemacht. Ich habe ihn vom ersten Augenblick an geliebt, obwohl ich mir bei Gott keinen Vorteil davon versprach. Aber ich habe mehr als einen Mann geliebt und gelernt, daß man keinen Vorteil von der Liebe erwarten soll. Die äußere Sicherheit, die Du mir botest, ging mir nicht ein, ich bin wohl noch zu jung, um diese Sicherheit zu schätzen. Mein Unrecht ist nicht, daß ich Dich um die Ehe bringe, die Du Dir gewünscht hast, denn daran hättest Du wenig Freude gehabt, sondern daß ich diesen Wunsch überhaupt habe bei Dir aufkommen lassen. Dafür bitte ich Dich um Verzeihung.

Livia Vaynol"

Das war alles. Der Brief trug die Adresse eines Kopenhagener Hotels. Ich sah keine Veranlassung, darauf zu antworten.

Durch Wertheim hörte ich von ihrer Irrfahrt. Er gab sich die größte Mühe, Livia nach England zurückzuholen. Täglich schrieb er, telegrafierte oder telefonierte, drohte und schmeichelte. „Bald! Bald!" schrie er mich eines Tages an. „Sie sagt ‚bald!' Mein Gott, was soll ich mir darunter vorstellen?"

Ich hatte Wertheim noch nie so aufgeregt gesehen. Josie war dabei. „Nimm dich zusammen, Jo", sagte sie nachdrücklich. „Was du dir unter ‚bald' vorstellen willst, weiß ich nicht – für mich heißt es, wenn einer von beiden genug hat von der Geschichte. Keinen Augenblick früher."

Ja, Josie war eine kluge Frau. Als sie hörte, daß die beiden auf dem Weg nach Paris waren, nickte sie mit dem Kopf. „Jetzt werden wir sehen. In Paris bekommt der junge Mann einiges vom Krieg zu sehen: marschierende Soldaten, Bajonette, jubelnde Mädchen. Das wird auf einen stellungslosen jungen Menschen Eindruck machen. Und er hat sie ja nun auch schon drei Monate."

Josie behielt recht. Bald darauf, Anfang Dezember, sagte Wertheim: „Sie sind zurück. Sie hat ihn mitgebracht."

Eines Tages sah ich ihn dann. An einem rauhen, stürmischen Nachmittag, schon gegen Abend, ging ich über die Waterloo-Brücke. Der Wind trieb kleine, eisige Wellen über die Themse, und Wasser, Luft und Himmel waren schaurig und unheilverkündend. Von der Nordseite der Brücke kam eine Kolonne auf mich zu marschiert, wie man sie damals fast stündlich sah: frisch vereidigte Leute, noch ohne Uniform, auf dem Weg zum Bahnhof, um in ein Übungslager verschickt zu werden. Es war eine bunt zusammengewürfelte Schar. Eine Militärkapelle ging voran und schmetterte herzhaft in die naßkalte Luft, und die Leute dahinter hielten ganz wacker Schritt: junge Burschen, klein und groß, elegant und abgerissen, Männer mit Mützen auf, manche aber auch mit schwarzem steifem Hut oder einfachem Filzhut, einige vornehm im Mantel, andere in durchgescheuerter Jacke. Oliver war nicht zu übersehen; niemand konnte über ihn wegsehen. Er war der größte im Zug und hielt sich gerade und aufrecht. Er war ohne Hut und Mantel, trug aber einen neuen blauen Tweedanzug. Es fiel mir auf, weil ich Oliver noch nie in Tweed gesehen hatte. Das blonde Haar flatterte im Wind. Es gab einen kleinen Aufenthalt, und die Kolonne trat auf der Stelle; er blickte weder nach rechts noch nach links, den Kopf hoch und die Augen in die Ferne gerichtet.

Mir schnürte es die Kehle zusammen. Die Militärmusik, die marschierenden Jungen, Oliver! Er stand nahe an der Stelle, wo ich an dem kalten Brückengeländer lehnte. Hätte ich ihn angerufen, er hätte mich gehört. Aber ich wagte es nicht. Ich wollte mich dem nicht aussetzen, daß die blauen Augen über mich hinwegsahen, als sähen sie mich nicht. Der Sergeant an der Spitze kommandierte: „Vorwärts, marsch!“ Und Musik und Mannschaft verschwanden in der Abenddämmerung. Ich blieb im Wind, der von der Themse heraufpfiff, stehen, bis ich den hohen goldblonden Kopf aus den Augen verlor und die letzten fernen Töne und Trommelwirbel im gewohnten Lärm der Großstadt untergingen.

Diese Begegnung machte meine Einsamkeit noch schmerzlicher. Ich ging weiter über die Brücke und fühlte mich ausgepumpt, leer und verbraucht. Ich war wirklich sehr einsam. Oliver, Livia, Martin, Sawle: alle waren schon fort. Auch ich hätte die Kameradschaft haben können, die sie gewählt hatten. Ich war dreiundvierzig. Es gab Männer meines Alters, die sich die Haare färbten, eine Jugend vortäuschten, der sie entwachsen waren, und sich auf alle mögliche Art ins Heer einschmuggelten. Das hätte ich auch tun können. Aber ich tat es nicht und fühlte auch nie den Drang dazu in mir. Später verschaffte mir mein Ruf als Schriftsteller einen Posten im Propagandaministerium, und ich schrieb vielerlei, woran ich weder mit Stolz noch mit Freude zurückdenke. Ich brauche hier nicht näher darauf einzugehen, ich erwähne es nur, damit man sieht, daß ich während des Krieges auch eine Art von festem Beruf hatte. Aber damals hatte ich noch nicht einmal diesen fadenscheinigen Trost.

Eines Tages kam mir die Lächerlichkeit der Tatsache zum Bewußtsein, daß ein Mann in meiner Lage, ohne Familie und ohne die Hoffnung, eine zu gründen, zwei große Häuser besaß. Ich versuchte das Haus in Hampstead zu verkaufen, aber es mißlang. Wohnen bleiben konnte ich dort auch nicht. Es war ein Mausoleum geworden. Ich stellte alle Möbel, auch die von Reiherbucht, auf den Speicher, schloß beide Häuser ab, verkaufte meinen Wagen und hatte zum erstenmal in all den Jahren, seitdem ich Nellie Moscrop geheiratet hatte, für keinen Haushalt zu sorgen.

In der Verlassenheit dieser ersten schrecklichen Kriegsmonate, als sich jeder um mich herum in eine Begeisterung zu flüchten schien – oder war es Hysterie? –, die ich nicht teilen konnte, wohnte ich in einem unbekannten kleinen Hotel und wagte mich nur selten hinaus, weil mir die „Gott segne dich, Tommy“-Szenen, die man täglich auf der Straße sah, ebenso mißfielen wie das düstere Gewimmel in den verdunkelten Straßen bei Nacht. Ich hielt es nicht aus ohne die erleuchteten Fenster, das schönste Sinnbild friedlicher Menschen, die ruhig am eigenen Herd sitzen.

So lebte ich einsam und ohne Verpflichtungen. Außer einigen armseligen Hotelgästen sah ich niemand. Ich arbeitete nicht und grübelte nur über die Treulosigkeit von Oliver und Livia nach und über die allgemeinere, aber nicht minder bittere und grausame Tragödie des Krieges und geriet allmählich in einen krankhaften körperlichen und seelischen Zustand, eine Schwermut, in der ich mich von aller Welt verlassen fühlte, obwohl ich ja denen, die mir hätten helfen können, absichtlich meinen Aufenthalt verbarg. Ich fraß meinen Gram in mich hinein und hoffte, daß ich daran sterben würde, und es fehlte nicht viel, daß es soweit gekommen wäre.

Mein Spaziergang an dem Nachmittag, als ich Oliver traf, war bezeichnend für die Art, wie ich damals meine Zeit hinbrachte. Ich war auf dem Südufer der Themse gewesen, weil ich dort bestimmt keinen Bekannten treffen würde. In ärmlichen Straßen war ich umhergewandelt und hatte den Ekel vor den flammenden Aufrufen, die die Schafe zur Schlachtbank riefen, in mich eingesogen. Ich hatte in einer schmierigen kleinen Kaffeewirtschaft, wo die Tische mit abgeschabtem Wachstuch bedeckt waren, kärglich zu Mittag gegessen. Ich suchte die Seelenverfassung, in der ich mich befand, auf jede nur denkbare Art zu verstärken. Nur die Begegnung mit Oliver hatte mir noch gefehlt. Als er vorbeimarschiert war, schien der Wind noch schärfer zu wehen, die Welt war noch bitterer, und ich ging zu meinem abgelegenen Hotel zurück, das mein Unterschlupf in der körperlichen und geistigen Hoffnungslosigkeit war, an der ich mich wie an Opium berauschte.

Nach dem Abendessen war ich der einzige Gast in der Halle – einem schlecht beleuchteten, baufälligen Raum, in dem eine Handvoll Kohlen auf dem Kaminrost zerfielen.

Ein altes Faktotum von Kellner kam ab und zu bei mir vorbei, Gott weiß warum, wischte ausf Geratewohl mit seiner Serviette herum und verdrückte sich wortlos wieder nach draußen. Dann und wann fuhr ich fröstelnd zusammen und schob meinen Stuhl näher an das elende Feuer. Es half nichts, und als das Faktotum das nächste Mal hereinschlich, bestellte ich Whisky, heißes Wasser, Zucker und Zitrone. Zitrone gab es nicht, aber ich braute mir schlecht und recht einen Grog, trank ihn aus und ging zu Bett.

Ich schlief schlecht. Der Schüttelfrost kam wieder, so daß ich mich schließlich aus dem Bett schleppte und meinen Mantel über das Federbett deckte. Dann schlief ich und wachte am nächsten Morgen schweißgebadet auf. Zwischen Schlafen und Wachen verbrachte ich den Tag, und das einzige, was ich merkte, war, daß mein Kopf immer leichter und größer zu werden schien wie ein Ballon, der im Begriff stand, meinen Körper aus dem Bett zu heben und mit ihm davonzuschweben.

Als ich wieder einmal aus meinem Halbschlummer erwachte, sah ich, daß der Tag vergangen war und das unfreundliche Zimmer von einer Nachttischlampe erhellt wurde. Ich merkte, daß Leute im Zimmer waren, aber ich erkannte nicht, daß es ein Arzt und Annie Suthurst waren. Der Wirt hatte sich ein Detektivstückchen geleistet und sie herbeigeschafft.

Es war bezeichnend für das elende kleine Hotel, daß der Theaterzettel von „Straßauf und straßab" noch immer in der Halle hing, obwohl das Stück vor einigen Monaten abgesetzt worden war und Wertheims große Revue schon auf einen stattlichen Erfolg zurückblicken konnte. Der Wirt wußte, daß ich der Verfasser von „Straßauf und straßab" war, und als ihn mein Zustand in Unruhe versetzte, war er auf den Gedanken gekommen, jemand anzurufen, von dem er annehmen konnte, daß er ein Interesse an mir hätte. Er fand Maeves Namen im Telefonbuch; sie wollte gerade zum Theater gehen, als sie die Nachricht von meiner Krankheit bekam. So wurde Annie Suthurst zuerst zu einem Arzt geschickt, und dank dem Schlafmittel, das er mir verordnete, schlief ich diese Nacht durch und wachte am nächsten Morgen mit klarem Kopf und dem Bewußtsein auf, mich sehr dumm benommen zu haben.

Als Maeve und Annie nach dem Frühstück erschienen, war ich ziemlich zerknirscht. Ich kam mir wie ein Kind vor, das sich wider besseres Wissen wie ein Esel aufgeführt hatte.

Ich hatte meinen eigenen Kummer romantisch hochgepäppelt. Das sollte jetzt ein Ende haben.

Aber bei Maeve half mir das nicht. Abgezehrt und unrasiert lag ich in dem unsauberen Zimmer, und Maeve sagte mir schonungslos, was sie von mir hielt. Ich hätte meinen Freunden schwere Sorgen gemacht; das sei unverzeihlich; und ich hätte sie selbst in tiefe Angst versetzt, wo sie gerade jetzt aller Kräfte für die Arbeit bedürfe. „Ganz zu schweigen davon", platzte Annie Suthurst los, „daß sie sich gestern nacht nach dem Theater noch hierherschleppen mußte."

Davon hatte Maeve mir wohl nichts sagen wollen. Als ich so erfuhr, daß sie gleich nach Schluß der Vorstellung, kaum abgeschminkt, zu mir gestürzt war, fiel sie Annie ärgerlich ins Wort und rief: „Rasier ihn, Annie, er sieht ekelhaft aus!"

„Das soll er haben!" sagte Annie entzückt, und ich hatte mich ziemlich schimpflich ihrer Behandlung zu unterwerfen und dankte Gott, daß ich wenigstens einen Rasierapparat hatte. Dann wusch sie mir das Gesicht, bürstete mir die Haare, und ich fühlte mich bedeutend wohler, so daß ich ein blödes Lächeln zuwege brachte. „Vielleicht könnte ich etwas essen", sagte ich.

Mir wurde nur heiße Milch und Toast bewilligt, und nachdem Annie Bett und Kissen glattgezaubert hatte, hieß man mich von neuem schlafen. Glücklich, daß ich gehorchen konnte und nach der krankhaften Verwirrung wieder in guten Händen war, tat ich, was man mir verordnete.

Als ich drei Tage später mit Maeve von einem ziemlich wackligen Spaziergang durch die zauberhafte Wintersonne zurückkam, warf sie eine Frage auf, die sie in Wirklichkeit bereits für mich geregelt hatte.

„Wo willst du jetzt wohnen? Hier kannst du nicht bleiben."

Ich sagte, ich wolle darüber nachdenken. „Das habe ich schon für dich getan", sagte sie barsch. „Einer muß es ja schließlich tun. Einen Stock unter mir wird am Ende des Monats eine möblierte Wohnung frei."

„Vielen Dank. Ich werde sie mir ansehen. Aber wer sorgt dort für mich?"

„Annie Suthurst natürlich. Bei mir hat sie nicht soviel zu tun."

„Ich werde mit ihr reden."

„Ich habe schon mit ihr gesprochen und die Wohnung genommen. Du gehst jetzt erst nach Brighton und erholst dich etwas an der See. Sobald du dich wieder wohl fühlst, komm zurück. Die Wohnung ist dann fertig."

Den ganzen Krieg über wohnte ich dort. Als Maeve starb, blieb Annie bei mir.

Maeves Aussehen gefiel mir nicht. An einem kalten Januarnachmittag kam ich von Brighton zurück, und sie holte mich von der Bahn ab. Zum erstenmal, seit ich sie kannte, hatte sie Farbe im Gesicht, oder vielmehr auf den Wangenknochen, rote Flecken, die ich anfangs der Kälte zuschrieb. Aber dann fiel mir ein, daß ich Maeve seit Jahren bei Wind und Wetter gesehen hatte, ohne daß sich ihr blasses Gesicht, das so gesund und anziehend aussah, um einen Ton veränderte. Ich sah sie genauer an, sie hatte große, glänzende Augen und eine heiße, trockene Hand.

Offenbar griff sie die hektische Stimmung am Bahnhof ziemlich an. Es wimmelte von Männern in Khaki, von Frauen mit verweinten Augen, die ihren Kummer vor niemandem verbargen, und anderen, die tapfer lächelten und gleichgültig taten. Eine Gruppe Urlauber war ziemlich angeheitert und sang Lieder zur Mundharmonika. Der Musikant, ein alter Knochen, der sich die Mütze in den Nacken geschoben hatte, so daß die mit Brillantine festgelegte einsame Haarsträhne auf dem kahlen Schädel glänzte, hatte wohl schon den Burenkrieg mitgemacht und offenbar eine Vorliebe für die Lieder von damals behalten. Er spielte „Dolly Grey" und „Soldaten der Königin". Einer seiner Kameraden rief: „Jetzt spiel mal ‚Aber mit dir . . .'"

Der Spieler probierte daran herum, das Lied hatte seinen Siegeszug über England und Frankreich kaum erst angetreten. Aber die Kerls machten einen Marsch daraus, und Maeve schauderte. „Komm mit", sagte sie flehend und zerrte mich am Arm. „Komm und sieh dir deine Wohnung an."

Als wir weggingen, dampfte ein Zug dröhnend aus der Halle heraus, die Soldaten schrien hurra und die Frauen auf Wiedersehen.

Seitdem Maeve und ich im gleichen Hause wohnten, war es nicht zu vermeiden, daß wir ab und zu zusammen aßen. Schließlich gewöhnten wir uns daran, täglich zusammen Mittag zu essen, manchmal bei mir, manchmal bei ihr. Das hing jeweils von Annie Suthursts Laune ab, die uns beide wie Kinder unter der Fuchtel hatte. Es war an einem Mittwoch im März. Wir hatten zusammen gegessen, und Maeve wollte gerade zur Nachmittagsvorstellung. Sie stand an der

Tür, das Gesicht tief im grauen Pelzkragen, und sagte: „Wenn du übrigens Oliver sehen willst, sei um halb vier am Charing-Cross-Bahnhof.“ Damit schloß sie die Tür und lief die Treppe hinunter.

Sie hatte bisher nie von Livia oder von Oliver gesprochen. Ich ahnte nicht, daß sie etwas von ihrem Verbleiben wußte, und auch heute ist mir noch nicht klar, woher sie es wußte. Ich zog mir den Mantel an, schlug den Kragen bis über die Ohren hoch wie Maeve, denn es wehte ein schneidender Wind, und ging zu Fuß zum Charing-Cross-Bahnhof. Ich redete mir ein, daß ich mich des Wetters wegen so vermummte, aber warum hatte ich den Hut so tief in die Stirn gezogen? So pflegte ich ihn sonst nicht aufzusetzen. Unwillkürlich versuchte ich mich unkenntlich zu machen. So weit war es gekommen: ich mußte meinem Sohn heimlich nachspionieren wie damals in Holborn und während der bitterlangen Nacht in Camden.

Der Wind blies rauh und scharf, und der Himmel war hart wie Kiesel, als ich vor der Nationalgalerie über den Trafalgar-Platz ging. Vor dem Bahnhof hielt ein Polizist allen Verkehr auf, und die Menschen blieben in dichten Reihen auf dem Fußsteig stehen. Ich stellte mich dazu und betrachtete den langen Zug von Ambulanzen, die die Straße hinunterfuhren. Es war noch nie so still in der Stadt gewesen. Der Polizist stand mit seinem erhobenen Arm starr wie ein Wegweiser da.

Die Männer nahmen die Hüte ab. Jetzt kamen, einer hinter dem anderen, die weißen Wagen mit den blutigroten Kreuzen aus dem Bahnhof heraus. Die Fahrer blickten starr geradeaus und achteten nicht auf die herumstehende Menge. Zehn, zwölf, zählte ich. Dann war vorne irgend etwas los, und sie fuhren langsamer und hielten. Es war nichts Besonderes, in zwei Sekunden ging es wieder weiter, aber in diesem kurzen Halt drang aus einem Wagen, der noch halb im Bahnhof stand, ein schweres Stöhnen in die Totenstille, dem ein ersticktes Schluchzen folgte. Wie der Winterwind plötzlich durch die gefrorenen Zweige raschelt, ging ein hastiges Aufseufzen durch die Menge, und die Menschen traten von einem Fuß auf den anderen und sahen sich an wie die hilflosen Zuschauer bei einer übermenschlichen Tragödie.

Als die Krankenwagen vorüber waren und die Menge weiterging, trat ich in den Bahnhof. Das Stöhnen lag mir noch in den Ohren, und alle Teufel der Phantasie zeigten mir Olivers stolzes Gesicht, das so aufrecht über die Waterloo-Brücke an mir vorübergegangen war, im eigenen Blute schwimmen.

Aber das sollte nicht sein Los sein.

Als ich ihn an diesem Nachmittag sah, war er schon nicht mehr der Jüngling, dessen Augen so ungeheuer erwartungsvoll in die Ferne geblickt hatten, als er mit seinen Kameraden an mir vorbeimarschierte. Jetzt war er schon ganz bei der Sache und Herr der Situation. Livia sah ich zuerst. Sie war eleganter und hübscher als je. Ihr Gesicht strahlte vor Glück und Zufriedenheit, und im unverhohlenen Stolz des Besitzes sah sie immer wieder in das männliche Gesicht neben ihr, das sie um mehrere Zoll überragte.

Er hatte sich einen kurzen blonden Schnurrbart stehenlassen. In den Strapazen der letzten Ausbildungsmonate war er breiter und sehniger geworden, und die blauen Augen schimmerten aus einem wettergebräunten Gesicht. Er trug hohe braune Schnürstiefel, die wie Kastanien glänzten, und die Schöße seines gutgeschnittenen Mantels wehten, als er vorüberstolzierte. Ich kann das Wort nicht unterdrücken: er stolzierte wirklich. Und wenn Gemeine vorbeikamen und den einen Stern auf seinem Ärmel grüßten, hob er das Spazierstöckchen in den Handschuhen lässig an die Mütze. Er war stolz auf sich und darauf, daß er gegrüßt wurde, obwohl er die Grüßenden keines Blickes würdigte. Und er war stolz darauf, daß Livia ihn in seiner Größe sah und daß er mit ihr zusammen gesehen wurde.

Und ich war stolz auf ihn! Auch damals noch hätte ich den Vater im Gleichnis vom verlorenen Sohn übertroffen, der seinem Sohn ein großes Stück Weges entgegenlief. Ich wäre ihm entgegengelaufen und hätte mich vor diesem jungen, fröhlichen Kriegsgott erniedrigt, dessen rosigen Körper ich einst abgeseift und dessen Liebe mir so selbstverständlich gehört hatte wie Sonne und Regen. Aber ich hätte eher Nellie aus dem Grabe zurückrufen als erwarten können, daß diese blauen Augen, die jetzt Livia anstrahlten, auch mir zulächeln und nicht bei meinem Anblick gleichgültig erkalten würden.

So lauerte ich hinter einem Zeitungsstand, den Kragen hochgeschlagen und den Hut tief herabgezogen, und sah, wie zwei Jünglinge in gleicher Uniform, aber wesentlich anders in Gestalt und Erscheinung, zu ihm traten. Sie grüßten Livia befangen und unterhielten sich eine Weile mit den beiden und erwiderten gelegentlich einen militärischen

Gruß. Dann schritten sie alle zur Sperre und kamen so nahe an meinem Versteck vorüber, daß mich ein Mantelschoß hinten am Bein streifte und mir einen Schauer über den Rücken jagte. Ich wandte mich hinter ihnen um und sah ihre Rücken durch die Sperre verschwinden. Da wußte ich, daß ich Oliver das letzte Mal gesehen hatte, bevor ihn der Krieg verschlang. Wie würde er wiederkommen? Das Herz schlug mir wild bis in den Hals hinauf. Ich drängte mich zur Sperre und blickte den Zug entlang, bis sich die Abschiedsszenen in die beiden Lager auflösten, diejenigen, die einstiegen, und die anderen, die zurückblieben und ihnen nachsahen.

Ich konnte ihn nicht wiederfinden. Es dröhnte dumpf, die Maschine stieß Dampf aus, hielt aber noch. Dann zog sie an und schnaufte durch die weißen Rauchwolken, die das Glasdach verdunkelten, davon. Livia Vaynol kam zurück. Sie lief, als fliehe sie vor dem Anblick dieses Bildes, das über ihre Kraft ging. Ich wandte ihr den Rücken, während sie durch die Sperre schritt. Sie sah mich nicht, als sie vorüberhastete. Ihr Lächeln war wie eine Maske von ihr abgefallen, und sie sah einsam und verzweifelt aus.

29

Das war im März 1915. Wie die Reste eines Schiffbruches, den ich einmal vom Strand aus gesehen habe, treiben die Trümmer dieses Jahres auf dem Strom meiner Erinnerung dahin: Schlacht an den Dardanellen – 's ist ein langer Weg nach Tipperary – Der Kriegsfreiwillige Rupert Brooke – Sei sparsam mit Streichhölzern! – Untergang der „Clyde“ – Laßt zu Hause das Feuer nicht ausgehen! – Versuchen Sie es einmal mit Saccharin im Kaffee, es schmeckt ebenso gut wie Zucker, und wir können froh sein, daß wir überhaupt noch Kaffee haben! – Aber mit dir ist's wunderbar ... – Dicke Luft – Wer im Büro arbeitet, bekommt auf dem Nachhauseweg nichts mehr im Laden – Es wird wohl bald Brot- und Fleischkarten geben – Wärst du das einzige Mädchen auf dieser schönen Welt ... – Erhaltung der Empireeinheit – Laß die große Welt sich drehen ... – Licht aus! – George Robey, Violet Lorraine, Maeve O'Riorden – Aber mit dir ist's wunderbar! – Verlustlisten – Granaten – Verlustlisten – Lusitania – Wenn nun ein Deutscher deine Schwester vergewaltigte!? – Licht aus!

Verlustlisten – Verlustlisten – Wer an dem Morgen leben blieb, hatte Glück – Kein Frieden zu Weihnachten – Verlustlisten – Männer in gestreiften Lazarettanzügen, die durch die Parks humpeln, geführt werden, gefahren werden – „Die Blinden mag ich nicht ansehen, Mammie.“ – „Aber, liebes Kind, sieh doch weg.“ – Licht aus! –

Wir hatten uns an alles gewöhnt. An die Krankenwagen, an die Verwundeten, an den Gaskrieg, an die Züge, die mit den Jünglingen in den neuen Uniformen mit blankgeputzten Knöpfen hinausfuhren, wie an die Züge, die mit den schmutzüberkrusteten Leuten in den wunderlichsten Aufzügen zurückkamen, den Leuten, die aus dem Bahnhof stürzten, als ginge es ums Leben, das sie in den paar Tagen Urlaub wild an sich reißen wollten. Man gewöhnte sich an alles, nur das Neue erschüttert. Und das Neue kam.

Dermot meldete sich am Montag, dem 17. April 1916, bei mir und Maeve zum Essen an. Maeve hatte eigentlich gar nicht zu Mittag essen wollen. Am Sonntag war sie von einem Ausflug aufs Land früh nach Hause gekommen und völlig erschöpft zu Bett gegangen. Annie hatte mir am Morgen bestellt, daß ich allein essen müsse, weil Maeve den ganzen Tag im Bett bleiben wolle. Als sie aber hörte, daß ihr Vater kam, stand sie auf und kam zu mir herunter. „Frage mich bloß nicht, wie es mir geht“, sagte sie schon an der Tür. „Ich habe mich in den letzten zehn Jahren überarbeitet. Das ist alles. Und es geht vorüber.“

Sie setzte sich ans Fenster, so daß sie ein Stückchen vom Berkeley-Platz sehen konnte, wo sich die Platanenblätter bereits zart und schön zwischen den braunen stacheligen Früchten des Vorjahres entfalteten. Draußen grünten die Blätter; auf dem runden, polierten Tisch im Zimmer stand eine Kristallvase mit Narzissen, die sich wie in einem dunklen Strom spiegelten.

„Blätter“, sagte Maeve, „und Blumen. Und gestern Lämmchen – weiße hüpfende Dinger – entzückend. Wir sahen sie auf einer Wiese am Themseufer.“

„Wer waren denn diesmal ‚wir‘?“ fragte ich.

„Ach, du kennst ihn doch nicht“, sagte sie müde. „Ich habe ihn selbst erst Sonnabend abend kennengelernt. Jemand brachte ihn mir mit in die Garderobe, und er flehte mich an, Sonntag mit ihm auszugehen.“ Sie stand vom Stuhl auf und blickte aus dem Fenster. „Einen solchen Jungen hast du noch nicht gesehen. Er sah aus wie sechzehn, so blauäugig und pausbäckig. – Einmal war er schon draußen, und heute geht er wieder hinaus. Zu den Fliegern. Ich wünschte ihm alles Gute, und weißt du, was er sagte?"

Ich schüttelte den Kopf.

„Er sagte: ‚Jedenfalls habe ich Freddie und Bunnie überlebt, das ist schon etwas!' – Freddie und Bunnie machten es acht Tage. Vor ein paar Wochen saßen alle drei noch auf der gleichen Schulbank."

Es wäre mir fast lieber gewesen, sie hätte geweint oder sonst etwas getan. Aber sie sprach tonlos weiter: „Als er die Lämmchen sah, sagte er: ‚Herrje, ist das nicht hübsch? Die hätte meine Mutter sehen müssen.' Er hatte sich von jemandem einen Wagen geliehen und war sehr stolz auf seine Fahrkünste. Wir mußten durchaus in einem großen Hotel essen und Sekt trinken. Er war ihn gar nicht gewohnt und kam wieder auf Bunnie zu sprechen. ‚Bei den Lämmern', sagte er, ‚fiel mir etwas ein, was Bunnie sagte, als wir die erste Flakgranate platzen sahen. Hübsch sieht das aus, sagte er, wie weiße Lämmer auf einer blauen Weide. Der gute Bunnie war ein verkappter Dichter. Oder finden Sie es albern, so etwas zu sagen?'"

Heftig unterbrach ich sie: „Zum Donnerwetter, hör auf, Maeve!" Ich schrie die Worte. Es sollte wie ein Schlag ins Gesicht wirken und tat es auch. Sie drehte sich erschrocken um, sah mich tiefgekränkt an und sank mir dann weinend in die Arme. Ich ließ sie sich ausweinen, führte sie wieder an ihren Fensterplatz zurück und setzte sie nieder. Da wurde sie ruhiger.

„Liebes Kind", sagte ich und nahm zärtlich ihre Hand, „mußt du eigentlich immer mit all den Männern ausgehen? Es ist zu anstrengend. Ich weiß, wie du es meinst und was du für sie tun möchtest, aber du bist schließlich kein Kissen, in dem sich jeder ausweinen kann. Du hast schon genug anderes zu tun."

„Die Arbeit ist Betrug und Schwindel", sagte sie traurig. „O Mann, du weißt ja nicht, wie mir ist, wenn ich dastehe und das Lied singe, das mich jedem zur Geliebten gibt. Denn darauf läuft es doch hinaus, nicht wahr? Sie finden mich wunderbar und denken und träumen Gott weiß was. Und dann kannst du nicht anders und mußt hin und wieder mit einem von ihnen zusammen sein. Was soll ich denn tun? Was soll ich denn tun?"

Ja, was sollte sie tun? Ich wußte, daß sie sich das Leben, das sie lebte, nie gewünscht hatte. Ihr Leben fieberte in hundert oberflächlichen Dingen, an denen ihr nichts lag, die aber Nerven und Leib aufrieben. Keine Behaglichkeit und keine Ruhe. Sie trieb sich überall herum: Soupers nach dem Theater, Tanz, Mittagessen, Abendessen, Wochenendausflüge wie der, von dem sie gerade zurückkehrte, und sie riß sich für fremde Leute in Stücke, weil diese Fremden im Schatten des Todes lebten.

Sie lächelte wieder und klopfte mir in ihrer alten herzlichen Art die Hand. „Sei nicht böse, Bill, es ist die Strafe dafür, daß ich eine berühmte Frau bin und einen Bill Essex neben mir habe, der im Laufe der Jahre eine große Schauspielerin aus mir gemacht hat. Siehst du, die armen Jungen platzen vor Stolz, daß sie Maeve O'Riorden persönlich kennengelernt haben. Damit können sie dann großtun. Und wegen meines Mädchentums mach dir keine Gedanken. Dafür sorge ich schon selber, soviel überhaupt dran ist."

So offen und rücksichtslos hatte sie noch nie gesprochen. Es war der Rückschlag auf die unterdrückte Erregung. Darauf konnte ich nichts mehr sagen. Ich konnte nur noch denken, als wir dort am Fenster saßen und auf Dermot warteten. Und ich dachte nur zwei Worte: Liebe Maeve!

Annie Suthurst stellte den Kaffee auf den Erkertisch, dort war Platz für uns alle drei. Als Annie draußen war, setzte Dermot sich die Brille auf und zog einen Brief aus der Tasche. „Ich habe ihn Sheila nicht gezeigt", sagte er, „sie wird es noch früh genug erfahren."

Er entfaltete den Brief und gab ihn mir. Maeve lehnte sich eng an mich und stützte das Kinn beim Lesen auf meine Schulter. Der Brief war von Rory.

„Mein lieber Vater – ich bin nicht so dumm, dies, wie gewöhnlich, in den Briefkasten in Dublin zu werfen. Du weißt ja, daß wir dem Castle nicht trauen, und sie scheinen jetzt besonders eifrig dabei, die Briefe über Dampf zu öffnen. Ein zuverlässiger Freund fährt gerade nach England und steckt dies in irgendeinen unauffälligen Briefkasten.

Ich muß Dir mitteilen, daß hier über kurz oder lang etwas geschehen wird. Ich habe so eine Ahnung. Du hältst mich natürlich für eine wichtige Persönlichkeit in der Bewegung, aber in Wirklichkeit gehöre ich zu den Kleinen und stehe weit im Hintergrund. Aber es liegt etwas in der Luft, mehr Übungsmärsche und mehr Angriffsmanöver auf öffentliche Gebäude. Du weißt, wir üben alles bis auf die wirkliche Beschießung und Erstürmung der Gebäude. Auf diese Weise haben wir so manches Mal schon halb Dublin erobert! Die Regierung sieht ruhig zu. Die Dummköpfe werden sich eines Tages wundern.

Es tut sich jetzt soviel, und alle Instrumente werden so sorgfältig abgestimmt, daß sie uns wohl bald brauchen werden. Eine Menge Munition kommt herein. Ich weiß es genau.

Daß etwas bevorsteht, spüre ich noch an anderen Anzeichen. Donnelly ist so vergnügt und tut so heimlich. Er steht natürlich im Mittelpunkt. Den ganzen Tag bis tief in die Nacht hinein hat er Besprechungen und singt aus vollem Halse. Aber es ist nichts aus ihm herauszubekommen. Ich habe versucht, ihn auszuholen, ohne gegen die Disziplin zu verstoßen oder dreist zu erscheinen, aber er schweigt sich aus. Nur einmal sagte er: ‚Rory, mein Junge, es hat einen verdammt guten englischen Soldaten gegeben, der hieß Julian Greenfell. Er fiel und hat ein Gedicht hinterlassen, das ist etwas Wunderbares.' Dann sagte er das Gedicht von Anfang bis zu Ende auf. Zum Schluß lautete es: ‚Und ist es auch das letzte Lied, so singe es erst recht, wer weiß, ob du noch andere singst, sing, Bruder, sing!' Dann sagte er: ‚Schreib dir das hinter die Ohren, Rory, und halt dein Gewehr sauber.'

Mein lieber Vater, Du weißt, daß ich im vorigen August unter der Menge war, die der Leiche von O'Donovan Rossa bis zu seinem Grab in Glasnevin das Geleit gab. Ich war unter den Schützen, die über sein Grab schossen – ein Märtyrergrab. Den Augenblick vergesse ich nie. Padraic Pearse war in Uniform da, und er sprach mit der Hand am Degengriff: ‚Ich halte es für Christenpflicht, wie es O'Donovan tat, das Böse zu hassen, die Lüge zu hassen, die Knechtschaft zu hassen und das Verhaßte auszurotten.'

Diese Worte scheinen mir der Inbegriff alles dessen zu sein, was Du mich gelehrt hast. Im Gedanken an sie und an Dich werde ich in den Kampf ziehen.

Noch eins. Ich hoffe mit dem Leben davonzukommen. Für Donnelly stehen die Chancen schlechter als für mich. Wenn der Aufstand fehlschlägt, gibt es für Donnelly keine Gnade. Ich habe ihn liebgewonnen, Vater, Du weißt wohl auch sicher, daß ich Maggie liebe. Sie ist so tapfer und geduldig und klagt nie. Eines Tages werde ich sie heiraten, wie die Sache auch ausgehen mag; sollte aber Donnelly von uns genommen werden, heirate ich sie auf der Stelle.

Viele Grüße an Mutter. Einen Kuß für Eileen und einen für Maeve. Rory"

Mir zitterte die Hand, als ich das Blatt auf den Kaffeetisch zurücklegte. Wir schwiegen lange. Dann sagte Maeve zu Dermot: „Nun?“

Er saß schweigend da und sah starr vor sich hin, beide Hände auf den Knien.

„Nun, bist du jetzt zufrieden?“ fragte Maeve schärfer.

Dermot rührte sich nicht. Sie stand auf und ging durchs Zimmer, bis sie ihm wieder gegenüberstand. „Ich frage dich“ – ihre Stimme klang schrill –, „ob du nun zufrieden bist? Jetzt hast du, wofür du gearbeitet hast. Macht es dich glücklich? Du – du unehrlicher Mensch! Ihr seid euch ja alle gleich, ihr! Andere vorzuschicken, um mit ihrem Blut euer Mütchen zu kühlen. Zwei Generationen – dein geliebter Onkel Con, der fünftausend Meilen von hier im Luxus lebt, und du ... Du – und was kommt bei eurem Treiben heraus? Ihr habt Rory gemordet, das ist alles. Du hast Rory gemordet, du – ja, du!“

Sie brach völlig fassungslos zusammen. Dermot schlug sich die Hände vors Gesicht und murmelte kraftlos: „Nicht, Maeve, nicht.“

Ich legte ihr den Arm um die Schultern und führte sie in ihre Wohnung hinauf. Sie weinte vor sich hin. Als ich wieder zurückkam, war Dermot fort. Rorys Brief lag auf der Erde. Ich nahm ihn auf und legte ihn in meinen Schreibtisch.

Als das Neue eintrat – der Osteraufstand in Dublin –, waren Dermot und ich nicht mehr überrascht. Er flammte in den Schlagzeilen der Zeitungen, er fuhr der englischen Öffentlichkeit unvorbereitet in die Knochen, und nur wenige wußten, was für ein jämmerlich verpfuschtes, klägliches Unternehmen es war. Wenige hatten eine Ahnung davon, daß eine kleine Gruppe von Professoren, politischen Geschäftemachern und Literaten eine Woche vor dem Ausbruch gestümpert und geschachert, Befehle gegeben und widerrufen und abwechselnd zum Angriff und zum Rückzug geblasen hatte und daß es zu spät war, als ihre Unentschlossenheit schließlich doch noch einen Entschluß zustande brachte. Aus der sprungbereiten Armee war der Geist entwichen, und an jenem verhängnisvollen Morgen, an dem sich die Trümmer endlich auf ihre kurze Pilgerfahrt zum Grab aufmachten, trat nur noch ein kümmerlicher Rest unter die Waffen.

Dazu gehörte auch Michael Collins, ein untersetzter Kerl

mit einem schwarzen Haarschopf, der ihm in die Stirn fiel; damals fast unbekannt. Aber an diesem und den folgenden Tagen, ehe Padraic Pearse den Degen übergab, lernte er, daß auf diese Art für Irland nichts auszurichten war, weder mit leeren Kundgebungen noch mit militärischen Scheinparaden. Künftig durfte nur noch verstohlen zu zweit oder dritt in der Nacht marschiert werden. Es durfte keine Paraden mehr geben außer dem Aufgebot der Getreuen, die in geheimen Zusammenkünften Bericht erstatteten, keine Uniformen mehr außer dem in die Stirn gezogenen schwarzen Filzhut, und stahlharte Blicke, die an den Läufen verläßlicher Gewehre entlangspähten. Man mußte das Tageslicht meiden und nur noch unterirdisch wühlen. All das wurde Collins und noch einem anderen der Überlebenden dieses Ostermontags klar – Rory O'Riorden.

Am Montag, dem ersten Mai, brachte mir Dermot einen Brief von Rory, den er eben erhalten hatte. Er war am Mittwoch der Aufstandswoche spätabends geschrieben worden.

„Mein lieber Vater – heute war ein großer und schrecklicher Tag. Am Sonntag ging alles durcheinander. Eine Parade war befohlen und wieder abgesagt worden. Das schuf viel Erbitterung, die Leute wurden unruhig und fluchten auf die Führer, die offenbar nicht wußten, was sie wollten. Von Donnelly hatte ich den ganzen Tag nichts gesehen – er hatte vertrauliche Zusammenkünfte in der Freiheitshalle –, und inzwischen habe ich ihn auch noch nicht wiedergesehen. Vielleicht werde ich ihn niemals wiedersehen.

Dann mußten wir Montag morgen um zehn Uhr antreten. Es war ein klarer, strahlender Ostermontag. Wozu wir antreten sollten, wußten wir nicht, aber einige von uns hatten einen guten Riecher. Alle Offiziere in grüner Uniform und auch einige Mannschaften schon in Uniform. Auf den Straßen wimmelte es von Menschen, die in dem schönen Feiertagswetter spazierengingen. Sie nahmen nicht mehr Notiz von uns als sonst, sie sahen uns ja schon oft genug exerzieren. Ich stehe beim dritten Bataillon der Dubliner Brigade unter dem Kommando von Eamon de Valera, einem blassen Mann mit einer Brille, der nicht viel spricht.

Wir standen also um zehn Uhr früh in den vertrauten Straßen von Dublin. De Valera führte uns, und als wir unser Ziel erreichten, spielten wir nicht wie sonst Sturm und Besetzung, sondern gingen im Ernst vor. Es war Bolands Bäckerei, und sobald wir drin waren, ging mir auf, daß der entscheidende Augenblick da war. Bolands Bäckerei beherrschte die Straße, durch die die Truppen von Kingstown nach Dublin müssen. Wir sollten sie aufhalten. Das war klar.

Wir hatten reichlich Zeit, uns zu verschanzen. Den ganzen Tag störte uns niemand. Als sich bis zum Abend nichts ereignete, kam mir alles so sonderbar und unwirklich vor. Das konnte nicht mir rechten Dingen zugehen. Wir hatten inzwischen erfahren, daß Pearse die Post in der Sackvillestraße besetzt hatte – er war einfach hineingegangen wie wir –, daß er dort sein Hauptquartier aufgeschlagen und die Republik ausgerufen hatte. Wir wußten auch, daß andere wichtige Punkte besetzt worden waren. Alles war planmäßig verlaufen, und doch saßen wir hier in Bolands Bäckerei, eine Handvoll Leute, sahen durch die Fenster auf die stille Straße, und es geschah nichts. Ich konnte es gar nicht fassen, daß hier – gerade in Dublin – von Pearse die Republik ausgerufen und Pearse selbst Präsident sei. Immer wieder sagte ich mir: jetzt hast du ein Vaterland und einen Herrscher und hast als Soldat den Eid geleistet, sie zu verteidigen! – Aber die Stille, die Untätigkeit und das Gefühl, als nähme uns der Feind gar nicht ernst, war mir unheimlich. De Valera mußte mir meine Gedanken wohl angemerkt haben. Als die Dämmerung hereinbrach und ich mißmutig aus dem Fenster auf die leere Straße sah, kam er vorbei und klopfte mir auf die Schulter. Ich blickte auf, und seine Augen funkelten mich durch die Brille an: ‚Es wird schon kommen‘, sagte er, ‚es wird schon kommen.‘ Sonst nichts. Dann setzte er seine Runde durch die anderen Zimmer fort.

Wir blieben nicht alle in Bolands Bäckerei. Wir wurden zur Besetzung der umliegenden Häuser aufgeteilt. Am Dienstag schien unsere Truppe so lächerlich gering wie noch nie, ich war jetzt nur noch mit zwei Mann in einem Hause. Wir brachten die ganze Munition auf den Boden, von dem eine Luke aufs Dach hinausführte. Dort war ein Maueraufsatz, den wir gut als Brustwehr benutzen konnten. Wenn wir uns flach aufs Dach legten, konnten wir das Gewehr auf die Mauer legen und hatten einen sicheren Schuß in die Straße. Ich hatte den Befehl. Die beiden anderen hießen Clancy und Deasy. Clancy war Schauermann, ein

Riesenkerl, der bei jeder Gelegenheit auf die ,Mutter Gottes und Jim Larkin' schwor. Deasy war ein magerer, dünner Galgenstrick, der steif und fest behauptete, er sei Kriminalbeamter in London gewesen, aber mir scheint, er hat das Blaue vom Himmel heruntergelogen. Jedenfalls sagte er uns den ganzen Tag, wir hätten alle keine Ahnung.

,Hört ihr jetzt die verfluchten Gewehre?' schrie er plötzlich, und diesmal war wirklich Gewehrfeuer zu hören. Die Artillerie donnerte, und die Granaten barsten mit Getöse. ,Die Stadt wird noch von der Landkarte heruntergeschossen', sagte Deasy. ,Was befohlen ist, wird gemacht, aber wer dieses Schützenfest veranstaltet hat, ist schon im Mutterleib ein dämlicher Hund gewesen. Einer solchen Kanonade können die paar armen Kerls doch nicht standhalten. – Verflucht, wir sollten sie einzeln abmurksen. Jeden Hund in der Residenz des Vizekönigs. In den Rücken sollten wir sie schießen. Laß sie dann Streifen ausschicken. Wir knallen sie ab. Einen nach dem anderen. Von hinten. So müßten wir Krieg führen.'

Clancy sagte ihm, er solle das Maul halten, und ich dachte schon, es gäbe Keilerei. Wir lagen alle auf dem Dach, das Gewehr neben uns. Dann änderte ich die Aufstellung. Ich befahl Clancy, auf seinem Platz zu bleiben und uns zu rufen, sobald etwas geschähe. Deasy und ich stiegen die Leiter von der Dachluke hinunter auf den Boden.

Den ganzen Tag warteten wir und horchten auf den Lärm, den die Artillerie an anderen Orten der Stadt machte. Bei uns geschah nichts. Wir wechselten uns den Tag und die Nacht über auf dem Dach ab, zwei Stunden Wache und vier Stunden Ruhe. De Valera inspizierte uns ein paarmal, sonst blieben Deasy, Clancy und ich allein im leeren Haus.

Die Untätigkeit zermürbte die Nerven. Donnelly war, wie ich jetzt weiß, mit Pearse, James Connolly, Thomas Clarke, Joseph Plunkett und den anderen in der Post. Ich dachte den ganzen Tag an ihn und betete bei dem Krachen der Artillerie zu Gott, daß er heil bleiben möge.

Im Lauf des Tages bekamen wir Nachricht, daß die Besatzung der Post aushielt, ein Zettel mit Pearses Unterschrift gelangte in unsere Hände, und er besagte, die britischen Truppen wären nirgends durch die republikanischen Linien gebrochen.

Deasy und Clancy schliefen in der Dienstagnacht fest, ich selbst überhaupt nicht.

Jetzt komme ich zum heutigen Morgen. Das britische

Artilleriefeuer klang immer stärker, und in Richtung der Sackvillestraße, wo Donnelly steht, schien die Hölle los zu sein. Ich hatte für uns drei folgendes vorgesehen. Wir hatten die ganze Munition aufs Dach gebracht. Drei Gewehre besaßen wir. Deasy und Clancy kannte ich gut und wußte, daß Clancy ein glänzender Schütze war, während Deasy nur seine Kugeln verknallte. Ich gab also Befehl, daß im Ernstfall nur Clancy und ich zu schießen hätten. Wer von uns zuerst schösse, sollte sein Gewehr hinlegen und das dritte nehmen. Deasy sollte hinter uns auf dem Dach liegen und dafür sorgen, daß das abgeschossene Gewehr sofort geladen und wieder bereitgelegt würde.

Soweit ich mich erinnere, war es gegen halb drei, als Clancy vom Dach hereinrief: ‚Mutter Gottes und Jim Larkin! Soldaten!'

Mir schlug das Herz. Im Nu war ich die Leiter herauf, hinter mir Deasy. Ich nahm mein Gewehr, duckte mich nieder und spähte über die Brüstung. Endlich war der Feind da – Männer in Khaki, die ahnungslos die Straße entlangkamen. Es war doch verdammt anders, als man es sich vorgestellt hatte. Da kamen die Leute. Clancy und ich lagen wie gebannt, das Gewehr im Anschlag und den Finger am Abzug. Plötzlich wurde alles Wirklichkeit. Aus einem anderen Haus an der Straße knallte ein Gewehr, einer von den Soldaten auf dem Fahrdamm drehte sich ganz langsam um sich selbst und brach stumm zusammen. Clancy sagte: ‚Armer Hund!' und zog ab. Ein zweiter Soldat fiel. Dann feuerte ich, und jetzt lagen drei Tote auf der Straße.

Mein lieber Vater – ich kann Dir nicht alles berichten, was sich an diesem schrecklichen Nachmittag heute alles ereignet hat. Das Gefecht dauerte stundenlang. Die britischen Soldaten wurden zu Hunderten verwundet und niedergeschossen. Clancy fiel. Als es einmal stiller wurde, hob er sich etwas über die Brustwehr, um nachzusehen, aber inzwischen wußten sie, wo wir lagen. Ohne einen Seufzer glitt er aufs Dach zurück, und Deasy kroch an seine Stelle.

Schließlich gab die Überzahl den Ausschlag. Wir wurden alle aus den umliegenden Häusern zurückgezogen und liegen jetzt wieder in Bolands Bäckerei. Wir haben uns gut geschlagen und können die Stellung noch lange halten.

Heute nachmittag muß ein Mann in die Stadt zurückschleichen. Er hat mir versprochen, diesen Brief einem Freund mitzugeben, der Matrose auf einem Liverpooler

Dampfer ist. Ich wollte Dir nur sagen, daß es mir gut geht und daß ich glücklich bin. Ich habe getan, was Du von mir verlangt hast.

Pearses Kundgebung habe ich gestern erhalten. Sie lautet: ‚Wir haben die Ausrufung der irischen Republik miterlebt. Mögen wir am Leben bleiben, um sie fest zu begründen.' Das wollen wir, und dann ist dies nicht umsonst gewesen.

Gruß Rory"

Als ich den Brief gelesen hatte, konnte ich Dermot nicht ins Gesicht sehen, denn ich wußte so gut wie er, daß sich Pearse inzwischen ergeben hatte. Es war nicht leicht, bei den Mannschaften den Befehl zur Übergabe durchzusetzen. Das dritte Bataillon, das noch immer Bolands Bäckerei besetzt hielt, war tief bestürzt. Einige zerschlugen ihre Gewehre lieber, als sie auszuliefern. Unter ihnen war Rory O'Riorden.

30

Rory hatte seinem Vater geschrieben, daß er Maggie sofort heiraten würde, wenn Donnelly standrechtlich erschossen werden sollte.

Donnelly wurde standrechtlich erschossen. Er sang bis zum Ende. Einige der Gefangenen beteten. Einer benutzte seine letzte Nacht auf Erden zum Heiraten. Manche verbrachten die letzten Tage ernüchtert und in bitterem Schweigen, andere mit tapferen Reden. Donnelly aber sang, und man weiß, daß einer seiner Gefängniswärter später zu den verbissensten und fähigsten irischen Rebellen gehörte. Er war durch diesen Mann bekehrt worden, der bis zum Tode singen konnte.

Donnelly sang, bis die Kugel seinen Mund zum Schweigen brachte und ihn an einer Gefängnismauer von Dublin niederstreckte. Aber damals hat Rory noch nicht Maggie geheiratet. Maggie wurde von den Siegern entlassen, als sich das Bataillon, bei dem sie – die Hände rot von Blut – die Verwundeten verband, nach tagelangen Kämpfen ergeben hatte; und Rory gehörte zu den Tausenden, die in englische Gefängnisse wanderten. Er kam ins Gefängnis von Frongoch, und einer seiner Mitgefangenen war Michael Collins. Wie zu allen Zeiten und an allen Orten fanden auch die Gefangenen von Frongoch Mittel und Wege, mit der Außenwelt in Verbindung zu treten. Gegen Ende des

Jahres 1916 bekam Dermot einen Brief von Rory, der den Satz enthielt: „An Michael Collins bin ich durch den feierlichsten und schrecklichsten Eid gebunden."

Das Blatt zitterte in Dermots nervösen Fingern. „Ich dachte, es würde zu Ende sein mit Donnellys Tod", sagte er. „Michael Collins – ich habe den Namen nie gehört."

„Es gab einmal eine Zeit, wo ich von Kevin Donnelly nie gehört hatte, erinnerst du dich? Ich hatte Maeve das erstemal ins Theater mitgenommen. Ich brachte sie in einer Droschke nach Hause. Sie war eingeschlafen. Da war Donnelly bei euch."

„Ja", sagte Dermot, „ich weiß. Es kommt auf dasselbe heraus, ob man einen oder ein Dutzend erschießt. Für jeden wächst ein anderer, ein anderes Dutzend nach. Michael Collins ..." Er grübelte eine Weile über den neuen Namen nach, dessen Schicksal im Blatt der Geschichte eingezeichnet werden sollte. Dann faltete er den Brief zusammen und ging fort. Er sah alt und sehr müde aus.

Das war an einem Nachmittag im Spätherbst. Als ich Dermot verlassen hatte, lief ich durch die Straßen, auf die die Dämmerung leise herabfiel, kaufte eine Abendzeitung und nahm sie mit in Gunters Teeraum. Ich entfaltete sie, und mein Herz blieb stehen. Olivers Gesicht blickte mich auf der ersten Seite an. Ich wagte kaum, den Text zu lesen. Gefallen? Verwundet? Die furchtbaren und alltäglichen Möglichkeiten jener Zeit überfielen mich. Dann las ich die Unterschrift: „Hauptmann Oliver Essex, Victoriakreuz."

Der Raum hatte sich um mich gedreht, jetzt stand alles wieder an seinem alten Fleck. Ich kam wieder zu mir. Der Tee wurde gebracht. Ich schenkte ein, trank und las dann den Absatz. Es wurde berichtet, daß der König dem Hauptmann Essex, Inhaber des Militärkreuzes und des Croix de Guerre, das Victoriakreuz verliehen habe. „Das Gefecht, das Hauptmann Essex die höchste Auszeichnung für tapferes Verhalten eintrug, fand in der Sommeoffensive statt, die noch andauert. Ein Maschinengewehr, das an einem Waldrand eingegraben war, fügte unseren Truppen schwere Verluste zu. Dreimal war versucht worden, den Wald zu stürmen und das Maschinengewehr zu nehmen, aber alle Beteiligten fielen oder wurden verwundet. Hauptmann Essex hatte sich nach hinten zu einem Verbandsplatz begeben sollen, da er zweimal verwundet war. Ein Streifschuß hatte ihn an der Stirn getroffen, und das Blut lief ihm aus der Wunde ins Auge, ein anderer war ihm durch die rechte Hand gegangen und hatte ihm den Revolver fortgeschlagen, der seine einzige Waffe war. Er weigerte sich, zurückzugehen, und erklärte, er wolle auf eigene Faust das Maschinengewehr ausheben. Mit einer Handgranate in der Linken schritt er ruhig auf den Wald zu. Er schien unter göttlichem Schutz zu stehen, denn er kam bis auf Wurfnähe heran, ohne von neuem verwundet zu werden. In dem Augenblick wo er die Handgranate warf, schlug ihm eine dritte Kugel – ins Gesicht. Die Handgranate traf; das Maschinengewehr war zum Schweigen gebracht, und Hauptmann Essex' Leute stürmten den Wald, wodurch ein Knick in der Frontlinie ausgeglichen und der Erfolg des Tages befestigt werden konnte. Erst nachdem Hauptmann Essex persönlich überwacht hatte, wie seine Leute sich in der neuen Stellung eingruben, erklärte er sich bereit, zum Verbandsplatz zurückzugehen.

Hauptmannn Essex ist der Sohn des berühmten Romanschriftstellers und Dramatikers William Essex."

Ich betrachtete das Bild, das mich aus der Zeitung anstarrte. Diesen Oliver hatte ich nie gekannt. Ich erinnerte mich einer Bemerkung, die Wertheim einmal gemacht hatte: „Apoll in schwarzen Hosen." Und ich dachte an den frischen jungen Kriegsgott Oliver, den ich zuletzt gesehen hatte. Das war anderthalb Jahre her – an jenem Märztag als Livia Vaynol wie blind an mir vorbeistürzte und der große Junge in seiner nagelneuen Uniform so stolz und elegant aufgetreten war. Dies hier war weder Mars noch Apoll. Der Schnurrbart, den ich damals zuerst an ihm gesehen hatte, war voller geworden. Sein Haar, das er immer gern lang getragen hatte, war geschoren und drahtig. Die Augen waren unglaublich hart und starrten mit einem besessenen und unmenschlichen Ausdruck aus dem Bild.

„Mein Gott, er sieht ja aus wie ein Totschläger."

Mir war, als habe mein eigenes Herz widerstrebend diese Worte gesprochen. Zwei junge Offiziere am Nebentisch betrachteten das gleiche Bild, das meinen Blick gefesselt hielt. Einer von ihnen kam mir bekannt vor. Schließlich erinnerte ich mich; es war einer von denen, mit denen Oliver an jenem Nachmittag auf dem Bahnsteig gesprochen hatte. Er lachte gezwungen auf. Ich sah, daß er jetzt Fliegeruniform trug. „Ein richtiger Totschläger", sagte er. „Ich war eine Zeitlang bei seiner Truppe, ehe ich versetzt wurde. Mein Gott! Er ist ein zäher Bursche. Eines Nachts machte er die Runde und fand einen Horchposten schlafend. Er blieb neben ihm stehen, bis der Kerl aufwachte – eine gute Stunde. Dann packte er ihn mit der rechten Hand an der Brust, riß ihn hoch und schlug ihm mit der linken in die Fresse. ‚Dir werd' ich's beibringen! Und jetzt zeig mich an', sagte er und ging weiter."

„Er hätte den Mann doch vor ein Kriegsgericht bringen können."

„Das ist nicht seine Art. Er schlägt lieber zu."

„Nun, er ist ein verdammt guter Soldat. Ich wünsch' ihm alles Gute."

„Oh, ein guter Soldat ist er schon. Aber ich mochte ihn nicht. Er hat so etwas – ich weiß nicht. Das Ganze macht ihm zuviel Spaß, verstehst du? Ich habe ihn blutig wie einen Metzger gesehen, und er lachte dabei und zeigte die Zähne."

„Ja, diese Art Kerls kriegen eben die Orden. Jedenfalls ist er keiner von den Etappenhengsten aus dem Hauptquartier. Da haben sie eine Liste für den Verdienstorden. Man kommt unfehlbar an die Reihe, selbst wenn man nur die Schreibstuben bewacht. Auch ein Verdienst!"

Ich sah auf die Brust des jungen Mannes, die keine Ordensbänder trug, bezahlte und ging weg. Es war schon fast dunkel. Ich lief um den Berkeley-Platz und sah das, was der Flieger gesagt hatte, lebendig vor mir. „Blutig wie ein Metzger, und er lachte dabei und zeigte die Zähne." Oliver! Zwanzig Jahre alt. Zwanzig Jahre im letzten Mai. Hauptmann Oliver Essex. Inhaber des Victoriakreuzes, des Militärkreuzes und des Croix de Guerre.

Vierzehn Tage später sagte Maeve, als sie gerade ins Theater gehen wollte: „Oliver ist heute abend im Palladium."

„Oliver?"

„Ja. Wußtest du nicht, daß er Urlaub hat?"

Ich schüttelte den Kopf.

„Wertheim erzählte es mir. Er hat Oliver eine Loge geschenkt."

Das sah Wertheim ähnlich. Er war ein Theaterhase und kannte den Reklamewert von großen Leuten. Im Augenblick war Oliver ein großer Mann.

„Kommst du auch?" fragte Maeve.

„Ich werde jetzt wohl keinen Platz mehr bekommen", erwiderte ich. „Die Revue ist ja immer auf Wochen ausverkauft."

„Mir wäre lieb, wenn du kämst. Ich habe einen Parkettplatz. Ich hatte ihn für eine Freundin besorgt, und jetzt hat sie abtelefoniert."

Maeve legte das Billett auf den Tisch. Sie stand in der Tür mit der Klinke in einer Hand und drehte ihre Handschuhe in der anderen. „Du willst ihn doch gern sehen, nicht wahr?"

Ich nickte nur, ich war unfähig zu sprechen.

„Es ist lange her, seit du ihn gesehen hast. Er ist ganz anders geworden, weißt du? Ich habe ihn heute nachmittag getroffen."

„Ganz anders geworden?"

Eine leichte Röte muß wohl in mein Gesicht zurückgekehrt sein. Maeve hatte es auf einmal nicht mehr so eilig, wegzugehen und trat ins Zimmer zurück. „Verzeih, Bill", sagte sie, „so habe ich es nicht gemeint. Ich weiß von nichts. Von dir haben wir nicht gesprochen. Ich meinte nur, er sieht anders aus. Er sieht so . . . so . . . etwas beängstigend aus. Das kommt wohl von seinen Verwundungen. Durch eine Narbe ist sein linkes Auge hochgezogen und eine andere zieht den Mundwinkel nach unten. Wenn er lacht, sieht er etwas verzerrt aus – ein bißchen unheimlich."

„Wo wohnt er?"

„Doch wohl bei Livia Vaynol."

„Warum heiraten sie nicht und machen reinen Tisch?" brauste ich auf.

Maeve sah mich ruhig an. „Sie haben mich nicht ins Vertrauen gezogen", sagte sie. „Ich besitze eigentlich niemandes Vertrauen. Nicht einmal du bist offen zu mir, oder? – Nun, einerlei. Dafür habe ich ja genug Gesellschaften, Autofahrten und Bälle, nicht wahr?"

Sie lächelte bitter. Ich stand auf und legte den Arm um sie. „Maeve – Liebes – es tut mir leid!"

Sie schob mich sanft zurück. „Es ist schon gut, Bill. Ich beklage mich nicht. Aber ich weiß von euch allen überhaupt nichts mehr. Ich weiß nicht einmal, wie du jetzt über Livia denkst. Würdest du sie immer noch heiraten, wenn du könntest?"

„Das habe ich mir aus dem Kopf geschlagen, mein Kind. Sie würde mich niemals nehmen, solange Oliver lebt."

„Ich habe gesagt, wenn du könntest", beharrte sie.

„Wenn ich könnte – ja."

Sie nahm ihre Handschuhe vom Tisch und zog sie langsam durch die Finger. Dann ging sie ohne ein Wort.

*

Wie unglaublich verschieden war die Maeve, die ich einige Stunden später sah! Und wie unglaublich war die Umgebung, in der ich sie sah! Wie soll ich nach so langer Zeit die Atmosphäre einer Kriegsrevue beschreiben? Draußen kauerte die Stadt im Dunkel, und das Leben, das gewaltig durch ihre Straßen pulste, hatte sich, so tief es konnte, in die nächtliche Finsternis verkrochen. Drinnen flammten die Lichter. „Die Freude sagt immer mit der Hand auf den Lippen Lebewohl!" Hier wurde der Sinn dieses Verses klar. Sicher waren genug Leute da, die an den Bestand ihrer Freuden glaubten, aber ihre unberührte Heiterkeit stach um so schärfer von den zahllosen anderen Gesichtern ab, die darum wußten, daß sie heute zum letztenmal etwas Schönes sahen.

Kurz vor Beginn kam ich ins Theater, gerade rechtzeitig, um noch etwas von dem angeregten Stimmengewirr zu erhaschen, das auch nicht verstummte, als das Orchester schmetternd mit der Ouvertüre zu „Herzenswahl" einsetzte. Das Haus summte vielstimmig vom Parkett bis hinauf zur Galerie, und die Luft wurde schwer vom Tabaksrauch. Eine Spannung lag über dem Raum und eine Begierde, alle Freude und Pracht der kommenden Stunden, die man vielleicht nie wieder zu sehen bekam, in sich einzusaugen.

Ich saß zwischen einem Kabinettsmitglied und einem Offizier mit gekreuztem Stab und Schwert auf der Schulterklappe. Die Lichter wurden abgeblendet, der Vorhang ging auf, und die Vorstellung begann mit den üblichen wirbelnden Beinen. Darin waren die Tiller-Girls nicht zu überbieten; sie marschierten präzise ausgerichtet daher, zwanzig Körper schwenkten sich im Takt, als wäre es einer, und die Nacken mit den federgeschmückten Köpfen flogen nach vorne. Dann marschierten sie auf und schwenkten untergefaßt zu einer undurchsichtigen Mauer ein, durch die, einer nach dem anderen, die Hauptdarsteller kamen, und zwar brachen bei jedem die zwanzig Girls in zwei Zehnerreihen auseinander und gaben so dem Star den Weg frei.

Jeder erschien auf seine Weise: der Hauptheld sprang lächelnd herein; sein kläglicher Gegenspieler schlotterte kümmerlich daher. Nie war es zweifelhaft, was der Künstler darstellte. Maeve trat zuletzt auf. Die Tanzgirls öffneten ihre Reihe und blieben diesmal stehen. Dazwischen stand Maeve mit dem rabenschwarzen Haar, dem bleichen Gesicht und den purpurroten Lippen. Im ersten Auftritt trug sie das Kostüm, das Livia für sie entworfen hatte: es stand weiß und steif wie Eis um sie herum und hatte nur eine einzige rote Rose; es war das Kleid, in dem sie dann später das Lied sang, das jetzt in aller Munde war. Sie kam nicht nach vorn. Sie stand nur da, seltsam still, und die Girls schlossen hinter ihr die Reihe. Als das Haus aufsprang und ihr zujubelte, klatschte, stampfte und pfiff, schien sie mir, der ich sie so gut kannte, unerträglich einsam auszusehen und irgendwie gezeichnet.

Ich hatte die Revue lange nicht gesehen und vergessen, wieviel Wertheim von Maeve verlangte. In jeder Szene stand sie im Mittelpunkt, sang, tanzte oder sprach, es drehte sich alles um ihre Person, und an jenem Abend stürzte sie sich mit einer Hingabe in ihre Rolle, die ich früher nicht an ihr bemerkt hatte. Es mag angesichts dieser Welt des Lichterglanzes und des Scheines, in der eine bunte Seifenblase nach der anderen aufstieg, seltsam klingen, daß eine Frau wirklich ihr Letztes hergab. Aber man mußte Maeve kennen und um das Wesen eines begnadeten Künstlers wissen. Als ich sie sah, fühlte ich, wie all das tiefe Herzweh, der Kummer um Tote und Sterbende, der auf ihr lastete und sie nicht losließ, in ihren großen Augenblicken Gestalt gewann und ihr Spiel bestimmte. Es war der einzige Trost, den sie denen mitgeben konnte, die den Schmerzensweg gingen, und sie gab ihn mit jedem Hauch ihrer Kunst und jeder Faser ihres Herzens.

Nur einmal kam sie allein auf die Bühne, und das war, wenn sie „Aber mit dir ist's wunderbar!“ sang. Das Lied kam am Schluß des ersten Teiles, und ich wußte, daß ich nun Oliver sehen würde. Maeve hatte mir erzählt, daß Wertheim seit einiger Zeit auf einen neuen Einfall gekommen war – er ließ die Scheinwerfer einen Augenblick auf diesen oder jenen Zuschauer richten, so daß sich das Lied persönlich an ihn zu wenden schien. Maeve haßte es. „O Mann, das Lied ist schon schlimm genug, man braucht nicht noch so ein armes Gesicht im Scheinwerfer vor sich zu sehen, wie es die Worte gierig in sich hineinfrißt. Einmal saß einer mit einer großen Narbe quer über die Stirn im Parkett. Ich habe von ihm geträumt. – Ich träume von so vielen.“

Als der Vorhang aufging, stand sie auf der dunklen Bühne, und der bläuliche Lichtkegel fiel über die weiße ruhige, einsame Gestalt. Die steifen Seidenfalten ihres Kleides schienen Eiskanten zu haben. Fern und in sich gekehrt stand sie da, und ihre zarte, etwas heisere Stimme hob sich klar von dem dunklen schweigenden Zuschauerraum ab. Alle die Tausende, die eine Stunde lang und mehr mit Witzen zum Lachen gereizt und mit Zweideutigkeiten gekitzelt worden waren und über die eine Fülle von Ausstattung und Farben hereingebrochen war, saßen jetzt andächtig und in sich gekehrt da. Maeve hielt sie alle in ihrer kleinen, leichten Hand.

Sie rührte sich nicht. Sie stand in einer feierlichen Haltung da, hielt die Hände vor sich gefaltet und die Augen geschlossen.

„Allein zu Haus ist die Nacht so lang
Und die steilen Treppen nicht wert.
Aber mit dir zu Haus ist es wunderbar."

Jetzt, bei der dritten Zeile, strahlte Wertheims Scheinwerfer suchend durch das dunkle Theater, blieb an einer Loge haften und beleuchtete Olivers Gesicht. Hunderte mußten ihn erkannt haben. Sein Bild war ja in allen Zeitungen. Die illustrierten Wochenschriften hatten ihn in allen Stellungen gebracht – „Hauptmann Oliver Essex, Träger des Victoriakreuzes, mit Fräulein Livia Vaynol. Ein gelungener Schnappschuß im Grünen Park" – und so weiter. Aber so tief wirkte der Zauber von Maeves Gesang, daß kein Laut die Stille des Theaters unterbrach.

Da waren sie nun, die beiden, die auf dem Rasen von Zweibuchen zusammen gespielt und die in Reiherbucht zusammen geschwommen, gesegelt und sich gezankt hatten: Maeve vierundzwanzig, Oliver zwanzig, beide berühmt, beide Persönlichkeiten, wie sie in jenen fieberverstörten Tagen von Tausenden angegafft wurden. Auf beiden ruhte der Strahl der Scheinwerfer, auf Maeve bläulich, auf Oliver grell und weiß, so daß er blinzelte. Zwischen ihnen aber lag die große Kluft der Finsternis.

Ich sah Livia Vaynol neben Oliver sitzen, und ich sah, daß mir Maeve die reine Wahrheit über ihn gesagt hatte: von Oliver ging jetzt etwas Beängstigendes aus. Ich richtete das Glas auf das vertraute Gesicht, aber es enthielt kaum noch etwas, dessen ich mich erinnerte. Der heraufgezogene Augenwinkel und der herabgezogene Mundwinkel hatten das ganze Gesicht grotesk verändert, aus dem alles Jugendliche und Weiche für immer entwichen war. Der frühere Schmelz der Schönheit hatte sich in eine fast erschreckend reife Männlichkeit verwandelt, zerhackt, entstellt und halb entmenschlicht, ja unheimlich, wie Maeve gesagt hatte, aber eindrucksvoll in ihren harten, strengen Linien, die alle etwas zu bedeuten hatten. Ich sah ihn ärgerlich blinzeln und die Mütze vom Boden der Loge aufheben und sich vor die Augen halten. Dabei kam noch eine Narbe zum Vorschein, ein fahler Streifen auf dem Handrücken.

Maeve sang. Und jetzt öffnete sie ihre Augen und blickte Oliver an, als sänge sie für ihn allein, und hin und wieder blickte Oliver über den Mützenrand auf Maeve.

„Aber mit dir ist's wunderbar,
Wie nichts auf der kreisenden Welt."

Das Lied war zu Ende, der Vorhang fiel, und ein Orkan brach los. Die eine Hälfte der Zuschauer schrie: „Maeve! Maeve!" und die andere „Essex! Essex!" Der Vorhang teilte sich, und Maeve erschien. Die Leute winkten mit Programmen und Taschentüchern, sprangen auf die Sitze und schrien: „Maeve! Essex! Essex! Maeve!" Das Haus war noch dunkel. Der Scheinwerfer blieb auf Olivers Loge. Er saß lange Zeit unbeweglich und ohne ein Lächeln da, bis jemand rief: „Drei Hurras auf den Helden!" Er bekam seine drei Hurras. Dann stand er auf, immer noch ohne Lächeln, wandte sich zur Menge und hob streng militärisch die Hand. Er drehte sich zur Bühne und machte Maeve eine steife Verbeugung. Sie verneigte sich und warf ihm eine Kußhand zu, worüber das Theater entzückt aufheulte, und dann fiel der Vorhang. Im Zuschauerraum wurde es hell. Wertheim wußte, was ein Held wert war.

Nach dem letzten Vorhang hob Maeve die Blumensträuße auf – sie bargen die Zettel, bei denen ihr das Herz brach. Heiratsanträge, Einladungen zum Diner und zum Tanz, Aufforderungen der verschiedensten Art, um das kurze Zwischenspiel über dem Abgrund der Hölle auszufüllen. Einladungen auch von den Drückebergern aus dem Kriegsministerium, von Konservenlieferanten und Salonoffizieren, die ihre schmucken Uniformen bei abenteuerlichen Besichtigungen von Werften, Fabriken und Werkstätten spazierenführten. Maeve gab gern – sie gab ohne Maß –, aber sie sah sich die Leute an.

Ihre Garderobe war, als ich dort anlangte, vollgepfropft mit Blumen und der üblichen Menschenmenge. Wieder hatte Maeve rote Flecken auf den Wangen. Sie war gleichzeitig angeregt, lustig und todmüde. Keiner außer mir schien ihre Erschöpfung zu bemerken. Alle stellten ihre Forderungen an ihren Geist und ihre Lebenskraft, und keinem enthielt sie etwas vor. Ich nahm sie beim Arm und zog sie beiseite. „Komm mit nach Hause“, sagte ich, „laß doch einmal die Leute.“

Ich weiß nicht, was sie geantwortet hätte, aber in diesem Augenblick brauste Wertheim ins Zimmer und brachte Oliver und Livia Vaynol mit. Erst da fiel mir auf, daß sogar die Uniform Olivers nicht mehr die Uniform des jungen Menschen war, den ich zuletzt gesehen hatte. Er war stolz auf die zerrissene Vornehmheit, auf die Lederflicken an Ellbogen und Ärmelaufschlägen und die alten Schmutzflecken, die Wetter und langer Gebrauch hinterlassen hatten. Er sprach zu keinem, er lächelte niemandem zu, aber die schwatzende Menge im Raum machte ihm unwillkürlich Platz.

Er hatte so etwas wie ein Gefolge. Mit Livia Vaynol kamen noch drei oder vier Herren und Damen hinter ihm herein. Einen davon erkannte ich, es war Pogson, auch verändert, aber nicht so völlig unbegreiflich wie Oliver. Pogson sah besser aus und war nicht mehr so dick und abstoßend. Er war der übliche Salonoffizier mit dem Monokel im Auge und dem immer bereiten, frischen Gelächter.

Daß Oliver in die Garderobe kommen würde, war das letzte, was ich erwartet hatte. Im Inneren verwünschte ich Wertheim, der ihn hereingebracht hatte, obwohl er gewußt haben mußte, daß ich dort war. Ich war der Lage nicht gewachsen, aber Maeve war es. Oliver mußte mich gesehen haben, aber sie gab ihm die Möglichkeit, mich zu übersehen. Rasch stellte sie sich vor mich und ging ihm mit ausgestreckter Hand entgegen, andere drängten ihr nach, und ich konnte mich mit Anstand im Hintergrund halten. Aber über Schultern und zwischen Köpfen hindurch sah ich alles, was geschah.

Maeve begrüßte ihn strahlend wie einen lang entbehrten Geliebten. Nie sah sie reizender aus. „Ich freue mich, daß du gekommen bist“, sagte sie. „Ich habe auf dich gewartet.“

Oliver sah sich um und suchte etwas, wo er die Mütze ablegen konnte; achtlos schob er ein paar Blumensträuße beiseite und warf sie auf den Tisch. „Es war eine gute Revue“, sagte er kurz angebunden, „ich gratuliere.“

„Oliver, alter Junge, stelle deine Freunde vor“, sagte Pogson. „Ich kenne nämlich Fräulein O'Riorden noch nicht." Er klemmte sich das Monokel in das etwas vorquellende Auge und glotzte Maeve an.

„Doch, Poggy", antwortete Oliver, „aber du wirst dich nicht daran erinnern. Du warst voll und lehntest an einem Laternenpfahl."

Er sagte es ohne Lächeln, schneidend und grausam, und Maeve warf ein: „Vorgestellt worden sind wir einander noch nicht, und an die Begegnung entsinne ich mich nicht mehr. Tue deine Pflicht, Oliver."

„Major Pogson", sagte Oliver kurz und stellte auch die anderen vor, die mit ihm hereingekommen waren. Es war noch ein Pogson darunter, aber Oliver sah aus, als gäbe er für die ganze Familie Pogson keinen Pfifferling mehr.

„Hör zu, Maeve", sagte er, „ich will mit dir zu Abend essen. Läßt sich das machen?"

„Mit tausend Freuden!" Maeve klatschte in die Hände.

„Bravo!" rief Pogson. „Das wird eine ganze Gesellschaft. Livia, Polly, Jack – macht ihr alle mit?"

Sie stimmten alle begeistert zu. Jeder war mit bei der Sache.

Oliver starrte sie alle kalt, fast unverschämt an, was jetzt offenbar sein gewöhnlicher Ausdruck war. Der aufwärts gezogene Augenwinkel und die etwas verzerrte Lippe verliehen ihm etwas Rohes, dem niemand widersprach. Er nahm den Mantel, der neben Maeve über dem Stuhl hing, und fragte kurz: „Deiner?"

Sie nickte; er legte ihn ihr um die Schultern und nahm die Mütze auf. „Also komm, ich habe einen Wagen draußen. Entschuldige, Poggy, aber ich mag heute keine Leute mehr sehen."

Wieder machte die Menge Platz vor ihm. Maeve nahm seinen Arm. „Gute Nacht, Livia", sagte sie.

Als Oliver Maeve den Mantel umlegte, mußte ich an Livia denken. Ob sie sich in diesem Augenblick wohl auch jenes Abends entsann, als sie ihm zuerst begegnete – einem durchnäßten, verschmutzten Schuljungen, der etwas verbrochen hatte; sie und Maeve warteten auf ihn, während er sich umzog; wir wollten alle zusammen im Midland-Hotel in Manchester zu Abend essen; als er fertig war, nahm er Livias Mantel und legte ihn ihr um die Schultern, während Maeve mir auf die damals noch lahmen Beine half.

Mit dem Bild vor Augen beobachtete ich ihr Gesicht. Ihre Augen wurden schmal, und sie beobachtete Oliver und Maeve mit der wachsamen Klugheit einer Katze

Oliver schien es nicht zu bemerken, er beachtete Livia überhaupt nicht. Aber Maeve sah alles. Sie mußte auch den haßerfüllten Blick gesehen haben, der aus Livias Gesicht schoß, als sie ihr gute Nacht sagte. Livia hatte sich allerdings sofort wieder in der Gewalt, fuhr sich mit einem „Pff" ins Haar und wandte sich hell auflachend den übrigen zu. „Also gut, und wohin gehn wir bummeln?"

Der andere Pogson – nicht Olivers „Poggy" –, ein dicker, behäbiger Bursche im Abenddreß, sagte: „Donnerwetter, das ist ein starkes Stück. Er benimmt sich wie der liebe Gott persönlich. Findet ihr nicht?"

„Ich werde ihn diesmal noch laufen lassen", sagte Poggy. „Erstens hat er es verdient, und zweitens möchte ich ihm lieber nicht in die Quere kommen."

Er knöpfte sich die schicke Manteljacke zu, ein prächtiges Kleidungsstück, so hell, daß es fast lachsfarben im Ton wirkte. „Na schön. Ich bin für winke-winke, gehen wir nach Hause, wird uns auch mal nichts schaden."

Der andere Pogson und die ziemlich namenlosen Jack und Polly sahen sich einen Augenblick gekränkt und unentschlossen an, dann zogen sie alle ab, und Poggy fragte über die Schulter: „Willst du hierbleiben, Livia?"

„Noch einen Augenblick", antwortete sie, aber ich sah deutlich, daß es nur ein Vorwand war, um allein zu bleiben und sie loszuwerden. Olivers Freunde wollte sie nicht, sie wollte Oliver. Jetzt, nachdem sie weg waren, konnte sie auch gehen und über die Tatsache nachdenken, daß Oliver sie wie Luft behandelt hatte, während Maeve plötzlich in den hellsten Vordergrund geraten war.

Ich ging nicht sofort nach Hause, sondern schlenderte noch durch die verdunkelten Straßen, in denen keine Laternen brannten. Der Vollmond warf schwarze Schatten. Es war ein seltsamer Eindruck, mitten in London die eine Seite der Straße im bleichen Mondschein, die andere in tiefer Finsternis zu sehen. Früher hatte man wohl auch gelegentlich zum Himmel aufgeblickt und fern und fremd über dem Lärm und Lichterglanz der Straßen den Mond gesehen, der seinen silbernen Glanz kraftlos für sich behalten mußte. Jetzt aber leuchtete er und triumphierte mit seiner Ruhe über das Getöse und Geschwätz, das sich endlich einmal verkriechen mußte.

Um Mitternacht kam ich in die Bond Street. Ich sah plötzlich die langen Arme der Scheinwerfer den Himmel absuchen und blieb stehen, um sie zu beobachten. Ein schöner und fluchwürdiger Anblick. Dann bellte die Flak. Ich sah nichts von der Beute der lebhaften Lichtfühler und nichts von dem Eindringling, den die wachsamen Geschütze ankläfften, aber er war da. Eine Bombe krachte – noch eine. Sie schienen weit fort, aber es war wohl besser, unter Dach zu gehen. Es schützte zwar nicht vor den Burschen da oben, aber aller Vernunft zum Trotz flüchtete man sich doch immer wieder unter ein Dach. Zumindest hielt es die Splitter ab.

Ich bog in die Brutonstraße ein und stieß auf Livia Vaynol. Wir konnten uns nicht mehr ausweichen und standen unmittelbar voreinander. Ich hatte „Verzeihung" gesagt und den Hut gezogen, bevor ich sie überhaupt erkannte.

Sie lachte etwas gezwungen und sah zum Himmel. „Es sieht so aus, als müßte ich doch besser nach Hause gehen", sagte sie.

„Das ist noch ziemlich weit, wie? Du kannst gern einen Stuhl und einen Schnaps bei mir haben, bis es vorüber ist."

Sie zögerte einen Augenblick. „Danke, aber auf der Straße ist es auch nicht unsicherer als anderswo, meinst du nicht? Ich werde langsam weitergehen."

„Wirklich?"

„Ja. Weißt du, was ich gemacht habe? Ich bin auf der dunklen Straßenseite gegangen, damit die da oben" – sie zeigte hinauf – „mich nicht sehen. Ich wußte gar nicht, daß ich es tat. Es kam von selbst. Wie merkwürdig unser Inneres arbeitet. Gute Nacht."

Sie bog die Bond Street ein, und ich ging die Brutonstraße hinunter in meine Wohnung. Was hatte sie hier zu suchen? – Sie wird wohl auf Oliver gewartet haben, sagte ich mir – bis er Maeve heimbrächte.

Ich goß mir ein Glas ein, steckte die Pfeife an und blieb im matten Kaminschein ohne Licht sitzen. Ich dachte daran, wie Livia auf der Straße auf Oliver wartete, der ihr jetzt als Held des Tages sicher noch viel mehr bedeutete. Aber mein Herz blieb ruhig. Ich dachte ohne Liebe an sie, nicht einmal mit dem Mitleid, das man für die verabschiedete Geliebte einer Komödie übrig hat. Ein paar Stunden war es erst her, da hatte ich Maeve noch gesagt, ich würde Livia heiraten, wenn ich könnte. Jetzt wußte ich, daß ich gelogen hatte – Maeve und mich hatte ich belogen, um eine romantische Spielerei am Leben zu erhalten, aus deren künstlichem Leib mir jetzt das Sägemehl entgegenstäubte. Alles schön und gut, aber in der Ernüchterung dieser Morgenstunde, in der die Geschütze noch immer an meine Fenster belferten, sah ich klar. Alles schön und gut, man kann eine Liebe wie das schlafende Schneewittchen im Herzen tragen, obwohl sie schon seit zwei Jahren tot ist, und glauben, sie wäre mit einem Kuß wiederaufzuwecken. Was aber dann, wenn das Schneewittchen wirklich nur ein schöner Leichnam mit den Zügen des Lebens ist, der vor dem Hauch der Wirklichkeit zu Staub zerfällt? Denn das war es, was geschehen war. Die paar Worte auf der Straße und die Begegnung, bei der mein Blut ruhig und mein Herz kalt geblieben war und die mir nicht die Zunge gelöst hatten, entlarvten die Gefühlskomödie, die ich mir so lange vorgespielt hatte.

Der Angriff dauerte lange. Mehr als ein Luftschiff flog in jener Nacht über die Stadt. Es berührte mich nicht. Dieser Krieg, der schon allzulange dauerte, weckte nur noch Überdruß in mir – dieser Krieg, der einen dazu zwang, sich wie ein unvernünftiges Tier im Dunkel des eigenen Baues zu verkriechen. Meine einzige Sorge war Maeve. Ehe sie heimkam, konnte ich nicht ins Bett gehen. Der Geschützdonner zog grollend ab, und ich machte Licht und nahm ein Buch zur Hand. Gegen drei Uhr hielt ein Taxi vorm Haus, und ich hörte Maeves Schritt auf der Treppe. Vor meiner Tür blieb sie stehen, klopfte und kam herein.

„Noch so spät auf, mein Herr?“ fragte sie mit spöttischem Ernst. Ihre Augen glänzten, und ihr Gesicht war erregt.

Ich klopfte die Pfeife in die glimmende Asche des Kamins aus und gähnte: „Ich wollte gerade schlafen gehen.“

„Du hast doch nicht etwa auf mich gewartet?“

„Nun . . .“

Da kam sie ins Zimmer, legte ihre Arme um mich und gab mir einen Kuß. „Gute Nacht“, sagte sie, „es war sehr nett.“

Oliver und Maeve gaben den illustrierten Zeitschriften mehr Stoff als Oliver und Livia. „Hauptmann Oliver Essex, Inhaber des Victoriakreuzes, und Fräulein Maeve O'Riorden, der beliebte Star von ‚Herzenswahl‘, wie unser Fotograf sie in Soho beim Abendessen sah.“

Derartiges las man fast täglich. Die beiden sahen gut aus: Oliver, groß und gerade gewachsen in seiner verschossenen Uniform, und Maeve lächerlich klein neben ihm, aber bildschön und entzückend angezogen.

Sie traten überall zusammen auf. „Siehst du", sagte Maeve mit unverhohlenem Stolz zu mir, „ich bin doch jemand. Und wer kennt schon Livia Vaynol, außer den paar Theaterleuten? Es schmeichelt ihm, mit Maeve O'Riorden gesehen zu werden!"

Ich nehme an, daß sie recht hatte. Oliver hatte vorübergehend Garnisondienst, der ihm anscheinend reichlich Zeit für Soupers, Bälle, Diners, Wohltätigkeitsveranstaltungen und den ganzen anderen Unfug jener Jahre ließ.

Eines Tages lief ich Dermot in die Arme. „Zum Teufel, was hat das alles mit Maeve und Oliver zu bedeuten? Was geht da vor? Sind denn die Kinder heute so selbständig geworden, daß sie ihren Eltern überhaupt nichts mehr sagen?"

Er hielt ein zerknülltes Skandalblättchen in der Hand, strich es glatt und stieß mit seinem langen Finger auf ein Bild von Maeve – sie war ziemlich unbekleidet, eines der Reklamebilder zu „Herzenswahl". Darunter stand: „Gerüchtweise verlautet, daß die hübsche Maeve O'Riorden ihre Wahl getroffen hat", und ein paar Zeilen darunter wurde in aller Harmlosigkeit festgestellt, daß „Hauptmann Essex, Inhaber des Victoriakreuzes, Heldensohn des bekannten Schriftstellers Essex, neuerdings häufig mit Maeve O'Riorden gesehen wird".

„Nun, was hat das zu bedeuten?" wiederholte Dermot. „Verflucht, Bill, dir brauche ich ja nichts vorzumachen, ich mag Oliver nicht – ob mit oder ohne Victoriakreuz. Und was macht die Vaynol?"

„Sprich dich ruhig über sie aus, das trifft mich jetzt nicht mehr."

Er sah mich scharf von der Seite an. „Gut! Das freut mich. Sheila wird sich auch freuen. Hat Oliver sie sitzenlassen?"

„Mit mir spricht Oliver nicht", sagte ich bitter. „Aber es scheint so, als trieben sie sich nicht mehr zusammen herum."

„Das tut er jetzt mit Maeve, wie?"

„Ja."

„Und? – Findest du das richtig?"

„Im romantischen Sinne wäre es vollkommen. Kinder von Jugendfreunden, die sich die Hand zum Bunde reichen, nicht wahr? Aber ich finde es scheußlich. Ich hasse es wie die Pest."

Wir liefen am Themseufer entlang. Dann blieben wir stehen und sahen uns an. Die Möwen schrien über uns, und unter uns floß der graue Strom vorbei. Dermot lehnte die Ellbogen auf die Steinbrüstung. „Auch mir ist es nicht lieb", sagte er langsam. „Da kommt nichts Gutes heraus. So sicher, wie dieser Fluß ins Meer fließt."

Niedergeschlagen sah er eine Weile ins Wasser. „Bill, willst du mit ihr reden?"

„Ich?"

„Ja. Es wird mir verflucht schwer, es auszusprechen, aber bei Gott, ich glaube, auf dich hört sie mehr als auf ihren eigenen Vater. Siehst du, sie hat . . . sie hat mir das mit Rory nie verziehen."

Er faßte mich am Ärmel meines Mantels und sagte fast flehend: „Willst du das für mich tun? Wir können doch nicht zulassen, daß da ein Unglück geschieht, nicht wahr, das wollen wir beide nicht?"

Ich versprach ihm, mit Maeve zu reden.

Aber ich schob es auf. Immer wieder schob ich es auf. Maeve und ich waren durch den Krieg in zwei verschiedene Welten verschlagen worden. Wir aßen nur noch selten zusammen zu Mittag, wie wir es früher gewohnt waren, sie hatte so viel anderes vor. Ich arbeitete jeden Tag im Propagandaministerium – Nachrichtendienst hieß es, glaube ich – und war froh, wenn ich abends meinen eigenen Gedanken nachhängen konnte. Gott sei Dank brachte der Krieg für mich keine äußeren Unbequemlichkeiten mit sich, und wenn ich noch einen Krieg erleben sollte, werde ich mein Bestes tun, um abermals ungeschoren zu bleiben. Einem Unterfangen von Wahnsinnigen werde ich immer nach Kräften zu entgehen versuchen. Ich hatte genug zu essen und zu trinken, ich konnte am Kamin sitzen und meine Lampe anzünden und den Stumpfsinn, die Erniedrigung und den überspannten Irrsinn der Zeit zu vergessen versuchen. Abends ging ich kaum aus dem Zimmer. Ich entdeckte eine Anlage zum Einsiedler in mir. Den ganzen Tag freute ich mich begierig auf den Abend bei der Lampe und den geschlossenen Vorhängen. Ich schrieb ein Buch, das ich nicht veröffentlichen wollte und das tatsächlich nie herausgekommen ist. Es war ein einfacher Bericht von dem Leben, das ich um mich sah. Wenn man es jetzt liest, wirkt es wie ein wüster Traum, dessen man sich im nüchternen Tageslicht erinnert.

Ich zog mich mehr und mehr auf die Rolle des unbeteiligten Zuschauers zurück, der mit den Ereignissen nichts zu tun haben will, und merkte dabei zum ersten Mal, daß auch

Maeve etwas an den Rand meiner Betrachtungen geraten war. Die kurze kühle Begegnung mit Livia Vaynol in der Nacht des Luftangriffes hatte mich nachträglich sehr befriedigt. Mir ging es wie einem Christen, dem plötzlich eine schwere Seelenlast abgenommen wird und der nun froh und erstaunt sieht, daß er sie ganz grundlos so lange getragen hat. Jetzt war ich frei. Jetzt konnte ich meine Abgeschlossenheit genießen. Nicht wie einer, der vor dem Unbekannten davonläuft, sondern wie jemand, der alles erfahren hat und froh ist, daß er es hinter sich hat. In dieser Stimmung ließ ich die Wochen verstreichen und vergaß mein Versprechen an Dermot. Wenn es mir einfiel, sagte ich mir, daß Maeve nicht das Mädchen dazu sei, sich fortzuwerfen. Sie hatte keine Veranlassung, auf Livia Vaynol Rücksicht zu nehmen. Daraus, daß Oliver sich so leicht abspenstig machen ließ, konnte ich schließlich Maeve keinen Vorwurf machen. Sie würde schon wissen, wie weit sie gehen durfte.

31

Anfang Januar 1917 wurde eines Morgens an mein Schlafzimmer geklopft. Ich fuhr hoch. Es war eiskalt im Zimmer. Ich kroch wieder unter die Decke und sagte mir, daß ich geträumt haben mußte. Da war das Klopfen wieder, und diesmal stärker.

„Wer ist da?“ rief ich.

„Ich – Annie.“

Ich stieg aus dem Bett in die schneidende Kälte. Im Licht der Nachttischlampe sah ich, daß es fünf Uhr war. Ich zog mir den Hausmantel über und öffnete. Annie Suthurst stand vor der Tür, hielt über der Brust ein undefinierbares Kleidungsstück aus rotem Flanell krampfhaft zusammen und war so aus dem Häuschen, wie ich sie noch nie gesehen hatte.

„Ach, Herr Essex! Ich bin außer mir. Fräulein Maeve ist nicht nach Haus gekommen. Ich kann kein Auge zumachen.“

Sie steckte mich mit ihrer Angst an, aber ich sagte ruhig: „Sie kommt doch oft spät nach Hause, Annie. Ich nehme an, sie ist tanzen.“

„Tanzen! Mann, reden Sie doch keinen Quatsch! Wer wird denn um fünf Uhr morgens tanzen!“

In der seltsam aufgeregten Welt, aus der ich mich mehr und mehr zurückzog, wäre das wohl nicht so ungewöhnlich gewesen. Aber ich ging darüber hinweg. „Machen Sie sich lieber eine Tasse Tee", redete ich ihr zu.

„Tee! Hab' doch egal Tee getrunken, die ganze Nacht!"

„Gut, dann machen Sie mir eine Tasse."

„Ist nicht nötig. Die Kanne steht schon warm."

Ich ging mit hinauf in Annies Zimmer und wurde mehr und mehr von ihrer Angst angesteckt. „Legen Sie sich jetzt schlafen", sagte ich, als ich meine Tasse getrunken hatte. „Davon, daß Sie aufbleiben, wird es auch nicht besser. Wenn wir etwas dabei tun können, dann höchstens in ein paar Stunden."

„Ich gehe nicht zu Bett", sagte sie hartnäckig. „Ich bleib' hier sitzen, bis ich weiß, was mit Maeve los ist. Da stimmt was nicht!"

So blieben wir zusammen in Annies Zimmer mit all den Andenken an den Längstverstorbenen und spielten Dame. Natürlich waren wir nicht bei der Sache, sondern spitzten bei dem kleinsten Geräusch, das von der dunklen bitterkalten Straße heraufdrang, die Ohren.

Maeve kam gegen sieben Uhr. Sie sah todmüde aus und war aufgeregt, fast außer sich. Sie warf Hut und Mantel auf Annies Bett und setzte sich auf die Kante. „Heiliger Michael, Annie, rasch eine Tasse Tee!" rief sie, und dann mit einem matten Lächeln: „Ich ertappe euch beide ja in einer sehr verfänglichen Lage."

Weder Annie noch ich sprachen. Annie fuhrwerkte herum und machte frischen Tee. Ich sah Maeve an und versuchte herauszubekommen, warum sie so aufgeregt war. Das Schweigen machte sie unruhig. Sie stand auf und lief eine Weile im Zimmer auf und ab, dann brach sie los: „Warum lassen sie die Truppentransporte zu so gottverlassener Morgenstunde abgehen?"

„Truppentransporte?"

„Ja. Züge mit Truppen drin. Verstehst du, Männer, die hinausgehen, um getötet, verwundet oder in Stücke zerrissen zu werden. Du solltest sie dir einmal ansehen, William Essex. Du solltest dir überhaupt allerhand ansehen, du verfluchter alter Maulwurf! Was schließt du dich Abend für Abend ein und verkriechst dich vor der Wirklichkeit? Oh, ich weiß, es ist alles grauenhaft und gemein, ein völliger Zusammenbruch all der reizenden Dinge, die dir die Welt angenehm gemacht haben. Aber gerade deswegen solltest du sie dir ansehen. Das geschieht nämlich wirklich, weißt du, auch wenn du die Augen zumachst!"

Wieder stieg ihr die Farbe in die Wangen, die mir nicht geheuer war. Ihre Augen glühten. Ich entsann mich, wie sie vor Dermot gestanden und geschrien hatte: „Du hast Rory gemordet! Du hast Rory gemordet!“ So stand sie jetzt vor mir, die Hände in die Seiten gestemmt. Dann schien plötzlich alle Kraft sie zu verlassen. Sie sank in einen Stuhl und murmelte: „Ich habe Oliver gerade zur Bahn gebracht.“

„Bringen Sie sie zu Bett“, sagte ich, und Annie nickte mir wie eine lebenserfahrene alte Glucke über Maeves herabgesunkenen Kopf zu.

Das war am Sonntagmorgen. Ich legte mich wieder hin, konnte aber nicht mehr schlafen. Um neun Uhr brachte mir Annie, die überhaupt kein Auge zugetan hatte, das Frühstück ans Bett. „Das haben Sie nötig, Herr Essex, nach so einer Nacht“, sagte sie, als hätte ich gewacht und nicht sie. „Fräulein Maeve schläft noch, und ich lasse sie schlafen, solange sie kann.“ Sie nickte grimmig und zog die Vorhänge auf, durch die die Helle eines bleichen Frostmorgens hereinbrach.

„Sagen Sie mir Bescheid, sobald sie wach ist“, bat ich.

Ich kannte jemand, der mir ein Auto leihen würde, und unmittelbar nach dem Frühstück ging ich zu ihm und ließ es mir geben. Seit Jahren hatte ich nicht am Steuer gesessen, aber ich ließ es darauf ankommen. Der Verkehr war damals nicht sehr groß, weil das Benzin schwer zu haben war. Ich fuhr den Wagen zum Berkeley-Platz zurück und wartete, bis Maeve aufwachte. Um zwei Uhr sagte mir Annie, Maeve sei wach und frühstücke im Bett. Sie sah erschrekkend schmal und zerbrechlich aus, wie sie da in den Kissen saß und an einem Stück Toast knabberte.

„Jetzt sehe ich Maeve O'Riorden zum erstenmal im Bett seit der Zeit, wo sie so klein war, daß es nichts Aufregendes war.“

„War ich ein hübsches Baby, Bill?“ Sie streckte mir die Hand entgegen, um sie auf die meine zu legen. Ich legte sie ihr energisch wieder auf die Bettdecke.

„Die Hand läßt du da und stopfst dir etwas in den Mund damit. Du siehst ja halb verhungert aus.“

„Ach, Mann! Rank – schlank – lebenslustig – ein mondäner Schriftsteller wirst du nie werden!“ Eigensinnig legte sie ihre Hand wieder auf die meine. „Herr William Essex, mir fällt ein, daß ich gestern nacht unhöflich gegen Sie gewesen bin.“

„Gestern nacht? Du hast wohl den Zeitsinn verloren, Mädchen. Und wenn du unhöflich warst, so sollst du dafür büßen. Hast du heute etwas vor?"

„Zufällig nicht."

„Wunderbar!"

„Nicht wahr?"

„Ja. Und wenn du etwas vorgehabt hättest, hättest du absagen müssen."

Sie sah mich fragend an.

„Weil dein Onkel Bill dich für den Rest des Tages mit Beschlag belegt hat. Wenn du fertig gefrühstückt hast, zieh dich warm an und melde dich bei mir."

Sie kam in einem Mantel aus graublauem Pelz herunter, einen Strauß dunkler Veilchen an der Brust. Der Kragen paßte gut zu dem dunklen Haar, das unter einer Kosakenmütze verschwand. „Gut so! Den Pelz kannst du gebrauchen. Es ist ein offener Wagen."

„Dann binde dir ein Halstuch um."

Ich tat es, und warm eingehüllt gingen wir hinunter zum Wagen. Es war drei Uhr. Die Sonne hatte schon ihre Kraft verloren und senkte sich wie eine orangefarbene Scheibe über die Dächer. Der Frost, der am Tag nicht so zur Geltung gekommen war, wurde jetzt spürbar.

Es war ganz windstill. Die kalte Luft prickelte uns im Gesicht, als wir nach Westen fuhren. Es war ein kleiner Zweisitzer. Maeve kuschelte sich unter den Decken wohlig an mich.

Wir sprachen lange nicht. Sie wußte wohl, worum es mir ging: sie einmal herauszureißen aus dem Geschwätz, der Hetze, dem Herumjagen und all dem fieberhaften Treiben, das jetzt ihr Leben ausmachte. Wir waren beisammen und fühlten uns beieinander geborgen. Der Wind blies uns ins Gesicht, die Hecken glitten vorüber, und über uns ragten die hohen, kahlen Ulmen und zeichneten das Spitzenmuster ihrer Zweige an den bleichen Winterhimmel.

Nach einer ganzen Weile sagte Maeve: „Fräulein Maeve O'Riorden bestellt Herrn William Essex viele Grüße und bittet um Auskunft, ob sein langes Schweigen bedeutet, daß er böse ist."

„Böse!" schnaubte ich. „Ich kenne dich viel zu gut, mein Kind, als daß ich dir böse sein könnte. Ich weiß, was diese Monate für dich bedeuten. – Was du zu tun und zu leiden hast. Aber diese paar Stunden wollen wir einmal nicht davon sprechen."

Sie lächelte dankbar und streckte sich aufatmend aus. Die Sonne ging unter, der Frost wurde fühlbarer, und der Abendhimmel leuchtete auf wie tiefblauer Samt. Eine Eule flog vor dem Wagen auf, sie wechselte stumm und mit kurzem Flügelschlag von einer Ulme am Straßenrand auf die andere Seite hinüber.

„‚Die Eule fror trotz aller ihrer Federn'", zitierte Maeve. „Bill, ich habe auch schöne Federn an, aber mich friert etwas. Was kann man dagegen tun?"

„Du solltest mehr essen", sagte ich streng. „Wir wollen sehen, was sich dabei tun läßt."

Wir waren am Fuß der Berkshire-Höhen, die vor uns zur Rechten schwarz im letzten Sonnenglanz aufragten. Im nächsten Dorf hielt ich. An der Landstraße lag eine alte Fuhrmannskneipe, und ich entsann mich, daß Martin einmal auf der Heimfahrt von Cornwall dort gehalten hatte und wir ein solennes Abendessen bekommen hatten. Wie es jetzt im Krieg war, wußte ich nicht, aber ich hatte von Anfang an hinfahren wollen, und es enttäuschte uns nicht. Der Wirt schien überrascht, daß außer den Stehgästen an der Theke überhaupt noch jemand kam. Er sagte, viel habe er nicht zu bieten, aber er wolle sein Bestes tun. Er führte uns in ein Zimmer, wo ein Kaminfeuer brannte. Von einem mächtigen schwarzen Balken, der so dick wie mein Schenkel war, hing eine Lampe am Haken herab. Die roten Vorhänge vor dem Fenster machten es gemütlich. Nach einer Weile standen zwei alte Silberschüsseln vor uns, die eine mit goldbraun gebratenen Speckkartoffeln, die andere mit einem halben Dutzend Spiegeleiern; es war gerade das, was wir gesucht hatten. Wir tranken Bier. Ich hatte nie gewußt, daß Maeve Bier trank. Sie renommierte, es sei eine ihrer größten Begabungen, hob das silberne Bierseidel an die roten Lippen und lächelte mir darüber hinweg glücklich zu. Es war eine Freude, wie tüchtig sie hier in der stillen Stube zugriff, meilenweit entfernt von jedem, der sie fragen konnte: „Wollen wir tanzen?" oder „Was machen wir jetzt?" oder „Wollen wir morgen zusammen zu Mittag essen?"

Der Wirt sah herein: „Sind die Herrschaften zufrieden?"

„Ausgezeichnet. Zu hungern brauchen Sie hier noch nicht."

„Man schlägt sich so durch. Ich habe noch guten Käse ..."

„Das ist das Stichwort, auf das ich gerade gewartet hatte", sagte Maeve.

Es war guter, reifer Stiltonkäse, und als wir fertig waren, schien es uns an der Zeit, einen Stuhl an den Kamin zu ziehen und miteinander zu reden. Ich zündete meine Pfeife an und gab Maeve eine Zigarette; sie lehnte sich zurück und hielt die Füße an die Glut. Ich blies ein paar Rauchringe in die Luft und sagte: „So, Oliver ist wieder draußen."

Sie nickte. „Ich wußte, daß es bevorstand, aber ich wollte dich nicht damit quälen, Bill. Es ist dir doch recht so, nicht wahr? Es wäre ja doch nichts dabei herausgekommen, weißt du."

„Ja. Das sehe ich ein. Würdest du mir etwas von ihm erzählen? Du hast ihn doch oft gesehen."

„Jeden Tag. Du weißt ja, wie es anfing. In jener Nacht im Theater. Ich wollte ihn Livia fortschnappen, weil du doch Livia haben wolltest."

Das also war es! Natürlich war es das, ich Esel! Mußte ich mir das erst von ihr sagen lassen? Und bei alledem hatte ich Livia gar nicht gewollt. Ich wußte kein Wort zu sagen. Plötzlich sah ich mich als einen bösen Geist, der mit seinem schmutzigen Eigennutz die Klarheit dreier junger Menschen trübte: Oliver, Maeve und Livia. Ein alternder, wankelmütiger Störenfried, der erst eine Frau begehrte und dann wieder nichts von ihr wissen wollte und schließlich alles verpfuschte. Ich feuchtete meine trockenen Lippen an, bevor ich wieder sprechen konnte.

„Das ist dir geglückt. Oliver hatte nur Augen für dich."

„Geglückt!" sagte sie bitter. „Leider nur zu gut. Ich hatte keine Ahnung, daß er so lange in England bleiben würde. Ich dachte, er hätte nur kurz Urlaub und müßte bald wieder zurück. Statt dessen bekam er Garnisondienst, und was sollte ich tun? Aufhören konnte ich nicht. Du kannst einen Mann nicht abhängen, weil ihm der Urlaub verlängert worden ist. Nicht einmal heute, wo doch alles mehr oder weniger verrückt ist."

„Wolltest du ihn denn loswerden? War er dir nicht – angenehm?"

Sie sprang auf und lief erregt auf und ab. Wieder stieg ihr die Röte in die Wangen. Sie warf die Zigarette unwillig ins Feuer. Die alten Zeichen ihrer Rastlosigkeit, die ich wenigstens für einen Tag zu bannen gehofft hatte, brachen wieder auf. Ich ging zu ihr und legte ihr den Arm um die Schultern und suchte sie zu beruhigen. „Maeve – verzeih – ich wollte nichts sagen, was dich aufregt. Reden wir nicht mehr davon. Diesen einen Tag wollen wir Ruhe haben."

Sie schob mich beiseite. „Setz dich. Davon, daß man sich den Dingen verschließt, wird es auch nicht besser. Nennen wir sie ruhig bei Namen, Bill."

Sie drückte mich in einen Stuhl und sagte dann: „Ich weiß, daß ich einen Fehler gemacht habe. Deshalb war ich heute morgen so ärgerlich mit dir, verstehst du? Weil ich mich über mich selbst ärgere. Du liebst Livia nicht. Du willst Livia nicht."

Ich schüttelte unglücklich den Kopf.

„Es hat aber lange gedauert, bis du das gemerkt hast."

„Ich dachte, du wüßtest es nicht."

Sie stieß ärgerlich die Luft aus. „So! Du dachtest! Ist das so schwer zu sehen? Schließt sich ein Mann, der ein Mädchen liebt und hinter ihr her ist, in seiner freien Zeit in seine Wohnung ein? Zum Donnerwetter, Bill, etwas mehr Menschenverstand hättest du mir zutrauen können. Da saß ich nun mit Oliver auf Wochen hinaus. Von Livia hatte er genug. Himmel, nein! Da hast du es: hochdramatisch, wie auf der Bühne, nicht wahr? Die großmütige Geste der Heroine fällt auf sie selbst zurück! Wie soll es nun weitergehen? Du schreibst ja Theaterstücke. Nun erzähle mal!"

Was war da zu erzählen? Ich kam mir so klein und niedrig vor, daß ich nichts zu sagen wußte. Maeve setzte sich und zündete sich eine Zigarette an. Sie war ruhiger. „Glaube nicht, daß ich darunter gelitten habe, abgesehen von dem unangenehmen Gefühl, mich lächerlich gemacht zu haben. Du hast seinerzeit sehr viel für mich getan, Bill, und hier war die beste Gelegenheit, etwas für dich zu tun. Es war nicht schön, zuzusehen, wie es danebenging. Aber Oliver ist nicht schlecht!"

Ich blickte auf. Das klang hoffnungsvoller. Sie lächelte mir aufmunternd zu wie einem verstörten Kind. „Steck dir die Pfeife wieder an. Nein, er ist nicht so schlecht. Du weißt, eigentlich habe ich ihn nie gemocht, aber in den letzten Wochen bin ich ihm nähergekommen als früher. Es ist etwas aus ihm geworden, allerdings – er ist auch etwas beängstigend. Manchmal habe ich Furcht vor ihm. Stundenlang kann er stumm vor sich hin brüten wie ein Schwermütiger. Aber er ist wenigstens nicht mehr der kleine Junge im schwarzen Seidenpyjama. Erinnerst du dich noch an diesen unausstehlichen kleinen Bengel?"

„O ja."

„Gut, der ist tot, glaube mir. Oliver steht jetzt auf eigenen Füßen."

„Wie war es heute morgen? Du hast Annie Suthurst zu Tode erschreckt."

„Ich hätte ihr Bescheid sagen sollen", sagte sie schuldbewußt. „Ich hatte nicht vor, die ganze Nacht auszubleiben. Der Zug ging um sechs. Ich hatte Oliver versprochen, mit ihm nach der Revue tanzen zu gehen. Wir tanzten bis zwei, und als ich nach Hause wollte, schlug dieser Pogson vor, daß wir alle in Olivers Hotel gehen sollten. Wir waren eine ganze Gesellschaft. Ehe wir uns versahen, war es vier Uhr, und da sagte Oliver, jetzt hätte es doch keinen Zweck mehr, ins Bett zu gehen, und wir blieben, bis er zur Bahn mußte."

Ich dachte an mein Versprechen, das ich Dermot gegeben hatte, und fragte rundheraus: „Will Oliver dich heiraten?"

„Das wollen sie alle", antwortete sie matt, „aber ich bin wohl nichts zum Heiraten. Wollen wir nicht lieber nach Hause?"

Ich packte sie in die Decken. Wir fuhren noch keine halbe Stunde, da schlief sie schon tief mit dem Kopf an meiner Schulter.

Acht Tage später wurde Oliver als vermißt gemeldet, wahrscheinlich gefallen. Nach ein paar Tagen hieß es, er sei gefangen. Zwischen den beiden Nachrichten lief Maeve wie betäubt herum. Sie hatte fast alle Verabredungen abgesagt und aß täglich mit mir zu Mittag. Wir saßen gerade bei Tisch, als mich ein Bekannter aus dem Kriegsministerium anrief und mir sagte, Oliver sei in Sicherheit. Maeve verlor die Fassung und weinte. Dann schlang sie die Arme um mich und küßte mich. „Ach Bill", schluchzte sie, „ich hätte es nicht ertragen, wenn er gefallen wäre! Du tust so kalt und beherrscht, mir bricht das Herz, wenn ich dich ansehe. Dabei liebst du ihn doch, und es wäre dein Tod gewesen. Du liebst ihn doch, nicht wahr?"

„So sehr", sagte ich fest, „daß ich wünschte, wir wären alle zwanzig Jahre jünger. Dann würde ich manches anders machen. Viel Gutes habe ich eigentlich nicht angerichtet, nicht wahr?"

„Ach Lieber, Lieber, so darfst du nicht sprechen, das halte ich nicht aus!" Sie warf sich mir in die Arme, und ihre verweinten Augen lagen dicht vor den meinen. „Seit Nellies Tod ist dir alles quergegangen."

„Ich bin immer der Dumme gewesen und habe es mir selber eingebrockt."

„Nein, nein! Ich ertrüge es nicht, wenn dich das Leben bitter machte. Es hätte alles so anders sein können. Ich liebe dich so sehr."

Ihr Kopf sank gegen meine Schulter, und ich zog sie fester an mich. Aber da stieß sie mich fort. „Nein – jetzt ist es zu spät."

Sie riß das nasse Gesicht von meinem los und sah mich wild an. Dann lief sie aus dem Zimmer und ging hinauf in ihre Wohnung.

Ende Februar bekam ich einen Brief von Dermot mit einer nebensächlichen Bestellung für Maeve. Nach dem Frühstück ging ich hinauf und trat unangemeldet ins Wohnzimmer. Die Tür zum Schlafzimmer stand offen, und ich sah Annie Suthurst vorm Badezimmer stehen, das neben dem Schlafzimmer lag. Sie hatte sich vorgebeugt und horchte an der Tür. Sie sah mitgenommen und verstört aus. Als sie mich sah, legte sie den Finger auf die Lippen und winkte mich heran. Ich hörte ein schwaches Stöhnen und dann ein quälendes Würgen.

Annie zog mich am Arm ins Wohnzimmer und sank auf einen Stuhl. In tiefem Kummer wiegte sie sich hin und her.

„Gestern morgen war es auch so, Herr Essex! Gott helfe uns! Ach, Fräulein Maeve, Fräulein Maeve!"

Der Bekannte, dessen Wagen ich mir für die Fahrt mit Maeve geliehen hatte, war Sir Charles Blatch, ein Arzt aus der Wimpolestraße. Blatch und ich waren zusammen im Savileklub. Wir hatten uns gelegentlich zugenickt, und als er eines Tages neben mir im Rauchzimmer saß, waren wir ins Gespräch gekommen. Er kannte meine Bücher gut und gestand, daß er sich „Straßauf und straßab" mehr als einmal angesehen habe. Einem Verehrer zu widerstehen ist schwierig, und Blatch war ein aufrichtiger Verehrer von mir und Maeve. Nach einer Weile stellte sich heraus, daß er etwas von mir wollte. Er hatte ein Buch geschrieben. Sofort war ich auf der Hut. Ich hatte zu oft Leute getroffen, die mir Schmeichelhaftes über meine Werke sagten und nachher verlangten, ich sollte die ihren lesen. Aber mit Blatch stand es anders. Er meinte es ehrlich. Er sprach so bescheiden von dem, was er geschrieben hatte, und legte so aufrichtig

Wert auf meine Meinung, daß ich einwilligte, sein Manuskript zu lesen.

Das Buch gefiel mir in seiner Haltung, und es gelang mir, meinen Verleger zu veranlassen, es unverändert zu drucken. Es hatte einen kleinen Erfolg, und Blatch war sehr angetan von dem allem.

Ein Kapitel darin behandelte die Frage, ob der Arzt dem Tod nachhelfen dürfe oder nicht. Blatch trat dafür ein. Er schrieb von den vielen, die als Krüppel aus dem Krieg zurückkamen und zu einem qualvollen Leben verurteilt waren und die es vorziehen würden, ihrem Leben ein Ende zu machen, statt es als traurige Trümmer ihrer selbst fortzuführen. „Ruhelose Gespenster", schrieb er, „die nur noch mit einem Faden an der verfallenen Behausung ihres Körpers hängen, der einst ihr Stolz war. Wie willkommen wäre manchem von ihnen eine mutige, barmherzige Hand, die ihnen Erlösung brächte!"

Unsere Beziehungen wurden wärmer, obwohl wir nie eigentlich befreundet waren. Einmal lud er mich in die Wimpolestraße zum Abendessen ein. Er war ein untersetzter, klobiger Bursche mit kräftigen, stark behaarten Händen und einem glattrasierten Granitkopf. Seine Frau hatte er verloren, und sein einziger Sohn stand bei den Fliegern. Viel Erfreuliches gab es nicht in seinem Leben, und er war auch nicht sehr froh. Er war nicht pessimistisch oder niedergeschlagen: düster ist das richtige Wort für ihn. Er war stark wie eine Eiche, aber sein Wesen warf auch den gleichen tiefen Schatten.

Ich war der einzige Gast, und nach Tisch setzten wir uns mit der Whiskyflasche in seine kleine eichengetäfelte Bibliothek. Wir rauchten beide unsere Bruyèrepfeife. Er war sehr unterhaltend und sprach gern über seinen Beruf, und da es nicht mein eigener war, machte es mir nichts aus. Er kam wieder auf sein altes Steckenpferd, ob man den Tod herbeiführen dürfe, und sprach dann über den Selbstmord.

„Haben Sie Richard Middleton darüber gelesen?" fragte er. Ich entsann mich, daß Middleton Selbstmord begangen hatte, sagte ihm aber, daß ich den betreffenden Essay nicht gelesen hätte. Er nahm einen blauen Band aus dem Regal und blätterte mit seinen kurzen kräftigen Fingern darin herum. „Da haben wir es: ‚Wir können es einem Menschen verzeihen, wenn er im Theater des Lebens ein großes Geschrei erhebt und die Zuschauer stört, aber wir verzeihen es ihm nicht, wenn er gähnend hinausgeht, ehe das Stück aus ist.'"

„Das ist wirklich so", sagte Blatch und lehnte sich zurück, den Finger noch im Buch. „Bis auf das Gähnen. Es ist nicht nur der Überdruß, der zum Selbstmord führt. Öfter ist es wohl das Gefühl, sein Leben verfehlt zu haben."

Er schien eine Weile darüber nachzudenken, dann legte er das Buch auf den Tisch, zog an seiner Pfeife und sagte: „Wenn Roger fiele, hätte ich mein Leben völlig verfehlt." Roger war sein Sohn. „Meine Frau ist tot. Ich habe sonst keinen Angehörigen auf der Welt. Die Arbeit, können Sie einwenden. Nun ..." Er schob das mit einer Handbewegung beiseite. „Nein. Das reicht nicht aus. Ohne das Gefühl, in einem Menschen weiterzuleben, könnte ich nicht leben."

„Verstehen Sie mich recht", fuhr er lächelnd fort und bot mir Tabak an, „ich denke nicht an Selbstmord, auch nicht, wenn das eintreten sollte, wovon ich sprach. Aber als Möglichkeit ist er nicht von der Hand zu weisen. Und", sagte er und sah mich eindringlich an, „wenn es je dazu kommen sollte, wäre ich vielleicht der einzige Mensch, der die beiden Dinge, an die ich glaube, durch die Tat bewiesen hat: daß ein Arzt unter gewissen Umständen befugt sein sollte, einem anderen das Leben zu nehmen, und daß ein Mensch das Recht hat, es sich unter gewissen Umständen selbst zu nehmen."

Er war zu weit gegangen, um noch zurück zu können. Er wußte es, als ihm die Worte entschlüpft waren. „Gefährlicher Boden – wie, Essex?"

„Sehr", pflichtete ich bei. „Schweigen Sie, wenn Sie wollen. Aber wenn Sie sich die Sache von der Seele reden wollen, höre ich zu. Ich verstehe die Bedeutung der Beichte und kann stumm wie ein Grab sein."

Er erzählte mir die Geschichte. Er hatte seine Jugendzeit als armer Schlucker in Birmingham verbracht, und seine Mutter und er hatten sich nach dem Tod des Vaters schwer durchschlagen müssen. Ein kleiner Laden in einer Hintergasse spielte eine Rolle in der Geschichte und der unbezwingbare Mut des Jungen und der Frau, bis er schließlich seine Examina bestanden hatte. Da schien ihnen die ganze Welt zuzufallen.

„Jetzt – sehen Sie, Essex –, jetzt sollte sie alles haben! Behaglichkeit, wachsenden Reichtum, Dienstboten, einen Wagen, Gott weiß was alles. Sie wissen ja, wie man träumen kann, wenn man jung ist. Aber alles, was sie bekam, war ein unheilbarer Krebs. Todesqualen . . .“

Blatch goß sich noch einen Whisky ein, trank und setzte das Glas mit ruhiger Hand auf den Tisch. „Ich gab ihr das Mittel, ihrem Leben ein Ende zu machen.“

Eine Weile schwiegen wir, dann fuhr Blatch fort: „Ich habe lange mit mir gerungen. Sie flehte mich an und schließlich – ja, ich tat es.“ Er hielt inne. „Und bin mit heiler Haut davongekommen.“

„Selbstmord“, sagte er nach einer weiteren, nachdenklichen Pause, „verstehen Sie mich recht, nicht jeder Selbstmord – nicht das Davonlaufen vor Dingen, die angeblich zu schwer sind –, sondern der Selbstmord, an den ich denke, erspart einem anderen die Mühe, ein todbringendes Mittel zu geben. Und . . .“, fügte er mit einem Lächeln hinzu, das selten bei ihm war, „. . . ich sage das nicht als approbierter Arzt, sondern als unberufener Philosoph auf eigene Verantwortung.“

Das also war Sir Charles Blatch. An dem kalten Sonntagmorgen, an dem ich mir seinen Wagen lieh, stand er allein in seiner Bibliothek mit dem Rücken am Kamin und las einen Brief. „Kaum spricht man vom Teufel oder vielmehr von seinem nächsten Freund . . .“, sagte er und las weiter. „Entschuldigen Sie, daß ich dies zu Ende lese. Es geschieht erst zum hundertstenmal. Der Brief ist von Roger.“

Als er fertig war, sagte er: „Dieser junge Hund war mit Ihrer Maeve O'Riorden zusammen. Er hofft, daß er Urlaub bekommt, und schreibt“ – Blatch las mir die Stelle vor –: „‚Wir müssen wieder in ‚Herzenswahl‘ gehen. Sobald ich Bescheid gebe, nimm Plätze, meinetwegen für jeden Abend, solange ich da bin. Wir spielen alle Lieder von Maeve auf dem Kasinogrammophon, und die Kerls wollen mir einfach nicht glauben, daß ich einmal mit ihr aus war. Das ist Dir auch neu, wie? Nun . . .‘“

Während Blatch weiterlas, wußte ich auch, wer dieser Roger war. Ich sah Maeve vor mir, wie sie durch das Fenster auf den Berkeley-Platz sah und über die Schulter zu mir sagte: „So einen Burschen hast du noch nicht gesehen. Er sieht aus wie sechzehn, so blauäugig und pausbäckig.“ Mir fielen auch die Lämmer auf der Weide wieder ein, von denen er Maeve erzählt hatte. „Die müßte meine Mutter sehen!“ Blatch war also erst kürzlich verwitwet. Im vorigen April war Maeve mit Roger ausgefahren. Vorigen April, das war fast ein Jahr her. Für einen Flieger hatte er immerhin Glück.

„Ich möchte Ihre Maeve gerne einmal kennenlernen", sagte Blatch. „Sie scheint ja ein ganzer Kerl zu sein."

„Das ist sie", sagte ich nachdrücklich. „Sie reißt sich in Stücke für diese Jungens."

„Stellen Sie mich ihr doch einmal vor, ja? Ich möchte sie gerne kennenlernen."

Ich dachte an Blatch, als ich auf Annie Suthurst hinuntersah, die gebrochen auf ihrem Stuhl saß. Ich nahm sie bei den Schultern und schüttelte sie sanft: „Annie! Nehmen Sie sich zusammen! Denken Sie daran, daß Maeve Sie jetzt mehr denn je braucht. Hören Sie?"

Sie nickte mit dem grauen Kopf. „Ich muß jetzt weggehen. Passen Sie auf Maeve auf. Denken Sie daran! Regen Sie sie nicht auf und lassen Sie sich um Gottes willen nicht anmerken, daß Sie etwas ahnen. Kriegen Sie das fertig?"

Sie stand gefaßt auf. „Ja, Herr Essex."

„Gut. Ich esse mit ihr zu Mittag. Sobald Sie mit Servieren fertig sind, verschwinden Sie. Ich möchte mit ihr sprechen. Ich sage Ihnen dann nachher Bescheid, ob Sie etwas tun können. Wir beide werden es schon wieder zurechtbiegen, wie?"

„Ich weiß nicht, Herr Essex. Diesmal sieht es mir so aus, als ob sie allein damit fertig werden muß."

Das klang nicht sehr tröstlich. Ich mußte daran denken, als ich Maeve ein paar Stunden später bei Tisch gegenübersaß. Sie war blaß wie gewöhnlich und ganz ruhig. Vielleicht hatte sie noch mehr Sorgfalt als sonst auf ihre Erscheinung verwandt. Ein Sonnenstrahl fiel durchs Fenster auf ihr schwarzes Haar, und es glänzte auf wie blankes Metall. In dem blassen Gesicht wirkten die Lippen doppelt rot. Annie stellte den Kaffee auf den Tisch und ging mit einem warnenden Blick auf mich aus dem Zimmer.

„Weißt du schon, daß Livia fort ist?" fragte Maeve.

Ich schenkte ihr Kaffee ein und schüttelte den Kopf. Was Livia tat, war mir im Augenblick ziemlich gleichgültig.

„Ja. Sie ist nach Frankreich gegangen; als Krankenschwester. Sie hatte keine Lust mehr, auf dich zu warten."

„Das wird es wohl kaum gewesen sein. Ich nehme an, daß sie mit mir ebenso wenig hätte anfangen können wie ich mit ihr."

Sie sah mich ernst an und sagte: „Alles umsonst! Alles umsonst! Ich habe nicht viel Talent zu Improvisationen. Man muß mir die Rollen immer vorschreiben."

„Vielleicht ist das überhaupt so im Leben."
Ihr Gesicht belebte sich. „Du meinst Vorbestimmung und all das. Was geschehen soll, geschieht doch. Weißt du, Bill, ich würde gerne daran glauben. Glaubst du denn daran?"
„Man kann darüber bis zum Jüngsten Tag streiten, ohne zu einer Entscheidung zu kommen. Ich möchte lieber daran glauben, daß mein freier Wille ab und zu ein Blättchen gewendet hat."
Sie sah wieder niedergeschlagen aus. „Es wäre so tröstlich, zu wissen, daß alles, was ich täte, unabänderlich vorbestimmt sei und daß kein Makel auf mich fiele, was auch immer ich täte."
„Was auch immer ich täte! Gott möge mir die Blindheit meines Herzens verzeihen." – Es lag etwas so Tragisches in der stillen Art, in der die Worte aus ihrem Mund kamen; aber ich sagte nur: „Ich kann mir nicht vorstellen, mein liebes Kind, daß du je etwas Schreckliches tun könntest."
„Etwas Schreckliches? Manchmal verstehe ich dich nicht, Bill. Warum nennst du mich dein liebes Kind? Hast du mich immer nur als Kind sehen können, ja? Und wie kommt es, daß du mich für ein Kind hältst und Livia für eine erwachsene Frau? Habe ich dir nicht mehr gefallen, als ich erwachsen wurde? Siehst du in mir noch immer das kleine Mädchen, das sich in deinen Mantel kuschelt?"
„Maeve, mein süßes . . ."
„Nein, nein! Sag mir nichts dagegen. Ich mache dir ja keinen Vorwurf, aber . . ."
Sie wandte sich plötzlich ab, und Tränen stiegen ihr hoch. „Ich wollte dich gerade dazu bringen, mir zu sagen, daß ich dich nicht enttäuscht habe", schluchzte sie. „Du hast nämlich soviel von mir erwartet, ich weiß."
„Du mich enttäuscht?" fuhr ich auf. In all dem traurigen Durcheinander, das ich aus meinem Leben gemacht hatte, stand Maeve klar und durchsichtig da, das einzige Wesen, das mir nie das Herz schwer gemacht und mich nie enttäuscht hatte. Ich ging zu ihr und nahm sie in die Arme. „Maeve, Geliebte . . ."
Verwundert blickte sie zu mir auf. „Geliebte", flüsterte sie. „Du hast mich noch nie so genannt – Geliebte . . ."
„Von jetzt an will ich dich immer so nennen – Geliebte – Geliebte – Geliebte!"
Ich versuchte mich über ihr Gesicht zu beugen, aber sie warf gewaltsam den Kopf zurück und sah mich durch-

dringend an. Und plötzlich schrie sie erschrocken auf, riß sich los und barg ihr Gesicht stöhnend in den Händen.

„Geliebte, Süße, was ist dir? Maeve, ich liebe dich! Ich liebe dich!"

„Ich habe dich immer geliebt", murmelte sie, „und habe es gewußt seit jener Nacht, wo die Schwäne am Mond vorbeiflogen. So frei – so schön . . ."

„Sieh mich an, Maeve. Sieh mich doch an, Geliebte – ich liebe dich!"

„Gott helfe mir, Bill", flüsterte sie schluchzend, „ich liebe dich so sehr, daß ich mich auf die Erde werfen und dich über mich hinwegschreiten lassen könnte, über mich und das Kind, das ich trage."

„Ich weiß es, und deshalb brauchst du keine Angst zu haben."

„Deshalb habe ich auch keine Angst. Vor dir habe ich Angst. Livia hast du erst gewollt, als Oliver sie wollte. Mich hast du erst gewollt, als Oliver mich begehrte. Es ist etwas in dir, das wie ein Raubvogel auf junge Leben lauert. Irgend etwas – in deinem Gesicht. Es läuft mir kalt über den Rücken."

„Liebes, du bist krank. Du bildest dir das ein. Bei Gott, in meinem Gesicht kann nur Liebe zu dir stehen, sonst nichts."

„Nein, nein! Es ist der gleiche Blick, den Oliver jetzt hat – das Hungrige, das andere Leben verschlingen will. So sah er an jenem Abend aus. Du weißt, an jenem Abend, von dem ich dir erzählt habe. Ich habe dich belogen. Ich bin allein mit ihm ins Hotel gegangen. Es ist Olivers Kind. Dir kann ich nicht mehr gehören. Herrgott, du kannst doch nicht der Vater deines Enkels sein wollen."

Blindlings fuhr sie mit der Hand über den Tisch, und ich ergriff sie ebenso blindlings und streichelte sie. Da hob sie den Kopf, und ich hätte weinen können über ihr verfallenes Gesicht und das verzerrte Lächeln, das gespensterhaft darüber hinhuschte.

„So steht es mit uns, Bill. So steht es." Sie hob die andere Hand und ließ sie matt und hilflos wieder fallen.

„Maeve, wir müssen über das Kind reden. Was willst du tun? Wie kann ich dir helfen?"

„Du kannst mir nicht helfen. Du denkst jetzt sicher, daß ich das alles sehr dumm gemacht habe."

„Bei Gott, ich denke nur an das eine, wie ich dir helfen kann!"

„Das kannst du nicht! Das kannst du nicht!" wiederholte sie. „Aber du verstehst mich, Bill, ja? Und du denkst nicht schlecht von mir?"

„Schlecht denken?" Mir stiegen die Tränen auf. „Schlecht denken, wo dich niemand so kennt wie ich?"

„Es waren so viele", sagte sie leise und rasch mit abgewandtem Blick. „Sie haben mich alle haben wollen, auch die, die so lieb waren, es nicht auszusprechen. Die haben mir am wehesten getan, sie sahen so dumpf aus, so elend und hungrig. Ich habe versucht, ihnen alles zu geben – bis auf das eine. Und ich fühlte, daß es nicht fair war. Ich kam mir vor wie ein reicher Mann, der mit vollen Händen gibt, solange es ihn nicht selbst berührt. Viele von ihnen sind gefallen, und ich habe gedacht, wie wenig es mich gekostet hätte. Wie Wellen sind sie über mich hingegangen. Du kennst die Bibelstelle, Bill: ‚All deine Wellen sind über mich hingegangen.' So wachte ich morgens auf, zerschlagen und niedergedrückt, die lustige Maeve O'Riorden, die sich so krampfhaft amüsierte. Sieh in den schmutzigen Skandalblättchen nach, da findest du alles beisammen – und den ganzen leichtfertigen, herzlosen Lebenslauf."

Ich streichelte ihr die Hand. „Still, Liebes, so darfst du nicht weitersprechen."

Aber sie fuhr hastig fort. „Weißt du, es mußte ja so kommen. Einmal mußte es zuviel werden, und sie mußten mich schließlich mürbe machen. Nun, es traf Oliver. Wir tanzten und tanzten, und dann bat er mich noch zu einem Abschiedsschluck ins Hotel. Wir gingen aufs Zimmer. Er sagte nichts, aber er schloß die Tür ab, lehnte sich dagegen und sah mich an. Er sah schrecklich aus mit seinen zuckenden Narben. Ich wußte, was er wollte. Ich sagte: ‚Nein, nein, Oliver! Bitte!' Er sah mich unverwandt an. Dann lachte er auf. ‚Mein Gott! Ihr Weiber! Ihr schöpft euch den Rahm ab. Da macht ihr einen verrückt mit euren nackten Beinen und den zweideutigen Chansons und pflanzt einem die Hölle ins Herz, und dann glaubt ihr, die französischen Huren in den Häusern mit der roten Lampe nähmen euch das übrige ab. So, da hast du's. Gute Nacht.' Er warf mir den Schlüssel vor die Füße und fing an, sich auszuziehen. Es war schrecklich und gemein, aber es war die Wahrheit. ‚An dir ist ein Bischof verlorengegangen', sagte er. ‚Du solltest Fahnen weihen und Traktate über Sittenreinheit verteilen. Veredelt eure Triebe, Jungens, und stoßt den Deutschen ins Gedärm. Und steht euch dann zur Abwechslung mal der Sinn nach etwas Hübschem und Reinem, so seht euch die Lena-Ashwell-Truppe an, wenn sie singt ‚Eine lange, lange Schleppe' – oder wenn ihr Urlaub habt, hört euch Maeve O'Riordens ‚Aber mit dir ist's wunderbar' an. Da ist der Schlüssel. Und nun hau ab.'

Und ich konnte nicht, Bill. Ich blieb wie erstarrt stehen. Er hatte den Waffenrock ausgezogen und stieß mir den Schlüssel mit dem Fuß zu. ‚Los!' sagte er. ‚Hau ab, oder bei Gott ...' Dann setzte er sich auf einen Stuhl, stützte den Kopf in die Hand und begann zu schluchzen. Ich ging zu ihm, strich ihm über das Haar, und ... und so war es."

„Ich bin dir dankbar, daß du es mir gesagt hast." Die Worte klangen blödsinnig angesichts dieser blassen, verstörten Maeve. „Denk nicht mehr darüber nach. Denk an die Gegenwart."

„Gegenwärtig ist nur eines notwendig, ich muß ins Bett, sonst geht es heute abend daneben."

„Willst du nicht aufhören? Soll ich Wertheim anrufen?"

„Ja, um noch ein Billett zu bekommen. Ich möchte, daß du heute abend da bist. Er hat sicher noch einen Platz. Komm dann nach hinten und bringe mich nach Hause, willst du?"

„Soll ich sehen, ob ich ein Taxi finde?"

„Nein, laß uns zu Fuß gehen."

Sie nahm meinen Arm, und wir drängten uns durch die kleine Menge am Bühnenausgang. Einer sagte ganz schlicht: „Vielen Dank, Fräulein O'Riorden." Ein anderer hielt ihr ein Buch und einen Bleistift unter die Nase. „Darf ich, Fräulein O'Riorden?"

„Komm weiter", flüsterte ich, „laß sie doch." Aber sie blieb stehen, gab Autogramme und lächelte allen zu, die sich herandrängten. „Ich mag sie nicht enttäuschen", sagte sie.

Dann waren wir sie los. Sie nahm wieder meinen Arm. „Du im Zylinder", neckte sie mich und blickte klein und zerbrechlich zu mir auf. „Du großer, berühmter Mann! Jetzt habe ich keine Angst mehr vor dir!"

„Hast du denn je Angst vor mir gehabt?"

Sie drückte mir leise den Arm. „Nicht allzusehr."

Eine Weile gingen wir schweigend nebeneinander. Dann sagte sie: „Jaja, so ist das. Das ist nun vorbei. Habe ich anständig ausgesehen, Bill?"

„Entzückend."

„War mir nichts anzumerken?"
„Anzumerken? Ach so... Nein, nein. Überhaupt nichts."
Dann war sie sehr still. Es war drollig, wie sie versuchte, ihre kleinen, trippelnden Schritte meinen langen anzupassen. Ich entsinne mich nicht, daß wir bis zur Haustür noch gesprochen hätten.

Die Schritte vergesse ich nie: wie ein Kind, das eifrig mitzukommen sucht.

Ich habe schon erzählt, daß sie über mir wohnte. Vor meiner Tür sagte ich: „Gute Nacht, Maeve. Oder willst du noch auf einen Sprung hereinkommen? Einen Schnaps oder ein paar Worte."

„Nein – nein, Bill – Bill?" Sie faßte meinen Mantelaufschlag, drehte ihn zwischen ihren Fingern und sah mich an. „Sag – was du heute nachmittag gesagt hast." Sie flüsterte: „Sag ‚Geliebte'."

„Maeve, Liebling, Geliebte", sagte ich, beugte mich zu ihr und nahm sie in die Arme. „Gute Nacht, Geliebte."

Ich sah ihr nach, wie sie langsam die Treppen hinaufschritt. „Gute Nacht!"

„Gute Nacht. Gute Nacht, Bill! Leb wohl!"

Am nächsten Morgen um sieben Uhr klopfte Annie Suthurst an meine Tür. Ein Blick in ihr entsetztes Gesicht – und mein Herz schlug mir bis zum Halse. Ich wartete nicht erst ab, bis sie sprach. Sie konnte nicht sprechen, sie stand nur da und fummelte mit zitternden Fingern an ihren zuckenden Lippen herum. Ich lief an ihr vorbei die Treppe hinauf durch das Wohnzimmer in Maeves Schlafzimmer. Sie lag im Bett, und der eine weiße Arm hing schlaff zur Erde. Der Kopf war etwas zur Seite gesunken. Wie ein Kind lag sie da, das Gesicht in den schwarzen Haaren, verwundert und ratlos.

Um acht rief ich Sir Charles Blatch an. Er war am Hörer und schien über mein Ungestüm erstaunt, mit dem ich ihn bat, sofort herzukommen. „Ja, dringend, entsetzlich dringend."

Ich fing ihn vor meiner Wohnung ab und stieg mit ihm hinauf. Annie hatte ich auf ihr Zimmer geschickt. Vor Maeves Schlafzimmertür blieb ich stehen. „Sie wollten Maeve O'Riorden kennenlernen", sagte ich und öffnete die Tür. „Hier ist sie."

Er ging allein hinein. Ich schloß die Tür hinter ihm und wartete im Wohnzimmer. Nach zehn Minuten kam er wieder und setzte sich zu mir aufs Sofa. Sein dickes, klobiges Gesicht war erschüttert, als wäre Maeve sein eigenes Kind gewesen. „Armes Ding", sagte er, „armes Ding. Und so schmal." Er hatte beide Hände auf die Knie gelegt und sah tiefsinnig auf den Boden zwischen seinen Füßen. „Wissen Sie, Essex, das ist der erste Selbstmord in meiner ganzen Praxis. Man könnte denken, sie sei im Schlaf gestorben."

„Ja", sagte ich, ohne ihn anzusehen. „Aber wenn sie nun ein schwaches Herz gehabt hätte. Ich setze den Fall, sie wäre heimlich zum Arzt gegangen ... und hätte es für sich behalten ... während der letzten zwölf Monate und so ... und er hätte sie gewarnt und ihr gesagt, die schwere Arbeit im Theater mit all dem Tanzen, Ausgehen und dem wenigen Schlaf sei gefährlich ... wenn sie nun ... sagen wir einmal ... zu Ihnen gegangen wäre ... dann würde es Sie doch nicht wundern, daß sie im Schlaf gestorben wäre, nicht wahr?"

Er sah mich scharf von der Seite an. „Nein", sagte er schließlich, „es wäre der natürliche Verlauf."

„Und unter solchen Umständen hätte es natürlich keine Schwierigkeiten mit dem Totenschein?"

Er stand auf, blickte auf mich herunter und strich sich nachdenklich das Kinn. „Der Fall ist nicht durch meine Bücher gegangen, weil ich sie umsonst behandelt habe. Sie kam nie in meine Sprechstunde in der Wimpolestraße, ich besuchte sie immer hier. Es war ein rein freundschaftliches Abkommen, weil ich mich persönlich sehr für sie interessierte. Und zwar von dem Augenblick an, wo Sie mich ihr vorstellten – vor einem Jahr etwa, nicht wahr?"

„Ja. So lange mag es wohl her sein."

„Sie hätten auch meinen Wagen nicht bekommen, verstehen Sie, wenn ich sie nicht so gern gehabt hätte."

„Nein, natürlich nicht. Das hätte ich sonst nicht von Ihnen verlangen können."

„Und ich kann den Totenschein mit gutem Gewissen ausstellen, weil ich bei ihrem Tod zugegen war. Wann kam sie gestern nacht vom Theater heim?"

„Kurz vor Mitternacht."

„Sie muß sich fast unmittelbar danach schlecht gefühlt haben, weil Sie mich wenige Minuten darauf anriefen. Ach, zum Teufel mit der Komödie, Essex, ich bin ja tatsächlich kurz nach Mitternacht angerufen worden und erst gegen sieben Uhr nach Hause gekommen. Kein Mensch auf Gottes Erdboden weiß, wo ich war, und ich kann sehr wohl hier gewesen sein. Ich sah sie sterben, wie ich es ihr vorausgesagt hatte ..."

Er ging bekümmert im Zimmer auf und ab. „Ja, wenn sie unbekannt gewesen wäre – aber sie ist es nicht. Denken Sie an das Geschrei in den Zeitungen."

„Daran hatte ich gerade gedacht. Und an unsere Unterhaltungen über Selbstmord. Sie hatte Gründe, Blatch."

„Das arme Kind. Erzählen Sie es mir einmal. Nicht jetzt, nicht jetzt. Nun, von mir aus wird kein Flecken auf sie fallen. – Es war Veronal! Wer weiß sonst noch davon?"

„Eine alte Frau, die ihr sehr ergeben ist. Ich bürge für sie, Blatch."

Plötzlich fragte er gepreßt: „War da ein Baby mit im Spiel?"

Ich nickte. Er wischte sich mit einem großen seidenen Taschentuch den Schweiß von der Stirn. „Ich – ich dachte an Roger. Er schrieb, er sei mit ihr ausgegangen."

„Roger war es nicht, Blatch. Ich weiß von Roger. Das ist schon ein Jahr her."

„Im vorletzten Urlaub. Gott sei Dank!" Er hielt mir die Hand hin. „Essex, ich begehe ein Verbrechen, und Sie sind mitschuldig. Seien wir stolz darauf. Die anständigen Handlungen sind heute in England selten geworden."

Dann verließ er mich, und ich wappnete mich für die lange Feuerprobe des Tages. Zuerst mußte ich Dermot anrufen.

FÜNFTES BUCH

32

„Gehen Sie heute abend aus, Herr Essex?" fragte Annie Suthurst.

Ich schüttelte den Kopf. „Ich glaube nicht, Annie. Nein, ich glaube nicht, daß ich es aushielte. Sie jubelten und gebärdeten sich wie toll, als der Krieg ausbrach. Jetzt jubeln und rasen sie wieder, weil er zu Ende ist. Ich kann in beidem nichts finden."

„Es ist wie der Abend von Mafeking, darin konnte ich auch keinen Sinn sehen."

Das war begreiflich. Annies Mann hatte den Abend von Mafeking nicht mehr erlebt.

„Ich mache Ihnen was gut Zusammengekochtes", sagte sie. „Wenn Sie das im Magen haben, setzen Sie sich nur ruhig an den Kamin und lesen Sie'n Buch."

Das tat ich auch, während draußen die Derwische los waren. Als ich aus dem Eßzimmer in mein Arbeitszimmer ging, waren die Vorhänge zu, mein Stuhl stand am Fenster und die Pantoffeln auf dem Kaminvorsatz. Daneben der kleine Tisch mit den Pfeifen, die Brille und Tabak. Annie sorgte gut für mich.

Viel zu gut, überlegte ich mir, als ich es mir in dem Stuhl bequem machte. Sie macht noch einen richtigen alten Mummelgreis aus mir, und ich bin erst siebenundvierzig.

Ich setzte die Brille auf und dachte trübselig daran, daß ich noch vor recht kurzer Zeit triumphiert hatte, weil Dermot eine brauchte und ich nicht.

Ja, siebenundvierzig. Ein wenig Menschenverächter, der sich im Winter wohler fühlt als im Sommer, weil man im Winter bei geschlossenen Vorhängen allein am Kamin sitzen kann. Grau, und nicht nur an den Schläfen, was Maeve so gut gefallen hatte, sondern ganz und gar. Dicker war ich auch nicht geworden, sondern spindeldürr.

Annie kam mit dem Kaffee. „Bleiben Sie doch sitzen, Herr Essex!"

Ich stand aber doch auf und sah sie verdrießlich über die Brille an. „Verdammt noch mal, Annie Suthurst, was machen Sie eigentlich aus mir? Warum soll ich nicht aufstehen? Stört es Sie, wenn meine alten Knochen knacken?"

„Nein, ruhn Sie mal den müden Adam aus, Herr Essex. In der alten Bude da haben Sie sicher den ganzen Tag zu schuften. Das bißchen Ruhe abends tut Ihnen gut. So, setzen Sie sich hin mit 'm schönen Buch. Ich stör' Sie auch nicht mehr."

Tatsache war natürlich, daß Annie mich seit dem Wunder, das Blatch und ich zustande gebracht haben mußten, verwöhnte. Die Schande war ihrer geliebten Maeve erspart geblieben. – Übrigens hatte sie sich als unbedingt zuverlässig gezeigt. Nicht einmal mir gegenüber ist sie je auf das Geschehen zurückgekommen. Damals, an jenem längst vergangenen Tag, hatten wir Seite an Seite gestanden. Es war ein stürmischer Spätwintertag, als sie Maeve begruben. An der einen Seite des dunklen Loches, in das der schmächtige Körper, der noch vor einer Woche so fröhlich getanzt hatte, versenkt worden war, stand ich mit Annie am Arm, an der anderen Dermot starr neben Sheila. Dermot hatte den Kopf zurückgeworfen, der Bart stach nach vorne, und aus dem bleichen Gesicht blickten die Augen durch uns hindurch in eine unbekannte Ferne. Sheila sah als einzige von uns ins Grab hinunter; auch als die Erdschollen fielen, rührte sie sich nicht. Die Jahre mochten an ihr vorüberziehen, vielleicht auch der Tag, an dem der alte Fenier Flynn uns mit seinem wilden Auge und jenen noch wilderen Erzählungen im Bann gehalten und Sheila plötzlich aufgeschrien hatte, weil sich das Kind in ihrem Leibe regte.

Nun lag das Kind dort und mit ihm das andere, das sich in seinem Leib geregt hatte. Ich führte Annie fort. Die Leute setzten die Hüte auf und begannen sich zu unterhalten – Wertheim, Blatch, mit dem jungen Milchgesicht, Roger, ein paar andere Offiziere auf Urlaub und die Kollegen aus der „Herzenswahl". Und ich mußte nicht nur an Maeve denken, sondern an dieses neue Leben, Fleisch von meinem Fleisch, Blut von meinem Blut, das sie mit ins Grab genommen hatte ohne Hoffnung auf Auferstehung.

All das stieg wieder in mir auf an jenem Abend des Waffenstillstandes, als ich in meinem Zimmer saß und auf den Jubel draußen lauschte. Selbst durch die ruhige Gegend um den Berkeley-Platz kamen die Radaubrüder, Arm in Arm, in grölenden Horden, bliesen Trompeten und sangen die Lieder, die in den Schrecknissen der letzten vier Jahre – vier schwere Jahre! – geheiligt worden waren. Den ganzen Abend über hörte ich sie. „'s ist ein langer Weg bis Tipperary" – „Aber mit dir ist's wunderbar" und „Kommen die Jungens nach Hause".

Auch das stand mir noch bevor. Oliver mußte heimkommen. Wenn ich daran dachte, regte sich etwas in meinem starren Herzen. Livia – ob er Livia noch mochte? Ob Livia ihn noch mochte? Ich wußte von nichts. Und Maeve war fort. War ich denn noch da? Zählte ich noch mit? Das sollte sich erst herausstellen. Als Maeve starb, hatte ich ihm ins Gefangenenlager geschrieben. Das war vor zwanzig Monaten gewesen. Keine Antwort. Ich wartete ein halbes Jahr, dann schickte ich ihm etwas zu essen und zu rauchen. Keine Antwort.

Es klingelte draußen. Annie Suthurst schlurfte aus dem Schlafzimmer und schrie auf vor Freude. Ohne anzuklopfen, stürzte sie ins Zimmer. „Herein, Herr Rory! Herein!"

Ja, es war Rory. „Ich komme später zu Ihnen, Annie", sagte er, als sie im Zimmer über ihn herfiel und ihn nicht loslassen wollte.

„Jetzt verschwinden Sie einen Augenblick. Nun, Onkel Bill?"

Er stand lächelnd vor mir, schüchtern und bescheiden wie immer, in seinem schlecht sitzenden blauen Anzug, mit den großen Händen, den grauen Augen und dem struppigen schwarzen Haar. Sein stämmiger, untersetzter Körper stand fest auf seinen zwei Beinen. Er sah aus wie ein junger Offizier der Handelsmarine, der für den Abend Landurlaub hatte.

Wir gaben uns fest die Hand. „Setz dich", sagte ich. „Verändert hast du dich nicht sehr, Rory."

„Nein, das sagt Maggie auch. Sie meint, ich wachse nur – nach innen." Er lächelte verächtlich. „Es ist dir doch nicht unangenehm, daß einer von Seiner Majestät Sträflingen dein Haus besudelt?"

„Ich wartete gerade auf jemand, mit dem ich reden könnte, und du kommst mir wie gerufen. Wie geht es Maggie?"

„Den Umständen entsprechend", sagte er verbissen.

Er spielte auf Donnellys Tod an, und ich dachte an Ostern 1916 – wie Rory hinter der Dachbrüstung lag, seinen Mann aufs Korn nahm und sah, wie er sich drehte, fiel und still wurde. Sonderbar, daran hatte ich nicht mehr gedacht, bis seine Bemerkung es mir zurückrief. Ich sah ihn mir an – breitschultrig mit den unbeirrbar ruhigen Händen, die ihm wie Steine auf den Knien lagen – und konnte mir noch immer nicht vorstellen, daß dies der gleiche Rory war. Ich ließ es auf sich beruhen.

„Jetzt kannst du Maggie heiraten."

„Wir sind schon verheiratet. Sie wohnt mit bei Vater. Wir wollten nicht viel daraus machen und haben in aller Stille geheiratet. Danach erst sind wir nach England 'rübergekommen."

„Ich wünsche dir Glück, Rory. Maggie ist ein Prachtmensch."

„Das ist sie", sagte er mit Nachdruck. „Aber ob wir deshalb viel Freude erleben werden, ist noch nicht heraus. Es kommt ja nicht darauf an, ein Prachtmensch zu sein und in einem schönen Lande zu leben. Wenn man den Briten die Stiefelsohlen küßt, kann man auch ein x-beliebiger Taugenichts sein, Freude erlebt man deshalb doch. Aber Maggie und ich erwarten nicht viel. Wir sind herübergekommen, um Vater, Mutter und Eileen noch einmal zu sehen. Man kann nie wissen . . ."

„So. Du bist also noch dabei? Geht ihr wieder zurück?"

Schon als ich es sagte, schien es mir platt und oberflächlich zu sein. Das junge, entschlossene Kämpfergesicht Rorys war Antwort genug. Er ging auch gelassen darüber hinweg und sagte nur einfach: „Ja. Wir gehn wieder zurück. Es ist noch allerhand zu tun."

Er rauchte nicht und trank nicht. Er saß gedrungen in seinem Stuhl und erzählte von Donnelly. Maggie hatte ihn im Gefängnis besuchen dürfen. „Sie haben nicht geweint, hat sie mir erzählt. Keine Träne fiel. Sie mußte ihm alles berichten, was sie an jenen Ostertagen getan hatte, und dann sagte er: ‚Du bist ein braves Mädchen. Das nächste Mal mach es wieder so. Denn es wird ein nächstes Mal kommen und ein übernächstes, bis schließlich das letzte kommt. Dann kommt es auf all die anderen Male nicht mehr an. Und jetzt gib mir einen Kuß.' Da gab sie ihm einen Kuß und ging fort."

„Er war ein guter Mensch."

„Der beste Mensch, den ich gekannt habe. Der beste und tapferste. So möchte ich sein." Und nach einem Augenblick: „Du verstehst also, wir gehen wieder hin."

„Ja, das verstehe ich."

Eine Weile paffte ich schweigend weiter und kam mir in Rorys Gegenwart unbedeutend und klein vor. Seine unbeirrte Zielsicherheit wirkte so stark auf mich, daß ich mich vor ihm kleiner fühlte als vor jedem anderen. Ich sagte plötzlich impulsiv: „Rory, du brauchst nicht erst so zu werden wie Donnelly. Du bist aus dem gleichen Holz. Weißt du, ich habe in meinem Leben viele Jungen aufwachsen sehen, aber du bist der beste, den ich kenne.“

Er wurde rot; dann ging er mit einem Lachen über die Verlegenheit des Augenblicks hinweg. „Ach, Onkel Bill, du denkst wohl an das alte Gedicht von der ‚unschuldsvollsten Seele, die ich kenne‘! Verflucht – nein, so bin ich nicht. Aber trotzdem bin ich dir dankbar. Ich glaube, wir wissen, was wir voneinander zu halten haben. Denn sonst könnte ich dir nicht sagen, was ich dir jetzt sagen will. Ich bin deshalb hergekommen, und nun muß es heraus. Ich danke dir für das, was du für Maeve getan hast.“

„Aber, mein lieber Junge! Ich tat nichts. Ich . . .“

Seine ehrlichen grauen Augen sahen mich durchdringend an. Ich stockte verwirrt. „Ich weiß nicht, wie du es fertigbekommen oder, besser, was du getan hast“, sagte er. „Aber siehst du, ich weiß, daß Maeve Selbstmord verübt hat. Und ich weiß, daß kein Mensch eine Ahnung davon hat – nicht einmal Vater und Mutter.“

Ich spürte, wie mir der Schweiß auf die Stirn trat. Ich wischte ihn ab, stand auf und goß mir Whisky ein. Es war totenstill im Zimmer, und die Karaffe klirrte leicht an das Glas.

„Sie erwartete ein Kind von Oliver.“

Ich hatte getrunken und drehte mich um, um sein Gesicht zu sehen. Das Kinn lag ihm auf der Brust, er hatte die Unterlippe vorgeschoben, und die Augen hatten sich zu kleinen Punkten zusammengezogen und glitzerten grau und hart wie Granit. Das war der Rory, der mit dem Finger am Abzug hinter der Brustwehr gekauert hatte. Jetzt spürte ich den kalten Hauch des Verhängnisses, das ihn umwitterte. Er saß noch immer unbeweglich und in sich versunken da, dann sagte er: „Sie schrieb mir in jener Nacht, als sie starb, vom Theater aus. Sie muß den Zettel in einer Pause gekritzelt und ihn jemandem zum Einstecken gegeben haben. Ich war damals schon wieder in Irland. Sie schrieb mir, was sie vorhatte und warum. Wir hatten uns nämlich sehr lieb“, fügte er schlicht hinzu, „und ich war stolz auf Maeve. Wir hatten keine Geheimnisse voreinander.“

Er blickte eine Weile finster ins Feuer und fuhr dann fort: „Ich habe damals meinen Freunden nichts gesagt. Sie mußten es ja doch bald erfahren. Ich wartete auf den Skandal, die Zeitungen, die Untersuchung und das alles. Aber es kam nichts – nichts außer der Todesnachricht und den spaltenlangen Nachrufen. Da merkte ich, daß jemand die Hand im Spiel gehabt hatte, und ich ahnte, daß du es warst."

Ich unterbrach ihn hastig: „Ja, ich . . ."

Er hob die schwere Hand und hielt mich auf: „Bitte, sag nichts. Da muß auch ein Arzt beteiligt gewesen sein. Das ist nicht anders möglich. Ich will nichts wissen. Ich will dir nur danken. Ich bin so froh, daß du es getan hast. Es wäre mir entsetzlich gewesen . . ."

Stirnrunzelnd brach er ab. Dann sagte er: „Ich habe dir Unrecht getan. Zuerst dachte ich in meiner Bitterkeit, du hättest es getan, um Oliver zu schonen. Ich bitte dich dafür um Verzeihung. Du hast es getan, weil du Maeve geliebt hast. Immer und immer. Das waren Maeves Worte: immer und immer. Auch das wollte ich dir sagen. Sie hat dich immer geliebt und geglaubt, du liebtest sie auch und wüßtest es nur nicht. Schade! Ich wollte, du hättest Maeve geheiratet. Es wäre so vieles anders gekommen. Denn jetzt . . ."

Er stand auf und sprach den Satz nicht zu Ende. Aber mein Herz vollendete ihn. – Denn jetzt muß es zwischen Oliver und mir ausgemacht werden.

Wir gaben uns die Hand, und ich brachte ihn bis zum Flur. Noch immer drang der Jubel und Lärm von der Straße herauf. „Waffenstillstand!" sagte er. „Jetzt könnt ihr eure ganze Aufmerksamkeit den aufsässigen Iren zuwenden."

Ich wartete, bis ich die Haustür zuschlagen hörte. Ich habe ihn nicht wiedergesehen.

33

Der Krieg hatte mich lahmgelegt. Als er nun vorüber war, blieb ich auf Monate hinaus in London. Das Haus in Hampstead wollte ich nicht wieder beziehen. Meine Wohnung genügte mir völlig. Sie war mir ans Herz gewachsen. Sie war ruhig und ein guter Schlupfwinkel. Mit öffentlichen Veranstaltungen hatte ich nichts mehr im Sinn. Diese Öffentlichkeit! Beispielsweise die letzte Aufführung von „Herzenswahl". Es war Ende Februar nach dem Waffenstillstand und der zweite Todestag von Maeve. Wertheim wollte mich durchaus dabeihaben, aber ich lehnte ab. Ich hörte, daß es eine große Sache wurde. Soldaten, die die Revue im Urlaub gesehen hatten, sangen die ganzen alten Schlager mit und schluchzten dabei. Kurz vor der ersten Pause, wenn Maeve sonst „Aber mit dir ist's wunderbar!" gesungen hatte, erschien Wertheim auf der Bühne und erinnerte die Zuschauer daran, daß Maeve vor zwei Jahren gestorben sei. Da standen sie alle in tiefem Schweigen auf. Anstatt des Liedes, das sonst von Maeves Nachfolgerin gesungen wurde, erschien das Bild Maeves auf der Leinwand, und die ganze Menge summte die Melodie leise vor sich hin. Es war wohl alles sehr ergreifend, aber damit wußte ich nichts mehr anzufangen.

Ich hatte das seltsame Gefühl, daß Maeve noch über mir wohnte. Als ich einmal spätnachts zu Bett ging, hörte ich leichte Schritte auf der Treppe, die zu der Wohnung über mir hinaufeilten. So hatte ich Maeve oft hinauflaufen hören, wenn sie spät vom Theater nach Hause kam. Die Schritte waren wie ihre – so zart und huschend, und mein Herz begann zu klopfen. Ich öffnete die Flurtür. Die Schritte waren noch zu hören, und ich horchte, ob der Schlüssel über mir gehen und die Tür sich öffnen und zuschlagen würde. Aber ich hörte immer nur die Schritte, die eine Weile leichtfüßig treppauf liefen und dann verstummten. Mehr hörte ich nicht.

Ich habe sie nicht wieder gehört, aber ich habe Abend für Abend gehorcht. Auch auf andere Schritte horchte ich. Eigentlich wollte ich fortreisen. Ich war vier Jahre ununterbrochen in London gewesen und wollte das Haus in Reiherbucht wieder aufmachen. Aber ich blieb in London. Ich hatte Angst, Oliver könnte mich nicht antreffen, wenn er zurückkäme.

„Warum gehen Sie nicht aus und schnappen frische Luft?" schalt Annie. Aber ich ging nicht weit. Es war immer die gleiche Runde, über den Platz bis nach Piccadilly hinunter, links in die Bond Street, und schon vor der Ecke der Brutonstraße fing ich unbewußt wieder an, schneller zu laufen.

„Jemand dagewesen, Annie?" rief ich schon auf der Treppe.

„Dagewesen? Sie waren ja keine fünf Minuten fort."

Auf den Straßen wimmelte es von entlassenen Soldaten. Lastwagenfahrer, immer noch in der alten gefütterten Uniformjacke oder im Khakimantel, junge Leute, die in der

Bond Street herumbummelten, den Mädchen nachsahen und offenbar keine Eile hatten, wieder in dem grauen Einerlei des Broterwerbes unterzukriechen. Es ging schon auf den Frühling zu, da sah ich eines Morgens einen Autobusschaffner sich an einer Hand hinauslehnen und einem Bekannten auf der Straße zurufen: „Mensch, Billie! Das ist besser als die Somme, was?"

„Darauf kannst du 'n Besen fressen!"

Hier und da tauchten sie auf; sie waren also wieder zurück. Und der Frühling kam, und die Körbe der Blumenfrauen füllten sich mit Anemonen und Mimosen, Narzissen und Tulpen. Da wurden meine Spaziergänge etwas länger, und wenn ich die Treppe hinaufstieg, rief ich nicht mehr nach Annie, um zu erfahren, ob jemand dagewesen sei. Ich wußte, daß keiner da war und daß keiner kommen würde. Und ich wandte mich an die Firma, bei der meine Möbel standen, und ließ sie nach Reiherbucht schaffen und das Haus lüften und wieder in Ordnung bringen. Mit Martin und Sawle war ich zuletzt dort gewesen und hatte wider alle Vernunft einen herrlichen Herbsttag nach dem anderen auf die Rückkehr von Livia Vaynol gewartet. Dann war ihr Brief aus Kopenhagen gekommen. Jetzt wartete ich wieder – ehe ich dorthin zurückkehre; diesmal auf Olivers Heimkehr. Ich dachte bitter darüber nach, daß ich in den letzten Jahren etwas viel gewartet hatte. War ich denn ein Mensch, zu dem die Jugend zurückkam? Es sah fast so aus, als wäre es nicht so.

Ich rief Dermot im Geschäft an und fragte ihn, wann ich ihn sprechen könne.

„Wann du willst", sagte er, „es paßt immer. Aber mach es kurz und schmerzlos, ich habe zu tun."

Ich ging eilig fort und lief Eileen in der Bond Street in die Arme. Eileen mit ihren vierundzwanzig Jahren war reizend anzusehen. Sie war noch immer klein und rundlich, aber sie sah so glücklich und zufrieden aus und paßte gut zu dem schönen Maitag. An diesem Morgen hatte sie auch Grund zu ihrem glücklichen Gesicht. Sie hing am Arm eines hübschen großen Jungen ohne Hut mit einem dunkelbraunen Haarschopf. „Hallo, Onkel Bill!" begrüßte sie mich und blickte schüchtern zu ihrem Begleiter auf. „Dies ist Guy Langdale. Ich glaube, du kennst ihn noch nicht. Guy, das ist William Essex."

Der Junge gefiel mir. Er hatte offene blaue Augen und einen festen Händedruck. Weniger gefiel mir die betont respektvolle Art, in der er sagte: „Es ist mir eine Freude, Sie kennenzulernen, Herr Essex.“ – Gutsituiert – angesehen – alt – dachte er von mir.

Wir blieben einen Augenblick stehen und wechselten einige unverbindliche Worte. Ich sah, daß Eileen sehr gut angezogen war, und ihr freundliches Gesicht strahlte mehr denn je. – Viel Glück, Eileen, dachte ich, als ich weiterging. Sheilas Kinder haben sonst nicht viel Glück gehabt. Ich hatte schon von dem jungen Langdale gehört. 1914 war er bei Dermot eingetreten und hatte die Leitung des Kunstkabinetts übernommen, das zum Geschäft gehörte. Er war selbst ein verkappter Maler, aber Dermot hielt auch geschäftlich viel von ihm. 1916 war er eingezogen worden, und jetzt war er wieder zu Hause. Ja, Eileen, zu den Jungen kommen die Jungen zurück. Viel Glück auf den Weg!

Ein Mädchen fuhr mich im Fahrstuhl hinauf. Einfach nur ein Mädchen. Nicht der Seekadett oder Brigadegeneral oder Grenadier aus der Zeit des Krimkriegs, dem man in so vielen anderen Geschäften begegnete. Ein Mädchen in einfacher weißer Bluse und schwarzem Rock. „Um vornehm zu sein, brauchst du heute bloß den üblichen Unfug nicht mitzumachen“, hatte mir Dermot einmal auseinandergesetzt.

Mein Eintreten riß ihn aus seiner Versunkenheit. Er saß steif da, beide Hände auf dem leeren Schreibtisch, eine kalte Zigarre halbzerkaut im Mundwinkel, und starrte vor sich hin. Maeves Porträt, von Guy Langdale gemalt – übrigens ganz gut getroffen –, hing vor ihm an der Wand. Er sah es nicht an, er sah überhaupt nichts, obwohl er bei seiner Betrachtung ins Grübeln gekommen sein mochte. Sein Gesicht war abgemagert.

„Du siehst aus, als wenn du Ferien dringend nötig hast, mein Junge“, sagte ich.

„Wenn wir uns schon Nettigkeiten sagen: links um die Ecke liegt der Galgenberg. Da haben sie dich wohl gerade abgeschnitten.“

Er brütete eine Weile mißmutig vor sich hin. Dann fing er an: „Mir gehen diese verdammten Nachrichten aus Irland im Kopf herum.“

„Ist denn irgendwas Besonderes los?“

„Natürlich!“ schnaubte er ärgerlich. „Du merkst ja nichts. Wo früher friedliche Polizeistationen waren, da sind jetzt Festungen, mit Stahlplatten statt Fenstern, mit Sandsäcken und Stacheldraht. Und trotzdem werden diese neuen Stationen niedergebrannt und die Polizisten erschossen, und wer nicht erschossen wird, nimmt seinen Abschied. Sie gehen einfach ab, mein Junge, weil sie Angst haben, sonst abgeknallt zu werden, obwohl viele kurz vor der Pensionierung stehen. Das hast du natürlich alles nicht gelesen."

„Aber ich bitte dich, bloß weil einige Polizisten den Dienst quittieren . . ."

„Bill, du kannst einen mit deiner Ahnungslosigkeit zur Verzweiflung bringen! Weißt du denn nicht, daß Irland von jeher von der Polizei regiert worden ist? Die Auflösung der Polizei bedeutet in den ländlichen Bezirken die Auflösung der Regierung. Bald wird es nur noch in den paar Großstädten eine Regierung geben. Und was geschieht dann? Irgendwer muß doch die Polizei ersetzen. Und schön wird das nicht, das kann ich dir sagen! Irland ist nicht das kleine Belgien, dem man ritterlich beispringen kann, wegen Irland bekommt ihr verfluchten Engländer keine sentimentalen Anwandlungen. Aber dir ist das natürlich ganz egal. Du hast ja auch keinen Sohn dort."

Beim letzten Wort sprang er auf und legte mir die Hand auf die Schulter. „Entschuldige, Bill, das ist mir so herausgefahren. Reden wir von etwas anderem."

Das Telefon auf seinem Schreibtisch läutete. Er nahm den Hörer ab. „Sprechen Sie mit Fräulein Eileen darüber. Sie bearbeitet die ganze Angelegenheit."

„Fräulein Eileen ist nicht zu sprechen", sagte ich. „Ich traf sie in angenehmer Begleitung in der Bond Street."

Dermot sah auf die Armbanduhr. „Sie wollte um elf wieder hier sein. Es ist zwei Minuten nach elf. Sie muß gleich nach dir gekommen sein. Sie ist eine tüchtige Geschäftsfrau."

Er ging ans Telefon. „Stellen Sie in der nächsten halben Stunde alles zu Fräulein Eileen durch. Sagen Sie ihr, ich möchte bis elf Uhr dreißig nicht gestört werden."

„Siehst du", sagte er stolz, „wie findest du das? Und das klappt wirklich. Ein Gutes hat der Krieg gehabt: er hat mir gezeigt, welch tüchtige Kraft ich im eigenen Hause habe. Sie vertritt mich in allem. Ich mache sie zum Direktor. War sie mit dem jungen Langdale?"

„Ja. Sieht nicht übel aus."

„Der weiß, was er will. Mich sollte es nicht wundern, wenn er auch bald Direktor wird. Oder findest du das als Hochzeitsgeschenk zu prosaisch?"

„Ich finde es ganz in der Ordnung, daß wenigstens eines von Sheilas Kindern mit beiden Beinen fest auf der Erde steht.“

Er nickte zustimmend. „Aber zum Donnerwetter, warum störst du mich denn hier überhaupt?“

„Es ist Mai. In einem Monat ist Reiherbucht wieder in Schuß. Wir alle haben seit fast fünf Jahren keine Ferien mehr gehabt. Nimm Sheila unter den Arm und komm mit.“

„Und was soll aus dem Geschäft werden? Jetzt, wo der verdammte Krieg vorüber ist, zieht es gerade wieder ein bißchen an.“

„Laß Eileen mal zeigen, was sie kann.“

„Sie könnte schon. Aber dann wären wir diesmal ohne Kinder dort – nur du, Sheila und ich.“

Wir sahen uns an. Die Vorstellung von Reiherbucht ohne Kinder brach plötzlich in ganzer Schwere über uns herein. Natürlich, sie waren ja alle längst keine Kinder mehr, aber das war es nicht allein: sie waren fort. Maeve tot, Rory verheiratet, Eileen am Arm des frischen großen Jungen und Oliver Gott weiß wo.

Wir schwiegen. Ich zog an meiner Pfeife, und Dermot schob die kalte Zigarre von einem Mundwinkel in den anderen. „Ob wir unsere beste Zeit hinter uns haben, Bill?“ fragte er schließlich. „An die einen Ferien dort muß ich immer denken – als Donnelly mit war. Das war ein volles Haus! Du, Nellie, Oliver ...“

„Und du, Sheila, Rory und Eileen ...“

„Und Donnelly und Maggie ...“

„Und Sam Sawle und Martin, die guten Kerle ...“

„Ja, und der verrückte alte Judas am anderen Ufer und sein Freund, der rauhbeinige Wiking in Truro. Der gehört auch mit dazu.“

„Ja, das waren schöne Zeiten. Aber Maeve war nicht dabei.“

„Nein?“

„Nein. Sie war mit Mary Latter unterwegs.“

„Ja, richtig! Das hatte ich vergessen.“

„Na also, kommt ihr mit? Wir wollen tun, was wir können, wie? Drei alte Kämpen.“

„Ja. Was mag aus dem alten Judas geworden sein? Hast du mal was gehört von ihm?“

„Nicht das geringste. Aber wir werden ja sehen.“

*

Er weilte noch unter den Lebenden, und das ist der einzige Grund, warum ich von diesen Ferien berichte.

Dermot fuhr uns hin. Eins von Sheilas Dienstmädchen und Annie Suthurst waren mit dem Zug vorausgefahren. Mehr Personal brauchten wir nicht. Dermot besorgte seinen Wagen und ich die „Maeve", die überholt worden war. Sie und das kleine Beiboot waren allein von unserer Flottille übriggeblieben. Ich saß mit Sheila hinten im Wagen und dachte an die Zeit, als Dermot zum erstenmal im Auto nach Reiherbucht gekommen war. Oliver und ich hatten ihn am Tor erwartet, und zwischen der kleinen Maggie Donnelly und Eileen hatte Sheila gesessen, jung und strahlend, über dem breiten Hut einen großen Chiffonschleier, der unter dem Kinn zu einer Schleife gebunden war. Der Staub der Landstraßen lag weiß auf ihren schwarzen Haaren, denn sie hatten damals einen offenen Wagen. Jetzt trug Sheila keinen Hut, um den Kopf bequemer in der großen Limousine zurücklehnen zu können. Doch ihr Haar war ebenso weiß, nicht vom Staub der Landstraßen, sondern vom Kummer jenes einen Jahres, in dem Rory ins Gefängnis kam und Donnelly und Maeve starben. Sie war nicht mehr die alte. Noch immer hatte sie ihren gütigen und mitfühlenden Blick und das ermutigende Lächeln, aber wenn gerade niemand zu ermuntern war und sie sich unbeobachtet glaubte, saß sie in sich gekehrt und einsam da. Dann sann sie vergangenen Zeiten nach und achtete nicht mehr auf die Gegenwart. Maeve war ihr liebstes Kind gewesen, und manchmal hatte ich das unbehagliche Gefühl, daß ihr bei der innigen Verbundenheit mit der geliebten Tochter die Wahrheit nicht verborgen bleiben und sie mich plötzlich fragen könnte: „Was ist nun eigentlich wirklich mit Maeve gewesen?" So fühlte ich mich immer ein wenig unbehaglich in Sheilas Gegenwart.

Am Abend kamen wir nach Reiherbucht. Es war unverändert friedlich und schön und hatte lächelnd die Qualen und Zuckungen eines ganzen Kontinents überdauert. Sheila wollte bis zum Abendbrot ruhen. Dermot und ich gingen hinaus und lehnten uns auf den warmen Stein der Balustrade. Hier hatte mir Livia Vaynol in jener dunklen Winternacht, als der Regen prasselte und der Sturm heulte, den übervollen Becher gereicht, der so bald verschüttet werden sollte. Wir gingen den Pfad zum Wasser hinunter. Uns war, als hingen noch die gleichen Blätter von damals an den Bäumen. Wir stolperten über die alten Steine, die wir so gut kannten.

Wir kamen auf den kleinen Rasenplatz am Steg und sahen den Fluß in der beginnenden Ebbe ausströmen. – „Verfall und Wandlung, wohin ich blicke!“ Nie traf ein Dichterwort weniger zu als hier. Es war, als spottete die Welt um uns mit ihrer ruhigen Dauer über den Wandel und Verfall, der allein in unseren Herzen vor sich ging.

„Hier ist alles noch beim alten“, sagte Dermot nach langem Schweigen. „Selbst die ‚Jesabel‘.“

Selbst die „Jesabel“. Da lag der häßliche, alte Schiffsrumpf am anderen Ufer genauso, wie wir ihn zuletzt gesehen hatten: Judas hatte Jansen zum Abschied zugewinkt, die „Kay“ dampfte vorüber, und ich wußte nicht, daß sie Oliver und Livia ihrem verhängnisvollen Abenteuer entgegentrug.

Von dem Alten war nichts zu sehen, ich wußte nicht einmal, ob er noch an Bord war. Wir gingen wieder zum Haus hinauf. Annie Suthurst war glücklich, Sheila und Dermot wieder einmal bedienen zu können. Nach dem Essen legten wir uns in die Liegestühle auf dem Rasen und genossen das Nichtstun nach der langen Reise. Wir saßen nur so da, sahen die Sonne hinter den Bäumen untergehen und hörten den Krähen zu, die sich lärmend zur Ruhe begaben. Dermot hielt Sheilas Hand in der seinen, und auf einmal sah ich sie vor mir, Menschen, die die Jugend hinter sich und so viel zusammen erlebt und erlitten hatten, daß sie eins geworden waren.

Am nächsten Tag ruderte ich im Beiboot zur „Jesabel“. Am Heck hing noch das Tau, das Judas einmal auf meinen Vorschlag hin angebracht hatte. Ich zog daran und hörte die Glocke im Schiff anschlagen. Ein Frauenkopf erschien über der Reling, und eine Stimme rief erfreut: „Sind Sie es wirklich, Herr Essex?“

Es war Mary Latter, älter und müder, als ich sie in Erinnerung hatte. Ich wußte, daß sie nicht mehr auftrat. Ihre Truppe reiste noch, aber sie hatte sich zurückgezogen und wohnte irgendwo in Kensington. Sie ließ die Strickleiter herunter. Ich machte das Beiboot fest und stieg an Deck. „Das ist ja reizend“, sagte sie, „seit einer Woche habe ich keine Menschenseele gesehen.“

Eine verdrießliche Stimme tönte die Treppe herauf: „Wer ist da, Mary? Sieh dich vor, Mädchen, sieh dich vor! Laß nicht jeden Tom und Dick und Harry an Bord!“

Sie nahm mich am Arm. „Kommen Sie herunter und besuchen Sie ihn. Er liegt im Bett.“

Der Kapitän hatte ein nettes kleines Schlafzimmer. Die Wände waren weiß gestrichen, die Fenster weit offen, und die gelben Mullgardinen flatterten im Morgenwind. Kapitän Judas saß aufrecht im Bett und hatte einen Haufen Kissen im Rücken. Er hatte die Brille auf und hielt ein Buch in seiner kleinen mageren Hand. Haar und Bart waren sorgfältig gebürstet und glänzten wie feine Seide. In dem großen Bett sah er wie ein kleiner Zwerg aus.

„Es ist Herr Essex, Vater."

Ich gab ihm meine Hand und erschrak über die trockene, zerbrechliche kleine Vogelklaue, die er mir reichte. Er sah mich über die Brille hinweg lange und nachdenklich an und sagte: „Haben wir uns schon einmal gesehen?"

„Ja doch, Vater. Natürlich. Herr Essex von Reiherbucht."

„Wir haben uns lange nicht gesehen, Kapitän", sagte ich. „Zuletzt vor dem Krieg. Das sind viereinhalb Jahre her."

„Der Krieg", sagte er mehr zu sich als zu uns, „der Krieg. – Mit Pfeil und Bogen kamen sie über mich, und ihre Kriegsknechte rissen mich in Stücke."

Er ließ das Buch auf das Bett sinken, und sein Blick schweifte durch das Fenster auf das ferne grüne Ufer und die Sonne, die auf den Fluß schien. Uns hatte er vergessen. Mary zog mich aus dem Zimmer. „Gehen Sie auf Deck", sagte sie, „ich bringe Ihnen eine Tasse Kaffee."

Sie kam bald und setzte den Kaffee zwischen uns. „Schrecklich, daß Maeve O'Riorden so jung sterben mußte. Es muß furchtbar für sie gewesen sein. Ach Gott, ich bin ja so froh, mit jemandem sprechen zu können, selbst über so schaurige Dinge."

„Erzählen Sie mir von Ihrem Vater", sagte ich, „er ist sehr hinfällig geworden."

Es war, wie ich es mir gedacht hatte. Selbst in unser weltfernes, verträumtes Gewässer war der Wahnsinn des Krieges eingebrochen. Was früher absonderlich und unverständlich gewesen war, wurde plötzlich geheimnisvoll und verdächtig. Judas' harmlose Lichter wurden zu Signalen – für wen oder für was mochte der Himmel wissen. Außer Dermot, den Kindern und mir hatte kein Mensch aus der Gegend je an Bord kommen dürfen, und es gingen die abenteuerlichsten Gerüchte über die Teufeleien um, die dort ausgeheckt wurden. Die „Jesabel" sei ein Schlupfwinkel für Spione; revolutionäre Schriften würden auf ihr gedruckt, ein deutsches U-Boot sei die Carrick-Reede hinaufgefahren, und ein Offizier wäre bei Nacht und Nebel hinübergerudert und an Bord gestiegen. Es gab Leute, die es mit eigenen Augen gesehen hatten.

Eines Abends war die Polizei mit einem Haussuchungsbefehl an Bord, und alle Geheimnisse des alten Judas wurden aufgedeckt und verständnislos mit Füßen getreten. Sein krauses griechisches Gekritzel, mit dem die Gendarmen nichts anfangen konnten, wurde zur Chiffre eines Geheimkodes. In ihrer Aufregung kehrten sie auf dem sauberen Schiff das Unterste zuoberst. Den alten Mann hatten sie aus dem Bett geholt, und er tappte weinend und schimpfend im Nachthemd hinter ihnen her. Dann fanden sie den Zugang zu dem Schiffsboden, holten die Truhe mit den Manuskripten hervor und glotzten auf den unheimlichen Fund. Natürlich verstanden sie kein Wort davon, was ihre Befürchtungen und ihren Verdacht nur noch steigerte. Judas, aufs tiefste getroffen, daß rohe Eindringlinge die Früchte seiner Phantasie betasteten und beschnüffelten, wurde schließlich ins Gefängnis geschleppt, wo er bis zur Aufklärung des ganzen verdächtigen Wustes bleiben sollte.

„Es kam nichts dabei heraus“, sagte Mary Latter müde, „nur daß er noch verrückter wurde.“

Sie holte ihn nach London, und während des ganzen Krieges wohnte er bei ihr. „Dann wollte er wieder hierher, und ich ließ ihn. Sie wissen ja, auf seine Weise fühlt er sich ganz wohl hier, und man kann ihn ruhig allein lassen. Die jetzige Krankheit ist nicht weiter beunruhigend – nur eine Grippe. Er kann bald wieder aufstehen. Ich bleibe hier, bis er wieder ganz gesund ist.“

„Haben sie ihm seine Schriften wiedergegeben?“

„Nach dem Krieg bekam er alles wieder, sauber versiegelt und mit rotem Band verschnürt. Aber es war zu spät. Er wußte nicht mehr, was es war, und hat alles verbrannt. Schade, es war ja alles so harmlos. Sehen Sie, mehr als zehn Jahre war es ein Ventil für seinen Wahnsinn, dann wurde er aus seinen Ideen gerissen, und nun hat er nichts mehr. Nur Ihren Sohn.“

„Meinen Sohn!“ Ich wäre beinahe aufgesprungen vor Schreck.

„Ja“, nickte sie, „er glaubt immer noch – na, Sie wissen ja sicher, was er glaubt.“

„Aber er hat Oliver seit Kriegsausbruch nicht gesehen.“ Sie sah mich eigentümlich an. „O doch, das hat er.“

„Aber – wann?“

„Ich war damals nicht hier. Es war kurz nach Vaters Rückkehr. Ihr Sohn mußte gerade entlassen worden sein. Er kam her und wohnte eine Woche hier. Vater schrieb mir überglücklich davon und – lieh sich zum erstenmal in seinem Leben Geld."

„Das tut mir leid."

„Machen Sie sich keine Gedanken darüber. Ich bin eine reiche Frau."

„Ja – aber – darauf kommt es nicht an."

„Bitte, vergessen Sie es. Ich hätte es Ihnen nicht sagen sollen."

„Sie wissen nicht zufällig, wo – Oliver – jetzt ist?"

Sie schüttelte den Kopf. „Ich weiß nur, daß er Vater schreibt, habe aber nie einen Brief von ihm zu sehen bekommen."

Ich ging hinunter, um mich von Kapitän Judas zu verabschieden, aber er schlief. Sein winziges Gesicht, weiß umrahmt von Haar und Bart, war in die Kissen zurückgesunken, die beiden zerbrechlichen Klauen lagen auf der Decke.

Kurz nach jenen Ferien bekam ich Nachricht über Oliver. Es war ein heißer Juliabend – „wie dazu geschaffen, draußen zu essen", sagte Dermot, der mich deshalb mit hinaus nach Hampstead genommen hatte. Ich war noch immer ohne Wagen, und Dermot bestand darauf, mich nach Hause zu fahren. Er kam zu einem Schluck mit hinauf, und fünf Minuten später erschien Annie Suthurst mit einer Karte: Hauptmann Dennis Newbiggin, Inhaber des Militärkreuzes. Eine Adresse stand nicht dabei.

„Führen Sie den Herrn herein", sagte ich.

„Ich muß gehen", sagte Dermot.

„Nein, bleib noch einen Augenblick. Den Mann werden wir bald wieder los."

Hauptmann Dennis Newbiggin kam in braunen Wildlederschuhen und einem gutsitzenden zweireihigen Jackettanzug in Marineblau, dazu trug er seine Regimentskrawatte. Sein Hut, der Annie irgendwie entgangen sein mußte, war aus grauem Filz mit einem kleinen bunten Federschmuck am Band. Er hielt ihn in der linken Hand, unter dem Arm steckte ein ungewöhnlich kräftiger Bambusstock mit schwerem Silberknauf. Das Ganze sah aus wie eine Waffe – fast wie eine Art Wurfkeule. Der Hauptmann streckte mir die rechte Hand entgegen, an der der Mittelfinger fehlte.

Der Bursche gefiel mir nicht, obwohl ich nicht sagen konnte warum. Er sah aus wie – ja, wie ein Gauner, ein Raufbold. Ich hätte ihm nicht über den Weg getraut. Wie ein Mensch, der durch salonfähiges Auftreten zu bluffen versucht, mit seinem gestutzten Schnurrbärtchen und dem öligen, glattgebürsteten schwarzen Haar. Er mochte an die Dreißig sein.

Ich gab ihm die Hand. „Erfreut, Sie kennenzulernen, Herr Essex", sagte er.

„Nehmen Sie Platz, Hauptmann Newbiggin", forderte ich ihn auf. „Noch bei der Armee?"

„Nein. Schon einige Monate fort vom Kommiß."

„Ach so! Dies ist Herr O'Riorden, Herr Newbiggin."

Dermot nickte ihm kurz zu.

„Nehmen Sie einen Whisky?"

„Ein Rachenputzer kommt mir gerade recht. Nein, nein – bitte, kein Soda. Vielen Dank."

Er goß den Whisky fast pur hinunter und wischte sich den Schnurrbart mit einem Taschentuch, das er aus der blauen Manschette zog.

Ich sah ihn fragend an. Er zog seine Brieftasche aus Maroquinleder und reichte mir eine Karte heraus. „Dieser kleine Laden wird Sie interessieren, Herr Essex." Er grinste. „Er ist ein bißchen klamm an Kapital."

Dermot stand auf. „Ich gehe vielleicht lieber."

„Bitte, bleib noch, wenn du Zeit hast. Dies wird dich auch interessieren."

Ich gab ihm die Karte.

NEWBIGGIN & ESSEX
Automobile
Neue und gebrauchte Wagen
Deansgate Manchester

Dermot setzte sich wieder und nahm Herrn Newbiggin genauer aufs Korn.

„Sehen Sie, Herr Essex, die Armen müssen auch leben", sagte Newbiggin vergnügt, zog ein flaches goldenes Zigarettenetui aus der Tasche und bot mir und Dermot an. Wir schüttelten den Kopf. „Dann gestatten Sie wohl?" Er ließ ein verziertes Feuerzeug aufblitzen und blies den Rauch langsam durch die Nase. „Wir haben immer zusammengehalten, Oliver und ich. Die ganze Zeit. Bis uns die Deutschen bei Arras 1917 hoppgenommen haben. Dann hatten wir einen Heidenspaß mit Fluchtversuchen aus dem Gefangenenlager. Aber es klappte nicht. Trotzdem, bei uns hat immer der Wald gerauscht, kann ich Ihnen sagen. Urlaub in Paris ..." Seine Augen wurden träumerisch.

„Und jetzt halten Sie immer noch zusammen?" half ich ihm weiter.

„Nun, eine Zeitlang hatten wir uns getrennt. Sie verstehen, nach zwei Jahren Westfront und zwei weiteren Jahren beim deutschen Fritz, immer bei Mutter Grün kampiert ... und ein bißchen Schmerzensgeld in der Tasche, und endlich wieder in der lieben alten Heimat ... nicht wahr, das ist doch menschlich, Herr Essex! Jugend will jung sein. Sie als Kenner der menschlichen Natur – ich spreche als Leser Ihrer Bücher, Herr Essex – werden das sicher verstehen?"

„Was verstehen?" fragte ich kühl.

„Na, ich meine, wir beschlossen, uns auf ein paar Monate zu trennen und jeder für sich auf die Kanone zu hauen, solange der Kies reicht. Und dann wollten wir zusammen ein bißchen arbeiten."

„Das heißt also, erst haben Sie Ihre Abfindung durchgebracht und dann ein Geschäft aufzumachen versucht, vermutlich mit geliehenem Kapital?"

„Sie haben es erfaßt! Und glauben Sie mir, Geld ist verdammt schwer zu bekommen. Jetzt steht uns das Wasser bis an den Hals."

Das letzte kam etwas unvermittelt und heiser heraus.

„Schickt Sie mein Sohn zu mir?"

„Na, nicht so direkt. Aber ich dachte mir: da bist du nun in der schönen Reichshauptstadt und läufst dir die Hacken ab, um ein bißchen Geld aufzutreiben – glauben Sie mir, ein Essen im Savoy und endlose Whiskys habe ich für nichts und wieder nichts springen lassen müssen –, und da sagte ich mir, warum versuchst du es nicht mal an der Quelle? Schließlich, Sohn ist Sohn und Vater ist Vater." Er schwieg einen Augenblick und sah sich im Zimmer um. „Und es sieht ja auch noch ganz mollig bei Ihnen aus."

Niemand sagte ein Wort, und Newbiggin rutschte unbehaglich auf seinem Stuhl hin und her. Die Beine hatte er weit von sich gestreckt, und ich sah, daß die Sohle an einem der feinen Wildlederschuhe fast durchgelaufen war. Dann sah ich auf die Ärmelaufschläge seines Jacketts, die ja auch immer aufschlußreich sind. Die ausgefransten Stellen waren mit der Schere saubergeschnitten.

Armer Teufel, dachte ich. Aber ich spürte bis in die Fingerspitzen, daß er ein Gauner war.

„Na, nichts zu machen?" fragte er munter. „Mit ein paar Hunderten sind wir wieder flott."

„Ich sage nicht ohne weiteres nein", erwiderte ich. „Ich möchte mich aber mit Oliver in Verbindung setzen und vielleicht auch mit einem Bücherrevisor von dort, der mir Aufschluß über das Geschäft geben kann."

„Um Gottes willen, Herr Essex, lassen Sie das bleiben", bat er plötzlich aufrichtig. „Oliver zieht mir das Fell über die Ohren. Der reißt sich eher die Beine aus, als daß er Sie auch nur um einen Pfennig bittet. Sagen Sie ihm bloß nichts. Dann kommt er in Wolle, und wenn er so ist, dann ist es aus."

„Sie hatten also die Idee?"

„Ich hätte gern ein bißchen Kapital gehabt und es stillschweigend in die Firma gesteckt, ohne zu sagen woher. Verstehen Sie, was ich meine?" Er zupfte an seiner Krawatte und setzte vergnügt hinzu: „Vielleicht ließe es sich so drehen, nicht?"

Ich schüttelte den Kopf.

„Na gut." Er stand auf und streckte mir die verkrüppelte Hand hin.

„Noch einen Whisky?"

„Geht in Ordnung. Nichts für ungut."

Er goß ihn hinunter, und ich brachte ihn bis zur Treppe.

„Kein Wort zu Oliver, nicht?"

„Gut."

„In Wirklichkeit war ich nämlich sein Bursche", gestand er. „Er ist verdammt gut zu mir."

Ich gab ihm die Hand und steckte eine Pfundnote hinein.

„Besten Dank auch, Herr", sagte er auf einmal so devot, daß mir ganz übel wurde. Er grüßte mit seinem federgeschmückten Hut und ging fort.

„Na", sagte Dermot, als ich wieder hereinkam, „das war ein blutiger Anfänger."

„Ja."

„Er hätte es wohl am liebsten gleich in Pfundnoten mitgenommen. Ob Oliver viel davon gesehen hätte?"

„Noch einen Whisky?"

„Nein, danke. Ich muß weg. Wirst du nach Oliver sehen?"

„Nein. Jedenfalls nicht sofort. Mal abwarten."

*

„Der reißt sich eher die Beine aus.“ Sogar Newbiggin wußte es also, der aalglatte kleine Gauner. Ich konnte mir die Szene vorstellen. „Was meinst du, wenn wir den Alten Herrn etwas anzapfen? Er hat es doch dicke.“ Und die Narben in Olivers Gesicht hatten zu zucken begonnen, der Augenwinkel in die Höhe, der Mund abwärts, und Newbiggin hatte zu hören bekommen, daß er ihm das Fell über die Ohren zöge, wenn er den Alten noch einmal erwähnte. Wir waren uns fremd wie der Westen dem Osten. Seit jenen unglaubhaften Tagen, wo er in Herrn Guy Boothbys Gesellschaft durchs Leben schlenderte und ein goldenes Zigarettenetui und ein Buch über Dampfjachten sein Lebensinhalt waren, hatte ich keinen Zugang mehr zu seinem Wesen. Was konnte ich tun, um die Kluft zwischen dem Kind von damals und dem schrecklichen Mann von jetzt zu überbrücken? Nichts.

Den „Manchester Guardian“ hatte ich auch nach meinem Fortgang von Manchester beibehalten. Gegen Ende des nächsten Winters – im März 1920 – stieß ich auf einen Bericht, aus dem ich den Fortgang von Olivers Affären ersah. Es war ein Verhandlungsbericht vor dem Konkursgericht, und der staatliche Konkursverwalter ließ sich sehr deutlich über den Bankrott der Firma Newbiggin & Essex aus. Sofern Bücher überhaupt existierten, wären sie betrügerisch geführt worden, und die Geschäftsführung habe sich rücksichtslos über alles hinweggesetzt, was im kaufmännischen Leben Recht und Sitte sei. Es sei ihm keineswegs sicher, ob die Verfehlungen nicht vor den Staatsanwalt gehörten. Aber angesichts der hervorragenden Kriegsverdienste des einen Teilhabers wolle er annehmen, daß beide Partner in gutem Glauben gehandelt und nur aus Sachunkenntnis in ihre jetzige Lage geraten seien. Das Verfahren wurde damit niedergeschlagen.

Dies gab mir den letzten Anstoß, nach Manchester zu fahren. Vielleicht war jetzt eine Gelegenheit.

Ende März machte ich mich eines Nachmittags auf und fuhr vom St.-Pancras-Bahnhof die Strecke, die bergauf, bergab durch das Pennine-Gebirge führt. Oben in den Bergsenken lag noch Schnee, in den kahlen Wäldern darunter aber hatte die Schneeschmelze eingesetzt, und zahlreiche weiße Gießbäche stürzten herab. Tal nach Tal tat sich auf, und ich fragte mich, warum sich die Menschen eigentlich in den großen Städten zusammenballten, anstatt diese abgeschiedene Schönheit aufzusuchen. Vielleicht war das etwas für Oliver. Vielleicht hatte er genug davon, sich allein und verbissen durchzuschlagen, und würde sich so einen Fleck zum Ausruhen wünschen, vielleicht sogar Reiherbucht, und sei es nur für kurze Zeit. Wenn erst wieder etwas Gras über die Sache gewachsen und er mit dem Krieg fertig geworden wäre, könnte man ja weitersehen. –

So dachte ich, während wir durch die Täler, Tunnels und über die Überführungen dieses romantischen Landes fuhren und schließlich in die Ebene von Cheshire kamen, wo langsam die ersten Häuser von Manchester auftauchten.

Ich stieg im Midland-Hotel ab, ruhte mich etwas aus und fuhr dann im Taxi nach Didsbury. Beim Hotel „Zum weißen Löwen" stieg ich aus und ging zu Fuß in die Wilmslowallee. Es war eine sentimentale Anwandlung, gewiß, aber warum nicht? Ich ging die Wilmslowallee hinunter.

Wenn es möglich war, wollte ich mir den Oliver zurückrufen, den ich gekannt hatte. Hier lag die „Abtei" an der Ecke des Mooswegs, wo Dermot und ich uns vor fast einem Vierteljahrhundert mit den Kinderwagen getroffen hatten. Die grünen Zweige der Bäume hatten über die Mauer gehangen, und Rory und Oliver hatten sich zum erstenmal gesehen, die Hände aneinander geklatscht und sich in die Augen gelächelt. Das sonnige Bild stand mir ganz deutlich vor Augen, obwohl jetzt keine Sonne schien und die Bäume nicht grün waren, sondern mit nebelschweren Krallen in den Schein der Straßenlaterne langten.

Ich war nicht stehengeblieben. Das Bild war mir mit allen Einzelheiten vor die Seele getreten, während ich dort vorbeilief und die Straße hinunterging. Jene Straße zwischen Dermots Haus und dem meinen, die mehr von meiner Jugend in sich barg als irgendein Ort auf Erden. Hier waren die Kinder zu Fräulein Bussell entlanggelaufen – Fräulein Bussell, die damals nicht ahnte, wogegen sie sich eigentlich ereiferte, als Rory gelogen hatte, um seinen Mut auf die Probe zu stellen. Hier war Maeve entlanggesprungen, um rasch nach Zweibuchen zu kommen und dort auf dem Rasen ihre kindlichen Aufführungen in Szene zu setzen.

Ich ging an dem Meilenstein vorüber „St.-Anna-Platz 5 Meilen", vorbei an den ländlichen Läden und kam langsam nach Zweibuchen. Es hatte sich überhaupt nichts verändert. Die kahlen Äste der Bäume hingen schwer und feucht vom Abendnebel herab. Am Ende des langen

Gartenweges leuchteten vertraute Lichter durch die Dunkelheit. Das linke im ersten Stock Olivers – früheres Schlafzimmer. Hinter der hellen Scheibe zur Rechten – mein altes Arbeitszimmer, wo wir Abend für Abend unsere „Unterhaltungen" gehabt hatten und uns ganz nahe gewesen waren.

Ich dachte an Nellie, die kurzsichtig in jenen Zimmern herumgeblinzelt hatte, an ihre seltsam rechthaberische Pflichttreue und auch daran, daß ich seit ihrem Tod wenig Freude mehr gehabt hatte.

In solchen Gedanken bog ich in den Feldweg ein, der zu den Flußwiesen hinabführte. Es war dunkel und kalt dort, aber ich sah den kleinen Oliver stolz in seinen ersten Fußballstiefeln neben mir laufen und den Ball an die Backsteinmauer stoßen, deren Schatten sich jetzt nur wenig gegen den dunklen Himmel abhob.

Hier unten am Ende des Weges war keine Menschenseele. Ich ging nicht auf die Wiesen, sondern lehnte mich über den Zaun, über den wir immer geklettert waren, und lauschte in der dunklen Stille den leisen Stimmen, die über viele Jahre hinweg zu mir drangen. Da hielt ich wirklich das Gestern mit allen seinen vertrauten Einzelheiten in der Hand, das keine Macht der Erde zerstören konnte, und mir war, als brauchte ich Oliver nur gegenüberzutreten, um ihn in der alten Liebe wiederzufinden, die zwischen uns beiden bestanden hatte. So heiß überkam mich dieser Wunsch, daß ich den Kopf in die Hände auf dem Zaun preßte und stöhnend nach meinem Sohne schrie.

Ich ging nicht auf demselben Weg zurück, sondern folgte dem Feldweg, bis er nach links abbog. Dort erhob sich der Sandsteinhügel, auf dem die Kirche und der Friedhof lagen, wo ich vor Jahren dem alten Herrn Oliver das erstemal begegnet war. Über dem gedrungenen Kirchturm klaffte ein Loch in den Wolken, durch das ein paar Sterne wie barmherzige Augen in einen Abgrund hinuntersahen. Hier geriet ich in die eigene Kindheit. Ich wußte nicht, daß ich zum letztenmal hineinsah, denn schon waren die Ereignisse im Anzug, die schließlich dazu führten, daß ich vor jedem Ort, wo Oliver und ich einander gekannt und geliebt hatten, zurückschauderte.

Ich wußte nicht recht, wo ich Oliver suchen sollte. Am nächsten Morgen wollte ich mit den Nachforschungen beginnen. Den kalten und nebligen Abend in Manchester, den ich noch vor mir hatte, konnte ich nirgends besser als im Palast-Theater verbringen, wo gerade eine Operette gegeben wurde. Welche, weiß ich nicht mehr. Ich weiß nur noch, daß ich in der Pause Herrn Dennis Newbiggin wiedersah. Ich saß im Parkett. Als ich mich in der Pause zum Theaterbüfett durchgedrängt hatte, waren schon so viele Menschen da, die um die Theke standen, schwatzten und rauchten, daß man kaum noch durch den Raum sehen konnte.

In diesem Wirrwarr entging ich Herrn Newbiggin, der einen Freund bei sich hatte. Sie waren vor der Menge ans Büfett gekommen und bahnten sich jetzt einen Weg zurück, um ihre vollen Gläser in Sicherheit zu bringen. An einem Tisch schufen sie sich Platz, und da ich mit dem Rücken gegen sie eingekeilt stand, wurde ich wohl oder übel Zeuge ihrer Unterhaltung.

„Also prost, Hauptmann!"

„Alles Gute, alter Junge!"

Die Gläser klirrten auf den Tisch.

„Vergiß nicht", sagte Newbiggins Freund, „uns eine Zeile zu schreiben. Vielleicht komm' ich dann nach."

„Du wärst schön dumm, wenn du es nicht tätest, Jungchen. Stell dir vor: wieder Offizier und Gentleman zu sein und ein Pfund täglich garantiert. Wo verdienst du denn das sonst?"

„Ich kann doch nicht hexen."

„Na also. Und das ist dabei nur die Hälfte. Ich hab' es aus bester Quelle, das Geld, das sie einem zahlen, ist nichts gegen das, was so nebenbei abfällt. Gestern schrieb mein jüngerer Bruder. Er ist bei der Polizei, die dienen von der Pike auf. Meine Leute aber – die Hilfstruppe – sind alles Offiziere und Gentlemen. Die Polizei – eine solch verdammte Bande hast du noch nicht gesehen. Khakimäntel mit schwarzen Hosen und Mützen. – Also, der Kleine hat geschrieben. Warte mal, hier ist der Brief: ‚Das wird hier so geschaukelt: gestern in einer Kneipe mit Johnny Buckle, um einen hinter die Binde zu gießen. Als es ans Bezahlen ging, hatten wir keinen roten Heller. – Was nun? sage ich. – Paß mal auf den Onkel da auf, sagte Johnny. – Er geht 'raus auf die Straße und ist nach fünf Minuten wieder da. Er knallt eine Pfundnote auf die Theke, und ich sehe, daß er drei oder vier davon in der Hand hat. – Mensch, Johnny, sage ich. – Alles in Ordnung, Kleiner, sagt er, das wächst hier wild bei den Leuten. Brauchst nur hinzugehen und es abzupflücken. – Ich habe es bis jetzt noch nicht versucht, aber vielleicht mach' ich es auch bald.'"

Newbiggin hatte den Brief flüsternd wie ein Verschwörer gelesen. Dann sagte er lauter: „Die Polizei kriegt nur zehn Schilling pro Tag, da kann man es ihnen nicht verdenken."

„Natürlich", meinte der andere, „und ihr Offiziere und Gentlemen von dieser ... dieser ..."

„Hilfstruppe."

„Ich seid doch artigere Kinder als diese Jungens, nicht?"

„Siehst du, Jungchen, das müßte man erst mal ausprobieren. Jedenfalls ist mir alles lieber als diese Lausestadt und dieses Lauseleben hier. Schon diese irischen Hunde zu vertrimmen, ist der Mühe wert. Mensch, und mal wieder ein Gewehr zwischen den Fingern – ganz groß!"

„Na, und den Major siehst du wohl auch ganz gerne wieder?"

„Ganz gerne? Junge, wir hängen doch zusammen wie Pech und Schwefel. Wenn der nicht dabei wäre, würde ich doch auch nicht mitmachen. Herrgott, ist das ein Kerl! Sagt, er will einmal den irischen Kartoffeln ein paar Augen ausschießen und dafür neue Orden kriegen."

„Schade um den Jungen."

„Schade? Wie meinst du das, zum Donnerwetter?"

„Essex wäre zu was Besserem zu gebrauchen, wenn er nicht so unberechenbar wäre, weil sie ihm die Nerven zerschossen haben."

„Gibt es denn was Besseres auf der Welt als ordentlich Zaster?" fragte Newbiggin.

Es klingelte, und ich hörte die Antwort nicht mehr. Langsam leerte sich das Foyer, und schließlich bekam ich auch noch etwas zu trinken. Ich hatte es nötig. Ich trug kein Verlangen mehr nach dem Rest des Stückes. Langsam trank ich meinen Whisky in der verräucherten, leeren Bar, holte mir Hut und Mantel aus der Garderobe und ging durch die nieselnde Dunkelheit und den Lärm der elektrischen Straßenbahnen zurück in mein Hotel.

Als ich wieder in London war, rief ich Dermot an: „Weißt du etwas von der Polizei und der Hilfstruppe, die nach Irland gehen?"

„Was ist denn in dich gefahren, Bill? Bekommst du ein politisches Gewissen?"

„Nein. Sage mir bitte: weißt du etwas davon?"

„Ja, Bill, das kann ich dir in zwei Worten sagen: sie sind der letzte Nagel zu Englands Sarg in Irland. Englands schmutziger Abschaum und Auswurf wird hinübergeschickt, um zu demonstrieren, was die britische Regierung von dem Recht der kleinen Völker hält. Wenn sie das zur Genüge bewiesen haben, brauchen wir keine irischen Märtyrer mehr. Immerhin, wenigstens kein fremder Import. Wir machen jetzt unsern Kram allein. So sind wir. Aber was hat unser unglückliches Land mit dir zu tun?"

„Oliver ist bei der Hilfstruppe."

Dermot antwortete nicht. Es war still, dann hörte ich es knacken, als der Hörer aufgelegt wurde.

34

Ich hatte eine Stunde geschrieben, draußen schneite es, und es war ungewöhnlich still im Zimmer. Meine Feder kratzte über das Papier, und die Flammen im Kamin flatterten wie Fähnchen im Wind. Sonst war nichts zu hören. Ich legte die Feder hin, ging ans Fenster und schob die Vorhänge beiseite. Der Schnee lag hoch auf der Straße. Auf jeder Kante und jedem Sims des Hauses gegenüber lagerte ein weißes Häufchen. Ein Taxi schlich lautlos vorüber, und einige Fußgänger schoben sich vornübergebeugt mit hochgeschlagenem Kragen, die Hände in den Taschen und die Brust weiß verschneit, durch das Schneegestöber.

Das alte Kinderbild aus dem Märchenland. Ich ließ den Vorhang zufallen und dachte an Rory und Oliver.

Ob das Wetter in Irland auch so hart war? Lagen sie jetzt draußen in den Bergen und machten Jagd aufeinander? Und wer jagte wen?

Seit einem Jahr nahm ich nun wirklich Anteil an dem alten Streit, der eben in wilden Flammen aufloderte. Dermot hatte sich jahrelang Mühe gegeben, meine Aufmerksamkeit darauf zu lenken. Das war jetzt nicht mehr notwendig. Man konnte keine Zeitung in die Hand nehmen, ohne von Metzeleien und Scheußlichkeiten zu lesen. Wir hatten den „Blutsonntag" erlebt, an dem dreizehn britische Offiziere in Dublin in ihren Betten erschossen worden waren und die Maschinengewehre am gleichen Tag zur Vergeltung in die Zuschauermenge eines Fußballkampfes gefeuert hatten. Der Bürgerkrieg hatte auf England übergegriffen. In Liverpool brannten Speicher, in der Umgebung von Manchester leuchteten nachts die brennenden Heuschober.

Im Süden und Westen Irlands war niemand, der abends die Augen schloß, sicher, sie am nächsten Morgen noch öffnen zu können. Gewehrkolben, die mitten in der Nacht gegen die Tür donnerten, maskierte Gesichter, Revolver, Benzin, Schlageisen und Handgranaten, Lastautos, die in rasender Fahrt durch die Nacht sausten, verwegene Männer darauf, zusammengekauert und den Finger am Abzug, jeden Augenblick gewärtig, von zusammengekauerten Männern im Straßengraben, die flinker mit dem Finger waren, niedergeschossen zu werden, plötzliche Überfälle, verzweifelte Handgemenge, erbarmungsloser Tod und ein Morgen, der über verödeten, rauchenden Häusern aufging: so lebte und starb man damals in Irland.

Zum größten Teil ein namenloser Kampf zwischen namenlosen Helden und Schurken. Aber ab und zu sickerten doch Namen in die Zeitungen, Namen von Führern wilder Guerillabanden. So war der Name Rory O'Riorden mehr und mehr bekanntgeworden, ein Mann, mit dem in der Gegend von Cork gerechnet werden mußte.

Er hatte einmal an Dermot geschrieben.

„Mein lieber Vater – wir führen ein ruheloses und unstetes Leben, aber meistenteils halte ich mich in Ballybar und Umgebung auf. Vielleicht errätst Du den Grund und findest ihn reichlich sentimental. Aber ich habe die Geschichte nicht vergessen, die Du mir erzählt hast, wie Dein Vater und mein Großvater Con auf einem Schubkarren von Ballybar nach Cork gefahren worden sind, als ihre Eltern bei der großen Hungersnot im Straßengraben starben. Dies kleine Ballybar ist also der Ort, aus dem wir stammen, und ich habe mich darum bemüht, in dieser Gegend Verwendung zu finden. Allerdings hätte es einer solchen Erinnerung nicht erst bedurft, um meinen Arm gegen die blutigen Tyrannen zu stärken, die jetzt vor aller Welt ihr wahres Gesicht zeigen. Aber ich kann an keiner Hütte vorbeigehen, ohne zu denken, vielleicht sind sie aus dieser Tür in den Tod geschlichen, und in keinem Graben im Anschlag liegen, ohne mir vorzustellen, daß auf der Böschung, auf der jetzt mein Gewehr liegt, vielleicht die Häupter der beiden Armen gelegen haben mögen, die starben, um einen Großgrundbesitzer zu mästen.

Du denkst wahrscheinlich, es sei nun genug mit revolutionären Phrasen, und Du hast recht. Ich will Dir nur sagen, daß ich bis über beide Ohren in der guten Sache stecke und mich jeden Tag und jede Stunde meines Lebens darüber freue. Im Bett schlafe ich nur selten, aber das Wetter ist trocken, und die Sterne sind schön, und meine Jungens sind so, wie ich sie mir nicht besser wünschen kann. Möge Gott uns bald Irland schenken! Die lieben Jungens verdienen es, im eigenen Lande unter eigener Flagge in Frieden zu leben."

Heute nacht würde es nicht so trocken, die Sterne würden nicht so schön sein. Ich lief im Zimmer auf und ab, dachte an Rory und stellte mir die Gegend um Cork bei diesem Wetter vor. Eine unbewegliche Gestalt, die Mütze tief in die Stirn gezogen und mit Schnee bedeckt, wartete im Schutz eines Toreinganges, den kalten Revolver in der kalten Hand, auf das Rumpeln des angekündigten Lastautos. Der Mann draußen, der mit dem Ohr im Schnee lag, mußte es schon von weitem hören. Zähe, zuverlässige Leute wie er selbst standen wie unbewegliche Schatten hinter Bäumen, Telegrafenstangen und Scheunen. Dann rumpelte es heran, wurde lauter und donnerte näher, aus dem Donner wurde Geschrei, die Scheinwerfer bohrten ihre gelben Dolche in das Schneegestöber, die ersten Revolverschüsse krachten, ein abgesägter Baum fiel dem Lastwagen vor die Räder, und ein Maschinengewehr begann sein todbringendes Knattern.

Von Dermots kaltem, ärmlichem Schlafzimmer in der Gibraltarstraße, in dem er auf die eingekerbten Namen der Märtyrer von Manchester gestarrt hatte, über das Hereinbrechen von Flynn und die Ankunft Donnellys führte der Irrsinn Schritt für Schritt in schicksalhafter Logik bis zu jenem Bild, das ich mir jetzt vorstellte: das Feuer verstummt, einige Gestalten in ihrem Blut auf der Straße, andere auf der Flucht wie schwarze Schatten auf dem weißen Boden des Landes. Vielleicht reichte der Schicksalsfaden noch weiter zurück in die Vergangenheit; vielleicht noch weiter hinaus in eine dunkle Zukunft. –

Schrill klingelte das Telefon und riß mich mit klopfendem Herzen in die Gegenwart zurück. Es war neun Uhr an einem verschneiten Märzabend des Jahres 1921. Der junge Guy Langdale rief an. Er hatte Eileen im vorigen Herbst geheiratet, und sie hatten ein kleines Haus in Richmond. Er sprach von dort und war sehr aufgeregt. Ob ich sofort herüberkommen könnte? Ja, er wisse, daß der Abend böse und seine Bitte ungewöhnlich sei, und ich solle mir Nachtzeug mitbringen. Sie hätten ein Bett für mich frei.

„Aber, Mann Gottes, was ist denn los? Was soll denn das alles? Ist Eileen krank?"

„Nein", sagte er ungeduldig, „dann hätte ich einen Doktor und nicht Sie angerufen. Es ist nicht wegen Eileen – es geht um Maggie."

„Maggie? Ist sie bei euch? Sie meinen doch Rorys Frau?"

„Ja. Rory ist tot. Kommen Sie nun?"

Ich legte den Hörer hin und sah mich wie betäubt in dem vertrauten Zimmer um. Hier hatte Maeve damals gestanden und Dermot die Wahrheit gesagt.

„Du hast Rory ermordet! – Du hast Rory ermordet!"

Jetzt helfe dir Gott, Dermot.

Von Charing Cross nahm ich die Untergrundbahn. Der häßliche kalte Bahnhof, die Leute, die mit mir fuhren und nach nassen dampfenden Mänteln rochen, die flüchtigen Ausblicke auf das verschneite öde Land, wenn wir kurze Strecken über der Erde fuhren, drückten mich immer tiefer nieder, bis ich schließlich bei Langdales ankam.

Guy öffnete selbst und führte mich in ein kleines Hinterzimmer, in dem er zu arbeiten pflegte. Ich packte meine Hausschuhe aus und zog sie an. Ein verstörtes Hausmädchen brachte meine nassen Schuhe und den verschneiten Mantel hinaus.

„Die sieht ja zu Tode erschrocken aus", sagte ich.

„Das wundert mich nicht", antwortete Guy und schenkte mir Whisky ein. „Sie hat ihr die Tür geöffnet. Maggie brach vor ihren Augen auf der Schwelle zusammen. Gestern ist sie mit dem Nachtschiff nach Holyhead herübergekommen und dann den ganzen Tag über mit der Bahn hierhergefahren. Wie sie das alles fertiggebracht hat, weiß ich nicht. Unser Mädchen war allein zu Haus. Sie hatte keine Ahnung, wer Maggie war, und Maggie war nicht in dem Zustand, es ihr zu erklären. Sie kam einfach in die Halle gestolpert, fiel in einen Sessel und wurde ohnmächtig."

Guy erzählte weiter, er und Eileen seien zum Glück gerade in dem Augenblick nach Hause gekommen. Sie brachten Maggie wieder zu sich und legten sie ins Bett, wo sie zu phantasieren begann. Erst allmählich entnahmen sie ihren wirren, verzweifelten Worten, daß Rory tot sei.

„Sonderbar", sagte ich, „Rory hat mir selbst erzählt, wie ruhig sie den Tod ihres Vaters hingenommen hat. Sie war im Gefängnis, kurz bevor er erschossen wurde; sie scheinen sich dort wie ein paar alte Römer unterhalten zu haben. Und jetzt ..."

Guy sah sehr mitgenommen aus. Bevor er antwortete, trank er selbst ein Glas. „Sie wissen ja, wie diese Menschen sind – Verzeihen Sie, ich spreche als Außenstehender. Ich habe weder Rory noch Donnelly gekannt, und dies ist das erste Mal, daß ich Maggie sehe. – Sie wissen, wie sie sind, wenn sie Jahre hindurch Tag und Nacht nur der einen Sache gedient haben. Ich kann das verstehen. Wer so stirbt wie Donnelly, muß in den Überlebenden eine gewisse exaltierte Stimmung hinterlassen: ‚O Tod, wo ist dein Stachel?' Aber diesmal ist es anders. Wir wissen noch nicht, was es ist, aber diese Frau muß etwas Schreckliches erlebt haben. Sie ist wie gehetzt."

„Soll ich nicht lieber gleich zu ihr?"

„Warten Sie noch, lassen Sie mich zu Ende kommen. Wir holten den Arzt, es dauerte eine Zeit, ehe er kam. Sie redete irre. Immer wieder schrie sie: ‚Ich habe ihn verraten!' Dazwischen tauchte Ihr Name auf. Sie phantasierte immerfort von Essex. Deshalb ließ Eileen Sie herbitten, wir dachten, sie wollte Ihnen etwas sagen, und es täte ihr wohl, Sie hier zu sehen, wenn sie wieder zu sich kommt. Aber jetzt schläft sie. Der Arzt war hier und hat dafür gesorgt. Er sagte, sie würde bis zum Morgen schlafen. Und noch etwas. Aus ihren Reden entnahmen wir, daß sie zu Eileen gekommen war, weil sie sich nicht zu Rorys Vater ins Haus traute. Sie könnte ihm nicht vor die Augen treten. Sehen Sie", sagte Guy, und die Fingerknöchel wurden weiß an dem Glas in seiner Hand, „einer muß O'Riorden sagen, daß sein Sohn tot ist." Und nach einer Weile: „Eileen und ich meinten, telefonisch sei es zu schrecklich. Sie ist jetzt nicht fähig, ihren Vater zu sehen, und, offen gesagt, mir wäre es furchtbar. Wollen Sie es uns abnehmen und ihn morgen früh aufsuchen?"

An einem Märzmorgen vor vier Jahren hatte ich Dermot angerufen und ihm mitgeteilt, daß Maeve tot sei. Erloschen sah ich den jungen Langdale an, dem ein solcher Auftrag zu schwer war. – Na gut, mein Junge, du hast ja Dermot auch noch nicht gekannt, als er noch ein blasser, junger Rotkopf war und Sägemehl an den Handgelenken hatte. „Gut, ich werde es ihm sagen. Und jetzt will ich zu Maggie."

Im Schlafzimmer brannte der Kamin, und eine Lampe war abgedunkelt. Eileen saß mit roten Augen und verweintem Gesicht in einem Sessel am Bett. Sie hatte sich vorgebeugt und knüllte ihr Taschentuch in den Händen. Maggie war dem Aussehen nach die ruhigere von den beiden, der Schlaf hatte alle Qual in ihrem Gesicht geglättet. Sie hatte tiefe Ränder unter den Augen, und die Wangen waren hohler, als ich sie in Erinnerung hatte. Beide Hände lagen friedlich gefaltet auf der Bettdecke, und ich sah ihren Ehering.

Ich führte Eileen hinaus und schloß die Schlafzimmertür. „Geh zu Bett, Kind“, sagte ich, „es ist nach elf.“

Sie wandte sich um, klammerte sich an Guy und begann von neuem zu weinen.

„Bringen Sie sie zu Bett“, sagte ich, „und legen Sie sich auch schlafen. Ich rufe Sie, wenn etwas mit Maggie sein sollte. Ich bin es gewohnt, die Nacht aufzubleiben.“

Guy führte sie fort. Ihr Körper schüttelte sich vor Schluchzen. Ich ging in sein Arbeitszimmer, um ein Buch zu holen, das ich dort liegengelassen hatte. Er kam noch einmal herunter, stellte die Karaffe, den Siphon und eine Dose Zwieback auf ein Tablett und trug es hinauf ins Schlafzimmer. Dann ging er und schloß leise die Tür hinter sich. Ich war allein mit Maggie.

Ich legte Holz auf, setzte mich in den Lehnstuhl am Bett und sah auf die friedlich gefalteten Hände mit dem Ehering. Das war nun das kleine Mädchen, das damals am Tor von Reiherbucht mit Rory zusammen aus dem Wagen gesprungen war. Es wurde still im Haus. Ich nickte im Stuhl ein und schlief bald fest. Um zwei Uhr schreckte ich hoch. Maggie schlief noch, aber sie hatte sich auf die Seite mit dem Gesicht zu mir gedreht, eine Hand unter der Wange. Sie regte sich, lcähelte und murmelte: „Ach, Vater!“, als wäre alles nicht wahr. Vor dem Schrecken der Gegenwart war sie in die glücklicheren Tage zurückgekehrt, wo ihr Vater noch am Leben war.

Ich beobachtete sie gespannt, aber sie schwieg und rührte sich nicht mehr. Schlafen konnte ich jetzt nicht. Ich setzte die Brille auf und las in dem Buch, das ich mir mitgebracht hatte – in der Tat von weit her mitgebracht, denn es stammte aus den Tagen in der Gibraltarstraße, in denen meine Freundschaft mit Dermot noch jung war. Ich dachte an Dermot, der ruhig schlief und noch nicht wußte, daß die Schatten schon über ihm lagen.

Um drei Uhr zog ich den Vorhang auf und sah aus dem Fenster. Es hatte aufgehört zu schneien. Der Garten schimmerte kalt und weiß in der Nacht, und ein paar Sterne standen darüber. Ich hatte das kleine warme Zimmer im Rücken und vor mir die feindselige Unendlichkeit der Nacht und murmelte die Worte, die ich eben gelesen hatte:

„Die Nachtigallen schlagen noch immer dir ums Haus,
Und wenn der Tod dir alles nimmt, sie rottet er nicht aus.“

Die Nachtigallen nicht – Donnelly, Maeve, Rory – die Nachtigallen nicht?

Wirklich nicht?

Mit Dermot und Sheila fuhr ich nach Richmond zurück. Nachdem es einen Tag und eine Nacht hindurch geschneit hatte, schien jetzt die Sonne, und der Himmel war zartblau. Aber die Straßen waren fürchterlich. Deshalb fuhren wir wieder mit der Untergrundbahn. Sheila saß regungslos zwischen Dermot und mir und sprach kein Wort. Sie hielt die Hände im Schoß, und ihre Augen starrten unverändert auf das gegenüberliegende Fenster. Der Zug knirschte und quietschte über die Schienen.

Der Augenblick hatte nichts Dramatisches an sich, es war nackte Verzweiflung, schwarze hoffnungslose Verzweiflung. Dermot hatte sich gewundert, daß ich ihn so früh besuchte. Er saß an seinem Schreibtisch und öffnete Briefe mit einem Papiermesser. „Aber Bill, was treibt dich denn zu dieser gottverlassenen Stunde aus dem Haus?“

„Rory ist tot“, sagte ich. „Er ist in Irland gefallen.“

Das Papiermesser fiel klirrend auf das glatte Parkett. Dermot sagte nichts und sah nur auf seine langen weißen Finger, die auf dem Schreibtisch lagen. Nach einer Weile murmelte er mehr zu sich selbst: „Gott strafe England. Und Gott strafe Irland. Und Gott strafe jedes Land, das da glaubt, seine Träume seien das Blut eines jungen Menschen wert.“

Im Herzen sagte ich amen, und ich sage es auch heute noch; zu Dermot aber sagte ich nichts.

Er stand steif auf, trat zu mir und legte mir die Hände auf die Schultern. Ich sah ihm in die Augen. Jetzt sprühten sie keine grünen Funken mehr; jetzt lag nur tiefe Verzweiflung in ihnen.

„Nun bleibt nur noch Eileen“, sagte er. „Nur Eileen.“

„Ja. Du solltest mitkommen und nach ihr sehen. Ich bin die ganze Nacht bei ihr im Hause gewesen. Maggie ist dort. Sie hat die Nachricht gebracht.“

„Ich muß es Sheila sagen.“

„Ja.“

„Komm mit, Bill.“

So ratterten wir mit der Untergrundbahn nach Hampstead und ließen uns durchschütteln, und als wir ins Haus kamen, sagte er in der Halle: „Warte hier am Kamin. Ich will allein zu ihr. Begleitest du uns nach Richmond?"

Ich nickte, und er ging die Treppe hinauf.

Eine Viertelstunde später kam er mit Sheila zurück, die schon zum Ausgehen angezogen war. Sie sah bleich und verstört aus und sah mich an, als wollte sie sagen, sie würde gern mit mir sprechen, aber sie könne nicht. So gingen wir stillschweigend einer nach dem anderen aus dem Haus.

Maggie saß im Bett, einen weißen Schal um den Kopf, den sie mit ihrer mageren, beringten Hand an der Brust zusammen hielt. Sie war allein, als Sheila, Dermot und ich zu ihr kamen, allein und völlig gefaßt. Die Erregung hatte sich ausgetobt, aber in ihren grauen Augen lag eine Welt von Schmerz.

Dermot und ich standen noch an der Tür, als Rorys Mutter durch das Zimmer schritt und Rorys Witwe einen Kuß gab. Es war ein kalter, konventioneller Kuß, und plötzlich wußte ich, daß Sheila Maggie zutiefst haßte. Und ich wußte auch, daß Maggie es fühlte. Sie warf Sheila einen scheuen Blick zu, in dem sie um Verzeihung zu flehen schien. Ich spürte jedenfalls, was er bedeutete. – Ich weiß! Ich weiß! schrie er laut durchs Zimmer. Ich verlange ja nicht einmal, daß du es verstehst. Ich mache dir keinen Vorwurf! –

Die Tränen kamen ihr und flossen über ihr Gesicht. Sie trocknete sie ab und sagte: „Ich darf nicht weinen."

„Es hilft auch nicht viel", sagte Sheila. „Ich habe zwei Kinder verloren und weiß es."

„Nein", sagte Maggie, „es hilft gar nichts. Ich habe einen Vater und einen Mann verloren. Ich weiß es auch."

Sie war sehr gefaßt danach. Eileen und Guy waren hereingekommen, und wir saßen alle um ihr Bett. Sie erzählte, wie Rory starb. „Sie kamen und umringten das Haus, in dem wir uns manchmal aufhielten. Es gab kein Entrinnen. Sie schossen ihn nieder."

Nur die paar nackten Worte. Mehr sagte sie nicht.

„Was ist aus – aus seiner Leiche geworden?" fragte Sheila.

„Die Jungens wollten dafür sorgen, daß er in Ballybar begraben würde", sagte Maggie. „Ich konnte nicht bleiben."

„Ich wäre gern bei dem Begräbnis dabeigewesen", sagte Sheila leise. „Konntest du nicht telegrafieren?"

„Ach, Frau O'Riorden, das wäre nichts für Sie gewesen", brach es aus Maggie hervor. „Dies Land ist schrecklich, halb niedergebrannt, die Brücken gesprengt und gefällte Bäume quer über den Straßen. Sie kennen die Verwüstungen nicht ..."

„Die Verwüstungen ...", murmelte Sheila vor sich hin, „... die kenne ich." Maggie kamen von neuem die Tränen.

Dermot nahm ihre Hand. „Leg dich jetzt hin und versuche zu schlafen. Wir sprechen später mehr darüber."

Eileen blieb bei Maggie, wir anderen gingen hinunter. Sheilas Augen waren hart und verschlossen. Das war der einzige Besuch, den sie Maggie gemacht hat.

Ein paar Tage später kam ich allein und traf Maggie angezogen und im Wohnzimmer an. Es ging ihr so gut, daß man sie ruhig allein lassen konnte. Eileen und Guy waren in der Stadt. Ich lud sie zum Mittagessen ein, und dann gingen wir in Richmond spazieren. Wir waren noch nicht lange gegangen, als sie sich an mich wandte und mir schüchtern die Hand auf den Arm legte. „Rory hat Sie sehr liebgehabt."

„Ich glaube ja, und ich freue mich darüber."

„Glauben Sie, daß ich – gut genug für ihn war?"

„Ich kenne Rory: er hätte nie etwas Zweitklassiges gewählt."

„Seine Mutter glaubt, ich sei ein Feigling – weil ich fortgelaufen bin."

„Das mag sein, aber vielleicht fällt es Rorys Mutter im Augenblick schwer, so gerecht zu sein, wie sie es sonst ist."

Plötzlich setzte sich Maggie auf eine Bank und schlug das Gesicht in die Hände. „Ich lief aber fort", schluchzte sie. „Ich tat es. Ich tat es. Ich war ein Feigling."

Ich versuchte sie zu trösten. „Liebes Kind, daraus kann Ihnen niemand einen Vorwurf machen. Was Sie uns neulich erzählt haben ... Es muß entsetzlich gewesen sein. Sie haben soviel durchgemacht, und dann zum Schluß noch dieses ..."

„Oh, das – das war alles erlogen. Es war ja alles ganz anders. Schlimmer, viel schlimmer. Hören Sie zu ..."

Von den Jungen arbeiteten die meisten tagsüber auf den Feldern. Mick Slaney fuhr den Metzgerwagen, und Ken Conroy arbeitete in der Sägemühle hinter Doonans Garten. In dem Garten war ein Brunnen, aber vor einiger

Zeit war ein falscher Boden dicht über dem Wasserspiegel angebracht worden. Dort versteckten sie ihre Gewehre und die Munition. Ken Conroy war ein schmächtiger Bursche, er konnte im Eimer stehen und das Tau in den Händen halten. So ließen sie ihn hinunter, und nach und nach holte er die Gewehre herauf. Bei Tage legten sie eine Persenning darüber. Doonan holte sein Wasser im Pfarrersbrunnen, und Pater Farrell wußte sehr gut, warum.

Nachts kamen die Jungen in der Scheune zusammen und holten sich ihre Befehle von Rory. Sie kamen einzeln, alle drei Minuten einer. Ein Boden lief über der langen Scheune entlang. Er war sehr groß. Alle Wände waren aus Holz, und eine davon ganz am Ende war falsch. Sie hatten sie aus denselben alten und morschen Brettern wie am übrigen Bau gemacht. Ein paar Bretter waren lose, und man konnte durch sie in den geheimen Verschlag hineinschlüpfen, der nur einen Meter breit, aber reichlich zwölf Meter lang war. Einer von den Jungens hielt draußen Wache. Wenn es ernst wurde, zog er an einem geteerten Bindfaden, der sich auch bei Tage auf ein paar Meter Entfernung nicht von der geteerten Scheunenwand abhob. Wenn er zog, klapperte eine Garnrolle auf dem Tisch, an dem Rory saß. Dann schwieg alles, und das verhängte Licht wurde ausgelöscht, bis die Garnrolle von neuem klapperte.

Wenn sie sich da nachts trafen, mußte jeder Mann sein Gewehr vorzeigen, und Rory prüfte, ob es sauber und gut im Stande war, und ließ sich die Munition vorzählen. Dann wurden auch Watte, Scharpie, Verbandschienen, Binden und Jod hereingebracht, die Maggie sorgfältig in einem Kasten am Ende des Verschlages aufbewahrte. Sie hatte dort auch einige unentbehrliche chirurgische Instrumente für die Erste Hilfe: Scheren, Zangen und so weiter, einen Spirituskocher und einen Topf, um die Instrumente auszukochen und die Wunden auszuwaschen.

Manchmal war sie den ganzen Tag bei ihren Patienten, die auf Strohsäcken lagen, manchmal auf ein paar Stunden in der Nacht, um ihnen zuzureden. Ab und zu hatte Mick Slaney die Möglichkeit, die Verwundeten unter blutbefleckten Säcken am Boden seines Metzgerwagens an einen Ort zu befördern, wo ihnen bessere Pflege zuteil wurde als hier. Und Tuohy, der Metzgermeister, wußte davon.

Es gab keinen Menschen in Ballybar, der nicht von allem wußte, was vorging. Und wenn sie am Tage, da Fremde in der Nähe sein konnten, den untersetzten, hochschultrigen jungen Mann mit den grauen Augen, der in Donohues Krämerei arbeitete, von oben herab behandelten, so wußten sie genau, was sie taten.

Bei Tage war Ballybar ein ehrbares, gesetzesfrommes Nest, in der Nacht aber wurde es merkwürdig leer an Jugend. Dann löste sich in Abständen von drei Minuten bald hier, bald dort ein Schatten aus der Finsternis, bis alle Schatten wie Fledermäuse im Dunkel von Rices Bodenraum zusammenhockten.

Und hier wurde der junge Anführer nicht von oben herab behandelt.

„Slaney!"

„Zu Befehl." Slaney legte den Revolver und die Munition auf den Tisch. Rory untersuchte sie genau, nickte zustimmend und schob sie ihm wieder zu.

„Wir haben schon lange den Verdacht, daß Sir George Winter den britischen Soldaten Nachrichten zukommen läßt. Gestern ist er im Gespräch mit einem Major der regulären Truppen und einem Hauptmann der Hilfstruppe gesehen worden. Die beiden hatten drei Lastautos mit Soldaten auf der Straße hinter Sir George Winters Haus anfahren lassen. Sir George ist die Auffahrt mit ihnen hinuntergegangen und hat ihnen Anweisungen gegeben, wie sie einem Hinterhalt aus dem Wege gehen müßten. Er gab ihnen die Hand und sagte: ‚Viel Glück, Jungens. Ich wollte, Sie wären es, die im Hinterhalt liegen und ein paar von diesen Schweinen kaltmachten. In diesem Nest hier hocken sie aufeinander.'"

„Pat Hickey wird in den Büschen gesessen haben, vermute ich", grinste Slaney.

Rory runzelte die Stirn. „Conroy!"

„Zu Befehl."

„Du hast gehört, was ich zu Slaney gesagt habe?"

„Zu Befehl, ja."

„Slaney vermutet mir zuviel. Ich brauche hier jemanden, der nichts vermutet und das Maul hält."

Er streckte die Hand vor, und Conroy schob ihm Revolver und Munition hin.

„Sir George Winter wird dem Feind keine Informationen mehr geben. Nach Tisch sitzt er immer in einem Zimmer im Erdgeschoß und kommt nie auf den Gedanken, die Vorhänge zuzuziehen. Er denkt wahrscheinlich, der liebe Gott persönlich beschützt ihn. Belehre ihn eines Besseren, und dann hefte dies an seine Haustür."

Rory gab Conroy ein zusammengerolltes Blatt Papier, auf dem gedruckt stand: „Mach den Mund nicht zu weit auf."

„Das ist alles." Conroy grüßte und ging.

„Ihr anderen könnt gehen. Heute abend ist sonst nichts."

Nacheinander lösten sich die Schatten in Abständen von der Scheune und verschwanden auf einem Dutzend verschiedener Wege in der Finsternis.

Maggie und Rory saßen sich im Halbdunkel am Tisch gegenüber. „Komm, wir wollen nach Dan sehen", sagte Rory.

Maggie nahm die Laterne. Sie gingen an das Ende des langen Verschlages. Dan O'Gwyer lag dort auf seinem Strohsack und schmunzelte.

„Nun, wie geht es dem Jungen?" fragte Rory.

„Ach was, zum Teufel, laßt mich 'raus", sagte O'Gwyer. „Ich habe es satt und will draußen herumhumpeln."

„Du bleibst hier, mein Junge, bis ich es dir sage. Wenn einer von denen dich humpeln sieht, fragt er, warum du humpelst. Zeig mal sein Bein, Maggie."

Maggie löste den Verband und hielt die Laterne niedrig, damit Rory die Schußwunde untersuchen könne, die durch O'Gwyers Wade ging.

„Das sieht nicht schlecht aus. Verbinde es wieder. Es heilt gut, Junge. Und denke ja nicht, daß ich dich aus Spaß hier oben halte. Dich brauche ich noch, und viele andere auch, die so sind wie du."

„Ich bin da, wenn Sie nur ein Wort sagen."

„Na also. Bekommst du gut zu essen?"

„Ach, ich platze noch, so viel stopfen sie in mich 'rein. Wie geht es Mary Clarke? Die geht doch nicht mit Slaney?" –

„Ach wo, um Mary Clarke mach dir mal keine Sorgen. Sie ist ein ordentliches Mädchen und findet, du seiest ein Held."

O'Gwyer grinste. „Na, dann bin ich auch einer."

„Und jetzt lese ich dir ein bißchen vor."

O'Gwyer legte sich still auf seinem Stroh zurecht, seine Zigarette glühte in der Dämmerung. Rory nahm ein Buch und begann: „Königin Maeve beschied alle ihre Hauptleute, Räte und tributpflichtigen Könige zu sich nach Rath-Cruhane . . ."

„Auf dem Heimweg war er sehr still", sagte Maggie zu mir, „anscheinend dachte er an früher."

*

Am nächsten Tag kam ein Lastauto mit Polizei nach Ballybar. Ein paar blieben im Wagen, die übrigen polterten zu Donohue in den Kramladen und verlangten zu trinken. Rory bediente sie. Als sie ein paar Glas getrunken hatten, bedienten sie sich selber. Der Wachtmeister, der sie befehligte, fragte so nebenbei: „Wohnt in dieser Gegend ein gewisser Sir George Winter?“

„Ja. Sechs bis sieben Kilometer weiter an der Straße.“

„Haben Sie ihn kürzlich gesehen?“

„Nein. Ich komme nicht viel ’raus.“

„Was ist das für ein Mann? Ist er beliebt hier?“

„Doch. Ich denke schon.“

„Von hier aus ist es am nächsten zu seinem Haus, nicht wahr?“

Der Wachtmeister blieb hartnäckig.

Rory überlegte. „Ja, ich denke, außer man geht über die Felder.“

Der Wachtmeister trank einen Schluck. „Hier spricht sich wohl alles sehr langsam ’rum, junger Mann?“

„Die Drähte sind alle entzwei“, erwiderte Rory ruhig.

„Du hast noch nichts davon gehört, daß Sir George gestern abend von so einem Schweinehund niedergeschossen worden ist, he?“

„Guter Gott! Das ist ein Unglück!“

„Das gibt erst ein Unglück, und zwar für dieses Hundenest, wenn wir hier auch nur ein Gewehr finden!“ erklärte der Wachtmeister wütend. „Wenigstens hat Sir George auch geschossen. Hoffentlich hat er was getroffen! Trinkt noch einen, Jungens, und dann weiter!“

Die Polizisten griffen sich die ersten besten Flaschen, an die sie herankamen, taten einen tüchtigen Zug und standen säbelklirrend auf. „Los, hier zuerst!“ befahl der Wachtmeister.

Das Gesindel machte sich an sein Geschäft. Mit den Gewehrkolben hämmerten sie auf alles ein. Die Flaschen wurden von den Borden heruntergestürzt, sie trampelten in den Scherben herum, schlugen die Schranktüren ein, zogen die Schubladen auf und warfen ihren Inhalt auf den Fußboden und machten sich schließlich daran, auch noch den Fußboden aufzureißen. Sie fanden nichts, und sie begannen, mutwillig alles zu zerstören. Die Bilder wurden von den Wänden gestoßen, die Vorhänge heruntergerissen, sie stampften die Treppe hinauf und hackten die Betten in Stücke. Rory ging mit nach oben. Maggie saß im Lehnstuhl in einem der Schlafzimmer. Ein Lümmel kam auf sie zugetorkelt. „Jungens, seht mal, was ich hier habe!“ Er legte Maggie die Hand auf die Schulter; im gleichen Augenblick fühlte er sich schmerzhaft am Arm gepackt. Er drehte sich um und sah Rory in die kalten Augen.

„Maggie, geh aus dem Haus“, sagte Rory. Als sie fort war, ließ er den Kerl los. „So, wenn du den Stuhl aufreißen willst, bitte.“

Der Stuhl wurde aufgerissen, und zur gründlicheren Nachforschung wurden die Gewehrkolben gegen die Wände geschmettert, so daß der Putz herabfiel.

Inzwischen war ein Teil der Bande wieder hinuntergegangen und über den Schnaps hergefallen, der noch übrig war. Ein paar Flaschen nahmen sie mit in den Wagen. Dann taumelten und stolperten auch die letzten in den kalten Schimmer des Wintertages hinaus.

„Noch mehr, Herr Wachtmeister? Noch ein Haus?“ fragte einer.

Der Wachtmeister, der selber nicht mehr ganz auf den Beinen stand, maß sie mit Verachtung. „Himmel!“ sagte er. „Und mit so was haben wir den Krieg gewonnen! Macht, daß ihr in euren verfluchten Kasten kommt!“

Sie stiegen bereits ein, als Maggie, die neben Rory stand, plötzlich seinen Griff schmerzhaft am Arm spürte. „O Gott!“ sagte er mit halber Stimme.

Um die Ecke der Straßenkreuzung kam Dan O'Gwyer gehumpelt, ein ahnungsloser Todesengel für alle jungen Leute im Dorf.

„Der Esel! Der Esel!“ stöhnte Rory.

Zu spät bemerkte Dan, daß er in eine Razzia geraten war. Pater Farrells Haus stand an der Ecke. Dan schleppte sich unter den Torbogen und hoffte, seine verhängnisvolle Erscheinung dort unsichtbar zu machen. Der Wachtmeister wollte gerade den Rest der letzten Flasche austrinken, als sie ihm klirrend herunterfiel. „Verdammt noch mal!“ schrie er. „Ein paar Mann her!“

Rory und Maggie wurden von den Polizeitruppen mit vorgerissen. Auch Mick Slaney war da, Ken Conroy und die meisten anderen Jungen. Als sie zu dem Hause des Priesters kamen, war die Tür offen, und Pater Farrell stand darin und hatte seine Arme um O'Gwyer gelegt. Man konnte das Kruzifix aus Ebenholz sehen, das an der Rückwand des kleinen Flurs hing. Das Haar des Pfarrers war weiß wie die Wand. Aus seinem rüstigen, frischen Gesicht blickten den Wachtmeister ein paar blaue Augen furchtlos an. Der Wachtmeister packte O'Gwyer und riß ihn mit einem rohen Griff auf den Weg hinaus.

„Wo hast du die verfluchte Wunde her?“ fragte er.

O'Gwyer lag im hereinbrechenden Abend mit dem Gesicht nach unten auf der Straße und gab keine Antwort. Mary Clarke kam aus Tuohys Metzgerei, wo sie arbeitete, heraus und schrie auf, als sie Dan dort liegen sah. Ein Soldat schlug ihr auf den Mund, und sie fiel in lautloses Schluchzen und zog ihr Kopftuch vors Gesicht.

„Zeig die Wunde her!“ befahl der Wachtmeister.

„Zieh ihm die Hosen aus, das geht am schnellsten“, schlug ein Soldat vor. Sie zogen O'Gwyer die Hosen aus, so daß er bis zum Gürtel nackt war. Roh wurde der Verband abgerissen, und die Wunde begann wieder zu bluten.

„Willst du bestreiten, daß das eine Schußwunde ist?“ fragte der Wachtmeister. „Hier 'rein, da 'raus.“ Er stach mit dem Finger nach O'Gwyers Bein. „Es blutet ja noch.“

Die Polizisten standen im Kreise um den Liegenden herum und stießen ungeduldig mit den Gewehrkolben auf die Erde. Die Dorfleute in einem größeren Kreise um sie herum sahen mit aufgerissenen Augen auf die nackten Beine und das rinnende Blut. Und hinter ihnen allen verschwand das stille Land in der Dämmerung, die über die kahlen Ulmen hereinbrach, und ein paar Krähen flogen krächzend heimwärts. Der Bediente des Pfarrers zündete in der Halle ein Lämpchen an, und das Kruzifix hob sich deutlich von der Wand ab.

Auf einmal sprach der Pfarrer. „Das ist eine alte Wunde. Ihr habt sie bei eurem rohen Zugriff wieder aufgerissen.“

„Alt oder neu, es ist eine Schußwunde“, sagte der Wachtmeister.

„Was, zum Teufel, weißt du denn überhaupt davon?“

Er stand auf und trat dem Pfarrer wild entgegen. „Wenn du weißt, daß es eine alte Wunde ist, wirst du wohl auch wissen, wann und wie er sie bekam?“

Der alte Mann sagte bedächtig: „Er hat sie bekommen, als er sein Vaterland gegen betrunkene Horden wie euch verteidigte.“

Der Wachtmeister schlug ihm heftig ins Gesicht, und seine Leute näherten sich bedrohlich mit ihren Gewehren.

Pater Farrell beugte sich zu Dan O'Gwyer nieder. „Steh auf, mein Sohn“, sagte er und half dem Jungen auf die Beine. „Komm zu mir ins Haus.“ Der Junge stützte sich auf den Arm des Pfarrers, barg das Gesicht aus Scham über seine Nacktheit an der Schulter des alten Mannes und humpelte mit ihm der offenen Tür zu.

Der Wachtmeister war schneller als sie, sprang mit ausgebreiteten Armen dazwischen und stand vor dem Hintergrund des erleuchteten Hausflurs. „Der Mann wird erschossen. Ich rate dir gut, geh von ihm weg."

Die Weiber in der Menge fingen zu jammern an. Die Soldaten traten mit ihren Gewehren in die Mitte der Straße zurück, die Finger am Abzug. Die Stimme des Pfarrers klang ruhig. „Wenn du schießen mußt, schieß!"

„Dann helf' euch Gott", sagte der Wachtmeister und sprang von der Tür weg. „Nicht auf den Pfarrer schießen, Leute!" rief er. „Feuer!"

Die Gewehre krachten, die Schüsse flammten im Dunkel auf. Pater Farrell und O'Gwyer sanken ganz langsam unter dem Kruzifix zusammen.

Auf die Schüsse war es einen Augenblick lang totenstill. Dann knieten die Frauen auf der Straße nieder und begannen zu schreien. Der Wachtmeister befahl kurz: „Einsteigen!"

Die Männer des Dorfes hoben die Leichen auf und trugen sie aus dem Flur hinauf in das Schlafzimmer des Pfarrers. Die Frauen folgten. Nur Rory und Maggie blieben zurück, um den Soldaten nach dem Lastauto zu folgen, das noch immer vor der Krämerei stand. Maggie weinte leise vor sich hin. Rorys breite Schultern waren unbeugsam wie Felsen, und seine grauen Augen schimmerten hart wie Granit. Die Soldaten stiegen stolpernd in den Wagen, der Wachtmeister kletterte als letzter auf den Sitz neben dem Fahrer. Die Scheinwerfer flammten auf, und in ihrem Licht zeigte sich auf der Straßenkreuzung nichts weiter als ein dunkler Fleck, wahrscheinlich O'Gwyers Stiefel und seine Hose.

„Sorgt dafür, daß morgen was zu trinken da ist!" rief der Wachtmeister zurück. „Wir kommen um die gleiche Zeit wieder."

Rory sah das großmäulige Vieh wortlos an. Der Motor sprang an, und das Auto setzte sich in Bewegung. Singend fuhren die Soldaten ab.

Rory zog ein Taschentuch aus der Tasche und gab es Maggie. Sie blickte ihn fragend an, er nickte finster und schlüpfte in einen baufälligen Schuppen im Garten der Krämerei. Dann zog er eilig einen Haufen Gerümpel auseinander, hinter dem der Schalter verborgen lag. Unbewegt wie ein Stein lag seine Hand am Schalter, sein Auge blickte durch das kleine Fenster auf Maggie. Sie wußte, worauf sie zu achten hatte. Sobald das Licht der Scheinwerfer auf die angekerbten Bäume fiel, ließ sie das Taschentuch fallen.

Die Explosion der Mine leuchtete hell durch die Nacht und erschütterte das Dorf. Noch immer ohne Hast schritt Rory auf die Stelle zu, wo die Überreste des Lastautos in dem Trichter und daneben lagen. Voller Verachtung blickte er auf die Toten und trieb die Weiber weg, die sich der Verwundeten annehmen wollten. „Weg da!“ sagte er. „So weit ihr könnt und so schnell ihr könnt. Das ist unsere Sache jetzt.“ Alle Jungen waren versammelt. „Und wenn von euch jemand gehen will, so soll er es sofort tun.“

Alle Jungen blieben da. In jener Nacht wurden die Gewehre aus dem Brunnen hinter der Sägemühle geholt.

Um Mitternacht gab es kaum noch Frauen in Ballybar. Die Jungen versammelten sich in dem Kramladen. Es waren zwölf, außerdem Rory und Maggie. Rory sagte ihnen, jetzt käme der letzte Kampf in Ballybar. „Für einige von uns, vielleicht für die meisten wird es überhaupt der letzte Kampf sein. Es wird ein guter Kampf, wenn ihr drei tote Engländer rechnet für jeden, der von uns fällt. Fünf von euch bleiben hier bei Maggie und mir, die anderen sieben besetzen Tuohys Haus gegenüber. Er hat mir die Erlaubnis gegeben. Er selbst ist zu alt für solche Unternehmungen. Er ist fortgegangen und hat seine Frau und Mary Clarke mitgenommen. Slaney, du übernimmst das Kommando im Haus drüben. Such dir sechs Mann aus.“

Slaney suchte sich seine Leute aus, und Rory verteilte die Munition. „Seid sparsam damit“, sagte er. „Hoffentlich kommen sie spät! In jedem Fall beschäftigt sie, bis es dunkel ist. Dann versucht zu entkommen. Ihr könnt in die Scheune gehen oder euch über Land zerstreuen. Wer kann, trifft am nächsten Abend um zehn am Wasserfall mit mir zusamman. Dies ist hier das Ende, dann bekomme ich neue Befehle. Und wenn ich nicht da bin, wißt ihr ja, wo ihr euch Befehl zu holen habt.“

Einen Augenblick hielt er in seinem Gang durchs Zimmer inne und ließ die breiten Schultern und den Kopf sinken. Seine Augen wurden unruhig. „Selbstverständlich“, sagte er, „brauchen wir nicht auf sie zu warten. Wir brauchen uns nicht zum letzten Kampf zu stellen, wir können uns auch jetzt noch aus dem Staub machen. Aber ich will hierbleiben. Dies ist Krieg, und Kriege gewinnt man, indem man den Feind tötet. Nur so. Und sie werden nach allem, was geschehen ist, noch heute abend zurückkommen. Dadurch können wir unter günstigen Bedingungen kämpfen. Das ist alles."

Slaney und seine sechs Mann griffen nach den Gewehren. „Wenn ihr hineingeht", sagte Rory, „stellt schwere Möbel gegen die Haustür. Füllt den ganzen Flur damit, versperrt auch die Hintertür. Stellt Matratzen gegen die Fenster und macht euch Schießscharten. Ich will euch sagen, wie ich es hier machen werde. Wenn ihr wollt, macht es ebenso. Ich stelle meinen besten Schützen – dich, Conroy, nimm dein Gewehr und mach dich fertig – an ein Fenster, von dem aus man alles übersieht, was hinter dem Hause vorgeht. Verschieße keine Kugel, wenn du nicht wirklich einen siehst, der dort eindringen oder das Haus unter Feuer nehmen will. Drei Mann behalte ich hier im ersten Stock, Maggie, ich und noch einer schießen vom Erdgeschoß aus. Jede Partei hat drei Handgranaten, mehr nicht. Wenn sie sich den Weg ins Erdgeschoß erzwingen, müssen sich die Leute nach oben zurückziehen. Folgt der Feind dorthin, so werden die Handgranaten geworfen. Das ist alles. Nur noch eins: ihr kämpft besser mit vollem Magen. Dafür sorgst du, Slaney."

Rory gab Slaney und seinen sechs Mann die Hand, und sie trampelten die Treppe hinunter, eine finstere Kohorte in Regenmänteln, die schwarzen Hüte tief in der Stirn.

Nachdem auch Conroy weg war, machte Rory sich mit seinen Leuten ans Werk, um die Türen zu verbarrikadieren und Matratzendeckungen in den Fenstern aufzustellen. Erst als alles fertig war, schickte er Maggie und drei von den Leuten schlafen. Er und ein anderer blieben bis fünf Uhr auf, dann ließen sie sich ablösen.

Aber die ganze Besatzung hätte sich schlafen legen können, so wenig ereignete sich jene Nacht in Ballybar. Der graue Wintertag kam herauf, doch das Dorf erwachte nicht mit der gewohnten Regsamkeit. Kein Karren knarrte durch die Straßen, und man hörte nicht, daß die kleinen Läden geöffnet wurden. Rory nahm die Matratzen von dem Fenster im Erdgeschoß weg und lehnte sich über die Brüstung. Zur Rechten wie zur Linken war die Straße völlig leer, nur hier und dort stieg aus den ferner liegenden Häusern eine Rauchwolke in die kalte Luft. Vorsichtig rief Slaney von drüben über die Straße, daß seine Besatzung wohlauf sei. An der Hinterfront des Ladens stand der junge Conroy an einem Guckloch, das er sich in die Bretter der Wand geschnitten hatte.

Maggie machte Tee. Sie frühstückten und aßen Brot und Marmelade dazu. Nach dem Frühstück gingen die vier Mann, die von Rory befehligt wurden, in stillschweigendem Einverständnis nach oben. Rory nahm Maggie in die Arme, die beiden grauen Augenpaare begegneten sich und hielten sich lange fest.

„Na", sagte Rory, „ich bin ein feiner Ehemann, was?"

„Ich hatte auch einen feinen Vater", antwortete sie.

„Hier bin ich nun mit meiner schönen jungen Frau und kann ihr nicht mehr geben als Brot und Marmelade zum Frühstück und für den Nachmittag Gewehre."

„Mein Liebling, du weißt ja nicht, was du mir alles gibst, und du wirst es nie begreifen!"

„O doch, ich weiß schon", sagte Rory, „ich weiß ja, was du mir gegeben hast. Wir haben Herz um Herz getauscht." Er legte seinen Kopf an ihre Brust. „Da höre ich es, das ist mein altes Herz, das dort drinnen schlägt."

Sie küßte ihm den dichten Haarschopf und nahm sein ernstes Gesicht in beide Hände. „Du bist betrogen worden", sagte sie. „Ach, mein Liebling! Dies hier ist nichts für dich, du solltest Schöneres tun. Mit Träumen bist du aufgezogen worden, nicht wahr? O ja, ich kenne sie alle: ‚das Land der Heiligen und Gelehrten' und ‚die dunkle Rosalinde'. Und dafür bekommst du jetzt dies von uns. O Gott, wie mußt du dieses Land hassen!"

„Liebste, so darfst du nie sprechen. Es ist so leicht, sich abzuwenden, wo man unsere Hilfe braucht. Es ist so leicht, auf die andere Seite überzuwechseln. Träume? O ja, die habe ich auch gehabt. Damals, als wir als Kinder mit Maeve spielten und Irland ein Land von schönen Königinnen war. Nun sind aus den Träumen nüchterne Tage geworden, und aus den Königinnen Mädchen wie Mary Clarke. Aber ich glaube nicht, daß ich es bereue. Versprich mir eins, mein Liebling: wenn ich falle, denke nicht, daß ich je dem leichten Leben nachgetrauert habe, das ich versäumt habe. Dich habe ich gehabt und die Jungens, und wunderbare Zeiten haben wir miteinander erlebt."

„Und wenn wir . . . dies überstehen, liebst du mich dann für ewig?"

„Liebe Maggie, dies jetzt ist Ewigkeit um uns. Ohne Vergangenheit und Zukunft. Wir stehen mitten darin. Und das ist wie meine Liebe zu dir."

„Und meine zu dir", flüsterte sie. „Küß mich."

Sie küßten sich zum letztenmal und drängten aneinander, als könnten sie sich nicht loslassen. Auf einmal wurde er starr in ihren Armen und lauschte gespannt hinaus. Sanft schob er sie von sich und sagte leise: „Sie kommen." Mulligan, der mit ihnen das Erdgeschoß verteidigen sollte, kam die Treppe herunter.

„Schieß auf den Knien, Mulligan", sagte Rory. Ich feure über deinen Kopf weg. Maggie hält ein überzähliges Gewehr geladen bereit für den, der es gerade braucht. Schade, daß das Fenster nicht ausgebaut ist. Wir können sie erst sehen, wenn wir sie gerade vor uns haben."

„Dafür können sie uns nur von vorn beschießen", schmunzelte Mulligan, „das hat auch viel für sich."

Aber im Augenblick kam es noch nicht zur Schießerei. Sie hörten das Lastauto in ziemlicher Entfernung halten – etwa am Anfang der Straße.

„Es ist ihnen nicht geheuer", sagte Rory. „Es ist ihnen zu still. Sie fürchten eine Falle. Es wäre schön gewesen, wenn sie gerade zwischen unseren beiden Häusern gehalten hätten."

Unverwandt blickten sie durch den Spalt zwischen den Matratzen. Sie sahen kaum mehr als das Haus, das Slaney besetzt hielt. Plötzlich kamen zwei Polizisten in ihr Gesichtsfeld, lautlos wie Schatten auf der Leinwand. Vorsichtig hielten sie sich dicht an die Häusermauern, das Gewehr im Anschlag.

„Slaney kann sie nicht sehen", sagte Rory, „aber dafür wird er wohl zwei andere auf unserer Seite sehen." Zur Bestätigung krachten drüben zwei Gewehre. Fast im gleichen Augenblick donnerten zwei Schüsse, die im ersten Stock abgefeuert wurden, durch den Raum. Einer von den Leuten drüben drehte sich um sich selbst, fiel hin und begann, auf Händen und Knien mühsam Zoll für Zoll davonzukriechen. Der andere rannte zurück, woher er gekommen war. Plötzlich schlug er der Länge nach hin und blieb still liegen. Der Verwundete kroch langsam an ihm vorbei und verschwand aus dem Gesichtsfeld.

„Arme Teufel", sagte Rory. „Sie sind nur vorgeschickt

worden, um auszukundschaften, wo wir stecken. Jetzt wissen sie es. Wir wollen uns still verhalten und abwarten, was sie vorhaben. Gewöhnlich haben sie genausoviel Strategie wie ein toll gewordener Ochse."

Zwanzig Minuten vergingen, dann begann das Lastauto zu rattern, und sie hörten es die Straße herunterfahren. Als es in Sicht kam, saß nur der Fahrer darauf. Er wendete scharf und fuhr mit dem Kühler fast in die Mauer des Hauses, das dem von Slaney besetzten benachbart war. Rorys Besatzung feuerte nicht, sondern sah gespannt dem Manöver zu. Als sie sich von ihrer Überraschung erholt hatten, war der Fahrer vom Sitz gesprungen und lag flach auf dem Boden des Autos.

„Verflucht", sagte Mulligan, „ich verstehe nicht, was das soll!"

„Wart einen Augenblick", riet Rory, „ich kapiere langsam. Heute gibt es ein richtiges Gefecht, mein Junge. Sie haben einen mit Kopf dabei, der das Leben seiner Leute schonen will."

Plötzlich kamen vier Mann auf einmal angestürmt. Sie erschienen so plötzlich in ihrem Blickfeld, daß nur ein Schuß aus dem Laden fiel und fehlging. Dann hatten die Leute Deckung hinter dem Auto, das quer zur Straße stand. Sie begannen, mit Stiefeln und Gewehrkolben die Tür des Hauses einzuschlagen. Es dauerte kaum eine halbe Minute, und sie waren drinnen. Und in ungleichmäßigen Abständen stürzten weitere Polizisten einer nach dem anderen im Schutz des Lastautos in das Haus.

Bald war etwa ein Dutzend im Nebenhaus von Slaney, und plötzlich krachte von dort aus dem oberen Stock eine Salve gegen die Fenster der Krämerei. Rory, Maggie und Mulligan hörten die Kugeln dumpf in die Matratzen einschlagen. Eine pfiff zwischen ihnen hindurch und bohrte sich in die Wand. Eine Sekunde lang herrschte in dem Zimmer oben offenbar Bestürzung. Der Fahrer des Lastautos benutzte diesen Augenblick dazu, auf seinen Sitz zu klettern und den Wagen rückwärts zu fahren. Der Führersitz wurde augenblicklich unter Feuer genommen. Als Antwort kam eine Salve von drüben. Der Fahrer arbeitete in seiner Angst wie ein Rasender und brachte das Auto glücklich weg.

„Es ist gut", sagte Rory, „wir können etwas ausruhen. Jetzt machen sie das gleiche Manöver auf unserer Straßenseite, und wir müssen Slaney die Arbeit überlassen. Diesmal kämpfen wir gegen einen guten Kopf, mein Junge. Die Leute bekommen alle Deckung. Sicher haben sie reichlich Munition und können uns von beiden Seiten der Straße den ganzen Tag unter Feuer halten."

Sie warteten eine ganze Weile. Auf der Straße war es wieder so still wie im Morgengrauen, nur selten fiel ein Schuß, der aufs Geratewohl gegen Rorys Haus abgefeuert wurde. Dann begann der Motor wieder zu rattern, aber dieses Mal überraschte es sie nicht. Aus Slaneys Haus knallten sechs Schüsse. Rory und Mulligan sahen durch ihren Spalt den Fahrer über dem Steuer zusammenbrechen. Das Auto schleuderte ziellos gegen eine Hauswand und kam zum Stehen.

„Nun kann der gute Kopf da drüben sich etwas Neues ausdenken", schmunzelte Mulligan. „Heilige Mutter Gottes! Nun hört euch das an!"

„Da ist es schon", sagte Rory finster.

Auf der Straße begann ein Maschinengewehr zu knattern. Slaneys Haus wurde beschossen. Das Maschinengewehr bestreute es vom Erdgeschoß bis zum Giebel. Niemand wagte sich an die Fenster. Im gleichen Augenblick hörten sie, wie die Haustür neben der Krämerei zertrümmert wurde. Das schreckliche Hämmern des Maschinengewehrs schwieg, und in der Stille hörte Rory in dem Zimmer jenseits der Mauer die schweren Schritte der Soldaten.

„Das ist einfacher", sagte Mulligan niedergeschlagen. „Warum hat er es nicht mit uns so gemacht? So geht es doch viel leichter als das ganze Manöver mit dem Lastauto."

„Weil er begriffen hat, was ich euch immer einzuhämmern versuche: keine Munition zu verschwenden, wenn man auf andere Weise zum Ziel kommt. Wer den letzten Schuß hat, gewinnt."

„Und, was zum Teufel, sollen wir jetzt mit unseren Kugeln anfangen?" fragte Mulligan. „Wir können doch nicht bis zum St.-Patricks-Tag sitzen bleiben und uns über die Straße von Ballybar hinweg ansehen."

„Tu dasselbe wie ich", fuhr Rory ihn an. „Beobachte die Fenster drüben und schieß, sobald sich dort etwas regt. Nimm das untere Fenster, ich nehme das obere."

„Da werden wir nicht viel zu sehen bekommen. Die wollen jetzt erst mal essen. Ich kann ..."

Mulligan fuhr herum und sah Maggie schmerzlich überrascht an. Es kam so plötzlich und drollig, daß sie gerade auflachen wollte, als sie ein rotes Loch mitten in seiner

Stirn gewahrte. Die Knie brachen unter ihm, und sein Gewehr krachte zu Boden. Im gleichen Augenblick schoß Rory. „Den habe ich“, sagte er düster, dann wies er auf Mulligan. „Hier kann er nicht bleiben.“ Sie trugen ihn ins Hinterzimmer. Rory nahm Mulligans Gewehr vom Boden und legte es behutsam auf den Tisch. Er sah nach der Armbanduhr. „Mach den Jungens Tee“, sagte er. „Es ist Mittag.“

Maggie brachte den Tee nach oben. Als sie herunterkam, fing sie an, im Schrank zu stöbern. „Was machst du da?“ fragte Rory unwillig. „Lade die Gewehre!“

„Ich suche Verbandzeug. Somers ist durch das rechte Handgelenk geschossen worden. Sie wollten es dir nicht sagen. Ich fürchte, er nutzt uns nichts mehr.“

„Wenn er uns nicht mehr nutzt, laß ihn. Du mußt denen helfen, die noch von Nutzen sind. Lade die Gewehre!“

Maggie lud. „Jetzt knie nieder, wo Mulligan gekniet hat, und schieß auf jeden, den du siehst!“

Maggie kniete nieder und schoß und sah einen Mann halb aus dem Fenster herausfallen.

So nahm der Kampf seinen Fortgang. Jede Seite war auf ihrer Hut. Unregelmäßig und in langen Abständen krachten die Gewehre. Um drei Uhr polterte jemand auf der Treppe.

„Clancy ist tot.“

Rory fuhr herum. „Zum Donnerwetter, was hast du dann hier zu suchen? Wenn Clancy tot ist und Somers kampfunfähig, bist du ja da oben allein übrig. Geh hinauf, und wenn du etwas zu melden hast, laß es durch Somers melden.“ Er ging zurück an sein Fenster und spähte von neuem durch den Spalt zwischen den Matratzen, die nach der Schießerei des Tages wie Schießscheiben durchlöchert waren.

„Hast du gemerkt, was drüben vorgeht?“ knurrte er.

„Ja. Schon lange.“

Aus Slaneys Haus wurde nur noch aus einem Fenster geschossen, und das langsam und unregelmäßig. „Nur noch ein Gewehr scheint's“, sagte Rory verbissen. „Wir sind verdammt weniger geworden.“

Es wurde später. Einmal konnte Rory das Gesicht des letzten Mannes drüben erkennen. Es war Slaney. Mit verbundenem Kopf schoß er stetig und ohne Hast weiter.

Gegen drei Uhr kam aus einer anderen Richtung Feuer. Rory, verrußt und mit roten Augen, legte das Gewehr hin.

„Hörst du? Sie sind hinter Slaneys Haus. Jetzt werden sie versuchen, ihn zu stürmen.“

Auf Rorys Straßenseite war es still geworden. Barney Day, der das Zimmer oben besetzt hielt, hörte auf zu feuern, weil auch er den Ausgang des Angriffs auf Slaney abwarten wollte. Es kam schnell. Ein-, zwei-, dreimal krachte es über die Straße. „Das waren die Handgranaten“, sagte Rory für sich. Dann war auf Slaneys Straßenseite nichts mehr zu hören. Bei der letzten Explosion fielen die Matratzen aus dem oberen Fenster auf die Straße herab. Kein Gesicht erschien dahinter.

Rory rief die Treppe hinauf, und Barney Day kam heruntergelaufen. Er war in Hemdsärmeln. Ein Ärmel war rot.

„Verwundet?“ fragte Rory.

„Ach, nur ’n Flohstich. Ich kann schießen.“

„Jetzt sind nur noch du, Maggie und ich übrig. Wie geht es Somers?“

„Schlecht. Er stöhnt.“

„Wir halten aus, bis es dunkel wird. Dann schleichst du über die Felder davon und nimmst Somers mit. Wie haben wir uns gehalten?“

„Nicht schlecht. Was wir bekommen haben, haben wir auch zurückgegeben.“

„Das finde ich auch. Das freut mich. Geh jetzt wieder hinauf.“ Day wandte sich zur Treppe. Rory winkte ihn zurück und streckte ihm die Hand hin. „Also, Barney – falls ...“

„Leb wohl, Rory. Wenn es dunkel wird, sorgt also jeder für sich?“

„Jawohl. Leb wohl. Du hast dich gut gehalten.“

Etwa zehn Sekunden später bekam Barney einen Schuß ins Herz, und als das Tageslicht erlosch, wurde Rory am Bein verwundet.

Stöhnend brach er zusammen. Eine Kniescheibe war zerschmettert.

Maggie kniete neben ihm. „Sag Somers, er soll gehen. Sie können jeden Augenblick hier einbrechen.“

Im kleinen Garten hinter dem Laden stand ein dichtes Lorbeergebüsch. Somers kam bleich und leise stöhnend die Treppe herunter und hielt sich die gebrochene Hand. Vorsichtig öffnete Maggie die Hintertür, und er taumelte hinaus in die dunklen Sträucher. Es war eine schwarze sternenlose Nacht, und der Himmel war bewölkt. Die

Finsternis hatte den Mann sofort verschlungen. Sie gaben ihm ein paar Minuten Vorsprung, dann folgten sie, Maggie vornübergebeugt und Rory die Hände um ihren Hals. Halb schleppte, halb zerrte sie ihn weiter. Die sechs Schritt zwischen Tür und Gebüsch wollten kein Ende nehmen. Sie kannte den gewundenen Pfad zwischen den Sträuchern und keuchte vorwärts bis zu der Stelle, wo er in einen Graben einmündete. Jenseits des Grabens stieg ein Acker an. Der Graben selber führte zwischen unregelmäßigen Hecken, die parallel zur Dorfstraße liefen, nach links.

Maggie schwankte und taumelte zwischen den Büschen entlang. Rory biß sich in die Lippen, damit er nicht aufschreie, wenn sein wundes Bein, das schlaff herunterhing, hin und her schlug.

Sie erreichten den Graben. „Um Gottes willen, Liebling – du erwürgst mich." Sacht ließ sie ihn zu Boden gleiten, bis er auf seinem gesunden Bein stand. Sie schöpfte rasch und tief Atem: „Wohin wollen wir?" fragte sie.

„In die Scheune. Wirst du es schaffen?"

„Schaffen? O Gott! Wir müssen! Wir müssen!"

Er hängte sich wieder über ihren Rücken, und sie taumelte vorwärts. Ein Schatten, um einen Ton dunkler als die Nacht, stieg vor ihnen aus der Erde.

„Um der Heiligen Jungfrau willen, schieß nicht! Ich bin es ... Ken Conroy!"

Maggie atmete auf. „Er ist verwundet, Ken. Er kann nicht gehen. Wir müssen ihn in die Scheune bringen."

Jetzt ging es etwas leichter. Rory legte einen Arm um jeden und schleppte sich auf seinem einen Bein weiter. Er war nicht groß, aber schwer, und Conroy war ein schmächtiges Kerlchen, der zierliche Akrobat, der im Eimer in den Brunnen herabgelassen wurde. Sie brauchten lange zu ihrem qualvollen Weg, das Herz hämmerte ihnen bis zum Hals, wenn sie nach rückwärts auf ihre Verfolger horchten. Einen Augenblick blieben sie wie angewurzelt stehen und schwitzten vor Angst. Hinter ihnen knackte ein Zweig, und eine halbe Minute standen sie mit bebenden Nerven und warteten auf den Aufschlag einer Kugel. Dann gingen sie weiter – schlurf-hopp, schlurf-hopp –, aber die Angst vor den Schritten, die sie hinter sich zu hören glaubten, ließ sie nicht wieder los.

So ging es durch den Graben, hinter den leeren, blinden Häusern entlang, bis sie am Ende der Straße hinter dem Hause des Pfarrers am Kreuzweg ankamen. Ohne Totenwacht und Kerzen lagen die Leichen Pater Farrells und des jungen O'Gwyers noch dort, der, weil er Mary Clarke wiedersehen mußte, diesen ganzen Jammer über sie gebracht hatte.

Vom Ende des Grabens ging es über glattes Schiefergeröll auf die Landstraße, und Rory stöhnte auf, als er den entsetzlichen Anstieg ins Auge faßte. Maggie nahm ihn wieder auf den Rücken. Conroy ging dahinter und stützte Maggie, damit sie unter dem Gewicht nicht stolpere oder ausgleite. So kamen sie auf die Landstraße und blieben stehen, um Atem zu schöpfen und zu horchen. In der weiten Nacht um sie war nichts zu hören als ein paar Fledermäuse, die ziellos durch das unheilschwangere Dunkel huschten.

Sie gingen schräg über die Straßenkreuzung – schlurf-hopp, schlurf-hopp –, jeder Schritt ein bohrender Schmerz, und kamen durch ein lose eingehängtes Gatter auf den großen Acker, in dessen äußerstem Winkel die große Scheune aufragte. So nahe am Ziel, versuchten sie schneller vorwärts zu kommen. Rory stieß das Bein nach vorn und trieb sie dumpf zur Eile an. Als sie in die große stockfinstere Tenne eintraten, ruhten sie wieder ein Weilchen und atmeten tief auf vor Freude, wie Schiffbrüchige, die nach tödlicher Irrfahrt endlich Land erblickten.

Drinnen konnte man buchstäblich nicht die Hand vor Augen sehen. Aber sie kannten jeden Zoll des unebenen Bodens und gingen in die Ecke hinüber, wo die Leiter auf den Heuboden führte. Rory konnte allein hinauf, indem er sich mit beiden Händen festhielt und das gesunde Bein ansetzte, aber jede Sprosse kostete Qualen, wenn das schlaff hängende Bein die Leiter entlangschleifte. Oben blieb er halb ohnmächtig liegen. Conroy ging vorsichtig voran, um die losen Bretter offenzuhalten, und Maggie schleppte Rory hinein.

Sie hatten ihre Zufluchtsstätte erreicht und wagten, mit ihrer abgedunkelten Taschenlampe etwas Licht zu machen. Sie legten Rory auf einen Strohsack und gaben ihm Branntwein zu trinken. Dann schnitt Maggie das Hosenbein ab und ging zu dem Kasten, in dem sie Verbandzeug und Schienen verwahrte.

„Mein Gott, keine einzige Schiene mehr!" stöhnte sie, als der schwache Lichtschimmer in den Kasten fiel, auf den sie stolz war. Alles war vorhanden, alles, was sie brauchte, nur kein flaches Holzbrett. Bestürzt starrten Conroy und sie in den Kasten.

„Wir sollten den Kasten auseinanderbrechen", sagte er.
„Das Holz ist zu fest. Wir dürfen keinen Lärm machen."
„Hör, Maggie, unten hinter der Tür liegen ein paar Bretter von einer Packkiste. Ich habe sie selbst dort verstaut in der Absicht, sie eines Tages abzuhobeln."
„Gib acht auf ihn", sagte Maggie, „er darf sich nicht ein bißchen rühren. Ich bin gleich wieder hier."
Maggie hielt inne und sah sich verwundert um, als käme ihr zum erstenmal bei all diesen Schrecknissen, von denen sie berichtete, das Bewußtsein der schönen Umwelt. Wir saßen auf der Bank im Richmond-Park, und vor uns schritt das Wild behutsam über den Rasen, in dem sich das erste helle Grün des Frühlings zeigte. „Ich muß weitererzählen", sagte sie. „Es wird Ihnen weh tun." Ich nickte, und sie fuhr fort:
„Als ich auf die Tenne hinunterkam, hatte ich Angst. Ich hatte die kleine Taschenlampe bei mir, und die Schatten, die das schwache Licht warf, ängstigten mich mehr als die pechschwarze Finsternis. Ich hatte das Gefühl, daß mir jemand folgte, und so war es. Plötzlich sagte eine Stimme: ‚Ihr wart zu dritt! Wo sind die anderen?'
Ich stand still und rührte mich nicht. Er sagte: ‚Keine Bewegung! Nicht umdrehen! Du brauchst mich nicht zu sehen.' Dann nahm er mir die Taschenlampe aus der Hand und steckte sie in ein Heubündel. ‚Ausgezeichnet', sagte er, ‚nun kann ich dich sehen, und ich bleibe selbst unsichtbar wie schon die ganze Zeit über, seit ihr aus dem Haus gegangen seid. Wo sind die anderen?'
Er hatte eine schöne Stimme. Er sprach ganz leise und einschmeichelnd, so daß er mir fast eine Antwort entlockt hätte.
‚Wir sind auch dem anderen nachgegangen, dem mit der gebrochenen Hand. Wir wollten doch keinen von den wackeren Kämpen aus den Augen verlieren. Für etwa ein Dutzend Tote müssen wir einstehen, ganz zu schweigen von denen, die gestern mit dem Lastauto in die Luft gesprengt worden sind. Sag, wo sind die anderen?'
Ich sagte kein Wort. Ich fühlte es förmlich, wie er dort hinter mir im Dunkeln die Schultern zuckte und lächelte. ‚Nein?' fragte er. ‚Keine Auskunft? Hör, mein Kind, ich habe hier das Kommando, ich fühle mich verantwortlich für all das, was heute geschehen ist, verstehst du? Ich werde sie wohl suchen müssen, so leid es mir tut. Also, wo sind sie?'

Diesmal streckte er den Arm neben mir vor, und ich sah, daß er einen Revolver in der Hand hatte. Dann zog er ihn wieder zurück, und wieder war nur seine Stimme da, eine ganz andere Stimme, als ich erwartet hatte ... weich und voller Wohllaut.

‚Du', sagte er schließlich, ‚wenn du nicht bald den Mund auftust, dann gebe ich dir mein Wort als Essex ...'

Da wußte ich es. Die ganze Zeit, wo er sprach, kam mir die Stimme aus dem Dunkeln wie aus der Dunkelheit längst vergangener Jahre, und doch konnte ich sie nicht erkennen. Jetzt, wo er den Namen sagte, war mir alles klar. Ich dachte an jenen Abend, wo wir alle miteinander sangen, wo der tolle alte Kapitän zu uns kam und wir in sein Kirchenlied einstimmten, ich dachte an das Schwimmen, ans Segeln und Fischen und wie Oliver und Rory sich liebgehabt hatten. Das Herz wollte mir brechen vor Freude. Nun wußte ich ja, ich brauchte mich nur umzudrehen und in das vertraute Gesicht zu sehen und zu sagen: ‚Aber Oliver, es ist ja Rory! Er ist oben. Ihm willst du doch nichts tun!'

Da drehte ich mich um, und er sagte: ‚So, so, neugierig? Nun, hier bin ich!' Und er ließ sich seine eigene Taschenlampe voll ins Gesicht scheinen. Mein Gott, das war nicht das Gesicht, das ich kannte! Kalt und grausam war dies Gesicht, die Augen lächelten grauenhaft aus den Narben hervor, und um den Mund waren Narben, die die Lippen zu einem Grinsen verzerrten. Mein Herz blieb stehen, Furcht überfiel mich, und ich schrie auf. Und so habe ich Rory verraten.

Dann war alles still. Er zuckte die Schultern und sagte: ‚Nun werden sie wohl herauskommen.' Er erkannte mich nicht. Ich sah, daß er mich nicht erkannte.

Es blieb mir nichts anderes übrig als zu warten. Er hatte die Lampe ausgeschaltet. Auf dem Boden über mir hörte ich es kriechen und schleichen. Er hörte es auch. So ging es lange fort, bis ich wußte, daß Rory an der Luke oben an der Leiter angekommen war. Plötzlich flammte dort oben eine große Taschenlampe auf und suchte die Tenne nach uns ab. Conroy hielt sie, damit Rory schießen könne. Als der Schuß fiel, schrie ich von neuem und hörte mich selber nicht, so dröhnten mir die Ohren von dem Knall. Oliver hatte über meinen Kopf weg geschossen. Rory glitt vornüber mit ausgebreiteten Armen die Leiter herunter, das verwundete Bein knickte unter ihm zusammen, als er unten lag. Conroy sah von oben zu. Er hatte keinen Revolver.

Zuerst nahm Oliver Rory den Revolver aus der Hand und steckte ihn ein. Dann drehte er ihn herum auf den Rücken. Er hat ihn auf der Stelle erkannt. Sein eigener Revolver fiel ihm aus der Hand. Die Narben waren auf einmal wie mit einem Schwamm abgewaschen und nicht mehr da, so weich und jung und sanft sah er aus. Aber dann kamen sie wieder, so viel konnte nicht ausgelöscht werden. ‚Maggie Donnelly?' fragte er.

‚Maggie O'Riorden.'

‚Herr, du mein Gott', sagte er, ‚Herr, du mein Gott!' und lief aus der Scheune.

Dann kam Conroy die Leiter herunter. Einen Augenblick blieb er stehen und schaute mit Tränen in den Augen auf Rory herunter. Dann drehte er sich um und schlug mir auf den Mund. ‚Du Weibsbild!' sagte er, spuckte in das Stroh zu meinen Füßen und taumelte hinaus in die Finsternis. Ich weiß, was er meinte. Er glaubte, ich sei gefoltert worden, damit ich Rorys Aufenthalt verriete, und es habe mir an Tapferkeit gefehlt, und statt den Mund zu halten, hätte ich geschrien und damit Rory in den Tod gelockt. Aber so war es nicht. Es war Olivers Gesicht." –

Sie fing zu weinen an. Ich tröstete sie, so gut ich es vermochte. Wir standen auf und gingen ein paar Schritte.

Sie war die ganze Nacht in der Scheune geblieben. An einen Heuhaufen gelehnt, hatte sie mit Rorys Kopf in ihrem Schoß dagesessen und ihm das Haar gestreichelt. Sein Gesicht war nicht verletzt. Als der Morgen graute, sah sie durch die Risse in der Scheunenwand rotes flakkerndes Licht. Da ging sie hinaus und lief über den Acker, den sie vor kurzem unter so vielen Schmerzen durchschritten hatten. Das halbe Dorf brannte. Mächtige Rauchwolken wallten in rötlicher Glut zum Himmel, ganze Salven sprühender Funken schossen aus den Trümmern von Ballybar in die Finsternis empor. Sie stand an der Straßenkreuzung und sah dem höllischen Schauspiel zu, bis die Flammen vor dem Tageslicht erblaßten, das im Osten heraufdämmerte. Dann hörte sie Marschtritte auf der Straße. Sie kroch hinter die Hecke, und was von der fliegenden Polizeikolonne übriggeblieben war, zog im Tagesgrauen langsam an ihr vorüber, Oliver an der Spitze. Plötzlich fing einer von den Soldaten zu singen an. Wütend drehte sich Oliver nach ihm um. „Maul halten!" sagte er.

Der Mann widersprach. „Darf man denn nicht mehr singen?“

„Da verzerrte sich Olivers Gesicht vor Wut“, sagte Maggie. Er hatte einen schweren Knüppel in der Hand, damit schlug er den Mann auf den Kopf, bis er taumelte und stürzte. Die anderen umringten ihn murrend. Oliver zog seinen Revolver, ließ die Leute antreten und abmarschieren. Er ging als letzter, die Waffe in der Hand. Maggie schaute ihnen nach, bis sie die Straße hinab verschwanden, die im grauen Licht der ersten Morgendämmerung gerade sichtbar geworden war. Dann ging sie weiter nach Ballybar.

„Sehen Sie“, sagte sie, „Frau O'Riorden begreift ja nicht, wie es war. Sie sagt, sie wäre gern bei dem Begräbnis dabeigewesen, als wäre das mit schönen Kränzen und Gesang vor sich gegangen. Sie wissen nun, wie es in Wirklichkeit gewesen ist. Aber das kann ich ihr doch nicht sagen, nicht wahr?“

„Nein, mein Kind“, sagte ich und blickte ihr in das junge ernste Gesicht mit den grauen Augen. „Nach meiner Ansicht war es klug und tapfer von Ihnen, es auf sich beruhen zu lassen.“

„Wenn ich davon erzählt hätte“, sagte sie, „wäre es sehr schwierig gewesen, Olivers Namen nicht zu nennen. Und das wollte ich nicht. Rory hatte Sie sehr lieb, und als Kind hat er Oliver über alles geliebt. Er hätte es nicht gewollt. Es gibt Leid genug in der Welt, wie sollte ich da noch Freunde entzweien?“

Da weinte ich, wie ich noch nie geweint hatte und nie wieder weinen werde. Es waren Tränen bitterster Not über das Unrecht, das geschehen war, über Rory, der fern und allen Tränen unerreichbar in der zugigen Scheune lag, über Oliver, der seinem wilden Schmerz auf dem hoffnungslosen Marsch im Morgengrauen Luft machte, und Tränen der Scham vor der Weisheit und Festigkeit der jungen Frau an meiner Seite. Sie schwieg, während wir weitergingen, und war verlegen, als sie mich so verzweifelt weinen hörte, und sah mir hin und wieder scheu ins Gesicht.

„Sie sind zu gut, allzu gut“, brachte ich schließlich über die Lippen. „Wie kommen Sie dazu, mich schonen zu wollen?“

„Gut?“ fragte sie. „Nein, ich bin nicht gut. Ich versuche nur, vernünftig zu sein, weiter nichts. Sind Sie denn nicht auch traurig und einsam wie wir? Nun also.“

Eine Weile gingen wir schweigend dahin, dann fragte ich sie: „Was wollen Sie nun tun?“

„Tun?“ fragte sie überrascht. „Ich muß doch zurück!“
„Müssen Sie wirklich?“
„Ja, gewiß. Noch ein paar Tage, dann bin ich kräftig genug. Da ist noch viel zu tun.“
An Eileens Gartenpforte trennte ich mich von ihr.
Sie schrieb mir, als sie wieder in Irland war, und teilte mir mit, Rory sei in Ballybar begraben worden. Sie selbst ginge nun nach Dublin, um unbekannte Aufgaben zu übernehmen. Von Zeit zu Zeit bekam ich einen Brief von ihr, aber nie stand etwas über ihre Tätigkeit darin. Als dann der Vertrag mit Irland im Januar 1922 unterzeichnet wurde, schrieb sie mir tief erbittert. Sie war unversöhnlich. Mit Charles Burgess, de Valera und Mary MacSwiney wandte sie sich von den alten Kameraden aus den langen, blutigen Kämpfen ab. Da nannte sie zum ersten- und zum letztenmal Rorys Namen. „Wenn Rory noch lebte, so wäre sein Gewehr jetzt auf Michael Collins gerichtet.“
Sie war noch in Dublin, und ich weiß nicht, warum ich hinüberfuhr und sie dort besuchte. Täglich kam sie mit finsteren, revolutionären Frauen zusammen und schwelgte in Verzweiflungsausbrüchen. Das führte bald zu neuen Spaltungen im Lande, und wieder stieß der Bruder dem Bruder das Messer in die alten Wunden. Als das vorüber war, fuhr sie nach Amerika, und weder Dermot noch ich haben je wieder von Rorys Witwe gehört.
Nach meinem letzten kurzen Besuch bei ihr in Dublin fuhr ich tief unglücklich nach Holyhead zurück. Irland und die Iren, die irische Sache, die irischen Patrioten hatten mich seit jenem längst vergangenen Tag, da Dermot sich in seinem Schlafzimmer in Ancoats vor dem Andenken der Märtyrer von Manchester in Ehrfurcht geneigt hatte, immer wieder heimgesucht. Ich war froh, als die Küste meinen Blicken entschwand.
In Holyhead kamen vier schneidige Lumpenhunde zu mir ins Abteil und spielten um hohe Einsätze Karten. Ihre Stimmen hatten einen schrillen, nervösen Klang, die Augen blickten wach und doch verstohlen.
In Chester sagte einer von ihnen: „Der Hauptmann muß hier nach Manchester umsteigen. Wir steigen lieber aus und verabschieden uns.“
Sie stolperten auf den Bahnsteig hinunter, auch ich stieg aus, um die steifen Beine zu bewegen. Von den hinteren Wagen her kam eine Gruppe von Männern, an der Spitze einer, dessen Gesicht mir bekannt vorkam. Die beiden

Gruppen traten zueinander, man begrüßte sich geräuschvoll und überschwenglich, lachte nervös und klopfte sich auf den Rücken.

Dann stieg ich mit meinen vier Reisegefährten wieder ein. Das Fenster war offen. Der Hauptmann und seine Begleiter versammelten sich davor. Der Zug setzte sich in Bewegung. „Also, Jungens", rief der Hauptmann noch herauf, „denkt an den Wahlspruch: Keine Arbeit, solange man Banken räubern kann!"

Er schwenkte den Filzhut, da fiel mir Hauptmann Dennis Newbiggin wieder ein. Das Hutband war mit einer bunten Feder geschmückt.

„Seid ihr denn nun endlich entlassen?" fragte ich meine Reisegefährten.

Niemand antwortete. Mißtrauisch sahen sie mich von der Seite an, mischten die Karten und spielten um hohe Summen weiter.

35

„Hoher Gerichtshof – meine Herren Geschworenen! Ich habe die Ehre, Ihnen folgenden Tatbestand zu unterbreiten. Am ersten Montag im vergangenen Dezember ging Percy Lupton, ein junger Mann von siebenundzwanzig Jahren, wohnhaft im Stadtteil Broughton zu Manchester, an seine Arbeitsstätte. Der junge Mensch hatte bisher nicht viel Glück im Leben gehabt. Durch eine Gasvergiftung, die er aus dem Krieg mit heimgebracht hatte, war er nicht voll arbeitsfähig. Infolgedessen konnte er nach seiner Entlassung aus dem Heer lange Zeit keine feste Arbeit finden. Aber schließlich wendete sich sein Geschick – zum Schlechteren, wie wir hören werden. Er bekam eine Stellung, die von Dauer zu sein schien. Die besondere Tragik des vorliegenden Falles liegt darin, daß sich Lupton auf diese Aussicht hin verheiratete. Er hatte sich einen kurzen Hochzeitsurlaub geben lassen – nur ein Wochenende –, und an jenem ersten Montag im Dezember ging er zum erstenmal als ein Mann, der Arbeit, Hoffnung und einen Lebenszweck hatte, von Hause fort. Die letzten Worte, die seine junge Frau beim Abschied zu ihm sprach – es waren die letzten, die sie überhaupt zu ihm sprechen sollte – waren: ‚Nimm dich vor dem Nebel in acht. Du kannst dir den Tod holen.' Worte, die uns jetzt nachträglich wie eine grauenhafte Ahnung und Voraussage erscheinen.

Lupton hatte folgende Stellung. Sein Onkel war ein Bauunternehmer, der ziemlich viele Grundstücke besaß. Im Bauhof befand sich ein kleines Büro, und hier hatte Lupton die Aufträge für das Baumaterial auszufertigen, die Klagen der Mieter über notwendige Reparaturen anzuhören und sie nachzuprüfen, mit einem Wort: er erledigte alle Verwaltungsarbeiten der Firma. Jeden Montagnachmittag hatte er seine Tour, um die Miete in den Häusern seines Onkels einzusammeln. Außer ihm arbeitete niemand im Büro, es war eine Arbeit, die von einem Mann geleistet werden konnte.

Aus den Zeugenaussagen werden Sie ersehen, daß Lupton gesehen wurde, wie er kurz nach neun Uhr morgens ins Büro kam. Die Männer, die auf dem Bauhof zu tun hatten, sahen ihn den ganzen Morgen und haben auch zum Teil mit ihm gesprochen. Er hat im Büro zu Mittag gegessen, und nach zwei Uhr hat er sich dann mit seiner kleinen schwarzen Tasche auf die Runde gemacht.

Sein Tun und Lassen läßt sich fast bis zur Stunde seines Todes nachweisen. Sie werden von den Häusern erfahren, die er besucht hat, und hören, wieviel Geld er bis zum Ende des Nachmittags in seiner Tasche hatte.

Sie werden erfahren, daß Oliver Essex, der unter der Anklage des Mordes an Percy Lupton hier vor Ihnen steht, in einem der Häuser wohnte, wo Lupton die Miete einsammelte, und daß er wußte, daß die Miete am Montag eingesammelt wurde, weil ihm seine Wirtin, Frau Newbiggin, einmal die Miete für den Verwalter dagelassen hatte. Frau Newbiggin wird Ihnen berichten, wie sie damals unerwartet früh nach Hause gekommen und Zeugin eines Gesprächs zwischen Essex und dem Verwalter geworden sei. Essex sagte zu dem Vorgänger des ermordeten Lupton im Scherz, seine Tasche sei ganz rundlich und eines kühnen Griffes wert. Der Verwalter erwiderte, den möchte er sehen, der diesen kühnen Griff bei ihm versuchen würde. Und Essex antwortete: ‚Nun, davon verstehe ich einiges.‘ Aus dem Beweismaterial wird sich ferner ergeben, daß Essex seit langem arbeitslos war und bei seiner Wirtin und vielen Ladeninhabern und Handwerkern Schulden gemacht hatte. Einer davon, ein Schneider, dem er fünfzehn Pfund schuldete, hatte ihn in der Woche vor der Ermordung Percy Luptons gemahnt. Er wird Ihnen bestätigen, daß Essex ihm antwortete: ‚Seien Sie unbesorgt, Sie bekommen Ihr Geld schon, und wenn einer daran glauben muß.‘

Wir kommen nun auf das Verhalten Percy Luptons an jenem verhängnisvollen Tag zurück. Beim Verlassen des letzten Hauses, das er zu besuchen hatte, traf er zufällig einen alten Kriegskameraden, Henry Sugden. Es war sechs Uhr, der Nebel war dichter geworden, und Sugden wird Ihnen berichten, daß er Lupton ein Stück begleitet und dieser ihm dabei erzählt habe, wie froh er sei, endlich feste Arbeit gefunden zu haben und sich ein eigenes Heim gründen zu können. Sugden begleitete ihn bis zum Bahnhof, wo Luptons Büro lag. Lupton nahm den Schlüssel, schloß die Bürotür auf und blieb noch einen Augenblick im Gespräch mit Sugden stehen. Er sagte: ‚Warte nicht auf mich, Henry. Es kann zehn Minuten dauern. Ich muß noch die Einnahmen in die Bücher eintragen und das Geld in den Geldschrank schließen.' Sugden verabschiedete sich, und danach ist Percy Lupton nicht mehr lebend gesehen worden.

Sugden kann Ihnen genau sagen, wann er sich von dem Ermordeten getrennt hat, weil er auf die Armbanduhr sah, als Lupton ihn bat, nicht auf ihn zu warten. Er entsinnt sich auch seiner Antwort: ‚Nein, ich muß weiter. Es ist zwanzig nach sechs.'

Durch Zufall haben wir auch für wenige Minuten später einen Zeugen. Ein junger Kellner namens Daniel Kassassian hatte sich mit seiner Braut, einem Dienstmädchen, um sechs Uhr dreißig an der Straßenecke verabredet, etwa dreißig Meter schräg gegenüber von Luptons Büro. Als Kassassian an die Ecke kam, sah er nach der Uhr, um festzustellen, ob er pünktlich sei. Er wird Ihnen sagen, daß er genau sechs Uhr dreißig dort war und im gleichen Augenblick einen furchtbaren Schrei gehört hat.

Hoher Gerichtshof! Meine Herren Geschworenen! Was sich zwischen sechs Uhr zwanzig und sechs Uhr dreißig, als Kassassian über die Straße lief, in dem kleinen Büro zugetragen hat, wird das Gericht auf Grund des vorgelegten Beweismaterials zu entscheiden haben. Die Staatsanwaltschaft behauptet, daß Oliver Essex in diesen verhängnisvollen zehn Minuten Percy Lupton ermordet hat.

Daniel Kassassian wird Ihnen folgendes aussagen. Der Nebel war so dick, daß er nichts sehen konnte. Er stürzte in Richtung des Schreies über die Straße und stieß auf dem Fußsteig vor dem Büro mit einem Mann zusammen, der aller Wahrscheinlichkeit nach – Kassassian kann es nicht beschwören – aus dem Büro kam. Beide rannten und stießen so heftig zusammen, daß der Mann seinen Hut, einen schwarzen Filzhut, verlor. Kassassian blieb stehen und hob den Hut auf, der Mann riß ihn so gewaltsam an sich, daß dem Kassassian, wie er sagt, irgend etwas nicht zu stimmen schien. Dann fiel ihm auf, daß der Mann ein schwarzes Tuch um das Gesicht gebunden hatte, und zwar bis zum Nasenrücken, so daß nur die Augen frei blieben, während die untere Gesichtshälfte verhüllt war. Erschrokken hielt Kassassian den Hut mit aller Kraft fest, und es entspann sich ein Handgemenge um seinen Besitz. Die beiden rangen im schwachen Schein der Straßenlaterne miteinander, der noch durch den Nebel getrübt wurde; trotzdem konnte Kassassian eine fahle Narbe auf dem Handrücken des Mannes erkennen.

Schließlich ließ der Maskierte von ihm ab, gab ihm einen Stoß, ließ ihm den Hut und verschwand Hals über Kopf im Nebel.

Kassassian ging jetzt dem Schrei nach, auf den er herbeigestürzt war. Er lief ins Büro und fand zu seinem Entsetzen die Leiche eines Mannes vor dem offenen Geldschrank. Sie wurde später als Percy Lupton identifiziert. Man hatte ihm den Schädel eingeschlagen. Ein Richtmaß aus Ebenholz lag blutbefleckt daneben. Kassassian legte den schwarzen Filzhut, in dem sich die Initialen O. E. befanden, auf den Tisch. – Der Hutmacher wird Ihnen sagen, daß er den Hut an Oliver Essex verkauft hat. – Dann rief Kassassian die Polizei an ..."

Die graue Perücke über der regungslosen Scharlachrobe des Richters, der Staatsanwalt, der an seinem Talar zupfte, während er Masche für Masche das Netz knüpfte, die aufmerksamen Mienen der zwölf Geschworenen und die bleichen gespannten Gesichter um mich auf der Zuhörertribüne – all das verschwamm in der dunstigen Luft des Gerichtssaales vor meinen Augen, ein Alptraum, und dennoch unbestreitbare Wirklichkeit, der ich beiwohnte. Seit dem Augenblick, da Oliver schlank und aufrecht wie eine junge Pappel auf der Anklagebank erschien und die Hand mit der Narbe, die Kassassian an jenem Nebelabend im Laternenschein gesehen hatte, um das Geländer krampfte, hatte ich ihn nicht angesehen. Ich starrte auf das blutige Scharlachrot des Richters; alles andere verschwamm vage und unbestimmt wie im Glast der Sommerhitze.

Auf einmal schien mir dies alles nur ein sinnloses, phantastisches Schauspiel zu sein, das nichts mit mir und nichts mit Oliver zu tun hatte. Ich stand auf und ging mit unsicheren Schritten die Treppen hinunter und über die Steinfliesen der weiten Halle. Ein paar Polizisten standen dort; Anwälte liefen mit klappernden Absätzen umher, und die Talare flatterten wie schwarze Flügel hinter ihnen her. Als ich über die Stufen auf die schmutzige, ärmliche Straße hinuntertrat und die Menschen in dieser Wüste von Ruß und Stein, in der es nichts Grünes, nichts Anmutiges gab, an mir vorbeieilen sah, da wußte ich, daß dieses hier ein Alptraum war. Die Wirklichkeit lag jetzt dort oben hinter mir, und blindlings lief ich aus ihrer qualvoll-unerträglichen Nähe fort, und mein Herz schrie: O Oliver, mein Sohn, mein Sohn!

Er hatte soviel zerstört, was ich geliebt hatte: Livia Vaynol, Maeve, Rory und Maggie. Aber er hatte wieder „Vater“ zu mir gesagt und nicht mehr so kalt mit mir gesprochen wie damals, als das Eis zwischen unseren Herzen lag. Warum sollte ich da drinnen bleiben und Worte, nichts als Worte, mit anhören, während ich doch besser als alle anderen wußte, was geschehen war? Er hatte es mir selbst erzählt, und darin lag, Gott helfe mir, etwas wie Trost.

Er war in den Nebel hinausgestürzt, und im Laufen schrie eine Stimme in ihm: Du hast ihnen deinen Hut gelassen, du Narr, du hast ihnen deinen Hut gelassen! – Selbst wenn er damals schon genau gewußt hätte, daß ihn der Hut ans Messer liefern würde, der Trieb, davonzulaufen, wäre doch stärker in ihm gewesen als die nüchterne Überlegung, wieder umzukehren. „Ich hatte so viele umgebracht“, sagte er mit brutaler Offenheit. „Sie haben mir ihre Anerkennung ausgesprochen, mich befördert und mir Orden dafür verliehen, aber laß dir von niemandem erzählen, es sei gleich, ob es nun im Krieg oder im Frieden geschehe. Drei Sekunden, nachdem ich diesen Mann erschlagen hatte, kannte ich den Unterschied. Ich wußte, ich hatte einen zuviel umgebracht.“

In panischer Angst hetzte er davon. Es war niemand bei ihm zu Hause. Dennis Newbiggin war mit seiner Mutter zur Nachmittagsvorstellung ins Varieté gegangen. Um sich zu beruhigen, nahm er ein heißes Bad und wechselte die Kleider; er wollte nicht verwirrt und ungepflegt aussehen. Er tat alles wohlüberlegt. Frisch verließ er das Haus in einem Überzieher statt des Regenmantels, mit einem neuen Hut, blanken Schuhen und einigen Kleidern im kleinen Handkoffer. Er besaß jetzt eine stattliche Summe Geldes. Es war nach neun, als er zu Fuß in die Stadt ging. Er hatte auch an die verräterische Narbe gedacht und Handschuhe angezogen. Den Hut hatte er wie gewöhnlich heruntergeklappt, um die Narben über seinen Augen zu verdecken.

Um seine Nerven auf die Probe zu stellen, ging er an dem Bauhof vorbei. Im Büro brannte Licht. Ein paar Leute befanden sich drinnen, darunter ein Polizist, ein anderer stand vor der Tür. Auf der Straße hatte sich eine Gruppe Neugieriger angesammelt. Er mischte sich einen Augenblick unter die Leute und fragte, was vorgefallen sei. Dann ging er weiter, ohne Angst und ohne Hast, er hatte sich völlig in der Gewalt.

In einem Hotel aß er zu Abend und dehnte es so lange wie möglich aus; dann nahm er eine Schlafwagenkarte für den Nachtzug nach London. Der Schlafwagenschaffner, der ihn am Morgen weckte, brachte ihm mit dem Frühstück eine Zeitung. Sie berichtete von der Ermordung Percy Luptons, die jedoch offenbar noch keine besondere Erregung hervorgerufen hatte. Kassassians Kampf mit dem maskierten Mann wurde geschildert, und wörtlich hieß es: „Die Polizei hofft, mit Hilfe der Initialen O. E. im Hutfutter den Mann ausfindig zu machen!" Nun, er war jetzt in London, und in der Großstadt würde O. E. nicht so leicht zu ermitteln sein.

Allmählich wurde er sich klar darüber, was jetzt geschehen mußte. Er fuhr in einem Taxi zum Paddington-Bahnhof, wo er seinen Handkoffer zur Aufbewahrung abgeben wollte. Plötzlich überfiel ihn von neuem die Angst. Auf dem Handkoffer standen offen vor aller Augen die Initialen O. E. Das sind die Kleinigkeiten, die man immer übersieht! Da fährt man sein eigenes Todesurteil im Taxi spazieren!

Im Paddington-Bahnhof gab er deshalb seinen Handkoffer nicht bei der Gepäckaufbewahrung ab, sondern lungerte eine Weile herum und nahm dann ein anderes Taxi zum Victoria-Bahnhof. Es war noch früh. Die Polizei würde schwerlich schon nach O. E. fahnden, und wenn sie O. E.'s Koffer hier fänden, um so besser. Sie konnten lange warten, bis er ihn wieder abholte. Im Taxi steckte er sich Rasierzeug und Pyjama in die Manteltasche. Dann kaufte er sich einen billigen neuen Handkoffer, ließ im Laden falsche Initialen draufmachen, packte seine Sachen hinein und gab ihn am Paddington-Bahnhof ab.

Aber das alles beruhigte ihn nicht. Die zahllosen kleinen Versehen, die ihm zustoßen könnten, und die zahllosen Kleinigkeiten, die er zu seiner Sicherheit tun mußte, brachen über ihn herein. Er ertappte sich zum Beispiel dabei, wie er beim Bezahlen des Chauffeurs den Handschuh auszog, besann sich, daß er ihn anbehalten müsse, suchte in der Tasche nach dem Geld und wurde heiß und verwirrt.

Er wollte nach Cornwall fahren, aber nicht bei Tage. Menschen im Abteil, im Speisewagen, auf dem Korridor, überall Menschen, die ihn beobachteten. Hier unter den Millionen konnte er sich getrost frei bewegen, ohne einem von ihnen zum zweitenmal zu begegnen. Im Zug aber war es anders. Er nahm deshalb wieder ein Schlafwagenbillett für den Nachtzug, gab einen Namen an, der sich mit den Anfangsbuchstaben auf seinem Handkoffer deckte, und bummelte etwas durch London.

Mein Gott! Nach all den Jahren hatte Oliver mich wieder „Vater" genannt. Und wieder wie in seiner Kindheit hatten wir unsere „Unterhaltungen". Im dunklen Schiffsboden der „Jesabel" erzählte er mir ruhelos und in unaufhörlichem Fluß, wie es kam, daß er einen Menschen zuviel umgebracht hatte. Aber das Eis zwischen unseren Herzen ist gebrochen. Ich schaudere nicht mehr vor ihm zurück, und sein Gesicht wird nicht kalt, wenn er mich ansieht. Alt ist es, übernächtig und traurig, aber nicht kalt. Wir haben beide viel im Leben erfahren, wir verstehen uns, und wir sind offen zueinander. Ja, ein seltsames Glücksgefühl geht von einem zum anderen, wie zwei Eisschollen, die geschmolzen sind und sich nun in einem größeren und tieferen Element vereinigt haben.

Von der Ermordung Percy Luptons las ich morgens im „Daily Telegraph". Es war am ersten Dienstag im Dezember 1922. Ich las, daß ein Mann namens Kassassian der Polizei einen schwarzen Filzhut übergeben hatte, der im Futter die Initialen O. E. trug. Das sagte mir nichts. Ich ging in mein Arbeitszimmer und schrieb. Um elf Uhr brachte mir Annie Suthurst den Kaffee. Als sie ihn auf den Tisch gestellt hatte, ging sie ans Fenster, blickte durch die Vorhänge und sagte: „Nun möchte ich bloß wissen, was der Geheime dort drüben will. Steht da und gafft den ganzen Morgen nach dem Haus herüber. Haben Sie was verbrochen, Herr Essex?"

Ich ging zum Fenster. „Wo? Wer ist der Mann?"

„Sehen Sie, der da. Der auf und ab geht. Das ist einer in Zivil. Die erkennt man sofort. Sehen Sie sich bloß die Kluft an."

„Wieso kommen Sie darauf, daß er uns beobachtet?" fragte ich unruhig.

Sie lachte laut auf. „Nein, arbeiten Sie man ruhig weiter. Ich mach' doch bloß Spaß. Aber seit neun Uhr schaukelt der schon da unten 'rum."

Sie verließ das Zimmer, und ich ging wieder an meinen Schreibtisch, aber ich arbeitete nicht mehr. Ich war merkwürdig unruhig. Ungeheuerliche und phantastische Gedanken stiegen in mir auf, die mich erschütterten. Lange widerstand ich dem Drang, den „Daily Telegraph" noch einmal zur Hand zu nehmen, aber schließlich gab ich nach. „Die Anfangsbuchstaben O. E."

Aber was wollte der Kriminalbeamte vor meinem Haus?

Nun, das war schließlich einfach. Wenn sie entdeckt hatten, wer O. E. war? Würden die da nicht jeden Ort beobachten, wohin er flüchten könnte – zum Beispiel die Wohnung seines Vaters?

Aber das ist ja Unsinn – Wahnsinn ist es. Mein Lieber, du fängst an, den Kopf zu verlieren.

Ich ertappte mich plötzlich dabei, daß ich vorm Kamin stand und die Zeitung so krampfhaft in beiden Händen hielt, daß die Knöchel weiß hervorstanden. Ich sah mich im Spiegel über dem Kamin, ein gespanntes, verzerrtes Gesicht, fassungslos und mit zuckenden Backenmuskeln.

Meine Beine versagten mir, und ich sank in einen Stuhl. Ich wußte, was Oliver getan hatte.

Wußte ich es wirklich? Ja. In diesem Augenblick wußte ich es so sicher, als wäre ich leibhaftig in dem kleinen Büro in Manchester dabeigewesen und hätte die Schläge in dem nebligen Laternenlicht herabhageln sehen. Das konnte gar nicht anders sein, das war das Ende, und es war logisch. Ich fühlte mich todelend, alt, grau und ausgebrannt. Lange hatte ich nicht mehr an Nellie gedacht. Jetzt stand sie vor mir, unauffällig wie zu ihren Lebzeiten, aber beharrlich und unversöhnlich.

„Du hast einen schlechten Einfluß auf Oliver. Du verdirbst den Jungen."

Greifbar sehe ich es vor mir: der Stock saust auf die weiße Haut des nackten jungen Rückens herunter, und die Striemen heben sich rot und blau ab. Es war das einzige Mal, daß sie ihn geschlagen hatte. Damals, als er in der Schule betrogen und Rory gelogen hatte, um Oliver zu decken und seine Kraft für zukünftige Folterproben zu prüfen.

„Liebhaben! Eine traurige Vorstellung von Liebe hast du. Nennst du das Liebe, wenn du ein Kind in dem Glauben erziehst, es kann tun, was es will, ohne für die Folgen einstehen zu müssen?"

Und als der Stock über Olivers Rücken sauste: „Ich tue nur deine Pflicht."

Laß mich! Laß mich in Frieden, graues freudloses Gespenst! Ich nahm Hut und Mantel und stürzte auf die Straße. Aber es ließ mich nicht los. Es stand vor den bunten Schaufenstern, es blickte mich aus der Menge an, aus dem scharfen Winterwind und dem tosenden Strudel des Verkehrs schrie es: „Einmal wirst du an diesen Tag denken! Und dann wirst du einsehen, daß ich recht hatte!" –

Am Nachmittag war der Mord schon zur Sensation geworden. Er stand in den Schlagzeilen der Zeitungen: „Berühmter Inhaber des Victoriakreuzes ermordet Kassierer?"

Der Hutmacher hatte O. E. identifiziert. Ja, er erinnere sich, daß er den Hut erst vor einer Woche an Major Oliver Essex verkauft habe.

„Die Polizei hat seit gestern abend dem Verbleib von Major Essex nachgespürt und festgestellt, daß er die Nacht nicht in seiner Wohnung zugebracht hat. Sein jetziger Aufenthalt ist unbekannt. Major Essex ist der Sohn des bekannten Romanschriftstellers und Dramatikers William Essex."

Bis vier Uhr war ich in den Straßen umhergelaufen. Jetzt schlich ich die Treppen zu meiner Wohnung hinauf, als würde ich selbst verfolgt. Annie Suthurst brachte mir Tee. Sie sagte nichts und behandelte mich behutsam wie eine Pflegerin, die es mit einem Todkranken zu tun hat. Sie hatte die Zeitungen gelesen und war im Bilde.

Dermot trat hinter ihr ins Zimmer. „Aber Bill", sagte er, „Bill . . ." Die Stimme versagte ihm, und er würgte mit den Tränen.

„Geh um Gottes willen weg", sagte ich außer mir, „geh weg! Laß mich allein!"

Am nächsten Morgen ging ich zum Paddington-Bahnhof und fuhr nach Truro.

Ich kannte nur einen einzigen Menschen in England, zu dem sich Oliver jetzt flüchten konnte, und das war Kapitän Judas. Was ich eigentlich vorhatte, wußte ich selber nicht, ich wußte nur, daß ich nach Reiherbucht mußte. Ich sagte keinem, wohin ich reiste, weder Dermot noch Annie Suthurst. Nur fort. Jetzt bestand noch eine letzte, verzweifelte Möglichkeit, Oliver nahezukommen.

Als der Zug auf der Überführung in Truro einlief, war es schon dunkel. Ich war im Winter noch nie mit der Eisenbahn hingefahren. Wir rollten langsam über die große Brücke. Sie war unlösbar mit jenem Sommernachmittag verknüpft, an dem sich die Kinder aufgeregt aus dem Fenster gelehnt hatten: „Seht mal, die große Brücke! Dort, die Kathedrale! Und da, das grüne Kupferdach!" Die lange Reise näherte sich ihrem Ende, und der nächste Morgen wurde herrlich. Wieder näherte sich die lange Reise ihrem Ende, aber jetzt sank die Winternacht dunkel herab.

Ich fuhr nicht mit dem Taxi von Truro nach Reiherbucht. Ich ging zu Fuß. Es durfte keiner wissen, daß jemand in Reiherbucht war. Die Läden waren schon erleuchtet, als ich durch die Stadt ging. Weihnachtslichter, Christbäume und bunte Näschereien lagen fröhlich in den Fenstern. Aber es war eine scheußliche Nacht. Ein feiner Regen nieselte herunter, und als ich die Hauptstraße hinter mir hatte, schien es mir, als laste das gleiche Elend über der Stadt, das mir das Herz abschnürte.

Ehe ich die Stadt verließ, kaufte ich Tee, Büchsenmilch, ein Brot und ein Viertelpfund Butter. Mehr konnte ich nicht tragen. Es waren fast sieben Kilometer nach Reiherbucht, und ich kam erst gegen sieben Uhr dort an. Das schwere, schmiedeeiserne Tor war mit Kette und Vorhängeschloß abgeriegelt. Seitwärts befand sich die kleine Eisenpforte, auf der Oliver damals herumgeturnt hatte, als wir auf Dermot und seine Gäste, Donnelly und Maggie, warteten. Ich hatte einen Schlüssel dazu und schloß sie von innen wieder ab. Schon nach einigen Schritten stand ich im Dickicht der Rhododendren. Jetzt war ich in meiner eigenen kleinen Welt, einer Welt, die dunkel und triefend naß war. Ich folgte den Wagenspuren der Einfahrt, die vor das Haus führte. Es lag verlassen da, ohne einen Laut und ohne einen Lichtschimmer. Ich ging weiter. Die Sohlen knirschten über den Kies, bis an den Waldpfad, der zum Fluß hinunterführte. Auf den nassen Blättern und den glatten, schlüpfrigen Steinen war es gefährlich zu gehen. Endlich stand ich auf dem kleinen Rasenplatz am Landungssteg. Hier lag die Hütte mit den beiden Kammern, in denen Sam Sawle gehaust hatte. Das war mein Ziel. In diesem Schlupfwinkel konnte ich mich verborgen halten und alles beobachten, was auf der „Jesabel" vorging.

Ich ging in die Hütte, verschloß die Tür, sah nach, ob die Vorhänge dicht zugezogen waren, und wagte erst dann, Licht anzuzünden. An einem Haken neben der Tür hing das Windlicht, mit dem uns Sam Sawle so oft die Stufen hinaufgeleuchtet hatte, wenn wir in dunklen Nächten nach Hause gekommen waren. Es steckte noch eine Kerze darin. Bei ihrem spärlichen Schein sah ich mich in dem feuchten, muffigen Raum um, in dem die Erinnerungen an die Tage aufbewahrt lagen, als Reiherbucht noch von glücklichen Menschen belebt worden war. In der einen Ecke standen die Riemen. Die Angeln lagen sorgfältig aufgerollt auf einem Bord, von Spinnweben überzogen. Bunte Bootskissen und Leinenflicken für die Segel. An einem Nagel hing der dünne Badeanzug eines Mädchens, an der Wand standen Stiefel und Schuhe: Segelschuhe, Gummischuhe und Wasserstiefel. Bootshaken, Blechdosen für Angelwürmer und ein Glaskrug mit bunten Steinen und Muscheln vom Molunan-Strand. Der Staub vieler Jahre lag darüber und ein widerlich muffiger Modergeruch.

In der kleinen Feuerstelle waren noch ein paar Scheite aufgeschichtet. Mit dem Stiefel zertrümmerte ich eine Kiste, und es gelang mir, Feuer zu machen. Hier unten im Dunkel des Flusses sah niemand den Rauch. Allmählich wurde es wärmer. Ich setzte mich in den breiten Lehnstuhl von Sam Sawle und hielt die nassen Hosenbeine ans Feuer. Meinen Mantel legte ich über einen Stuhl. Der Kerzenstummel im Windlicht puffte und erlosch. Ich saß jetzt im Feuerschein zwischen den Überresten von so vielem, das zu Staub geworden war. Nellie und Donnelly, Maeve und Rory, Sawle und Martin, sie alle waren hier ein und aus gegangen, um dies abzustellen, jenes mitzunehmen, während draußen das grüne Gras und das grüne Wasser in der Sonne leuchteten. Jetzt saß ich dort, abgeschnitten von der Welt, sterbensmüde und mit ödem Herzen. Aus der Nacht draußen drang kein Laut herein, selbst der

Regen nieselte zu leicht und geisterhaft auf das Dach herab, als daß ich ihn hätte hören können. Ich kam mir vor wie der Überlebende einer Epoche, über die die Zeit hinweggegangen war, und fragte mich, warum ich allein dazu verdammt worden war, übrigzubleiben.

Als der Morgen dämmerte, erwachte ich steif und kalt, und meine Knochen knackten, als ich aus dem Stuhl aufstand. Mir war flau, und ich hatte Hunger. In Sam Sawles Hütte gab es kein Wasser, so nahm ich die Vorräte, die ich in Truro gekauft hatte, mit und ging zum Haus hinauf. Ich dankte Gott, daß wir eine eigene Pumpe hatten, denn sonst wäre die Zuleitung sicher abgestellt gewesen. Die Pumpe lag in der Küche, und im Morgengrauen dröhnte das ganze leere Haus von ihren Stößen. Alles war zugedeckt und verhängt, kalt und gespenstisch. Hier wollte ich nicht bleiben. Ich nahm ein paar Kannen Wasser, einen Kessel, eine Teekanne und Geschirr mit hinunter in die Hütte und holte mir alle Holzscheite zusammen. Dann machte ich wieder Feuer. Es gab nur Tee und Butterbrot zum Frühstück, aber der heiße Tee tat mir gut. Als ich mir die Pfeife anzündete, fühlte ich mich wohler. Oliver mußte auf die „Jesabel" kommen, das hatte ich untrüglich im Gefühl. Wie lange ich auf ihn würde warten müssen, wußte ich allerdings nicht. Aber für alle Fälle konnte ich mir jetzt wenigstens nachts ein Feuer anzünden, und das Brot würde für zwei Tage reichen. An jenem Donnerstagmorgen richtete ich mich aufs Warten ein und sah stundenlang über den Fluß hinüber auf den schwarzen Rumpf der „Jesabel".

Ich sah ihn nicht kommen. Donnerstag kam Judas ein paarmal an Deck, und die ganze Nacht vom Donnerstag bis Freitag brannten seine Lichter. Freitag war den Tag über nichts zu sehen bis auf den feinen blauen Rauch, der aus der Kombüse aufstieg. Um vier Uhr wurde es dunkel, um fünf leuchteten schon die Sterne am klaren Himmel. Ich schloß die Tür der Hütte hinter mir zu und ging über den Steg die Stufen zum Fluß hinunter. Ich stand dort, lauschte auf das leise Glucksen des Flusses und sah auf das gegenüberliegende Ufer, wo sich der feine Spitzenschleier der kahlen Zweige scharf gegen den Sternenhimmel abzeichnete. Da stockte mir das Herz. Über die Reling der „Jesabel" lehnte ein Mann. Ich sah ihn nur, weil sein Kopf ein paar Sterne verdeckte. Und dann standen zwei Männer dort. Die Nacht war so finster, daß ich nach dem langen Warten an eine Sinnestäuschung hätte glauben mögen. Aber die beiden Köpfe bewegten sich deutlich vor dem Hintergrund der Sterne, und ich wußte, daß ich nun nicht länger zu warten brauchte.

Aber was sollte ich nun tun? Ich hatte kein Boot. Ich stand da mit einem Aufruhr im Herzen und war im Wirbel meiner Gedanken nicht imstande, einen vernünftigen Plan zu fassen. Ein Boot zu mieten, wagte ich nicht, weil ich mich nicht zeigen durfte.

Da knarrte es über den Fluß und wurde lauter. Der vertraute Laut brachte mich zur Besinnung. Es kam jemand im Beiboot herüber. Schnell und lautlos verschwand ich im Schatten der Hütte. So genau kannte nur Judas den Fluß. Das Boot schurrte leise an den Landungsstufen entlang. Gleich darauf leuchtete der weiße Kopf des Alten verschwommen durch die Dunkelheit. Er verschwand auf dem Waldweg zum Hause.

Das war rätselhaft. Einen Augenblick zerbrach ich mir den Kopf darüber, was Judas vorhatte. Dann gab ich es auf. Da lag ein Boot. Drüben über dem Fluß war Oliver, wenn mich nicht alles täuschte. Ich ging die Stufen hinunter, stieg in das Boot, machte los und stieß ab.

Auf der „Jesabel" brannte kein Licht. Ich machte das Boot in dem Ring an der Schiffswand fest und zog an dem Glockentau. Lange antwortete niemand. Schließlich sah ich, wie sich wieder ein Kopf von den Sternbildern abhob. Auf dem dunklen Wasser konnte er mich nicht sehen.

„Bist du es, Judas?" Die Stimme klang ängstlich und flüsterte vorsichtig.

„Nein, Oliver. Hier ist dein Vater."

Keine Antwort.

„Laß die Leiter herunter."

Bis zur letzten Minute muß Oliver hart mit sich und seinem Stolz gekämpft haben. Es dauerte lange, bis die Leiter herunterkam, aber sie kam. Ich stieg hinauf und stand neben ihm auf Deck. Er sprach zuerst. „Ich bin froh, daß du da bist, Vater."

Ich konnte ihm nicht antworten, ich wußte ja, daß ich zu spät kam. Er nahm mich am Arm und führte mich behutsam zur Treppe. Man konnte nicht die Hand vor Augen sehen. Aber ich kannte den Weg noch ganz gut, und als wir unten waren, verschloß Oliver die Tür und schob den Riegel vor.

„Rühr dich nicht", sagte er, „bleib stehen, wo du bist."

Er zündete ein Streichholz an, und ich sah, daß die Falltür zum Schiffsboden offen war, wo Judas das Dynamit aufbewahrt hatte, mit dem er den Stuhl Petri hatte in die Luft sprengen wollen. Knall! Bums! Krach! „Geh voran", sagte Oliver.

Ich hielt mich an den Rändern fest und ließ mich hinabgleiten. Oliver folgte mir und machte die Falltür über uns zu. Dann zündete er eine Laterne an. „Es schadet nichts", sagte er, „hier sind wir sicher. Das Licht ist nicht zu sehen."

Das war der Ort, wo ich Oliver wieder Auge in Auge gegenüberstand: wir standen wie in einem Unterwasserverlies auf dem mächtigen Schiffskiel, aus dem die dicken Schiffsrippen herauswuchsen, und sein Schatten schwankte im Licht der Laterne phantastisch und gigantisch durch den Raum.

Wir schwiegen einen Augenblick. Er stellte die Füße gegen den Kiel und lehnte sich in die Ausbuchtung des Schiffsleibes. Ich sah ihn an, und mein Herz wollte brechen. Sechsundzwanzig Jahre alt, sagte ich mir in einem fort. Sechsundzwanzig . . .

Sein Alter war nicht mehr zu bestimmen: er war eingefallen, abgelebt und ausgebrannt. Nur sein Haar erkannte ich wieder. Es war wieder lang geworden und fiel ihm goldblond in die Stirn. Er hob die vernarbte Hand und strich sich dieses Banner der Jugend aus den Trümmern seines Gesichtes. Die Augen waren stumpf vor Qual, die Narben traten hell zutage, und die Wangen waren tief eingesunken in die Kieferknochen.

Er sprach endlich: „Warum machst du dir soviel Mühe?"

„Ich will dir helfen. Ich muß dir doch irgendwie helfen können."

„Aber warum denn, um Gottes willen? Was bin ich dir denn noch?"

„Du bist mein Sohn."

Seine Lippen verzogen sich zu einem Grinsen. „Dies ist mein lieber Sohn, an dem ich Wohlgefallen habe."

Darauf war nichts zu erwidern. Nach einer Weile sagte er: „Du kannst nichts für mich tun – gar nichts. Aber ich bin froh, daß du da bist. Ich glaube, das ist wohl jetzt der Augenblick, wo ich mich dir zu Füßen werfen und dich um Vergebung bitten müßte. Aber ich habe nicht die Absicht. Ich bin froh, daß du da bist. Mehr kann ich nicht sagen."

„Und warum bist du froh?"
„Als Judas fort war, fühlte ich mich so gottverlassen elend. Und ich dachte an die Zeiten, in denen ich viele Freunde hatte und glücklich war. Hier habe ich als Kind meinen Unfug getrieben, auf diesem Schiff und draußen auf dem Fluß, ein paar Handbreit jenseits dieser Planken hier!" Er schlug mit der Hand hinter sich gegen die Bretter. „Hier haben wir gesegelt und sind herumgeschwommen. Ich habe an alle von damals denken müssen und daß nun keiner von ihnen weiß, daß ich hier bin, und wenn, daß sich keiner darum kümmern würde. Und als du kamst, sah ich, daß ich unrecht hatte, und das machte mich froh. Es war, als bedeute dein Kommen, daß sie alle kommen würden, wenn sie könnten: Rory und Maeve und dieser Kerl Donnelly und seine Tochter – und Mutter."
„Das waren Menschen!" sagte ich. „Wir hatten Glück mit unseren Freunden, Oliver. Aber sie können alle nichts mehr für dich tun. Du mußt mit mir vorliebnehmen."
Dann kamen mir praktische Fragen. „Wie wird es mit Kapitän Judas? Was wird er tun, wenn sein Boot nicht mehr da ist?"
„Er kommt erst am Morgen zurück. Er ist auf dem kürzesten Weg nach Truro. Er läßt das Boot in Reiherbucht, geht zum Haus hinauf und nimmt auf der Landstraße den Autobus. Sein Freund Jansen ist in Truro, er bleibt die Nacht bei ihm."
„Weiß er . . .?"
Ich konnte nicht weitersprechen. Die Worte blieben mir im Halse stecken. Oliver half mir weiter: „Du meinst, ob er weiß, daß die Polizei hinter mir her ist?" Wieder strich er sich müde mit der Hand über die Stirn. „Weiß Gott, was der alte Mann sich denken mag. Jedenfalls hatte er mich erwartet, ich merkte es, er war durchaus nicht überrascht. Er schwört, diesmal sollen sie den Herrn nicht bekommen, und er wolle ihnen schon zeigen, ob Judas ein Verräter sei. Mehr konnte ich nicht aus ihm herausbringen." Er lächelte trostlos. „So sieht der Retter aus! Bis hierher habe ich es nun geschafft, und wenn ich es noch etwas weiter schaffen sollte, dann wohl schwerlich mit Judas' Hilfe."
Er ließ sich an den Spanten heruntergleiten, und ich setzte mich neben ihn. Zum erstenmal berührten sich unsere

Körper wieder, wir hatten uns nicht einmal die Hand gegeben. Er drängte sich enger an mich und lehnte sich an meine Schulter. „So ist es besser", sagte er. Ich lächelte ihm zaghaft zu wie jemand, der Angst hat, ein scheues Tier vorschnell anzufassen.

„Denkst du noch an unsere alten ‚Unterhaltungen'?" fragte ich. „Du saßest auf dem Teppich und paßtest noch bequem zwichen meine Beine."

„Meine Erinnerung geht noch weiter zurück. Weißt du, was das früheste ist, an das ich mich erinnere? Ich wette, du hast es vergessen."

„Was ist es denn?"

„Als du eines Abends nach Hause kamst und Mutter mich badete. Du warst aber dran, und ihr strittet euch. Das ist das erste, an das ich mich in meinem Leben erinnere. Ich weiß noch ganz genau, wie leid mir Mutter tat, aber ich fand trotzdem, daß wir beide, du und ich, zusammenhalten müßten."

Ich zog Tabaksbeutel und Pfeife heraus. Oliver holte eine leere Pfeife hervor und blies hindurch. Ich gab ihm den Beutel. Dann rauchten wir beide.

„Ich erinnere mich sehr gut", sagte ich. „Deine Mutter war verstimmt, weil ich nach dem Bad nicht mit dir betete. Und dann wolltest du nicht mehr mit ihr beten."

„Das habe ich vergessen. Mir ist nur noch erinnerlich, daß ich fand, wir müßten zusammenhalten."

Gott, wie schlecht hatten wir das getan! Oliver rauchte schweigend, als ob er dasselbe dachte.

„Ich wünschte, wir hätten es getan", sagte er endlich einfach.

Ich wagte es, ihm den Arm um die Schultern zu legen. „Ich auch."

„Weißt du noch, wie du mir über Maeve nach Deutschland geschrieben hast?"

Ich nickte.

„Ich habe den Brief richtig bekommen. Auch später den Tabak und die Lebensmittel."

Ich spürte, was er mir damit zu verstehen geben wollte. Ich hatte ihm die Hand hingestreckt und den Versuch gemacht, mit ihm zusammenzuhalten, und es sei seine Schuld gewesen, daß er sie zurückgestoßen habe.

„Ich wollte, ich wäre gleich nach Friedensschluß zu dir zurückgekommen. Aber ich war zu stolz. Ich wollte dir immer weiter wehe tun. Ich wollte jedem Menschen wehe tun. Mein Gott, der Dienst in Irland war wie geschaffen für einen, dem so zumute ist! Vielleicht komme ich an den Galgen. Ich kann in diesem Moment ganz ruhig daran denken, ob es später noch so sein wird, weiß ich nicht. Woran ich aber nicht ruhig denken kann, das ist diese gottverfluchte Regierung, die einen auf die Menschheit losläßt und links und rechts ohne Gesetz und Erbarmen brennen und morden läßt und dann die Hunde hinter einem her hetzt, weil man das ist, wozu sie einen gemacht hat."

Er grub das Gesicht in die Hände. „Hier hätte ich nicht herkommen sollen. Hier ist zuviel von Rory." Und hastiger: „Ich will dir sagen . . ."

„Nein, nein, quäl dich nicht. Ich weiß alles. Maggie kam nach England und hat es mir erzählt."

„Gott, wie müssen sie mich hassen! Wie werden sie sich freuen, wenn sie mich baumeln sehen – Dermot und Sheila . . ."

„Sie wissen es nicht. Maggie hat es nur mir gesagt. Sie wußte, daß du Rory unwissentlich erschossen hast, und sagte, Rory hätte es selbst gewollt, daß es niemand erführe. Sie schien das alles zu verstehen."

„Ich war nicht so wie sie", sagte er einfach. „Sie waren alle besser als ich, Rory, Maggie und Maeve. Tut mir leid, Vater. Die einzige Niete aus dem ganzen Bündel hast du gezogen. Warum kümmerst du dich jetzt noch um mich?"

Ich erzählte ihm, wie oft ich mich schon um ihn gekümmert hatte. Von dem Morgen in Holborn, als ich gegenüber von Pogsons Kontor gestanden hatte und er herausgekommen und Livia Vaynol entgegengegangen war. Von der langen Winternacht, die ich im Taxi vor seiner Wohnung in Camden verbracht hatte. Von dem Tag, an dem er erhobenen Hauptes auf der Waterloo-Brücke an mir vorbeimarschierte, und von dem anderen, an dem er funkelnagelneu eingekleidet vom Charing-Cross-Bahnhof an die Front gefahren war. Es gab noch mehr Daten: wie er als Held nach Hause kam und Wertheim den Scheinwerfer auf ihn gerichtet hatte und wie ich zu spät nach Manchester gekommen war, um ihn von Irland abzuhalten.

Ich erzählte ihm das alles, und daß ich mich jedesmal willig vor ihm in den Staub hätte werfen mögen.

„Schweig!" sagte er rauh. „Das darfst du nicht sagen. Du weißt ja nicht, was du sprichst. Du träumst von einem Knaben, den es nicht mehr gibt, von dem Sohn, den du einmal gehabt hast."

Ich packte ihn fester an den Schultern, aber er wurde nicht weich.

„Ich habe dich nicht verdient", sagte er. „Solange ich denken kann, habe ich deinen Namen beschmutzt. Schon damals bei der dummen alten Bussell. Ich habe nie etwas getaugt und war immer aus der Art geschlagen. Sogar hier, mit Livia Vaynol, in dem Sommer, als du fort warst. Und ich habe Maeve umgebracht. Ich habe Rory umgebracht, und Maggie hat auch in jeder Hinsicht daran glauben müssen. Was besser und anständiger war als ich, habe ich immer vernichten müssen. Aber ich habe nie den Mut gehabt, mich selber zu vernichten. Auf dem Weg hierher habe ich daran gedacht, aber ich hatte keinen Mut."

Er erzählte von seiner Flucht. Dienstag abend war er in den Zug nach Cornwall gestiegen. Er war nicht sehr besetzt, und er hatte ein Schlafwagenabteil für sich. Er war am Ende seiner Nerven. Den ganzen Tag war er in London herumgelaufen und hatte mit angesehen, wie das Verbrechen mit jeder Ausgabe der Abendblätter größere Bedeutung gewann. Gegen Abend war sein Bild in allen Zeitungen und dazu ein Lebenslauf, in dem alles enthalten war: das Victoriakreuz, die Automobilfirma in Manchester, der Dienst in Irland, sogar der „Roman" mit Maeve, der „unglücklicherweise auf der Höhe des Ruhmes mit dem Tod der begabten jungen Schauspielerin endete".

Als gehetzter Mann stieg er in den Zug. Er sah keinem ins Gesicht. Und als er den Gang zu seinem Abteil entlangstürzte, lief er ausgerechnet Pogson in die Arme und stieß so heftig mit ihm zusammen, daß er ihm nicht mehr entrinnen konnte.

„Ich fand den Kerl widerlich", sagte Oliver, „und er mich auch. Weißt du noch, wie ich ihn an jenem Abend in Maeves Garderobe abfahren ließ? Ja, ich weiß, ich habe dich nicht angesehen, aber ich wußte, daß du da warst. Danach bin ich nicht mehr mit Pogson ausgekommen. Jahrelang habe ich ihm geschmeichelt, und solange mochte er mich gern. Die anderen mochten ihn alle nicht. Aber siehst du, während des Krieges dachte ich dann, ich sei jemand. Ich war nicht der schlichte, uneigennützige Held, das kannst du mir glauben. Es machte mir alles Spaß, das Herumkommandieren, die Orden und die Berühmtheit – das ganze Schützenfest mit seinem Drum und Dran. Jetzt glaubte ich, auch Pogson über zu sein und ließ es ihn merken. Aber als ich dann im Zug mit ihm zusammenstieß, waren wir zärtlich wie Zwillinge zueinander."

Pogson fuhr zurück, als er Oliver erkannte, aber er faßte sich schnell und kam ihm mit ausgestreckter Hand entgegen, als wüßte er nichts von dem Steckbrief. „Dabei hatte der Mann die Abendzeitung unter dem Arm, und mein Bild starrte mir daraus entgegen."

„Nanu, das ist doch mein alter Essex!" rief Pogson. „Ich dachte schon, du hättest dich ganz vom Londoner Leben zurückgezogen."

„Das habe ich auch", sagte Oliver. „Ich lebe im Norden. Aber ich bin etwas überarbeitet und will zu Freunden nach Devonshire und bis Weihnachten bei ihnen bleiben. Und du, Poggy? Was hast du im Westen zu suchen?"

„Oh, immer noch im Dienst von Pogsons Vollbier. Bin gerade auf Geschäftsreise, um nachzusehen, ob die Nation ihren Durst an der richtigen Quelle löscht. Da wir gerade von Durst sprechen, komm in mein Abteil. Der Kellner soll uns ein paar Flaschen hereinbringen."

Oliver entschuldigte sich, er sei todmüde und müsse gleich zu Bett.

„Na schön, aber wenn du nicht schlafen kannst, weißt du ja, wo ich zu finden bin", sagte Pogson. „Gleich im nächsten Wagen."

Er ging. Oliver trat in sein Abteil, schloß ab und warf sich angekleidet aufs Bett. Er hatte Schüttelfrost vor Angst. „Gott, da hättest du den Volkshelden sehen sollen", sagte er bitter. „Und das Schwein wußte ganz genau, daß er mir Angst gemacht hatte."

Er dachte daran, wieder auszusteigen. Aber Pogson war zuzutrauen, daß er aus dem Fenster lehnen und den Bahnsteig beobachten würde. Oliver sah zum gegenüberliegenden Fenster hinaus. Auf der anderen Seite waren leere Geleise und dahinter ein Bahnsteig; unter einer Bogenlampe standen ein paar Gepäckträger und Chauffeure herum. Nein, das hätte zu sonderbar ausgesehen. Er mußte zur anderen Seite heraus, und zwar schnell. Aber wenn Pogson . . .

Er zerbrach sich den Kopf, und die ungewohnte Entschlußlosigkeit quälte ihn. Schließlich sprang er auf, zog Hut und Mantel an, die er aufs Bett geworfen hatte, nahm seinen Koffer und legte die Hand auf die Klinke. Da fuhr der Zug ab. Er warf Koffer, Hut und Mantel wieder hin, legte sich aufs Bett und zitterte. Bei jedem Schritt auf dem

Gang sprang er halb auf, horchte und starrte auf die Türklinke. Er traute Pogson nicht. Wenn nicht jetzt, so würde er ihm sicher am Ende der Reise eine unangenehme Überraschung bereiten. Den Kopf auf den Kissen, lauschte er auf das Rattern der Räder auf den Schienen. Der Rhythmus des fahrenden Zuges verband sich mit den Worten, die ihn verfolgten: Sie fassen dich! Sie fassen dich! Sie fassen dich! – Und: Strick um den Hals! Strick um den Hals! Strick um den Nacken! Den Nacken im Strick!

Stunde auf Stunde ging es so. Schnellzüge brausten vorüber; wenn Güterzüge über das Nebengeleise klapperten und schütterten, fuhr der Zug langsamer, an ein oder zwei Stationen hielten sie, dann setzte er sich im Bett auf, die Füße sprungbereit, und faßte mit beiden Händen die Bettkanten, um sofort aufzuspringen, zuzuschlagen und weglaufen zu können. Dann fuhren sie wieder, und er überließ sich von neuem dem Takt der Räder und ihrem teuflischen Rhythmus: Schuldig gesprochen! Schuldig gesprochen! Schuldig gesprochen!

Die Räder liefen in seinem Kopf; sein Kopf lag auf den Schienen; Räder, Kopf, Schienen – alles war ein drohender, eherner Rhythmus. Er sprang auf, die Augen trocken und blutunterlaufen, mit zuckenden Nerven und berstendem Kopf. Er zog Hut, Mantel und Handschuhe an und nahm seinen Handkoffer. Der rasche Rhythmus des Zuges ließ nach, er fuhr langsamer und hielt auf der Strecke.

Einen Augenblick Freiheit von diesem verdammten Rhythmus; aber dann wurde die Stille ebenso beängstigend wie der Lärm der Räder. Warum hielten sie, um Gottes willen? Erstarrt stand er an der Tür und legte das Ohr daran. Schritte liefen eilig über den Läufer im Gang. Irgendwo wurde ein Fenster heruntergelassen. Dampf wurde zischend abgelassen, ernste Stimmen drangen aus der Finsternis, und in der Ferne pfiff eine Lokomotive. Das klang alles bedrohlich in das Schweigen der ersten Morgenstunde.

Er öffnete die Tür und lauschte. Kein Laut auf dem Gang. Das Licht brannte trübe. Der Korridor war leer und deshalb freundlich. Vor dem Fenster stand die Nacht; sie war undurchdringlich und deshalb ebenfalls gutgesinnt. Er ging auf den Zehenspitzen aus der Tür, schloß sie leise hinter sich und blieb einen Augenblick in gespanntem Lauschen stehen. Jetzt konnte er wieder handeln. Er war wieder beisammen, mit ruhigen Nerven, und dachte an alles. Er öffnete die Wagentür vor sich, stellte den Koffer draußen auf das Trittbrett, schlich selbst hinaus und schloß die Tür hinter sich. „Bevor ich das alles tat“, erklärte er mir, „war mir eingefallen, daß man auf der Great-Western-Bahn die Tür nicht zuzuschlagen braucht, sondern sie schließen kann, indem man die Klinke herunterdrückt.“ Ja, seitdem er wieder handeln konnte, dachte er an alles.

Er kauerte auf dem Trittbrett, schloß leise die Tür, hielt sich mit den Händen am Trittbrett fest, so daß er sich herunterlassen konnte, ohne geräuschvoll abzuspringen; dann stieß er den Koffer zwischen zwei Räder und wand sich ihm nach. Die Hände lang nach vorne ausgestreckt, legte er sich mit dem Gesicht nach unten auf die Schwellen und krallte sich in die Beschotterung der Strecke. Einige Minuten vergingen. „Es kam mir nicht sehr lange vor. Ich sah Pogsons Gesicht vor mir, wenn er mit seiner kleinen Überraschung am Morgen über mich herfallen wollte.“ Dann hörte er das tiefe Keuchen der Lokomotive. Die Kupplungen klackerten und zogen an. Der Zug rollte über ihn hinweg. Er fuhr schneller, und wieder hämmerte ihm der Rhythmus der Räder im Kopf. Aber er preßte das Gesicht fest auf die Erde, das Hämmern wurde ruhiger und nahm ab, und schließlich hob er den Kopf und sah das rote Schlußlicht vor sich in der pechschwarzen Nacht verschwinden.

Er stand nicht sofort auf. Er wälzte sich zuerst auf die eine, dann auf die andere Seite und gewöhnte Auge und Ohr an die Dunkelheit. Als er mir davon erzählte, lachte er sogar. „Ich war vorsichtig geworden, nachdem mich diese Tranfunzel Pogson gerade vorher angeblakt hatte.“ Schließlich überzeugte er sich, daß die Luft rein war, stand auf, nahm den Koffer und stolperte von der Strecke herunter. Er wußte nicht, wo er war. Er wußte nicht einmal, in welcher Grafschaft der Zug gehalten hatte. Die Nacht war nicht kalt, aber neblig und schwarz wie Tinte. Allmählich gewöhnten sich seine Augen an die Dunkelheit. Er erkannte, daß er sich in der Nähe eines kleinen Landbahnhofes befand. Auf der Laderampe am Nebengeleise standen die eisernen Pferche für das Schlachtvieh, und über ihnen ragte rechteckig und schwarz gegen den dunklen Himmel ein Wasserbehälter auf eisernen Trägern auf. Sein Hirn arbeitete weiter und sagte ihm, daß man sich dieses Aufenthaltes erinnern würde, sobald man seine Abwesenheit im Zug bemerkte. Aber unmittelbar dort, wo der Zug gehalten hatte, würden sie ihn bestimmt nicht suchen, deshalb beschloß er, gerade dort zu bleiben. Er kletterte die Eisenstützen zum Wasserbehälter hinauf, ließ den Koffer über den Rand hinuntergleiten, so daß er aufrecht stand, tastete hinüber und sah, daß der Koffer oben trocken geblieben war.

Ich hörte den Schilderungen dieser außergewöhnlichen Vorgänge, die sich im Dunkel einer Dezembernacht abgespielt hatten, zu. Seine Stimme klang ruhig und unbeteiligt durch den Schiffsraum. Und ich mußte an das Haus in Hampstead denken, wo ich alle erdenkliche Vorsorge getroffen hatte, um ihn vor jedem rauhen Luftzug zu schützen. Trotz aller Nähe spürte ich: hier war jemand, den ich nie gekannt hatte und niemals kennen würde.

Er kletterte in den Wasserbehälter, setzte sich auf das trockene Ende des Koffers und stemmte die Füße oberhalb des Wasserspiegels gegen die eine Seite des Behälters. Wenn er so sitzen blieb und den Kopf einzog, war er nicht zu sehen. Aber schon nach einer Stunde wurde ihm klar, daß selbst ein übermenschlicher Wille nicht ausreichen würde, die Füße ohne jede andere Stütze als den eigenen Muskeldruck gegen die Wand des Behälters über Wasser zu halten. Immer wieder glitten sie ab, immer wieder hob er sie, und schließlich gab er es auf und stellte sie ins Wasser auf den Boden des Tanks. In dieser Stellung verdöste er die Nacht, verzehrt von Angst und mit nagendem Hunger.

Im ersten Morgengrauen hob er den Kopf und blickte sich um. So weit er sehen konnte, umgab ihn flaches Weideland. Im Osten durchbrach ein hoher Kirchturm inmitten einiger Ulmen die Eintönigkeit der Landschaft.

Mit der schrecklichen Aussicht, den Tag so zusammengekrümmt in dem Wasserbehälter verbringen zu müssen, zog er den Kopf wieder ein. Als er die Füße wieder hochzustellen versuchte, waren sie steif gefroren und sanken sofort wieder ins Wasser. Er verwünschte sich, daß er nicht eher daran gedacht hatte, die Schuhe auszuziehen, die Socken hineinzustopfen und sich das Ganze um den Hals zu hängen. Die Hose hatte er zwar bis über die Knie aufgekrempelt, aber die Schuhe würden jetzt nie wieder trocken werden.

Es wurde heller. Männer kamen zur Arbeit auf den Bahnhof. Züge fuhren vorüber. Jetzt wagte er es nicht mehr, sich aufzurichten. Er hatte sich nicht vorgestellt, was das bedeutete. Nach kurzer Zeit hätte er aufschreien können, so qualvoll war es, auf ein paar Zoll Leder still sitzen zu müssen. „Es mag gegen neun Uhr morgens gewesen sein“, erzählte er, „als ich mich plötzlich trotz des Wassers auf die Knie fallen ließ.“

Das schuf Erleichterung. Den ganzen Tag saß und kniete er abwechselnd, aber ohne die Möglichkeit, sich einen Augenblick lang Erleichterung zu schaffen, indem er den Kopf hob.

Manchmal schlief er auf der Kante des Koffers ein und ließ den Kopf zwischen den Knien herabhängen. Wenn ein Schnellzug vorüberbrauste, wachte er wieder auf und zitterte vor Angst und Kälte. Seine Beine waren eingeschlafen, und von den Oberschenkeln abwärts waren sie blau, mit roten Flecken. Er rieb und rieb, froh, daß er etwas tun konnte.

Männer kamen zu den Viehpferchen unter ihm und unterhielten sich. Sie sprachen langsam und bedächtig über ihre ländlichen Angelegenheiten. Er verstand Wort für Wort und freute sich, auf etwas horchen zu können.

Um Mittag waren seine Füße völlig abgestorben, und Hals und Rücken waren verkrampft und brannten wie Feuer von der langen Muskelzerrung seiner nach vorn gekrümmten Stellung. Sein leerer Magen schrie nach Nahrung. „Ich hätte alles aufgeben, hochspringen und schreien können.“ Aber er biß die Zähne zusammen und sagte sich, daß er die längste Zeit in dem Wasserbehälter hinter sich habe.

Um fünf Uhr kam langsam die Dunkelheit, aber der Bahnhof wurde noch nicht geschlossen. Er hockte jetzt auf allen vieren und bewegte wie ein Tier im Käfig den Kopf auf und nieder, um die schmerzenden Nackenmuskeln zu entspannen. Ebenso wand er den Rücken von einer Seite zur anderen. Er war von Kopf bis Fuß naß, aber das war ihm schon lange gleichgültig geworden. Er wimmerte darum, daß es dunkler würde, wie ein Kind nach dem Licht wimmert.

Als er aus dem Wasserbehälter stieg, ließ er den Koffer zurück. Das Gitterwerk der Eisenträger konnte er jetzt mit den Füßen nicht mehr fühlen, deshalb ließ er sich an den Händen herab, und als die Füße den Boden berührten, fiel er wie ein Sack zusammen. Auf allen vieren kroch er weiter, bis er sich hinter einer Hecke verbergen konnte. Dann zog er sich nackt aus, schlug sich warm, klatschte sich Leben in die Beine und massierte kräftig seinen Nacken. Nach einer Stunde war er wärmer, er konnte aufstehen und wieder gehen. Er zog sich an und ging in die Richtung, wo er vor einer Stunde Licht gesehen hatte. Jetzt war es erloschen.

Er erreichte das Häuschen und schlich rundherum. Im Haus rührte sich nichts, aber nach dem Tag und der Nacht im Wasserbehälter machte ihm eine weitere Stunde nichts mehr aus. Auf dem Grasrand des Feldweges, der von dem Häuschen auf die Landstraße führte, ging er eine Stunde lang auf und ab, und seine Beine erholten sich dabei.

Dann eröffnete er ein Fenster. Es war ein Kinderspiel, sagte er. Man hätte es mit einem Taschenmesser machen können. In der Küche glühte noch die Asche. Er warf ein paar Kohlen auf, zog sich die Hose aus, breitete sie über einen Stuhl und hängte Schuh und Strümpfe über die Herdplatte. Er fand auch etwas Brot und Käse, aß und steckte den Rest ein. Als die Kleider leidlich trocken waren, zog er sie wieder an. Dabei fiel sein Blick auf ein paar Hosenklammern, wie sie die Radfahrer gebrauchen; sie hingen an einem Haken über dem Herd. Er schlich hinaus, um nach dem Rad zu suchen, fand es in einem Schuppen hinter dem Häuschen, und fünf Minuten später radelte er nach Westen. Von nun an hatte er Glück, zum letztenmal in seinem Leben.

Ich fuhr aus dem Schlummer und wußte im Augenblick nicht, wo ich war. Die Luft in dem Schiffsboden war widerwärtig, verbraucht und voll kalten Tabakrauches. Die Laterne war ausgebrannt, ich hatte einen schalen Geschmack im Munde und ein Würgen im Magen. In der Finsternis spürte ich Olivers Kopf an meiner Schulter und hörte ihn leise und langsam atmen. Wir hatten geredet, waren eingedöst, aufgewacht und hatten wieder geredet bis tief in die Nacht. Dann waren wir gegen die Schiffsplanken gelehnt eingeschlafen.

Ich hob die Hand und tastete ihm ins Haar. Es fühlte sich genauso lang und seidig an wie damals, als ich es so sorgfältig gebürstet hatte, bevor ich ihn in einem schwarzseidenen Pyjama zu seinen Geburtstagsgästen hinunterbrachte. Ich streichelte es ganz sacht, um ihn nicht aufzuwecken. Die Tränen kamen mir und flossen mir lautlos über das Gesicht.

Lieber Gott, laß ihn nicht aufwachen! Laß ihn nie wieder erwachen. Laß nie wieder die Laterne brennen. Sein Gesicht will ich nicht sehen, nur sein Haar fühlen.

Ich wünschte, wir könnten beide hier sterben, in der Dunkelheit unter dem Deck der „Jesabel", sein Kopf an meiner Schulter, sein weiches Haar in meiner Hand.

Plötzlich zuckte sein Körper heftig zusammen, und er riß den Kopf weg. Dann fiel ihm wohl wieder ein, wo er war. Er seufzte und lehnte sich wieder an mich. „Hallo, Vater", rief er.

Auf dem Leuchtblatt seiner Armbanduhr sah ich, daß es sieben Uhr war. Verstohlen wischte ich mir die Augen, stand auf und hörte meine Gelenke knacken. „Herrgott, werde ich alt", sagte ich und gähnte.

„Meine Güte", entgegnete er, „du bist nicht halb so alt wie ich. Ich fühl' mich tausend Jahre alt." Er stieß die Falltür hoch, und ein schwaches Licht fiel auf sein emporgerichtetes Gesicht. Er sah auch uralt aus: aschfahl nach der dumpfigen Nacht, vernarbt, schmutzig und unrasiert. Die hohlen Wangen sanken ein und strafften sich wieder, ein – aus, ein – aus, regelmäßig wie das Ticken einer Uhr. Er hatte die Augen eines Verurteilten, der sein Todesurteil kennt. „Tiefer geht es nun wohl nicht mehr", sagte er plötzlich, und ich schauderte von Kopf bis Fuß.

Er blieb einen Augenblick dort stehen, die eine Hand an den Planken und das graue Gesicht in den grauen Morgen gekehrt. Dann sagte er: „Ich möchte hinaufgehen und etwas zu essen holen. Aber ich habe Judas versprochen, hier unten zu bleiben."

Ich spürte, daß er Angst davor hatte, hinaufzugehen. Er fürchtete sich vor dem Tageslicht. „Hilf mir hinauf", sagte ich.

Er verschränkte die Finger, und ich setzte einen Fuß auf die Narben an seinen Händen und stützte mich mit einer Hand auf sein wirres Haar. Er trug mich leicht, er war sehr stark.

In dem großen Kabinenraum war es kaum heller als im Schiffsboden. Ich zog die Vorhänge von den Fenstern zurück, öffnete sie und atmete tief die rauhe, feuchte Morgenluft ein. Über dem Fluß dampfte der Nebel. Das gegenüberliegende Ufer war kaum zu sehen.

Ich machte Feuer in der Kombüse und kochte Kaffee, schnitt Brote und holte Butter. Dann rief ich ihn, legte mich flach auf den Boden und reichte ihm eine Hand in den

Schacht hinunter. Er faßte sie kräftig, und ich zog ihn empor.

Wir setzten uns an den Tisch. Judas' dünnes, zierliches Porzellan stand zwischen uns. Das Mahl war karg, aber wir hatten seit Jahren nicht zusammen gegessen. Er kam wieder auf das zurück, was ihn vorher schon beunruhigt hatte. „Warum tust du das eigentlich alles?“ fragte er.

„Frag nicht, warum ich es tue. Merkst du nicht, daß ich überglücklich bin? Ich habe wieder einen Sohn.“

Die Narben an seinem Auge zogen sich zu ratlosen Falten zusammen. Zum ersten- und letztenmal in seinem Leben sah ich eine Ähnlichkeit mit Nellie an ihm. Es war der gleiche kurzsichtige ratlose Blick, und er ergriff mich bis ins Innerste.

„Ich verstehe es nicht“, erwiderte er. „Ich verstehe es nicht.“

„Das macht nichts“, erwiderte ich, „es ist nun einmal so. Wenn du einen Sohn gehabt hättest, würdest du mich vielleicht verstehen.“

„Ich hätte einen haben können“, flüsterte er, „vielleicht hätte Maeve einen Jungen bekommen. Arme Maeve ...“

Er schlug das Gesicht in die Hände. Ich sah die Narbe auf seinem Handrücken, und das wirre blonde Haar glitt ihm durch die Finger.

„Dann wäre alles anders gekommen“, fuhr er fort, und das bleiche Gesicht hob sich aus den Händen. „Sie war entzückend geworden und so schön. Hat sie dir von mir erzählt? Hatte sie mich etwas gern?“

„Sie liebte dich sehr“, log ich.

Ich begann den Tisch abzuräumen. „Bleib doch sitzen und laß mich das tun“, sagte er. „Du bist ebenso erschöpft wie ich. Wir sind beide fertig.“

Er hatte recht. Wir waren beide erschöpft und nicht nur von den Ereignissen der letzten Tage. Ein paar abgezehrte, unrasierte alte Männer – mein Sohn Oliver und ich. Jetzt, wo es heller geworden war, sah ich mein Gesicht im Spiegel. Seit drei Tagen hatte ich mich nicht rasiert, und ich sah, daß ich jetzt einen weißen Bart bekommen würde.

Oliver kam aus der Kombüse, stützte sich auf die Tischkante und sah mich an. „Hast du Livia Vaynol mal wiedergesehen?“

Ich schüttelte den Kopf. „Nicht mehr seit dem Abend, an dem du sie in Maeves Garderobe stehenließest.“

„Ich auch nicht. Ich habe sie recht schlecht behandelt." Und nach einer Pause: „Aber das habe ich ja immer getan. Im Augenblick freut mich nur eins in meinem Leben."

Ich sah ihn fragend an.

„Ich bin froh, daß Mutter das alles nicht erlebt hat."

Dann schüttelte er alles mit einem Achselzucken ab. „Ich glaube, es ist besser, wir gehen wieder in die Unterwelt, wie?"

„Das ist nicht nötig. Bleib hier an der frischen Luft. Hier sieht uns niemand, und wir sehen jeden, der sich dem Schiff nähert. Was soll denn nun aus dir werden?"

Er saß da, und seine Hände hingen zwischen den Knien herab. „Hängen werden sie mich", antwortete er.

Da brach ein Schrei aus mir. „Nein, nein", sagte ich, „das darfst du nicht sagen! Um Gottes willen, sprich nicht davon, auch nicht von der Möglichkeit. Wir müssen nachdenken. Wir müssen doch einen Weg finden!"

Er sah mich müde an. „Nachdenken! Glaube mir, ich habe genug nachgedacht. Es gibt noch eine Möglichkeit – einen Hoffnungsschimmer. Deshalb bin ich ja hergekommen."

„Ja?" Eifrig und jämmerlich wie ein Kind trieb ich ihn an.

„Ich wußte, daß ich mich auf Judas verlassen könnte. Wenn er mich im Schiffsboden verstecken würde, bis Jansen mit der ‚Kay' heraufkäme, könnte ich auf der ‚Kay' entkommen."

„Jaja!" schrie ich. „Schließlich hat er dich doch schon mal mitgenommen. Er hat keinen Grund, dich nicht noch einmal mitzunehmen."

„O doch, den hat er. Ein Passagier auf der Hochzeitsreise ist schließlich was anderes als ein Mörder auf der Flucht."

Das brutale Wort schlug mir ins Gesicht. „Er tut es", sagte ich in dumpfer Verzweiflung. „Für Judas tut er alles."

„Ja, ich weiß. Und Judas tut alles für mich. Auf dem Papier ist alles in Ordnung. Aber Papier ist dünn. Und am Ende kann man hindurchfallen."

Er stützte den Kopf wieder in die Hände und wühlte sich in den Haaren. „Jansen ist nicht so dumm. Verdammt noch mal!" rief er plötzlich wütend und warf den Kopf aufgeregt in die Höhe. „Siehst du denn nicht, was das für ihn bedeuten kann! – Name, Schiff und Stellung aufs Spiel setzen? Jawohl! Das bedeutet es, wenn man einem Mann wie mir hilft! Du solltest auch lieber deiner Wege gehen. Wenn man dich hier findet, geht's dir dreckig. Geh fort, solange das noch möglich ist. Los!"

„Ich will selber mit Jansen sprechen", sagte ich. „Auf den Knien will ich ihn anflehen. Lieber Gott, ich kaufe ihn auf, sein Schiff und alles. Ich bin ein reicher Mann. Was er dabei einbüßt . . ."

Ich verlor die Fassung, sprang auf, schrie und zitterte am ganzen Leib. Oliver legte mir den Arm um die Schultern – ein seltsamer Schauder, halb Freude, halb Widerwillen, überlief mich bei seiner Berührung. „Beruhige dich", sagte er. „Ich weiß, du tust alles für mich. Das habe ich immer gewußt, ich halsstarriges Schwein. Daß du da bist, habe ich immer gewußt. Zeitweilig habe ich dich gehaßt, aber gezweifelt habe ich nie an dir. Kann dir das ein Trost sein?"

Ich nickte. Sprechen konnte ich nicht.

„Das freut mich", sagte er und preßte meine Schultern wie in einem Schraubstock zusammen, „denn jetzt ist es zu spät. Jetzt kannst du nichts mehr für mich tun. Da, sieh!"

Der Arm, mit dem er mich umklammert hatte, fuhr hastig aus dem Fenster, wie ein Pfeil schoß die lange Narbe hinaus. Als ich hinsah, fing er mich auf, sonst wäre ich gefallen. „Das ist das Ende", sagte er.

Er ließ mich los. Ich hielt mich an der Tischkante fest. Meine Knie gaben nach. Oliver streckte mir die Hand hin. „Wir wollen jetzt Abschied nehmen", sagte er.

Ich ergriff seine Hand. Eisern umschloß sie die meine und zitterte nicht.

„Oliver – Oliver . . ."

Es war kaum ein Laut, nur ein leichtes Schwingen. Die Seele alles dessen, was zwischen uns gewesen war, flatterte aus dem toten Körper davon.

Er hatte jetzt keine Angst mehr, das sah ich. Sein Gesicht war grau, aber fest, in den eisernen Backenmuskeln zuckte es wieder, auf – ab, auf – ab.

„Ich danke dir dafür, daß du gekommen bist – und für alles andere", sagte er. Dann ließ er meine Hand los.

Auge in Auge standen wir am Tisch und horchten schweigend auf den Motor des herankommenden Bootes. Als es auf den Bug der „Jesabel" zuhielt, fuhr es nur noch mit halber Kraft.

Dann sprach er wieder. „Mach dir nichts vor. Auf Erden gibt es keine Hoffnung mehr. Aber versprich mir eines."

Ich konnte nicht sprechen. Angstvoll schweigend sah ich ihn an.

„Besuch mich nicht im Gefängnis, wenn alles vorüber ist. Ich möchte es nicht. Versprichst du es mir?"

Ich nickte.

„Hier ist es besser. Hier sind wir alle gern gewesen – Maeve, Rory, wir alle. Hier nimmt sich's besser Abschied. Und jetzt will ich gehen und den Kerls die Strickleiter hinunterlassen."

Er stieg die Treppe hinauf an Deck. Ich blieb, wo ich war, gramversunken. Ich weiß nicht, wie lange ich dort stand, ich sah erst auf, als sich Schritte näherten. Ich dachte, Oliver sei zurückgekommen.

„Tut mir leid, Herr Essex."

Ich glaubte es dem Mann, er sah freundlich und hilfsbereit aus. Es war der Kriminalbeamte, der vor ein paar Tagen meine Wohnung beobachtet hatte. Zum Zeichen seines guten Willens hielt er mir etwas derb sein Zigarettenetui hin. Ich schüttelte den Kopf und sank in einen Stuhl.

„Sie brauchen nicht in die Sache mit 'reinzukommen", sagte er. „Die Burschen im Boot haben Sie nicht gesehen, und ich habe Sie auch nicht gesehen. Verstanden?"

Er faßte mich beim Arm und blickte mich eindringlich an. Ich nickte.

„Gut, dann geht das in Ordnung. Leben Sie wohl."

Er gab mir die Hand, ich schüttelte sie und wußte kaum, was ich tat. Einen Augenblick muß ich wohl die Besinnung verloren haben. Als ich wieder zu mir kam, stürzte ich noch gerade rechtzeitig ans Fenster, um das Boot um die Biegung verschwinden zu sehen. Oliver saß im Heck neben dem Mann, der mich soeben verlassen hatte. Es war absurd, wie freundlich sie miteinander sprachen. So hatte ich oft der „Maeve" nachgesehen, wenn sie nach Truro fuhr, damals, als wir alle noch jung und glücklich waren, und Maeve und Rory und Oliver . . .

Meine Hände blieben an die Fensterbank geklammert, als ich zusammenbrach und weinte. Oliver hatte sich umgedreht und mir zugewinkt, und jetzt sah ich nichts mehr als den grauen leeren Fluß und die Bäume, die den Sommer vergessen hatten. Als das Boot außer Sicht war, blieb ich nicht mehr. Judas' Boot lag noch unten an der Strickleiter. Ich ruderte nach Reiherbucht hinüber und machte es fest, wo Judas es am Abend vorher vertäut hatte.

Jetzt brauchte ich auf nichts mehr zu warten und hatte auch keinen Grund mehr, meine Anwesenheit zu verbergen. Aber Judas sollte nicht wissen, daß ich dagewesen war. Das hatte keinen Zweck. Ich verbarg mich in der Hütte und brauchte nicht lange zu warten. Judas und Jansen kamen den Waldweg vom Haus herunter und sprachen laut und aufgeregt miteinander. Ich stand hinter dem Vorhang, sah sie in das Boot steigen und Jansen mit langen, mächtigen Schlägen über den Fluß rudern. Ich sah auch, wie Judas vom Heck aus auf die ungewöhnliche Tatsache hindeutete, daß die Strickleiter heruntergelassen war. Ich setzte mich einen Augenblick nieder und wartete ab, was sie tun und ob sie wohl noch etwas aushecken würden. Jansen war ein verwegener Bursche und zu allem fähig.

Aber was sie auch vorhaben mochten, sie kamen zu spät. Ich stand auf, um fortzugehen. Ich sah noch, wie Jansen an Bord stieg, sich umdrehte, den kleinen Kapitän lustig beim Jackettkragen faßte und mit einer Hand über die Reling hob. Sein gewaltiges Gelächter dröhnte über den Fluß, auf dem früher soviel Lachen gelegen hatte. Als sie hinuntergegangen waren, rannte ich den Waldweg hinauf und fuhr wenige Minuten später mit dem Autobus nach Truro.

Nun bleibt eigentlich nichts mehr zu sagen. Oliver wurde im Strangeways-Zuchthaus gehängt. Ob eine Totenglocke läutete, ob die Flagge auf halbmast ging; ob eine Verlautbarung an die Gefängnistür genagelt wurde, ich weiß es nicht. Ich weiß nur, daß ich in der öden Straße, wo vor so langer Zeit das Volk gejubelt und gesungen hatte, als die Märtyrer von Manchester in den Tod gingen, so lange blieb, bis ich dunkel merkte, daß der kleine Menschenauflauf sich zerstreute.

Dann ging auch ich. Ich lief in dem trostlosen Wetter die schmutzige Straße hinunter, die mitten in die Stadt führt. Die elektrischen Bahnen rasselten vorüber, und auf den Fußsteigen drängten sich die Menschen, die ihren gewohnten Geschäften nachgingen. Das Leben ging weiter.

Der Regen rieselte sanft und barmherzig herab; eine Frau ging mit raschen Schritten an mir vorbei und streifte mit dem offenen Schirm mein Gesicht. Mit einer flüchtigen Entschuldigung drehte sie sich halb nach mir um. Es war Livia Vaynol. Aus ihrem raschen Schritt glaubte ich zu entnehmen, daß sie auf der Flucht war wie damals, als

Oliver zum erstenmal nach Frankreich abgefahren war. Wir erkannten uns auf den ersten Blick, aber sie blieb nicht stehen. Ein Schauder schien sie zu schütteln, während sie vor mir in den Nebel hineinschritt. Ihr Haar war grau geworden, Hut und Regenmantel waren alt und schäbig.

Ich wußte, daß sie zum Abschiednehmen hergekommen war, und wunderte mich über ihre Treue.

Aber ich will noch nicht Abschied nehmen. Ich will nach London zurück, um mich eine Weile auszuruhen, denn ich bin sehr müde. Eines Tages setze ich mich dann am Paddington-Bahnhof in den Zug. In Fishguard nehme ich den kleinen Dampfer nach Cork. Ich bin nie dort gewesen, aber es heißt, man wache nach der Nachtreise in einem weiten Hafen auf, dessen Schönheit erstaunlich sei.

Das werde ich tun. Dort werde ich an Land gehen und nach Ballybar fahren, um die Stätte aufzusuchen, wo Rory begraben liegt. Denn mein Herz wird dich immer nur dort suchen, Oliver. Das warst du nicht, der damals mit dem schwarzen Tuch vor dem Gesicht zuschlug, raubte und floh. Das war nur dein Schatten, der übriggeblieben war, nachdem du in Ballybar gestorben warst. Du starbst, als du den Freund umgebracht hattest. Danach gab es für dich weder gut noch böse. Deshalb werde ich dir an Rorys Grab Lebewohl sagen.

Vielleicht kommt Dermot mit. Wir wollen von euch zusammen Abschied nehmen – von dir und Rory – und an den Abend denken, wo wir vor eurer beider Geburt in blinder Vermessenheit den Jahren vorschreiben wollten, was sie mit unseren Söhnen tun sollten.